Dochter van Neptunus

Beryl Kingston

Dochter van Neptunus

Vertaald door Nelly Bakhuizen
en Karst Dalmijn

Amsterdam · Antwerpen

Omslagontwerp: Bram van Baal
Omslagfoto: Ole Graf/Zefa/Corbis

ISBN 90 6305 252 9 / NUR 302
www.uitgeverijarchipel.nl

* * *

Hoofdstuk 1

De toren stond in een lege uiterwaard aan de rand van de zee; het oude metselwerk stak af tegen een lucht die als vloeibaar goud glansde onder voortdrijvende wolken in de kleur van blauweregen. Het was een indrukwekkend goed gebouwde, ronde toren, bekroond met een witte, koepelvormige kap. Hij had drie verdiepingen, hoge diepliggende ramen, een bespijkerde eiken deur, en helemaal bovenin een met glas overkapt balkon dat uitkeek over zee. In de verblufte ogen van Gwen MacIvor zag hij er eigenzinnig uit, een enorme, recht-voor-je-raap uitdaging, compromisloos en niet te beteugelen. Ze wist onmiddellijk dat dit precies het soort plek was waar ze zou willen wonen. Toen zag ze het TE KOOP-bord dat tegen de muur, die landinwaarts liep, geleund stond en ze wist op dezelfde irrationele, intuïtieve manier dat ze hem ging kopen, ook al lag dit idee helemaal niet in haar aard en het verraste haar, omdat ze niet het type vrouw was dat in het wilde weg bouwvallige percelen opkocht die ze nog maar net had gezien. Ze was mevrouw Gwendolyn MacIvor die in Fulham woonde en de afgelopen zesendertig jaar rustig getrouwd was geweest, twee volwassen dochters had, en het soort vrouw van middelbare leeftijd was dat door niemand werd opgemerkt, het soort dat nooit van het rechte pad afweek. Althans, zo was ze geweest tot die middag.

Toen ze zo'n twee uur geleden haar huis uit was gelopen, had ze zo met haar gevoelens in de knoop gezeten dat ze niet eens wist waar ze heen ging. Ze had net in alle rust haar gebruikelijke boterham opgegeten met een mok lekker zoete thee erbij en ze zat zich ondertussen te bedenken dat ze op maandag weer aan het werk zou moeten gaan nu de begrafenis achter de rug was. Niet dat er zo'n haast bij was, omdat het maar een deeltijdbaan was van vier middagen in de week als medewerkster bij de plaatselijke krant, maar door de jaren heen waren ze op haar gaan vertrouwen en ze wilde hen niet in de steek laten. En op dat ogenblik werd ze zich bewust van de klokken.

Het geluid dat ze maakten, leek harder en harder te worden – tik tik tik tik van het blikken ding in de keuken, klikklak klikklak van de klok aan de muur in de hal, een steeds luider wordend koor van gerammel en gekras en geratel en getik uit elke kamer in het huis. Haar irritatie nam toe naarmate het geluid harder werd. Er waren zoveel van die stomme dingen en geen ervan liep goed. Dat hadden ze nooit gedaan. Ze konden niet eens de juiste tijd aangeven, maar dat was niet zo verwonderlijk, gezien de manier waarop hij er maar aan bleef prutsen. Nu stonden ze daar maar op de planken of hingen aan de muren, maakten stomme geluiden, tikten op een afschuwelijke, onbarmhartige, mechanische, overdonderende manier de minuten van haar leven weg. Zonder enige waarschuwing vooraf, kookte haar gemoed plotseling over in een golf van frustratie en boosheid. Ze greep de keukenklok en smeet hem de tuin in, waar hij trillend, maar nog steeds tikkend op het gras bleef liggen. Toen griste ze haar handtas mee, rende het huis uit, vloog haar auto in en reed, zonder te weten waar ze nu feitelijk naartoe ging, weg in zuidelijke richting, omdat elke andere richting haar midden in het drukke Londense verkeer zou doen belanden. Ze wist maar één ding heel zeker: ze moest weg. Weg van het huis en haar leven daarin, weg van de klokken, kalenders, papkleurige muren, saai eten, ouderwetse kleren en die vervelende televisie, weg van dat eindeloze huishoudelijke werk en de rommel van al die nutteloze 'verzamelingen' van haar man: melkflessen, *toby jugs*, sigarettenplaatjes, klokken, klokken en nog eens klokken, weg van het dodelijk afstompende gelijkmatige leven dat ze de afgelopen zesendertig jaar had geleid en dat ze nu geen wegtikkende seconde langer kon verdragen.

Toen ze in haar haast na een paar kilometer weer een auto had gesneden, er weer een middelvinger tegen haar was opgestoken en ze weer was uitgescholden, nam haar eerste heftige uitbarsting van walging iets af. Ze realiseerde zich dat ze met haar rijgedrag andere weggebruikers in gevaar bracht, dat ze moest bedenken wat ze aan het doen was, maar toen wist ze al wel dat ze niet kon stoppen voor ze er was – waar dat ook was. Het was een heerlijke zomerse dag, precies wat ze voor midden juli had verwacht: blauwe luchten met volle stapelwolken, blikkerende windschermen, meisjes in leuke jurken, bouwvakkers met helmen op en met ontbloot bovenlijf, baby's met zonnehoedjes en rasta's met baret, katten die opgekruld op vensterbanken lagen te zonnen, alle bomen met een dik bladerdak in een volmaakt zomers groene kleur. Geniet ervan, zei ze tegen zichzelf. Leef en geniet er gewoon van. Je hoeft niets anders te doen. Je hoeft nu niet meer voor een invalide te zorgen, begrafenisgasten te eten te geven, het huishouden kan wachten, er is geen haast bij. De dag is aan jou. Je kunt ermee doen wat je wilt.

Dus reed ze naar zee.

Na ongeveer een uur besefte zij dat ze in de richting van Worthing reed en ze besloot dat niet te doen omdat dat een stad was en zij behoefte had aan eenzaamheid. Ze sloeg de eerste de beste weg naar het westen in omdat dat een eenvoudige afslag was; ze bewonderde Arundel toen ze eronder langs reed maar hield daar geen pauze; ze zag dat ze langs Chichester reed, maar bleef ook daar niet stilstaan. Toen werd haar aandacht getrokken door een naderend verkeersbord. SEAL ISLAND stond er in grote, duidelijke letters op te lezen. De woorden riepen een plezierige herinnering in haar op. Zeehonden, dacht ze, en ze zag onmiddellijk voor zich hoe ze op de rotsen van haar jeugd lagen te zonnebaden, hun droge vacht minkbruin, hoe ze loom hun kop krabden met hun zwemvliezen, hoe ze met hun grote, vochtige ogen om zich heen staarden, over de rotsen hobbelden en vlot en zachtjes het water in gleden, alsof hun lichamen één met het water werden zodra ze ermee in aanraking kwamen. Zeehonden. Als vanzelfsprekend volgde ze de richtingaanwijzer.

Binnen enkele minuten bevond ze zich in een weids vlak landschap; ze reed langzaam zuidwaarts over bochtige wegen in de richting van de brandende zon en ze voelde zich ontzaglijk gelukkig. Ze voelde zich plezierig en ontspannen door alles wat ze zag: hier een huis met brokken vuursteen gebukt onder een strodak en een lange schuur met een leien dak die haaks op de weg stond, daar een kudde zwartbonte koeien die op hun vriendelijke, zorgeloze manier liepen te grazen, verderop een rij broeikassen die glinsterden als groen water in de middagzon. Zelfs de bomen riepen haar medeleven op omdat ze allemaal in verwrongen vormen waren gegroeid, zijwaarts waren geduwd door de kracht van de zuidwestenwind. Zo is het bij mij ook gegaan, dacht ze, al die jaren ben ik zijn levensstijl in geduwd.

Toen vernauwde de route zich tot een korte dam met water aan beide kanten, links een lagune glinsterend van golven en zonlicht, rechts een blikkerende ondiepe plas, dus ze nam aan dat ze het eiland had bereikt. Een paar minuten later reed ze heel langzaam door de hoofdstraat van een dorpje met het bord SUTTON, waar vakantievierende gezinnen van winkel naar winkel slenterden met kinderen ijsjes likkend in hun voetspoor. Toen liet ze het dorp achter zich; de weg werd geflankeerd door huizen uit de tijd van koning Edward en ze wist dat ze in de richting van de zee reed omdat boven haar meeuwen scheerden en ze het zilt kon ruiken.

Er was een smalle promenade aan het eind van de straat en een met gravel bedekte plek tegenover het strand waar mensen hun auto parkeerden. Ze vond een hoekje, manoeuvreerde de auto erin en stapte uit om eens goed rond te kunnen kijken.

De zee was een lust voor het oog, pauwgroen en zomers kalm; hij zond zachtjes rimpelingen naar de kant, waar een paar kinderen gillend in het rond spetterden en probeerden te zwemmen met hun zwembanden als een aureool boven hun zeehond-natte hoofden. Vlak onder haar bevond zich een gezin dat opgewekt op dekens gezeten boterhammen uit Tupperwaredozen at en thermosflessen tussen de stenen liet balanceren. Een paar meter verder op het strand lagen drie oude dames uitgestrekt op strandstoelen te slapen of hun gezicht bruin te laten worden. Onder haar voeten lag de promenade bezaaid met kiezels die onder de teer zaten en met flarden zwart geworden wier, en hoog boven haar hoofd zeilden de zeemeeuwen krijsend op de wind, hun poten als vuurrode draden tegen hun ronde witte borsten gedrukt. Het was allemaal zo precies wat ze nodig had dat ze het gevoel had thuis te zijn gekomen. Ik ga een wandelingetje langs het strand maken, dacht ze. Waarom ook niet?

Zo kwam het dat ze de toren vond. Ze was doorgelopen tot ze het strand voor zichzelf had en ze had het punt bereikt waar de smalle promenade ophield en het stenen strand afliep naar een moerassig veld, en plotseling was hij daar, doemde voor haar op, zo dichtbij en overdonderend dat ze het niet kon laten een kijkje te gaan nemen. Ze klauterde over de stenen en liep het weiland in; ze zong onder het lopen.

Dichterbij gekomen, kon ze zien dat hij verlaten was en dat hij in een grote ommuurde tuin stond, die ook overduidelijk lange tijd verwaarloosd was, want het onkruid kwam tot haar middel, de paden waren bedekt met allerlei soorten mos en er lagen twee geblutste troffels en een vork met één tand te roesten tegen de hoek van een soort aanbouw. De muur was van brokken vuursteen gemaakt en zo laag dat ze eroverheen kon klimmen, maar aan de landkant naast het bijgebouw bevond zich een gat waar een hek had gestaan, dus liep ze gewoon naar binnen, een beetje verbaasd over haar durf maar te nieuwsgierig om niet door te zetten.

Het bijgebouw was van baksteen en vuursteen opgetrokken en net als de dorpshuizen voorzien van een rieten dak, maar het was eigenlijk een bouwval: alle ruiten waren gebroken, het riet was grijs en doorgezakt en er groeide gras uit, de enige kamer binnen stond vol rotzooi – roestend gereedschap, oude schoenen, gebroken bloempotten vol spinnenwebben zo dik als oude sokken, en kratten met lege flessen, voornamelijk van goedkope gin en whisky. Ze kreeg er de rillingen van toen ze dit zag. Het was echter goede grond, ook al was hij verwaarloosd. Je kon daar groente en zacht fruit telen, dacht ze, terwijl ze een klompje aarde opraapte en het tussen haar vingers verkruimelde. Haal het onkruid eruit, maak een composthoop, twee keer spitten. Ik wed dat het ooit een prachtige tuin was.

Maar ze was eigenlijk voor de toren gekomen, die uitermate uitdagende toren. Ze liep eromheen, tuurde door de ramen naar binnen, duwde op de klink voor het geval de deur open was. Net als het bijgebouw was hij erg verwaarloosd, de ramen zaten onder het vuil en de enige kamer stond leeg op wat oud papier, een afgebrokkelde gootsteen en een kapotte, omgevallen stoel na. Maar gek genoeg maakte dat verval het allemaal nog aantrekkelijker. De toren had zoveel mogelijkheden. Net als de tuin. Ze begon zich een voorstelling te maken van de manier waarop ze de toren kon redden en er een huis van kon maken – bloemen op tafel om het zonlicht te vangen, die aangetaste muren opnieuw laten bepleisteren en een likje verf geven, een sofa met stapels kussens, boekenplanken aan een gedeelte van de ronde muur, geen klokken.

Toen deed ze nog een drietal stappen en zag het bord met TE KOOP erop. Haar keel werd toegeknepen door de schok van verrukking die door haar heen golfde toen de betekenis ervan tot haar doordrong. Ik ga hem kopen, dacht ze en ze liet haar handen op de koude stenen van de vensterbank rusten. Dit heeft zo moeten zijn. Ik ga hem kopen en ik ga hier wonen. Deels wist ze dat ze belachelijk deed, maar tegelijkertijd voelde ze in zich een tegendraads tij opkomen dat haar naar een nieuw perspectief droeg, een nieuwe manier van denken, een nieuw alleenstaand leven. Ik ga hem kopen.

Het makelaarskantoor was gemakkelijk te vinden omdat het net als alle andere bedrijven in het dorp aan de hoofdstraat lag. Er stonden drie bureaus in het kantoor, maar er was maar één makelaar, een blonde jongeman die onderuitgezakt in zijn stoel een kop koffie zat te drinken.

Hij zette onmiddellijk zijn kopje neer, trok zijn das recht en stond op om haar te begroeten; onderwijl schatte hij haar potentieel als koper in – chique diamant aan haar vinger (goed), haar in een strenge, ouderwetse knot (twijfelachtig), jurk van Marks and Spencer (zo zo), dure handtas en sandalen (goed), auto uit de middenklasse en vijf jaar oud (belooft niet veel goeds).

'Goedemiddag,' zei hij. 'Kan ik u helpen?'

Haar antwoord kwam als een verrassing.

Als inwoner die de reputatie van eerlijke verkoper hoog te houden had, vertelde hij haar dat de vraagprijs 100.000 pond was en hij voegde eraan toe: 'Maar u zult waarschijnlijk twee keer zoveel nodig hebben om hem bewoonbaar te maken. Hij heeft zo zijn bezwaren.'

Hij was onder de indruk toen hij merkte dat de prijs haar niet afschrok en hij wachtte terwijl zij erover nadacht. Voor een vrouw die gewend is aan de prijzen in Londen, klonk 100.000 pond eigenlijk redelijk en betaalbaar. Het huis in Fulham moest op zijn minst drie of vier keer meer waard zijn.

'Ik wil het graag bezichtigen,' zei ze.

'Geen probleem,' zei hij en hij stelde zich voor terwijl hij zijn autosleutels pakte. 'Trouwens, ik heet Tom.'

'Gwen MacIvor.'

'Goed, mevrouw MacIvor. Zullen we gaan?' Hij ging haar voor naar zijn mooie chique Volvo en het deed hem plezier te zien dat ze daar ook niet van onder de indruk was. Dus ze was gewend aan geld of ze was excentriek.

'In het begin was het een graanmolen,' legde hij uit tijdens de rit naar de plek, 'maar ik neem aan dat u dat al heeft gezien. Vroeger stonden hier tientallen molens, de meeste ervan getijmolens. De laatste molenaar ging failliet en toen hebben ze de molen tot wachttoren verbouwd. Vanwege de oorlog met Napoleon, smokkelaars en zo. De laatste jaren was hij in het bezit van een oude vent, daarom is hij zo verwaarloosd. Dit is een gedwongen verkoop. Hij was nogal excentriek, om u de waarheid te zeggen. Hij zonderde zich af.'

'Ik heb het bijgebouw gezien,' vertelde ze hem.

'Prima,' zei hij en omdat hij had opgemerkt dat haar niet veel ontging, voegde hij er aan toe: 'Ik kan u maar beter vertellen dat er geen riolering is. Hij had een septic tank. Daar zou wel eens goed naar moeten worden gekeken. Die gaan niet eeuwig mee. Er is natuurlijk elektriciteit en hij heeft, geloof ik, een paar jaar geleden een gasleiding laten aanleggen. Maar de riolering kan wel eens voor een probleem zorgen. Ik wil u er niet van afhouden of zo, omdat het een prachtige plek is en al met al een goede prijs, maar u kunt maar beter op het ergste voorbereid zijn.'

Moeilijkheden waren er om te overwinnen. Ze had niet verwacht dat het gemakkelijk zou zijn. 'Het is niet zo ver van het dorp,' zei ze. Misschien was het mogelijk aangesloten te worden.

'Hemelsbreed niet,' beaamde hij bemoedigend. 'Via het voetpad ben je er zo. Maar we zijn er. Ik zal u een rondleiding geven.'

Er waren drie verdiepingen, zoals ze al had verwacht, die telkens kleiner werden; de houten trap was krakkemikkig en zou gerepareerd moeten worden. Maar het uitzicht boven was zo overweldigend, zelfs door de vuile ruit heen, dat ze zich ademloos van verrukking voelde worden.

Het was alsof ze een vogel was die hoog en wild en vrij rondvloog in een enorm uitspansel van helder blauwe lucht en prachtige veelkleurige wolken, lila, abrikoos, rookblauw, laag op laag op laag. Onder haar strekte het eiland Wight zich uit als een mystiek wezen dat uit de zee was gekropen, nu op dit ogenblik verstild, maar klaar om op elk moment weg te zwemmen, met de zon schitterend op de hellingen van zijn groene heuvels, de baaien oker boven het pauwgroen van de zee. Links van haar staken in de verte de flats van Southsea wit af tegen de westelijke horizon en er waren meer schepen dan ze kon tellen, want, zo besefte ze nu, ze keek neer op de vaargeulen van de Solent, vol tankers en vrachtschepen en witte veerponten, die elk de hun toegewezen route volgden tot ze in de verte zwarte silhouetten vormden tegen een abrikooskleurige hemel. Terwijl ze stond te kijken, voer een veerpont vlak onder haar door. Ze kon precies op het dek kijken, waar de passagiers rondwandelden en over de reling leunden, ze kon het lange kantachtige patroon van het kielwater zien dat aan de achterkant opschuimde, wit en recht in wateren die gestreept waren door zand en zonneschijn. Als ze al twijfels had gehad, werden die nu weggewassen door de pure vreugde van deze aanblik.

'Het was een uitkijkpost,' verklaarde Tom.

'Dat is het nog steeds,' zei ze. Stel je voor dat je 's ochtends bij het opstaan van zo'n mooi panorama kon genieten. Mijn eigen uitkijkpost.

Maar die woorden veroorzaakten een ongemakkelijke echo in haar gedachten, want dat was wat haar dochters tegen elkaar zeiden als ze met elkaar redetwistten – 'Goed dan. Moet je vooral doen. Maar kijk uit' – en tot dat ogenblik had ze niet aan hen gedacht. Ze zullen dit niet goedkeuren, dacht ze, en ze kromp iets ineen. Ze zullen denken dat ik mijn verstand verloren heb. Ik denk dat dat ook wel een beetje zo is. Of ik heb het juist gevonden. Maar de gedachte vervloog. Ze had haar besluit genomen, hier en nu, op het eerste gezicht, alsof ze verliefd was geworden, en nu dreef het besluit haar voort.

De makelaar stond geduldig te wachten.

'Ik doe het,' zei ze tegen hem.

'Goed, mevrouw.'

'Ik zal een bouwtechnisch onderzoek moeten laten doen. Kent u een betrouwbare firma?'

Die kende hij zeer zeker.

'Mijn geld zit op dit ogenblik vast in mijn huis in Londen,' zei ze, blij met de gedachte dat haar buren, die vastgoed opkochten, haar zonder het te weten de juiste taal hadden geleerd. 'Ik neem aan dat u een vooruitbetaling van tien procent wilt hebben?'

Hij had nog nooit zo'n eenvoudige transactie bij de hand gehad. Tegen de tijd dat ze zijn kantoor uit liep om terug te reizen naar Fulham, was het onderzoek geregeld, had ze beloofd hem een giro te sturen met 10.000 pond 'zodra het geld vrijgemaakt was' en was de zaak zo goed als beklonken.

Terwijl ze weer over de smalle dam reed, keerde haar gezonde verstand terug en ze wist ontnuchterd dat het moeilijk zou zijn om aan Eleanor en Lucy uit te leggen wat ze had gedaan. Misschien was het beter het hen nu nog niet te vertellen. Het zou best eens kunnen worden afgeblazen en het had geen zin hen lastig te vallen met iets wat misschien helemaal nooit zou gaan gebeuren. Ze wist dat dit een laf besluit was, maar ze troostte zichzelf met de gedachte dat er een goede reden voor was. Ze wilde hen niet van streek maken. Ze zou hen nooit van streek willen maken. Nooit. Daarvoor hield ze te veel van ze. Hoewel ze natuurlijk vaak genoeg van streek waren geweest. En dit zou hen ook weer van streek maken. Ze wist dat dat zou gebeuren. Dat moest wel, zo'n plotselinge verandering. Nee, besloot ze, ik wacht ermee tot alles getekend is en vastligt. Dan kan ik het hun vertellen en dan heb ik een beetje tijd om precies te bedenken wat ik ga zeggen. Er is geen haast bij. Ik moet eerst het huis verkopen en dat kan nog maanden duren. De huizenmarkt is erg onvoorspelbaar. En ik moet wachten op het bouwtechnisch onderzoek. Dat kan nog wel eens roet in het eten gooien.

Maar dat zou niet gebeuren, daar was ze zeker van. Het huis was zo goed als zeker van haar. Ik zal een paar plaatselijke aannemers vragen een offerte te maken voor de trap en het pleisterwerk, dacht ze, en dan ga ik navraag doen naar de riolering. Ik moet praktisch zijn. Maar ze was niet praktisch bezig. Ze handelde voor het eerst van haar leven onbezonnen, en ze was daar zelf geschokt over, maar ook verrukt en in de wolken. Geen enkele prik van haar broodnuchtere geweten kon haar uit die stemming halen. In haar hoofd zong het van blijdschap dat ze bevrijd was. Nu kon ze eindelijk beginnen een eigen leven op haar eigen manier te leiden. Ze kon haar gedrag of haar geluk maar nauwelijks bevatten.

Hoofdstuk 2

Lucy MacIvor stond op Heathrow Airport met nauwelijks bedwongen ongeduld te wachten voor de aangewezen gate, in een zo dicht opeengepakte massa dat ze nauwelijks iets kon zien behalve de hoofden en schouders van de mensen voor zich. De aankomst van het vliegtuig uit New York van haar zuster was al bijna een halfuur geleden aangekondigd, maar toen was hij al meer dan twee uur te laat en ze kreeg het gevoel belaagd te worden door een combinatie van het steeds langer durende oponthoud en de benauwende mensenmassa. Als ze niet opschiet, dacht ze, wordt het nog te laat om vanmiddag naar mama toe te gaan, en ik moet weten wat er allemaal aan de hand is. Ze verplaatste haar gewicht van de ene naar de andere voet, zuchtte en keek weer eens op haar horloge. Toen ze weer opkeek, zag ze Eleanor heupwiegend haar richting op komen, lang, slank en elegant, met haar welkomstglimlach, en met in haar kielzog een kruier die met moeite een zwaar met koffers beladen bagagewagentje voor zich uit duwde.

'Wat een vlucht!' zei ze, terwijl zij en Lucy wang tegen wang drukten en kusgeluiden in de lucht maakten. 'Ik dacht dat ik nooit zou aankomen. Ik ben zo blij dat je me kon komen afhalen. Je bent zo gebonden als je geen auto hebt. Ze hebben maar te zorgen dat er morgen eentje voor me klaarstaat. Hemel, ik ben gewoon een wrak.' Ze zag er als altijd bijzonder verzorgd uit: haar blonde haar zorgvuldig in twee nette golven rond haar wangen geplooid, knalrode lipstick opnieuw aangebracht, wimpers met mascara aangezet, betoverend in een lang crèmekleurig jasje en crèmekleurige laarzen met hoge hakken die Lucy niet eerder gezien had – ik wed dat ze die in New York heeft gekocht – haar rok modieus zwart, recht en lang zonder kreukels, ondanks de lange vlucht. Hoe doet ze dat toch?

Ze gingen op zoek naar Lucy's auto en voerden onder het lopen een gesprekje. 'Hoe was New York?' vroeg Lucy.

'Afschuwelijk,' zei Eleanor. 'Alles moest gisteren klaar zijn. Je weet hoe ze zijn. Maar een paar geweldige feestjes, dat wel. Hoe is het met het overwerk?'

'Afschuwelijk. Niets nieuws onder de zon.'

Eleanor zei plagend: 'En ik heb altijd gedacht dat accountants een luizenleventje leiden.'

'Deze accountant niet.'

'Je zou een andere firma moeten zoeken.'

'Dat heb ik gedaan, weet je nog wel. Ze zijn allemaal hetzelfde. Vastbesloten ons te laten werken tot we erbij neervallen.'

'Dat geldt dan voor ons allebei. Hoe gaat het met Henry?'

Lucy haalde haar schouders op. 'Goed, voor zover ik weet. Ik heb hem in geen tijden gezien. Niet meer sinds papa is gestorven.'

'O! Dus het is...'

'Uit,' zei Lucy en sloot met haar toon en gezichtsuitdrukking dit onderwerp af. 'Hoe gaat het met Pete?'

'Hij is met Scatters in Birmingham om een reclamefilmpje te maken. Maagtabletten of zoiets. Daarom heb ik jou gevraagd me te komen afhalen. Gaan we er meteen naartoe?'

'Ja.'

Ze kwamen bij de parkeerplaats aan, waar de bagage werd ingeladen en de kruier zijn fooi aannam en weer vertrok, maar toen ze wegreden ontstond er een gênante stilte. Nu ze naast elkaar zaten, was Lucy zich er iets te veel bewust van hoe verpletterend knap haar zus eruitzag. Ze voelde zich er gewoontjes, zelfs tuttig door en ze was zich scherp bewust van het verschil tussen hen: ze besefte dat haar eigen haar piekerig was omdat het nodig moest worden geknipt, dat het vaalbruin was – ze voelde zich altijd vaalbruin als ze naast Eleanor zat – dat ze haar laarzen in geen tijden had gepoetst, dat haar spijkerbroek verkleurd was en haar trui vormloos was geworden, dat ze in een oude Ford Fiesta reed in plaats van in een nieuwe Renault Espace, dat ze één meter zestig lang was in plaats van een rijzige één meter tachtig zoals Eleanor, dat haar ogen doodgewoon bruin waren in plaats van stralend blauw zoals die van Eleanor. Toen ze die ochtend druipend onder de douche vandaan was gekomen, had ze op haar gebruikelijke nonchalante manier gewoon haar gebruikelijke thuiswerk-kleren aangetrokken. Nu wenste ze dat ze wat meer moeite had gedaan.

'Zo,' zei Eleanor eindelijk toen ze naar de M4 reden. 'Waarom zijn we ontboden?'

Lucy hield haar ogen op het verkeer gericht. 'Ik weet het niet,' gaf ze toe. 'Ze zei alleen maar dat ze ons vóór morgen wilde zien.'

'Waarom morgen?'

'Ik weet het niet.'

'Heb je dat niet gevraagd?'

'Ja,' zei Lucy en lette ondertussen gespannen op het verkeer, omdat ze op de invoegstrook reed. 'Dat heb ik toevallig wel gedaan, maar ze wilde het niet zeggen. Ze deed een beetje raar.'

'Hoezo?'

'Dat weet ik niet. Ik kan er geen vinger op leggen. Het zat hem in de woorden die ze gebruikte, denk ik. Ik bedoel, meestal zegt ze dingen als: "Kom je eens langs? Ik zou je graag weer eens willen zien." Als een soort hint. En deze keer zei ze: "Ik moet je zien." en: "Wil jij het tegen Eleanor zeggen?" Ze had blijkbaar geprobeerd je te bellen en had geen gehoor gekregen. Ze was zichzelf niet.'

'Opgeschorte rouw,' zei Eleanor op besliste toon. 'Dat dacht ik al toen je me belde. We zullen heel voorzichtig met haar om moeten gaan. Mensen kunnen er raar door gaan doen. Ik heb er een boek over.'

'Een wat?' zei Lucy. Nu ze veilig en wel op de snelweg zat, kon ze zich een beetje ontspannen.

'Een boek,' herhaalde haar zus geduldig. 'Een van die zelfhulpboeken. Het zit in mijn tas. Hier heb ik het. Moet je kijken. Ik dacht dat het wel eens van nut zou kunnen zijn.'

Het was een dun pocketboek, met een kleurige voorkant en met de titel: *Rouw stap voor stap.* Terwijl Eleanor het boek doorbladerde, kon Lucy zien dat het pagina lange, omkaderde botte-bijladviezen bevatte – 'Laat je eens helemaal gaan', 'Durf te dromen', 'Omgaan met valkuilen', 'Het leven na de begrafenis', 'Zoetelief en zoetigheid'.

'O, Eleanor,' zei ze. 'Godallemachtig! Ze is onze moeder. We hebben toch geen handleiding nodig om met haar om te kunnen gaan?' Toen Eleanor haar keurige wenkbrauwen optrok in een spottende grijns, zei Lucy: 'Goed, ik weet dat het een schok was dat hij op die manier ziek werd en zo snel overleed, maar dat heeft ze geweldig opgevangen. Denk eens aan hoe ze op de begrafenis was. Rustig en waardig. Precies goed. Dat was ze toch? Dat hebben we allebei toen gezegd. Ik denk dat ze zich er heel goed doorheen slaat.'

'Ja,' beaamde Eleanor. 'Dat doen mensen ook. En dan storten ze achteraf in.'

'Niet twee maanden later. We zitten nu al in september.'

'Soms wel zes maanden later,' ging Eleanor door. 'Zelfs een jaar later, dat staat in het boek. Je weet het nooit. We moeten in gedachten houden hoe snel het allemaal gebeurd is. Zes maanden geleden was hij nog in leven en gezond en was alles gewoon.'

'Nou, ze klonk niet alsof ze in de rouw was,' zei Lucy. 'Echt waar. Ze klonk... Nou, als het niet om mama ging, dan had ik gezegd dat ze zakelijk klonk.'

'Ze zou in de ontkenningsfase kunnen zitten,' zei Eleanor. 'Mensen doen rare dingen als ze in de rouw zijn. Er staat een heel hoofdstuk over ongepast gedrag in dat boek.'

'Ik kan me niet voorstellen dat mama zich ooit ongepast zou gedragen,' zei Lucy. 'Ze is volledig voorspelbaar. Dat is juist zo fijn aan haar.'

'Nou, we zullen wel zien,' zei Eleanor en verbeet een geeuw. 'God, ik ben kapot! Ik doe even een dutje. Dat vind je toch niet erg?' Ze was in slaap voor Lucy antwoord kon geven.

Net iets voor haar! dacht Lucy. Ze is moe en dus gaat ze slapen. Ik rijd. Het komt niet in haar op dat ik een gesprek op prijs zou kunnen stellen. Het onverstoorbare egoïsme van haar zus was altijd een bron van ergernis geweest. Maar wat kon ze ertegen doen? Alleen maar doorrijden en haar wakker maken als ze aankwamen – en zich afvragen wat hun moeder hen te zeggen had.

*

Dat vroeg Gwen MacIvor zichzelf ook af. De afgelopen acht weken waren zo snel en plezierig voorbijgegaan met het verkopen van haar oude huis en het inrichten van haar nieuwe, dat ze geen tijd had gehad om aan iets anders te denken. Maar nu werd ze door alles overspoeld. De datum van overdracht was bijna twee weken naar voren geschoven omdat haar kopers graag hun aankoop wilden betrekken, in de toren werd nog steeds aan de keuken gewerkt en ze had één middag de tijd om het nieuws aan haar dochters bekend te maken. Het was erg onrustbarend. Ik had er eerder met ze over moeten praten en niet zo'n lafaard moeten zijn, dacht ze. Lafheid en verandering gaan slecht samen door één deur. Maar het was altijd weer hetzelfde liedje: dingen uitstellen omdat ze niet wist hoe ze deze aan moest pakken. Toen ze vol vreugde de sprong waagde en haar toren kocht, had ze niet verder gedacht dan aan de verandering waarnaar ze zo verlangde en waaraan ze geen weerstand had kunnen bieden. Nu moest ze het feit onder ogen zien dat op elke verandering er meer volgen, even onvermijdelijk als een trein die een zijspoor inslaat, en dat ze niet allemaal even gemakkelijk of prettig zijn.

Toch was het plezierig om hier in de tuin vuurtje te stoken. Het was een hoog vuur, van knipsels, oude kranten en alle tuinafval die ze de afgelopen dagen bij elkaar had geraapt. Het was zo hoog opgestapeld dat het wolken rook de lucht in zond en knetterend en brullend roodgloeiende vonken uitspuwde, hoger dan de pruimenboom. Ik heb het huis opgeruimd, dacht ze met een gevoel van rechtschapenheid, en ik heb het van boven tot onder schoongemaakt, en de tuin is keurig bijgewerkt, ik hoef alleen nog maar de laatste van zijn afschuwelijke oude kranten te verbranden en de klus zit erop. Ze bukte om de laatste volle kartonnen doos op te pakken en smeet hem midden in de vlammen, zodat ze lager werden en vonken naar de stam van de pruimenboom spuwden. Nu, dacht ze, kan ik me richten op wat ik tegen Eleanor en Lucy ga zeggen. O, ik wilde dat ik het hen eerder had verteld – en ik wilde dat ze opschoten en vlug hiernaartoe kwamen.

*

In feite reed Lucy precies op dat ogenblik op Crescent Road, op zoek naar een parkeerplaats en was Eleanor net wakker geworden.

'Thuis!' zei ze en keek naar de lange rij twee-onder-een-kaphuizen uit de tijd van koning Edward. 'Waar ik ook terechtkom, deze plek zal altijd mijn thuis zijn, ik houd er gewoon van. Kom op, Luce, we gaan voor reddende engelen spelen.'

Ze belden drie keer aan maar er kwam geen reactie en ten langen leste haalde Lucy haar sleutel tevoorschijn, deed de deur open en riep. Er kwam echter geen antwoord en er was geen blijk van aanwezigheid van hun moeder in de kamers beneden, die er vreemd leeg uitzagen.

'Er ontbreken dingen,' zei Eleanor en ze trok een lelijk gezicht tegen het meubilair. 'Er zal toch niet zijn ingebroken?'

'De ornamenten,' besefte Lucy. 'De toby jugs van papa zijn weg, om maar iets te noemen. En de schilderijen. En de klokken. Misschien is ze opnieuw aan het inrichten.'

'Waar is ze?' vroeg Eleanor terwijl ze in de richting van de keuken liepen. 'Dat zou ik wel eens willen weten. Na al dat gedoe om ons hierheen te krijgen, zou je denken dat ze op ons zou zitten wachten. Aha! De thee staat klaar. Dat is tenminste iets.'

'Ik ruik iets branderigs,' zei Lucy en snoof.

Haar zus snoof ook. 'O, verdorie!' riep ze. 'Dat is een vuurtje. Hij ligt nog maar net in zijn graf en ze zijn er al mee begonnen. Arme papa. Mensen zijn zo harteloos. Ze weten wat hij van open vuurtjes vond en hij is nog niet dood of er wordt er een gestookt.' Ze rende naar het raam om de schuldige op te sporen. 'Moet je al die vreselijke rook eens zien. Ik denk dat het de buren zijn.'

Lucy kwam bij haar staan en trok de keurige, geblokte gordijnen opzij om beter te kunnen zien. 'Nee, niet waar,' zei ze met een blik vol ongeloof. 'Wij zijn het. Het is in onze tuin. O, Eleanor, iemand stookt een vuurtje in onze tuin.'

'Daar zullen we eens gauw een eind aan maken,' zei Eleanor. 'Ga een gieter halen.' Ze deed de keukendeur open en stevende op de rookwolken af.

Uit de rook kwam een gestalte tevoorschijn, de kleine gestalte van een vrouw in laarzen en een broek en een vieze sweater, met een hark in haar hand.

'Hallo allebei,' riep ze. 'Ik had jullie niet gehoord. De thee staat klaar. Heb je een goede vlucht gehad, Eleanor?'

In een flits herkenden de twee meisjes met een intense schok in deze verwilderde vrouw hun moeder, hun keurige, rustige, goed geklede, zachtaardige moeder in een broek en met laarzen aan. Eleanors gezicht sprak boekdelen. Vol ongeloof zette ze grote blauwe ogen op en haar rode mond viel open. 'Wat ben jij in vredesnaam aan het doen?'

'Aan het opruimen,' vertelde Gwen haar.

'Maar je hebt een vuur gemaakt.'

'Dat is het beste, als je aan het opruimen bent.'

'Je hebt je haar afgeknipt!' zei Eleanor. Het klonk meer als een beschuldiging dan als een opmerking.

'Inderdaad,' beaamde haar moeder. 'Veel gemakkelijker dan dat gedoe met een Franse vlecht. Even kammen en ik ben klaar voor de dag. Hoe vind je het staan?'

Eleanor vond dat het nieuwe kapsel helemaal niet stond en ze haalde diep adem om dat tegen haar te zeggen, maar Lucy kwam tussenbeide. 'Je zei dat je ons iets te vertellen had,' hielp ze hen allemaal herinneren.

'Dat klopt,' beaamde haar moeder. 'Kom mee naar binnen en dan praten we verder onder de thee. Het...' O, hemel! Hoe moest ze beginnen? 'Het testament om te beginnen. Er is niet veel maar ik vond dat jullie het moesten weten.' En ze vertelde het hun terwijl ze thee zette.

Er was niet veel. Hun vaders testament was kort, eerlijk en ter zake. Hij had het huis en alles wat erin stond, nagelaten 'aan mijn vrouw, Gwendolyn Mary MacIvor' en had bepaald dat 'het geld dat over is op mijn spaarrekening nadat de kosten van mijn begrafenis zijn betaald, moet worden verdeeld tussen mijn twee dochters, Eleanor Frances en Lucy Anne'.

'Dat komt neer op ieder 3225 pond,' vertelde Gwen. 'Jullie krijgen een cheque van de notaris. Eén dezer dagen, zegt hij.'

'Dus alles is geregeld,' zei Eleanor, opgelucht nu ze wist waar het om ging.

Gwen zette haar theekopje neer en glimlachte tegen hen. Maar het was een raar lachje, viel Lucy op, enerzijds uitdagend, anderzijds schuldig, als van een stout kind dat op een kleine wandaad is betrapt maar hoopt zich eruit te kunnen kletsen. 'Nou, niet helemaal,' zei ze. Haar hart klopte heel onaangenaam. Ze legde haar linkerhand op haar borstkas alsof ze door daar op te drukken haar hart kon kalmeren. Had ze dit maar stapsgewijs en veel eerder gedaan.

'Is er nog meer?' vroeg Eleanor.

Gwen keek van de een naar de ander en zette zich schrap vanwege wat ze nu ging zeggen. 'Ik ga verhuizen,' zei ze uiteindelijk. 'Ik heb dit huis verkocht en ik heb... iets anders gekocht. We hebben de contracten getekend op donderdag, vlak voordat ik jou belde, Lucy.'

Eleanor kon haar oren niet geloven. 'Wat bedoel je, verhuizen?'

'Ik ga aan zee wonen,' verklaarde Gwen en ze sprak zachtjes, in een poging haar zachter te stemmen, 'op een plek die Seal Island heet.'

Eleanor was zo geschokt dat ze haar woede niet kon verhullen. Eerst dat vuur, toen het haar en nu dit weer. 'Ik wist dat er zoiets zou gaan gebeuren,' zei ze tegen Lucy. 'Heb ik je niet gewaarschuwd?' Ze trok van leer tegen haar moeder. 'Je kunt dit huis niet verkopen. Daar komt niets van in.'

Gwen haalde diep adem om zich tegen haar dochters woede te verweren. 'Ik kan dat wél doen, Eleanor,' zei ze. 'Ik heb het al gedaan. Ik verhuis morgen. Daarom heb ik jullie gevraagd vandaag hier te komen.'

'Hoe kun je nou zoiets doen?' zei Eleanor. 'Dat had je met ons moeten bepspreken.'

Dat was zo waar! En zo pijnlijk. 'Dat had jullie alleen maar van streek gemaakt.'

'Helemaal niet. We zouden je aangeraden hebben het niet te doen, hè Lucy? O, kom nou, moeder, wees eens redelijk. Je kunt dit huis niet verkopen. Het is jouw huis. Ons huis. Het huis van ons gezin.' Haar gezicht was zo radeloos dat Gwen het niet kon verdragen er langer naar te kijken.

Lucy had de informatie sneller verwerkt en ze probeerde, hoewel ze even verbaasd was als Eleanor, praktisch te zijn. 'Heb je hulp nodig bij de verhuizing?' vroeg ze. 'Ik kan een dag vrij nemen en met je meegaan, als je wilt.'

'Nee,' zei Gwen en glimlachte haar dankbaar toe. 'Bedankt voor het aanbod, maar ik red me wel. Ik neem niet veel mee. Alleen mijn boeken en kleren en een paar spulletjes. Dat staat allemaal ingepakt in de garage. Ik heb eerlijk gezegd dit meubilair nooit mooi gevonden. Ik zal blij zijn als ik ervan af ben. Ik heb het aan de tweedehandszaak hier verkocht. Ze komen het vanavond ophalen.' Praten over het meubilair was gemakkelijker en het maakte dat ze zich iets beter voelde, zeker doordat Lucy een bemoedigende en liefdevolle uitdrukking op haar gezicht had. 'Nu heb ik de kans helemaal van voren af aan te beginnen,' zei ze en de woorden gaven haar een gevoel van bevrijding. 'Met een schone lei. Dat zal leuk zijn.'

'Leuk!' barstte Eleanor los. 'Leuk! Jij verkoopt het ouderlijk huis en dat noem je leuk.'

Weer verkeerd! dacht Gwen. Geen wonder dat ze dit had uitgesteld. Ze had de hele tijd al geweten dat het heel moeilijk zou zijn. Maar het was een verspreking en dan ook nog een grote. 'Het was helemaal niet leuk de boel uit te ruimen,' zei ze in een poging de uitwerking van haar ongelukkige woordkeuze ongedaan te maken. 'Jullie hebben nog nooit zo veel oude troep gezien. De melkboer heeft de melkflessen stuk voor stuk meegenomen en ik heb de toby jugs verkocht aan de man van *Antiques Emporium*. Ik heb er nota bene een goede prijs voor gekregen. Blijkbaar zijn ze erg gewild. Maar de klokken waren een nachtmerrie. Hij had een hele kast vol onderdelen. Die moest ik weggooien, net als de meeste klokken. Dan waren er de oude voetbaltijdschriften en hij had meer nummers van de *Radio Times* dan je je kunt voorstellen en stapels schouwburgprogramma's en ordners vol brieven, allemaal vergeeld en broos geworden en niemand heeft er meer wat aan. Ik ben dagen bezig geweest ze te verbranden.'

'Maar dat waren papa's kostbaarheden!' protesteerde Eleanor en ze keek haar boos aan. 'Hij bewaarde ze bewust.'

Nu was Gwen zo van streek dat ze haar toevlucht nam tot een grapje. 'Dat kun je wel zeggen!'

Haar luchthartigheid ging Eleanors verstand te boven. Ze keerde zich vertwijfeld tot Lucy. 'Zeg jij wat tegen haar!' gebood ze. 'Ik kan hier niet mee overweg.'

Lucy dacht niet dat iets wat ze zou zeggen nu nog van enige invloed op haar moeder zou zijn, maar ze deed een poging. 'Weet je zeker dat je een goede beslissing hebt genomen?' vroeg ze. 'Ik bedoel, het geeft een heleboel gedoe, verhuizen, want dat is de op twee na meeste stress opwekkende gebeurtenis, op overlijden en scheiding na. We zouden niet willen dat je verhuisde en je daarna rot zou voelen, of dat je zou wensen dat je het niet had gedaan en dat je dan geen geld genoeg had om weer terug te verhuizen.'

'Je hebt gelijk,' stemde Eleanor met haar in en ze probeerde haar woede in te dammen door haar gezonde verstand de boventoon te laten voeren. 'Het is een risico. Dat begrijp je zelf toch ook wel.'

Gwen vulde hun kopjes nog eens om zichzelf tijd tot nadenken te geven. 'Ik was niet van plan dit tegen jullie te zeggen,' zei ze uiteindelijk. 'Pas veel later. Maar ik neem aan dat dit ook een goed moment is. Om te beginnen heb ik veel geld, dus daar hoeven jullie niet over in te zitten. Ik heb een prachtig bedrag voor dit huis gekregen. En ik zal me niet ellendig gaan voelen.'

Eleanor werd fel. 'Hoe kun je dat nu weten? Je zou...'

Op haar moeders gezicht verscheen zo'n overduidelijk gelukzalige glimlach dat de woorden Eleanor in de keel bleven steken. 'Want dit is iets wat ik al jaren geleden had willen doen,' zei ze, 'iets waarvan ik dacht dat ik het nooit zou kunnen doen. Het had ook niet gekund als hij niet was gestorven. Ik was dag in, dag uit doorgegaan dezelfde stomme maaltijden klaar te maken in dezelfde stomme keuken. Ik was boodschappen blijven doen in dezelfde stomme supermarkt, was steeds naar dezelfde stomme programma's op de tv blijven kijken, ik was hetzelfde stomme leven dat geen leven is, blijven leiden.'

'Maar je was gelukkig,' protesteerde Eleanor zwakjes. 'Jij en papa. Jullie waren een gelukkig stel.'

O, hemeltje, dacht Gwen. Dit zal haar pijn doen maar daar kan ik niets aan doen. Ik ben nu begonnen en nu moet ik doorzetten. Als ik dat niet doe, zullen ze het nooit begrijpen. Ik kan de schijn niet meer ophouden. Nu niet meer. 'Nee, Eleanor,' corrigeerde ze haar. 'Je vader was gelukkig. Ik onderging mijn lot. Ik heb zesendertig jaar lang geleefd op de manier die hij wilde, ik verdroeg zijn verzamelingen, leefde naar zijn stijl, en nu ben ik vrij. Ik hoef alleen mezelf te plezieren. Ik ben zesenvijftig maar ik heb mijn leven terug en ik kan doen wat ik wil met de rest ervan. En dat is de waarheid.'

Eleanors gezicht was vertrokken van verdriet en geschoktheid. Hoe kon ze zulke dingen zeggen? Het moest de rouw zijn. Dat kon niet anders.

Lucy was eerder verbijsterd dan geschokt. 'Mis je hem niet?' vroeg ze. 'Ook niet een heel klein beetje?'

Gwen glimlachte naar haar, maar ging door de waarheid te zeggen. 'Ik miste hem vreselijk toen hij pas was gestorven,' zei ze, 'dat ik 's nachts niet meer hoefde op te staan om hem te verzorgen, dat ik hem zijn medicijnen niet meer hoefde te geven of hem om te draaien, van die dingen. Maar na een poosje werd het anders, alsof de wolken weggevaagd waren. Ik veronderstel dat gevangenen hun bewakers in het begin ook missen, maar als je eenmaal gewend bent aan de vrijheid, ben je blij dat je niet meer aan hen hoeft te denken. O, god! Dat klinkt verschrikkelijk. Maar het is de waarheid en jullie kunnen die maar beter kennen als je wilt kunnen begrijpen waar ik mee bezig ben.'

'Je hield niet van hem.' Lucy begreep het wel.

'Ik deed iets beters dan van hem houden,' antwoordde Gwen. 'Ik gehoorzaamde hem. Je hebt er geen idee van hoe zwaar me dat viel. Ik hield hem overeind, leverde nooit kritiek, stond hem toe zichzelf te zijn, schermde hem af. Meer kun je een man niet geven.'

Lucy kromp ineen. Zulke geheimen te horen te krijgen was uiterst pijnlijk. Het zette alles wat ze geloofd hadden, op zijn kop. Ze moest toch wel een beetje van hem gehouden hebben, althans in het begin, ook al was hij niet de liefste man die op aarde rondliep. 'Maar je deed het toch wel vrijwillig,' zei ze hoopvol.

Haar moeders antwoord was recht voor zijn raap, ook al werd het half lachend gegeven: 'Ik deed het met gebonden handen en voeten.'

'Je had een keuze,' hield Lucy vol.

'Het spijt me dat ik je moet teleurstellen, lieverd,' zei haar moeder, 'maar nee, dat was precies wat mijn generatie niet had. Er was in de verste verte geen keuzemogelijkheid te vinden. Wij gingen waarheen onze man ons voerde. Wij woonden waar hij wilde wonen. Regelden de huishouding naar zijn wensen. Ondersteunden hem. Dat was onze functie. Echtgenoten verdienden de kost, betaalden de hypotheek, onderhielden de kinderen. Wij bleven thuis en maakten het leven aangenaam voor hen. Ongeacht wat dat ons kostte.'

De bitterheid op haar moeders gezicht maakte dat Lucy haar hoofd afwendde. 'Dit is vreselijk,' zei ze.

'Helemaal niet,' zei Gwen tegen haar en ze deed dat veel te afgemeten omdat ze hartzeer had van de schade die ze had aangericht. Arme Eleanor was te zeer van streek om nog iets te kunnen uitbrengen. 'Dit is vrijheid. Nu kan ik mijn leven op mijn manier leiden. Dat zal heerlijk zijn. Echt. Het is juist goed.'

Eleanors lippen begonnen te trillen. Ze haalde haar spiegeltje en lipstick uit haar tas en begon ze bij te werken; door hiermee bezig te zijn kreeg ze zichzelf weer onder controle en ondertussen bestudeerde ze het effect ervan. 'We moeten gaan,' zei ze luchtig. 'Jetlag, weet je wel. Pete zit op me te wachten. Ben jij zover, Lucy?'

Lucy voelde zich verscheurd tussen de dringende wens van Eleanor om te ontsnappen en haar eigen verlangen op een rijtje te zetten wat haar moeder had gezegd. Eleanors gespannenheid won het. Ze stond langzaam op en glimlachte naar haar moeder om haar te laten zien dat ze goedkeurde wat haar moeder aan het doen was, ook al begreep ze het niet helemaal. 'Laat ons weten of je hulp nodig hebt,' zei ze. 'Je hoeft maar een kik te geven. Dat weet je toch wel?'

'Ja,' zei Gwen en glimlachte flauwtjes terug. Lieve Lucy. Zij nam het tenminste verstandig op. 'Maak je geen zorgen. Ik red me wel.'

Dus vertrokken ze.

Het strekte Eleanor tot eer dat zij zich in bedwang hield en naar haar moeder wuifde tot ze uit zicht waren, alsof het een gewoon bezoekje betrof. Toen kwamen de tranen van verbijstering los. 'Hoe kon ze zoiets doen!' huilde ze. 'Ons huis verkopen. Ik kan het niet geloven. Ons huis. Waar we allemaal zo gelukkig waren. Ze heeft ons de grond onder de voeten vandaan gehaald. Al onze herinneringen zijn verdwenen. Alles. Waarom heeft ze het ons niet eerder verteld? We hadden haar om kunnen praten. Nu... Ons ouderlijk huis! Ik kan het niet verdragen. Al onze herinneringen verdwenen.'

'Herinneringen verdwijnen niet,' zei Lucy. Ze wilde kost wat kost verstandig zijn. 'Ze blijven in je gedachten zolang als jij dat toestaat. Soms kan je niet eens van die rotdingen afkomen. Dat heb ik wel gemerkt.'

Maar nu kon Eleanor alleen nog maar gillen. 'Doe niet zo verstandig!' schreeuwde ze. 'Ik kan er niet tegen. Ze heeft ons huis verkocht.'

'Jouw huis is je flat in Chelsea,' wees Lucy haar terecht. Deze vertoning was niet nodig. Dit ging alle perken te buiten. 'Waar jij woont met Pete, als hij niet in Pimlico zit.' Jouw enorm grote, dure, minimalistische flat. 'Het mijne is mijn huis in Battersea, waar ik met Helen en Tina woon. We zijn allemaal een eind verder gekomen sinds we daar woonden.'

'Ja, die is goed!' huilde Eleanor. 'Ga vooral aan haar kant staan. Dat moet ik zeker ook doen! Net doen alsof het me allemaal niets kan schelen.'

'Dat zeg ik helemaal niet,' zei Lucy, terwijl ze goed uitkeek voor ze een bocht naar rechts nam. 'Het doet er wel toe, natuurlijk wel, maar we zullen het wel moeten accepteren. Het is haar huis.' Toen Eleanor bleef huilen, voegde ze eraan toe: 'Huilen helpt niet. We moeten er gewoon het beste van zien te maken.'

'Maar ze zit straks mijlen ver weg.'

'We hebben allebei een auto. We kunnen allebei rijden. Zo ver zal het ook weer niet zijn.'

'Je begrijpt het niet,' jammerde Eleanor. 'Het heeft helemaal niets met auto's en rijden te maken. Ik heb haar hier nodig. Ik ben in verwachting.'

De dag veranderde van karakter zoals een knop zich opent tot een bloem. 'O, Eleanor,' zei Lucy, draaide haar hoofd opzij om haar aan te kijken, eventjes maar omdat het verkeer erg druk was. 'Wat geweldig! Een baby! Bofkont. Waarom heb je het niet aan mama verteld?'

Eleanor bette haar ogen. 'Hoe had ik dat kunnen doen? Ze luisterde niet.'

'Daar had ze heus wel naar geluisterd. Wanneer komt het? Weet Pete het al?'

'Nog niet. Ik ben pas zes weken zwanger. Ik bedoel, ik weet het zelf ook nog niet helemaal zeker. Ik begon het me net een beetje af te vragen toen ik naar Amerika ging. Nou ja, ik denk dat ik het wel zo'n beetje zeker weet. Ik bedoel, ik ben niet ongesteld geweest sinds ik van de pil af ben.'

'Wanneer was dat?'

'Mei, juni,' zei Eleanor vaagjes. 'Toen papa ziek werd. Ik had er al een tijd af en toe aan lopen denken. De biologische klok en zo. Ik bedoel, het was niet onverwacht. Ik heb erover lopen broeden, als je begrijpt wat ik bedoel. Toen hij ziek werd en wij wisten dat het kanker was en inoperabel en zo, dacht ik: dit is het goede tijdstip. Ik dacht dat het grootvaderschap hem iets zou geven om voor te leven. Toen was het allemaal zo snel voorbij dat er geen tijd meer was het hem te vertellen. Het zat me niet mee!'

Lucy was ontroerd. 'O, Eleanor! Wat lief om dit te doen.'

'Het was niet alleen voor hem,' zei Eleanor en ze veegde de tranen van haar wangen. 'Ik bedoel, ik had het vroeg of laat toch wel gedaan. Het zat altijd al in de pen. Hij was – tja, de katalysator, denk ik. Arme papa. En moet je nu zien in wat voor puinhoop ik zit. Net nu ik haar nodig heb, gaat zij kilometers van ons vandaan wonen. Hoe kon ze zo stom doen? Ze moet toch hebben geweten dat ik ooit een kind zou willen hebben? Hoe kan zij erop passen als ze tachtig kilometer van me vandaan zit? Ik bedoel, ik kan toch onmogelijk iedere dag op en neer naar de kust rijden. Dan kom ik nooit op tijd op mijn werk.'

'Ga je later weer werken?'

'Ja, natuurlijk. Ik bedoel, je kunt toch niet anders, in deze tijd? Ik dacht dat ik alles op een rijtje had. Ik bedoel, ze is zo goed met baby's. En nu...' Haar mond bereidde zich voor op nog een huilbui.

Lucy voorkwam dat door praktisch te reageren. 'Maar wanneer ben je uitgerekend?'

'Ik weet het niet. Waarschijnlijk in april. Hangt ervan af wanneer het is begonnen. Ik bedoel, ik ben niet meer ongesteld geweest sinds papa is overleden maar dat was waarschijnlijk vanwege de rouw en zo. Dat was te verwachten. Volgens mijn boek moeten mensen soms maanden wachten en ze zeggen dat je de eerste maand niet kunt meetellen. Je hormonen hebben tijd nodig om tot rust te komen.'

'Jij en je boeken!' lachte Lucy. 'Bij sommige vrouwen is het de eerste keer raak. Bij Suzie was dat zo. Haal nou maar gauw een zwangerschapstest om het zeker te weten. Bel me dan op. O, Eleanor, je weet niet hoe je boft. Ik ben echt jaloers.' Dat was waar – de naakte waarheid, ook al zorgde ze ervoor dat het leek of ze een grapje maakte. In verwachting zijn van Pete's kind. De gedachte alleen al maakte dat ze er zelf naar begon te verlangen. 'Kijk, we zijn er bijna. Zal ik even stoppen zodat je je make-up kunt bijwerken? Je ziet eruit alsof je in een kolenmijn bent geweest.'

'Verdomme! Echt waar?' zei Eleanor en pakte haar spiegeltje om te kijken. 'Hoor eens, zeg nog maar niets tegen mama. Jij bent de enige aan wie ik het heb verteld – voor het geval dat het loos alarm is.'

'Maak je geen zorgen,' stelde Lucy haar gerust. 'Ik houd mijn mond potdicht. Maar haal wel een zwangerschapstest.'

Hoofdstuk 3

Peter Halliday was zo moeiteloos knap dat hij half voor de grap ermee was begonnen op te scheppen dat hij, nu hij de geweldig hoge leeftijd van vijfendertig had bereikt, te lui was om zich nog om zijn uiterlijk te bekommeren. Toen hij vijf jaar geleden nogal gemelijk dertig werd, had hij zijn vijftien minuten wereldfaam bereikt door als de sensuele held op te treden in een reeks koffiereclames op tv. Hij had zijn tijdelijke populariteit te gelde gemaakt door een leidinggevende positie te aanvaarden bij Sheldon, een klein maar prestigieus bedrijf dat voor bioscoop en tv reclamefilmpjes maakte. Nu werd hij weer rusteloos en hij begon zich af te vragen of het tijd werd verder te trekken. Sheldon was niet groot genoeg meer om nog veel langer zijn ambitie te beteugelen, ook al stelde het goede salaris hem in staat parttime zijn carrière als acteur en model voort te zetten.

Hij was een meter negentig lang, goed geproportioneerd met atletische schouders, slanke heupen, lange benen en hij had een soepele manier van lopen. Daarmee was hij nog evenzeer het ideale model als toen hij in de twintig was, vooral omdat hij nog steeds dik, goudblond haar bezat – hoewel ietsjes bijgewerkt – hoge jukbeenderen, een huid die gemakkelijk bruin werd, wijd uit elkaar staande grijsblauwe ogen en een lome, reeds lang geperfectioneerde glimlach. Hij was het soort jongeman dat op elk feestje welkom was en opwinding veroorzaakte als hij een ruimte binnentrad, vooral als hij Eleanor MacIvor begeleidde, want ze vormden een betoverend stel en zij was even bedreven als hij in het bespelen van een groep mensen. Zijn agent, een corpulente, ruige man, Sandy Scatters geheten, vergeleek hem met de jonge Robert Redford en benadrukte hoe bescheiden hij was en hoe gemakkelijk het was met hem te werken, hetgeen over het algemeen genomen de waarheid was. Hoewel ze allebei wisten dat hij chagrijnig en geirriteerd kon zijn na afloop van een moeilijke filmopname.

Hij kwam die avond terug uit Birmingham met de naweeën van een kater en een stekende indigestie, verlangend naar ruimte, rust en medelijden – en een behoorlijk bereide maaltijd. Dus reed hij, in plaats van naar de kilte van zijn eigen vrijgezellenpenthouse, als vanzelfsprekend naar Eleanors mooie, witte, goed opgeruimde flat voor een beetje liefhebbende zorg.

Daarin kwam hij bedrogen uit. Eleanor stortte zich op hem, voor hij maar de kans had gekregen op haar witte vierzitsbank plaats te nemen. 'Mama is gek geworden,' zei ze. 'Weet je wat ze gedaan heeft?'

Hij liet zich op de bank vallen en sloot zijn ogen om te laten zien hoe onwelkom hem dit was. 'Spaar me,' smeekte hij.

Maar ze bespaarde hem geen enkel boos detail.

'Tja,' zei hij, toen zij na vijf minuten was uitgeraasd en hij voor zichzelf een gin en tonic had ingeschonken om hem door de woede-uitbarsting heen te helpen, 'het is haar huis. Je weet tenminste waar ze is. Ze verdwijnt niet naar het einde van de wereld zoals sommige anderen die ik zou kunnen noemen. Tel je zegeningen. Ze had naar India of Afghanistan of Nicaragua of zoiets kunnen vertrekken. Dan had je echt iets gehad om over te klagen.'

Ze onderkende dat hij naar haar medeleven hengelde, maar ze was te zeer in haar eigen verdriet verstrikt om erop te kunnen reageren. 'Maar hoe moet het dan met de baby?' jammerde ze.

Hij was verbaasd, maar niet gealarmeerd. Ze had de neiging dramatische dingen te zeggen. Dat maakte juist deel uit van haar charme. 'Welke baby, verdomme?'

Haar blauwe ogen hadden een verwilderde uitdrukking. 'Die van mij.' Nu ging ze het hem vertellen. Het was niet het meest geschikte moment omdat ze zo boos was, maar het was wel een kans. Ze haalde diep adem. 'In feite...'

Hij viel haar in de rede en hij sprak duidelijk en afgemeten met zijn heldere tv-stem, geïrriteerd dat ze onzin uitkraamde terwijl hij behoefte aan aandacht had. 'Sta me toe je erop te wijzen,' zei hij, 'dat jij geen baby hebt.'

Ze raakte enigszins van de wijs nu ze zo snel werd onderbroken, maar ze zette door. 'Maar ik zou er een kunnen hebben,' ging ze door. 'Ik bedoel, hoe zou het moeten gaan als ik er een wilde hebben?'

Hij leunde achterover op de bank en deed zijn ogen dicht om aan te geven dat dit een belachelijk gesprek was. Hij was nu niet in staat hypothesen te stellen en hij was niet van plan dit gesprek nog langer te laten voortduren. 'Dat wil je niet,' zei hij beslist. 'Dus is er ook geen probleem.'

'Jij weet niet of ik het niet wil,' riep ze naar waarheid, zij het onhandig gesteld. Ze had in de zenuwen gezeten sinds ze de flat was binnengekomen; nu was ze warm van de spanning en ze liep te ijsberen over de geboende parketvloer terwijl ze met haar vingers knakte. 'Ik heb een biologische klok, net als alle anderen. Ik ben vijfendertig, voor het geval je dat niet in de gaten had en ik word er niet jonger op. We hebben het over de toekomst. Ons kind. De toekomst van ons kind. Ik kan het niet helpen dat ik over zoiets nadenk. Ik bedoel, het zit de hele tijd in je gedachten.'

'Niet in die van mij,' zei hij nadrukkelijk. 'Dat weet je heel goed.'

Haar ogen stonden wilder dan ooit. 'Jij bent geen vrouw.'

'Joepie!' zei hij, greep haar beet toen ze langs hem liep en trok haar op zijn schoot. 'Dat is je dus opgevallen. Wat eten we vanavond?'

Ik had hem moeten vertellen dat ik ben opgehouden met de pil, dacht ze. Dan was hij erop voorbereid en dan zou dit gemakkelijker zijn geweest. Maar als ze het hem had verteld, had hij boos op haar kunnen worden en dan zou dit helemaal niet zijn gebeurd. 'Dat is het enige waar jij aan denkt,' klaagde ze. 'Die verdomde maag van jou.'

'Ik heb drie dagen lang afhaalmaaltijden moeten eten van verschillende kwaliteit plastic,' vertelde hij haar. 'Terwijl ik ons brood verdiende, om zo te zeggen. Ik denk dat ik nu dan wel recht heb op iets wat een tikkeltje appetijtelijker is. Kunnen we hier dus over ophouden en gaan koken?'

Maar ze zat vast in haar verdriet en ze brulde het uit van onbegrip. 'Hoe heeft ze zoiets kunnen doen? Ik kan het gewoonweg niet begrijpen.'

Hij liet haar los met een vermoeide uitdrukking op zijn gezicht.

'Het heeft geen zin te proberen je ouders te begrijpen,' zei hij, toen ze weer begon te ijsberen. 'Ze zijn een wet op zichzelf. Kijk maar naar die van mij. "Goedemorgen, Peter. Wij gaan weg, naar India. Tot ziens!" Vervolgens vertrokken ze voor negentien jaar en ze lieten zelden iets van zich horen. Zo nu en dan een kerstkaart, maar afgezien daarvan heb je helemaal niets aan ze, verdomme. Praat me niet van ouders.'

Zij luisterde niet naar hem, want ze had dit allemaal al eerder gehoord. 'Ze moet toch hebben geweten dat ik ooit een kind wilde hebben,' zei ze. 'Ik bedoel, de meeste vrouwen willen op een gegeven moment in hun leven een kind.'

Hij deed een bovenmenselijke poging redelijk te zijn. 'Maar jij bent niet als de meeste vrouwen,' benadrukte hij. 'Jij bent een senior leidinggevende in een multinational, verdomme. Een carrièrevrouw. En nog mooi ook! Kijk eens naar jezelf, als je me niet gelooft.' Hij stond op, pakte haar bij haar schouders en duwde haar naar de spiegel. 'Jij bent adembenemend. Zie je wel? Kijk eens naar je buik. Die tieten. Prachtig, dat weet je heel goed. Verdomde mooi. Kom me nu niet vertellen dat je dat allemaal wilt laten bederven door zo'n walgelijke, spugende baby.'

Eleanor bestudeerde haar spiegelbeeld, maar eerder met een klinische blik. Ik barst uit mijn beha, dacht ze en ze bewonderde haar weelderige rondingen. Het viel niet te ontkennen dat ze er enorm aantrekkelijk uitzagen. Ze wonden Pete enorm op. 'Eh,' zei ze terwijl ze tegen hem aan leunde en omhoogkeek, 'misschien wil ik dat wel.'

'Helemaal niet,' zei hij en hij zoende haar in haar nek. 'Baby's zijn de grootste veroorzaker van armoede in dit land. Ze stinken, ze brullen en ze zijn volkomen op zichzelf gericht. Ze stellen onbegrensd eisen, dag en nacht. Huwelijken stranden erdoor. Ze laten carrières schipbreuk lijden. Ze zijn verdomme het slechtste wat je kan overkomen. Je doet de godganse dag niets anders dan er aan de ene kant melk in te gieten en er aan de andere kant poep af te vegen. Ze zijn niet voor ons bestemd. Daar waren we het over eens.'

Dat waren ze, dat klopte. 'Maar...'

'Geen gemaar,' zei hij en hij draaide haar in zijn armen om, om haar eens goed te zoenen. 'We hebben wel leukere dingen te doen dan te praten over die stomme baby's. Heb je me gemist?'

Ze deed alsof ze daarover moest nadenken voor ze antwoord gaf: hun vertrouwde plaagspelletje. 'Misschien wel. Een beetje.'

'Een boel,' zei hij tevreden, terwijl hij met haar borsten speelde. 'Moet je zien hoe je eraan toe bent.'

'En jij bent zeker de kalmte in eigen persoon,' plaagde ze en ze stak een hand uit om zijn erectie te voelen. 'O, god, ja.' De baby was vergeten, net als de stommiteit van haar moeder. Nu was er niets anders dan genot en dringende behoefte.

Veel later die avond, toen ze al hun behoeften hadden bevredigd en ze voldaan en ontspannen in haar kingsize bed lagen, kwam ze terug op haar onderwerp, dit keer loom en zonder spanning. 'Ze houdt het er nooit uit,' zei ze.

Hij glimlachte even loom terug. 'Wat kan jou dat schelen?'

'Ze zit daar in de bush-bush. Het is er vast heel koud. Ze zal het er vreselijk vinden.'

Half in slaap mompelde hij tegen haar: 'Laat haar nou toch. Hoe eerder ze het er vreselijk vindt, des te sneller komt ze weer thuis.'

Ja, dacht Eleanor, zo zal het gaan. Dat moet wel. Goed dan, ik zal de biljartkamer laten veranderen in een kinderkamer en een appartementje 'voor oma' en ik zal zorgen dat alles in orde is voor haar. Ik heb nog maanden de tijd. Ik kan het allemaal ruim op tijd laten doen en als alles klaar is, rijd ik haar hierheen om het te laten zien. Ik wacht daarmee tot het haar helemaal tot hier zit en ze zich ellendig voelt en weer naar huis wil komen en dan heb ik een verrassing voor haar. Arme mama. Ik kan de gedachte dat ze kilometers van me vandaan zit en zich ongelukkig voelt, niet verdragen. Vol van dergelijke gelukkige en bijna altruïstische gedachten viel ze geleidelijk in slaap.

Ze werd veel te vroeg gewekt door het stomme kwinkeleren van Pete's mobieltje. Waarom moest hij dat verdomde ding zo nodig meenemen naar de slaapkamer? dacht ze geprikkeld. Neem dan verdorie ook op. Laat hem niet zo eindeloos overgaan. Ik kan niet slapen van al dat lawaai. Ze was opgelucht toen ze zijn stem hoorde.

'Hallo! Ja! Gisteravond weer terug... Afgrijselijk... Net iets voor Staggers...' Toen veranderde zijn stem. 'Is dat echt zo?' zei hij ernstig. 'Van wie heb je dat gehoord? Goed. Goed. Wie doet eraan mee? Nee, nee, maak je geen zorgen. Geen probleem... Ja! Absoluut. Geen probleem. Ontbijt is prima. Ik ben er over – laten we zeggen drie kwartier. Tot dan!'

Ze nam niet eens de moeite om haar ogen open te doen. Dat moet wel over zaken gaan. De toon van zijn stem sprak boekdelen en hij was al op weg naar de badkamer. 'Dat was Jaz!' zei hij. 'Sheldon is in de verkoop.'

'Dat kan niet!' zei ze loom en plagerig, 'wie wil er nu zo'n tweemansbedrijfje?' De onbeduidendheid van de zaak waar hij voor werkte was altijd iets geweest waar ze hem mee op de kast kon jagen.

'Twee multinationals, volgens Jaz,' zei hij. 'Uit op een vinger in de pap in Engeland. Kan goed nieuws betekenen voor de aandeelhouders.' Jaz en hij waren beiden belangrijke aandeelhouders. 'Hoe dan ook, ik ben weg, een snel ontbijt om alles door te praten.'

'Ik moet je iets vertellen,' zei ze. Maar hij stond onder de douche te fluiten en hij hoorde haar niet, dus draaide zij zich om en besloot weer te gaan slapen. Het was veel te vroeg om al op te staan. Ze zou het hem vanavond vertellen als ze de test had gedaan en zekerheid had.

*

Haar moeder was sinds het aanbreken van de dag op om haar bed af te halen en het beddengoed in te pakken, de vierkante tegels in de keuken voor de laatste vervelende keer te schrobben en het toilet voor het laatst grondig schoon te maken, want het was een kwestie van eer om het huis piekfijn achter te laten en ze wilde alles aan kant hebben voor de verhuizers zouden komen. Toen Lucy via de brievenbus naar haar riep, had ze net het theewater voor het ontbijt opgezet.

'O, Lucy,' zei ze, ontroerd bij de gedachte dat zij een dag vrij had genomen om haar te komen helpen. 'Je bent echt een vreselijk lieve dochter.'

'Ik kan jou toch niet in je eentje laten verhuizen,' zei Lucy en gaf haar ondertussen een zoen. 'Wat moet er gedaan worden?'

'Alleen de ontbijtspullen, als we hebben ontbeten,' zei Gwen. 'De mannen doen de rest.'

En dat deden ze ook, op een buitengewoon snelle en efficiënte manier. Binnen anderhalf uur waren ze, nadat ze had afgesloten en de sleutels aan de makelaar had gegeven, in een opgewekte processie op weg naar de kust met Lucy's stoffige Fiesta achter haar keurig schone Fiat en de verhuiswagen met een sukkelgangetje achter hen aan. Van tijd tot tijd vroeg ze zich af wat haar dochter van de toren zou vinden en ze fronste van bezorgdheid, maar toen ze eenmaal de dam over waren, was de vreugde om zo dicht bij haar eigendom te zijn zo overweldigend, dat ze al het andere vergat.

Ze was er, met de geur van de zee in haar neusgaten, meeuwen zeilden krijsend boven haar hoofd, golven sloegen maar zo'n honderd meter van haar vandaan kapot op de kiezels en de toren doemde als een fort voor haar op. Thuis. Het veld voor haar was versierd met hemelsblauwe poelen, drassig van de modder en het stond er vol voertuigen – busjes van bouwvakkers, met modder bespatte auto's, een afvalcontainer vol planken – en binnen de tuinmuren stond een witte bestelwagen met MAKEPEACE KEUKENS erop vlak tegen de deur van de toren aan geparkeerd. De deur stond wagenwijd open en er was een aanhoudend gedreun van heel harde popmuziek te horen, vergezeld van geroep en gefluit en bij vlagen het geklop van hamers. Het was een heerlijke, levendige drukte van belang en zij was er de aanstichtster van. Ze was zo gelukkig dat haar wangen pijn deden van het glimlachen.

'Wat vind je ervan?' riep ze naar Lucy.

Lucy had zich de hele reis zitten afvragen hoe dit nieuwe huis eruit zou zien en ze had zich een bungalow aan zee voorgesteld, of een huis op een keurig stukje grond, of zelfs een cottage met een rieten dak, maar dit overtrof haar stoutste verwachtingen. Ze parkeerde naast haar moeders Fiat en stapte uit, ging naast haar staan en keek vol verbazing rond. 'Godallemachtig!' zei ze. 'Is dit het?'

Gwen haalde diep adem terwijl ze naar het uitzicht keek. 'Ja,' zei ze, helemaal in de wolken. 'Is het niet verpletterend? Wacht maar tot je het vanbinnen hebt gezien. Het wordt prachtig. Ik ben al wekenlang bezig met de plannen. Ik laat de picknickspullen hier staan. Laten we eerst gaan kijken hoe ze opschieten.'

Maar voor ze een stap kon zetten, kwam de verhuiswagen grommend aanrijden; de voorman sprong uit de cabine en kwam met een boos gezicht naar haar toe gebeend om zijn beklag te doen.

'We krijgen hem nooit door die poort,' zei hij.

Zijn bezwaar bracht haar totaal niet van haar stuk. 'Dat lukt wel,' zei ze opgewekt tegen hem en ze stak haar hoofd in de auto om een mapje van de passagiersstoel te pakken. Ze maakte het mapje open en ze reikte hem een met potlood getekende plattegrond aan. 'Kijk maar.'

'Iets opmeten is één ding,' zei hij gemelijk tegen haar, 'maar dat gevaarte erdoorheen persen is iets heel anders. Het zal erom spannen. We zullen het proberen, maar ik betwijfel of het zal lukken. En dan nog wat. Die bestelwagen moet weg. Als we er al doorheen komen, dan kunnen we niet achteruitrijden als dat geval ons in de weg staat.'

'Ik zal het tegen ze zeggen,' zei ze. 'Maak je geen zorgen. Ik heb het zo opgelost.' Ze beende weg door de modder om de boel te regelen; haar haar danste van energie en vastberadenheid.

Lucy liep haar moeder achterna en ze verbaasde zich erover hoezeer deze was veranderd. Ze leek in geen enkel opzicht meer op de onopvallende vrouw die al die jaren in Fulham het huishouden had gedaan en had gekookt, gewassen en schoongemaakt, op de vrouw van wie ze altijd had gedacht dat ze haar kende. 'Je bent wonderbaarlijk,' zei ze toen ze haar moeder had ingehaald. 'Je hebt alles onder controle.'

'Het meeste wel, ja,' zei Gwen. 'Het is net zoals mijn vader altijd zei. Maak een plan tot in de kleinste details en dan kun je alles aan, wat er ook gebeurt. Een heel wijze raad.'

'Had je ook in je plan opgenomen om het ons te vertellen?' waagde Lucy te vragen.

'Dat was een moeilijk onderdeel,' gaf Gwen toe. 'Dat heb ik wel gedaan. Maar pas later. Toen ik de juiste manier had bedacht. Maar toen werd ik op de een of andere manier helemaal door mijn plannen in beslag genomen.'

Lucy trok een gezicht. 'Dat kun je wel zeggen!'

'Niet op me mopperen,' smeekte Gwen. 'Niet vandaag. Kom mee naar binnen om te kijken.'

Ik kan nu niets zeggen, dacht Lucy, terwijl ze achter haar moeder aan de toren in liep. Niet nu ze zo gelukkig is. Maar we zullen het er eens over moeten hebben, vanwege Eleanor.

De benedenverdieping was door een nieuw gebouwde muur verdeeld in een grote halfronde woonkamer en een kleinere halfronde keuken met een boog ertussen. In beide kamers waren werklui bezig. Een was bezig de muren van de woonkamer te pleisteren, twee waren in de keuken, omringd door dozen, druk bezig haar nieuwe keukenblok in elkaar te zetten en midden tussen de puinhopen lag op de grond een loodgieter, die een stuk koperen pijp in positie bracht naast een van haar nieuwe radiatoren. Haar nieuwe trap liep in een bocht langs het grijs van de nieuw bepleisterde muur en hij zag er robuust en felgekleurd uit. Er was een nieuw raam boven het nieuwe aanrecht gekomen; alle drie de originele ramen in de woonkamer hadden dubbele beglazing gekregen en zagen er piekfijn uit na het vuile roet van hun voorgangers.

'Het schiet al op!' zei ze goedkeurend. 'Het aanrecht is dus aangekomen.'

De oudste loodgieter knikte haar toe. 'Vrijdagochtend vroeg,' zei hij.

'Prima. Is het water aangesloten? Fijn. We gaan zo theedrinken. Zodra ik mijn theepot heb uitgepakt. Loopt meneer Makepeace hier ook ergens rond?'

De loodgieter vond dat een te gek grapje. 'Meneer Makepeace?' lachte hij. 'Hier? Nou wordt ie goed. Hij is nergens te vinden als er werk aan de winkel is. Hij is een verkoper. Daar hebben we de derde wereldoorlog voor nodig om die zijn kantoor uit te krijgen. Is er iets?'

Ze legde hem uit wat er aan de hand was; er werd een sleutel gehaald en naar de leerjongen gegooid met de opdracht het probleem op te lossen. Terwijl de verhuiswagen door het hek werd gemanoeuvreerd – 'Langzaam doorrijden! Nee. Vooruit. Je hebt genoeg ruimte' – togen Lucy en zij aan het werk. Eerst moest er in het midden van de woonkamer een plek worden vrijgemaakt om ruimte voor de spullen te maken en er moesten drie oude lakens uit de eerste de beste binnengebrachte theekist gehaald worden om over het meubilair te leggen, zodat het beschermd werd tegen verf en kalk. Toen zetten zij een ketel water op, pakten de theepot, melk, suiker en mokken uit en zetten thee voor de verhuizers en alle anderen in het huis. Daarna moest het werk aan de nieuwe trap geïnspecteerd worden.

'Het gaat er allemaal heel mooi en vrolijk uitzien,' zei Gwen terwijl ze naar boven liepen. 'Ik heb voor mijn hele leven genoeg van pap en gedekte kleuren. Ik laat de woonkamer vuurrood schilderen. Moet je kijken hoe geweldig deze nieuwe treden daartegen zullen afsteken. En dit is mijn slaapkamer, die wordt botergeel, en de badkamer wordt wit met goudkleur. Ik heb schitterende tegels gevonden. Boven is een nog kamer, die wordt blauw of lichtpaars. Daar ben ik nog niet uit. Als deze kleine badkamer klaar is, komen er een toilet en een douche in. En daarboven is mijn uitkijkpunt. Wacht maar tot je dat gezien hebt.'

'Je vindt het hier echt fijn,' zei Lucy toen ze naast elkaar over de Solent uitkeken. Het lichtspel van de zee wierp een betoverend rimpelpatroon op de muur achter haar moeders hoofd, als een weerkaatsing van kleine vissen.

'Ja,' zei Gwen en draaide zich met een glimlach naar haar toe. 'Dat vind ik echt. Ik wist dat het zo zou gaan zodra ik het zag. Ik moest dit gewoon kopen, Lucy. Ik denk dat het komt doordat je in deze tijd alleen maar hoort hoe geweldig het leven als single is, dus dat speelt door je hoofd. De roddelbladen staan er vol van, en dan heb je al die boeken die inspelen op het Bridget Jones-gedoe, en *Friends* en *Ally McBeal*. Ze zeggen allemaal hetzelfde. Wees een single. Leef in het nu. Geen verantwoordelijkheden. Die levensstijl zie je overal, dag in, dag uit, als een soort uithangbord voor alle anderen. Voordat je vader stierf, las ik er geregeld over en ik keek ernaar en dacht vaak: fijn voor anderen. Ik wilde dat ik de kans had gehad zo te leven toen ik jong was. En nu heb ik plotseling veel geld en veel tijd en nu is het mijn beurt. Ik kan nu ook een single zijn en leven op de manier die ik fijn vind. Het is niet alleen iets voor twintigers. Je kunt het ook doen als je zesenvijftig bent. Zodra ik deze toren zag, wist ik dat ik het zou doen. Ik denk dat ik het wel verdiend heb, na al die jaren, vind je ook niet?'

'Ja,' zei Lucy. 'Dat heb je ook.' Het zou grof zijn geweest om iets anders te zeggen.

*

Eleanor had zich met de grootst mogelijke zorg gekleed voor haar debuut als aanstaande moeder op haar kantoor. Ze had haar meest modieuze mantelpakje uitgekozen, het zwarte van Dolce & Gabbana, nog eens benadrukt door diamanten oorknopjes, een Gucci-shirt en haar nieuwe crèmekleurige laarzen, haar nieuwe Amerikaanse oogschaduw en mascara, die inderdaad haar ogen buitensporig blauw deden lijken; daarin had de schoonheidsspecialiste tenminste gelijk gehad. Bijpassende nagels en lippen en een gouden horloge dat werd geaccentueerd door de witte manchetten van haar shirt maakten het geheel compleet. Pete had me nu eens moeten zien, dacht ze, terwijl ze voor ze wegging haar spiegelbeeld voor de laatste keer nauwkeurig inspecteerde. Het had haar een uur gekost, de tien minuten die ze had gebruikt voor koffie en toast niet meegerekend, maar het was het wel waard geweest.

Nu haar auto tot haar volle tevredenheid was gerepareerd, reed ze in stijl weg en zelfvoldaan en opgewonden stopte ze onderweg om een zwangerschapstest te kopen. Zodra ze was aangekomen, rende ze het toilet in om de zwangerschapstest toe te passen, ging toen raadselachtig glimlachend naar haar kantoor met de zwangerschapstest in haar handen en legde deze nonchalant op het bureau van Monica Furlong. 'Let hier even op, wil je,' zei ze.

Monica gilde, zoals ze al gedacht had. 'Nee! Je bent toch niet zwanger! Bofferd!' Binnen een paar tellen hadden alle meiden van het kantoor zich rond het bureau verzameld; ze gilden en riepen en duwden elkaar opzij om beter te kunnen zien. 'Ja! Het komt op! Kijk! Moet je zien! Ja! Ja!' alsof ze allemaal een meervoudig orgasme kregen. Het was zeer de moeite waard.

Maar op dat ogenblik, net toen ze de felicitaties in ontvangst nam en hun vertelde hoe fit ze was en verklaarde dat de zwangerschap helemaal geen invloed op haar zou hebben, 'nou, ik bedoel, geen invloed, niet in deze tijd', kwam Helen De Quincy, het Grote Witte Opperhoofd in eigen persoon, binnenzeilen, keek langs haar lange neus naar de zwangerschapstest op het bureau van Monica en vroeg Eleanor of ze 'eventjes tijd voor haar had'.

Het was heel ergerlijk dat haar maar zo'n kortdurende triomf was gegund terwijl ze op minstens een halfuur had gehoopt, maar het woord van De Quincy was wet, dus zat er niets anders op dan de dame naar haar privékantoor te volgen en de consequenties te aanvaarden van wat zij ook voor haar in petto mocht hebben. Niet dat het mogelijk was te raden wat er zou komen, want mevrouw De Quincy had zoals gewoonlijk haar gezicht goed onder controle en van haar lichaamstaal viel niets af te lezen wat je niet al wist – dat ze broodmager was en superieur, dat ze afstand hield, iemand naar willekeur kon aannemen of ontslaan, een fortuin kon besteden aan haute couture, alles in klassiek zwart, en dat ze de kleur van haar make-up en haar elke week veranderde, zoals een modeicoon betaamt. Het haar van deze week was recht, kort en zo rood dat het bijna scharlaken was. Het vlamde boven het koele chroom en zwarte leer van het meubilair in haar kantoor. Wat je ook van haar mocht denken, ze had schwung.

Ze liet zich achter haar grote bureau vallen en stak een sigaret in haar lange zwarte sigarettenhouder, gebruikte hem als een stokje om Eleanor aan te wijzen waar ze moest gaan zitten en stak hem elegant aan.

'Goede berichten uit New York,' zei ze en kneep haar ogen toe tegen de rook. 'Daar mag je trots op zijn, vind ik.'

Eleanor bedankte haar. Je bedankte mevrouw De Quincy altijd, wat ze ook tegen je zei.

De dame blies langdurig rook uit haar neusgaten en Eleanor keek naar haar en dacht ondertussen dat ze eruitzag als een draak met een rood hoofd. 'Ik neem aan dat die zwangerschapstest niet van jou was,' zei ze.

'Nou, eigenlijk,' gaf Eleanor toe, 'is hij dat wel. Maar het is geen probleem.' Toen besefte ze dat ze bloosde en ze boog gegeneerd en geïrriteerd haar hoofd in de hoop haar wangen te kunnen verbergen.

'Ik zou zeggen dat het wel een groot probleem zou kunnen zijn,' lispelde mevrouw De Quincy. 'Ik hoop dat je hier niet het moedertje gaat uithangen. Er komt te veel werk aan om je bezig te kunnen houden met kindervoetstapjes en je hebt te veel te verliezen.'

'Dat weet ik,' zei Eleanor en ze tilde haar hoofd en haar kin op omdat ze de vrouw moest aankijken en ze dwong zichzelf het bloed uit haar wangen te laten wegtrekken. 'Ik weet precies wat het me zou gaan kosten. Ik heb het al vaker zien gebeuren.' Ze tikte de punten af op haar vingers, zoals ze dat ook deed bij een presentatie aan een cliënt. 'Ten eerste loop je al het geld mis dat je had kunnen verdienen in de tijd dat je het kind opvoedt, wat al erg genoeg is; ten tweede val je terug op een beginnerssalaris terwijl al je collega's mijlen ver op je voor liggen; ten derde heb je geen kans op promotie omdat de wereld is blijven draaien terwijl jij weg was en je veel moet inhalen; en ten vierde, alsof het allemaal nog niet erg genoeg is, krijg je aan het eind een kleiner pensioen. O nee, een vrouw die in de wildernis van het huishouden verdwijnt omwille van een baby, snijdt in feite haar eigen keel af.'

'Goed gezegd,' zei mevrouw De Quincy goedkeurend. 'Ik had het zelf niet beter op een rijtje kunnen zetten. Dus ik neem aan dat je wat geregeld hebt.'

'Natuurlijk,' zei Eleanor en begon wat te verzinnen. 'Het wordt rond de paasdagen geboren, op eerste paasdag. Ik heb het allemaal al geregeld. Als ik zwangerschapsverlof neem – en ik zal dat zo kort mogelijk doen – kan ik thuis werken. Ik heb daar al een kantoor, zoals u weet, dus dat is geen probleem.' Ze lachte naar ze hoopte op een natuurlijke manier. 'Ik zit weer achter mijn bureau voor u in de gaten hebt dat ik weg ben geweest.'

'Ik neem aan dat je ook een goede oppas hebt geregeld.'

'De allerbeste,' glimlachte Eleanor. 'Mijn moeder.'

Dat gaf de doorslag. 'Blij om dat te horen,' zei de dame en ze blies weer rook uit, maar deze keer leek ze meer op een hagedis dan op een draak. 'We verliezen tegenwoordig veel te veel talent aan het moederschap. Het is zo'n verspilling en het kan een kantoor even erg besmetten als de mazelen. Wil je meneer Cuthbert naar me toe sturen?'

Eleanor liep het heiligdom uit en drentelde naar haar bureau; ze glimlachte gladjes naar haar collega's om te laten zien dat ze felicitaties in ontvangst had genomen en om mogelijke gedachten uit de wereld te helpen dat ze wellicht was ontboden om de mantel uitgeveegd te krijgen. Nou, dat is het dan, dacht ze toen ze ging zitten, nu moet mama er wel aan geloven. Ik zit eraan vast. Ik moet Lucy bellen.

Ze was geïrriteerd toen haar werd meegedeeld dat Lucy thuis werkte en ze werd echt boos toen ze het nummer in Battersea belde en het antwoordapparaat te horen kreeg. Ze is mama gaan helpen met de verhuizing, dacht ze. Wat stom! Maar typisch Lucy. Ze is te lief. Dat is haar probleem. Nu kan ik haar pas morgen mijn nieuws vertellen.

Hoofdstuk 4

Het eerste wat Gwen de volgende ochtend zag toen ze haar ogen opendeed, was een gigantische zilvermeeuw die langs haar raam zweefde. Hij was zo dichtbij dat ze elk detail kon zien: de witte borstveren die door de wind omhoog werden geblazen, een rond oog zo scherp als een edelsteen, en zelfs de bloedrode stip op zijn gele snavel. De kamer was vol helder licht en de vertrouwde geuren van zand en zilt. Boven het gekrijs van de meeuwen uit kon ze het geruis van de zee over het kiezelstrand en het gelijkmatige gespat en gekraak van roeiriemen horen. Ze was om middernacht in bed gekropen, te moe om haar ogen open te kunnen houden maar nu was ze onmiddellijk klaarwakker en in een goed humeur. Hier ben ik dan, dacht ze. Waar ik wil zijn. Ze barstte van de energie en keek uit naar de dag.

Ze gooide het dekbed opzij, schoot in haar slippers en ochtendjas en rende naar boven, naar haar uitkijkpost, verlangend om haar territorium te overzien. O, wat een beloning: de zee was zo kalm dat er nauwelijks enige rimpeling te zien viel op het bleekblauwe, door de zonneschijn gepolitoerde oppervlakte en de jol was zo bruin als een noot. De roeier droeg een visserspet en een marineblauwe trui en hij trok ontspannen aan de riemen met hun rode bladen; verder weg op zee lagen twee tankers, lang en plat en onder de roestvlekken, en een cruiseschip dat schitterde van de witte verf, met dekken zo bleek als papier in de vroege ochtendzon en elke patrijspoort zo zwart als inkt. En dit is allemaal van mij, dacht ze. Iedere dag, zolang als ik dat wil.

Die middag, na een lunch met vers brood van de plaatselijke bakker, kant en klaar toebereid vlees van de plaatselijke slager en een van de lekkerste soorten sla die ze ooit had klaargemaakt of geproefd, reed ze weg om het eiland te verkennen, onder een zomers blauwe hemel tussen heggen door die al herfstachtig geel begonnen te worden.

Algauw ontdekte ze dat er maar één ander dorp op het eiland was en dat was ook nog een heel klein dorp, niet meer dan een verzameling cottages met rieten daken, een groot herenhuis dat nu, dat verbaasde haar niets, een bejaardentehuis was, en een piepklein kerkje dat helemaal alleen in het midden van een uitgestrekte begraafplaats lag. De kerk zag er eerder uit als een relikwie dan als een plek voor erediensten. Hij deed haar denken aan de kerk van het eiland waar zij was opgegroeid, dus toen ze vlakbij een kleine met gravel verharde parkeerplaats zag, reed ze deze knersend op, stapte uit de auto en ging op onderzoek uit.

Er was niemand in de buurt en de lucht was vol voor haar onbekend vogelgeroep. De geluiden leken te komen van achter de muur met brokken vuursteen die de begraafplaats omzoomde, dus liep ze tussen de stenen door om te zien wat daar was en kwam tot de ontdekking dat ze uitkeek over de moddervlakte van een grote natuurlijke haven. Moeiteloos klom ze in een oogwenk over de muur en toen bevond ze zich alleen in een woeste, door de wind geschuurde wereld van opgedroogde modder, fluisterende zegge, pollen hard ruw gras, lange zandstroken, hemelsblauw water – en wilde vogels. Een reiger stond roerloos op een lange zwarte poot aan de waterkant; wilde eenden dobberden als kurken op het ondiepe water of vlogen plotseling in een ongeordende formatie op naar een veiliger plek een paar meter verderop, er driftig op los snaterend; een tureluur rende afgemeten en snel op zijn flinterdunne poten heen en weer, tientallen lichtbruine plevieren waren aan het foerageren op de kwelder, alle koppen in dezelfde richting, druk en nauwkeurig met hun zwarte snavels in de weer. Er was zelfs een aalscholver, groot, zwart en lomp, met een lange nek die op een rottende boomstronk zijn vleugels had uitgespreid om ze te laten drogen.

Ze stond daar aan de waterkant en ademde de geur van de zee in, omringd door vogels, helemaal in haar element. Een en al gelukzaligheid. Haar broek en sportschoenen zaten onder de moddervlekken, op haar jasje liep over de ene mouw een lange groene streep, er zaten twijgjes in haar haar en ze proefde zout op haar lippen, maar wat maakte dat uit. Ik kan in mijn tuin een voedertafel voor de vogels zetten, dacht ze, dat heb ik altijd al gewild. Er is niemand die me dat nu kan verbieden.

*

Lucy was die ochtend hard aan het werk met een stel niet te achterhalen getallen, in een poging de vergissing op te sporen die er een absurd geheel van had gemaakt, dus toen de telefoon ging, antwoordde ze met de vage stem die ze gebruikte om collega's af te schrikken op de momenten dat ze geconcentreerd bezig was. 'Ja...ha...'

Eleanor werd er niet in het minst door ontmoedigd. 'Ik begrijp dat je gisteren met mama naar dat Seal Island bent geweest,' zei ze. 'Hoe was het?'

'Goed,' zei Lucy en zat ondertussen nog steeds de cijfers te bestuderen. 'Maar het is geen huis. Het is een toren.'

Eleanor was ontzet. 'Een wat?'

'Een toren. En voor je ernaar vraagt: hij is heel verwaarloosd en ze gaat hem restaureren.'

'Ze is niet goed wijs,' zei Eleanor scherp aan de andere kant van de lijn. 'Ik bedoel, een toren, verdorie. Zoiets heb ik nog nooit gehoord. Zie je wel: rouw. Dat zei ik je toch. Nou, dat zal niet lang duren. Met kerstmis is ze weer terug.'

'Dat denk ik niet,' probeerde Lucy haar te waarschuwen.

'Wel,' hield Eleanor vol. 'Geloof me maar. Ik ga haar terughalen. Vraag eens hoe de test ging.'

'Je hebt hem dus gedaan. En?'

'Daar bel ik voor,' zei Eleanor. 'Ik dacht dat je het wel wilde weten.' En ze stak van wal met een sterk gekleurd verslag van de hele gebeurtenis, vanaf de eerste reactie van mevrouw De Quincy tot en met haar eigen, handige improvisatie.

Het stelde haar teleur dat Lucy niet zo onder de indruk was als ze had verwacht. 'Dat doe je toch niet echt?' zei ze met haar ogen nog steeds op het scherm gericht.

'Niet echt wat?' vroeg Eleanor.

'Het laten opwekken.'

Tot op dat ogenblik had Eleanor er niet echt over nagedacht. Het was alleen maar een truc geweest om het Grote Witte Opperhoofd tevreden te stellen. Maar nu ze weerstand ontmoette, versterkte dat haar besluit. 'Nou, waarom niet?' vroeg ze.

'Omdat het onnatuurlijk is,' zei Lucy, die van het scherm wegkeek. Dit was te belangrijk om er maar half aandacht aan te schenken. 'Waarom kan het niet blijven zitten tot het er klaar voor is, het arme ding?' Ze merkte dat ze verlangde naar het kind, dat haar buik pijn deed van iets dat leek op smart. Dat was het ook. We hebben het hier wel over Pete's baby, dacht ze. 'Je kunt hem niet de wereld in trekken als hij er nog niet aan toe is.'

Eleanor haalde geërgerd diep adem. 'Zo gaat het tegenwoordig. Het leven is voor ons allemaal hard. Hoe eerder het daar aan gewend is, des te beter.'

'Nou, ik vind het afschuwelijk. Je behandelt het alsof het een product is.'

'Moet je eens goed luisteren,' zei Eleanor verontwaardigd. 'Dit is mijn baby, als je dat nog niet wist, en als ik zeg dat het wordt opgewekt, dan wordt het ook opgewekt. Ik moet doen wat het beste voor mij is. Ik moet rekening houden met mijn carrière. Maar nu terzake: we moeten mama zover krijgen dat zij er later op kan passen.'

'Wie is "wij"?'

Eleanor was zo gekrenkt dat de kilte in de stem van haar zus haar ontging. 'Jij en ik,' zei ze. 'Ze is onze moeder. Ik dacht dat jij de volgende keer dat je naar haar toe gaat, iets tegen haar zou kunnen zeggen. Haar er een beetje op voorbereiden.'

'Geen sprake van!' zei Lucy fel. 'Zoals je daarnet al zei: het is jouw baby. Zeg jij het maar tegen haar.'

'Maar jij ziet haar eerder,' begon Eleanor, ter verdediging van zichzelf. Maar Lucy had al opgehangen. Nou ja, wat grof!

Het gesprek werd in feite niet uit onbeleefdheid afgebroken, maar uit verdriet. Sinds Lucy van de baby had gehoord, onderdrukte ze een onmogelijk verdriet. Ze wist dat ze er niets aan kon doen, dat ze verstandig moest zijn – en ze was uitermate verstandig geweest, door Eleanor te feliciteren en haar geheim niet aan hun moeder te vertellen, een opgewekt gezicht te zetten en niemand te laten weten hoe ze zich echt voelde – maar de pijn hield daarmee niet op. Nu schuurden tranen haar keel en als ze niet uitkeek, zou ze volschieten. Ze zocht een papieren zakdoekje en snoot snel haar neus voordat de anderen zouden zien hoe ze eraan toe was. Kantoortuinen waren de ergst mogelijke plekken om te zijn als je van streek was, omdat je je nergens kon verschuilen.

Ja hoor, daar stond Yvette al op en kwam naar haar toe gelopen om te vragen of er iets aan de hand was.

'Ik denk dat ik verkouden word,' vertelde Lucy haar. 'Ik loop de hele ochtend al te snuffen.' En ze snufte om het te bewijzen.

Yvette leefde met haar mee. 'Heb je paracetamol nodig?'

'Nee, dank je wel.' Lucy slaagde erin te glimlachen. 'Ik heb zelf wel. Ik heb altijd een strip bij me. Vooral als ik met de Leicester-account bezig ben.'

'O, gaat het daar over?' zei Yvette en ze boog zich voorover om ernaar te kijken. 'Dat is een gruwelijke klus! Vorig jaar hebben ze hem aan mij gegeven. Ik ging er zowat van aan de drank. Die verkoudheid van jou zal toch geen roet in het eten gooien als we gaan stappen?'

'Nee, natuurlijk niet,' zei Lucy tegen haar. 'Het is gewoon een verkoudheid. Ik raak hem wel kwijt. Je kent me toch.'

'Want ik heb zo'n schitterend topje gezien in Selfridges,' zei Yvette. 'Bezaaid met lovertjes. Hij maakt echt slank.'

De dag sleepte haar voort. Yvette en zij kuierden tijdens hun lunchpauze langs Oxford Street en ze kochten het topje. De Leicester-account kostte haar de hele middag en hij was pas tegen zes uur op orde. Toen was het naar huis in Battersea om vlug wat te eten, met haar twee huisgenoten steggelen over het gebruik van de badkamer en dan serieus aandacht besteden aan jurk, haar en make-up. Daarna gingen ze met hun drieën op pad naar de club met Helen achter het stuur, omdat het haar beurt was. Eenmaal aangekomen was het geluid zo intens dat er geen ruimte of rust was om na te denken of iets te voelen, wat maar goed was ook, gezien haar echte gemoedstoestand.

*

Ze werd op de club begroet door haar vrienden, van wie er al aardig wat vrolijk dronken waren, maar ze namen blijmoedig nog een drankje op haar kosten aan. Ze danste tot haar voeten pijn deden en het zweet langs haar rug liep, ze lachte om iedere domme grap en ging met elke stomme opvatting mee en toen ze ten slotte zelf behoorlijk dronken was en de paarvorming was begonnen, had ze besloten dat ze de knapste man aan de haak zou slaan, alleen al om te bewijzen dat ze daartoe in staat was.

Het kostte haar wat tijd om in de met muskus bezwangerde en donkere zaal van de club, waar de flikkerende laserstraal haar het zicht belemmerde en het gebonk van de speakers een aanslag op haar ademhaling deed, een keuze te maken, maar uiteindelijk viel haar oog op een blonde reus met een strakke kaaklijn en brede schouders – lang, gouden medaillon, gouden horloge, geen bierbuik, best een goede danser – tenminste, wat voor goed door moest gaan onder stadstypes. Hij had haar de hele avond blikken toegeworpen, dus hij was beschikbaar. Toen ze zich goed had ingeprent waar hij stond, danste ze door de massa op de vloer heen, duwde een aantal gillende of vrijende lichamen opzij en slaagde erin tegen hem aan te botsen. 'O jee! Sorry!'

Hij bleek een kerel te zijn die ze vorig jaar met kerst op een kantoorfeestje had ontmoet, Toby geheten; hij reed in een Porsche en was familie van ene Sir Huppelepup. Hij was nogal vol van zichzelf, wist ze zich te herinneren en hij was van dichtbij helemaal niet zoals het van de andere kant van de zaal leek. Maar hij legde zijn armen min of meer om haar middel en riep dat het geweldig was om haar te zien, dus omdat hij het beste was wat zich voordeed en wist hoe het spelletje gespeeld moest worden, besloot ze om mee te doen. Toen gebaarde Helen dat zij en haar partner weggingen, dus daar ging haar lift naar huis en daarna was de afloop van de avond onafwendbaar.

Hij bracht haar thuis in zijn Porsche, een model van dit jaar en nog poeniger dan die ene die zij zich herinnerde. Hij vroeg haar hoe het ging bij 'wat was het ook al weer? Gloria Cosmetics?' Daaruit bleek dat hij zich nog wel iets herinnerde. Ze vertelde hem dat het leven daar afschuwelijk was en toen haar op het nippertje te binnen was geschoten waar hij werkte, vroeg ze hem hoe de toekomst ervoor stond. Vervolgens bleef hij de rest van de tocht tot in de laatste oersaaie puntjes uitleggen hoe de markt ervoor stond en wat zijn bijdrage daaraan was.

*

Maar toen ze eenmaal in haar flat waren – nog steeds leeg, of in ieder geval rustig – schoot hij onmiddellijk in de verleidingsstand en deed al de juiste dingen in de juiste volgorde alsof ze in close-up op de tv werden uitgezonden: hij zoende haar alsof hij haar mond aan het opeten was, hij duwde haar met zijn lichaam naar de slaapkamer – hoe weet hij dat dit de juiste deur is? – kleedde haar uit alsof hij niet langer kon wachten, 'god wat ben je mooi!' trok zich zijn eigen kleren met een scheurend geluid van het lijf – gebruikt hij klittenband? – duwde haar in voor haar gevoel een enkele beweging de slaapkamer in en op het bed en besprong haar 'god wat ben je mooi! Mooi!' met zo'n vaart en zo doelgericht dat hij al was klaargekomen voor zij eraan toe was te besluiten of ze dit wilde doorzetten of niet.

Ze lag naast hem terwijl hij weer op adem kwam en ze vroeg zich af of ze stiekem het bed uit kon glippen om te gaan plassen zonder hem te hinderen. Maar daar hoefde ze niet lang over na te denken omdat hij overeind ging zitten en zijn kleren begon aan te trekken.

'Was ik goed?' vroeg hij terwijl hij zijn shirt over zijn hoofd aantrok.

Ze lag net te bedenken dat hij zo'n pukkelige rug had. 'Wat?'

Hij herhaalde de vraag. 'Was ik goed? Kwam je klaar?'

'O, dat,' zei ze. 'Ja. Je was fantastisch.'

'Dat zit dan wel goed,' zei hij en raapte een schoen op van de plek waar hij hem had uitgeschopt. 'Ik moet gaan, anders vraagt moeder de vrouw zich af waar ik uithang.'

'Vrouw?' Was hij echt getrouwd?

'Grapje,' zei hij en lachte om het te bewijzen. 'Ha, ha! Zo stom ben ik nou ook weer niet. Haha.'

Het kon haar niet schelen of hij het wel of niet was.

'Zie ik je vrijdag in Dirty Harry?'

'Best mogelijk.'

Hij stond op, weer helemaal aangekleed. 'Goed.'

'Vergeet niet de voordeur achter je dicht te trekken.'

'Groetjes!' zei hij. En ging weg.

Ze luisterde tot ze de Porsche chic brullend hoorde wegrijden. Toen drukte ze haar hoofd in haar kussen en gaf zich over aan een huilbui. Het leven is zo oneerlijk, dacht ze, terwijl haar snikken de rustige kamer met een ritmisch geluidspatroon vulden en haar tranen het kussen dramatisch bevochtigden. Eleanor is papa's lievelingetje; ik help mama met de afwas. Eleanor wint een beurs voor Cambridge; ik word naar Sussex gestuurd. Eleanor krijgt een snelle-carrière-baan; ik zit de hele dag op cijfertjes te ploeteren. Eleanor krijgt Pete; ze hoeft daar niet eens haar best voor te doen en ze wil hem waarschijnlijk niet eens zo graag hebben; ik krijg die nerd van een Henry en Toby Hoe-heet-hij-ook-weer. Zij wordt zwanger. O god! Zij krijgt een baby van Pete. Een baby van Pete en ze laat hem opwekken. Het is niet eerlijk. Ik wil alleen maar een beetje liefde. Dat is alles. Alleen maar een beetje liefde. Maar nu ze tijd had om na te denken, besefte ze dat ze er sinds de uitzonderlijke uitbarsting van haar moeder eigenlijk niet meer zeker van was wat nu liefde was. Ze had altijd aangenomen dat het begon in grote gelukzaligheid, zoals toen zij Pete Halliday voor het eerst zag, en dat het dan overging in een soort tevredenheid die ze thuis ook had gezien. Of had gedacht dat ze die had gezien. Nu ze wist dat de liefde van haar ouders slechts schijn was geweest en dat het helemaal geen liefde was geweest, had ze het gevoel dat niets meer zeker was. Wat had mama erover gezegd? 'Ik verdroeg het.' Zag liefde er zo uit? Iemand voor lief nemen. Verdragen. Was er geen 'vervoering'? Geen 'waarachtig houden van'? Wat er zoeven in dit bed was gebeurd, was zeker geen liefde of passie geweest. Het was niet eens goede seks geweest. En ik wil alleen maar dat iemand echt van me houdt. Is dat te veel gevraagd?

Nu waren haar tranen op en ze begon zich te schamen dat ze zo in zelfmedelijden had gezwolgen, dus stond ze op, ging eindelijk plassen, waste zich en trok een T-shirt en haar ochtendjas aan.

Omdat het huilen haar absoluut geen troost had gebracht, haalde ze vervolgens haar twee kostbare fotoalbums tevoorschijn, knipte het bedlampje aan en sloeg ze open bij de welbekende afbeeldingen van het verleden. Pete op veertienjarige leeftijd op het muurtje tussen hun twee huizen, zoals ze hem de eerste keer had gezien, zijn lange benen voor zich uitgestrekt, zijn dikke haar goudgeel in het zonlicht. Pete languit lezend op een ligstoel – niet zo'n goede foto, omdat Eleanor in die ene bikini op de achtergrond stond. Pete op zeventienjarige leeftijd, op zijn motor. Achttien op zijn eerste vakantie: hij deed net of hij gebukt ging onder het gewicht van de boeken die hij droeg. Twintig, net terug van de Middellandse Zee, strohoed op en oogverblindend bruin. O, Pete! Ik houd al zo lang van je en het wordt steeds erger.

Er werd een sleutel in het slot gestoken, twee paar schoenen schuifelden langs, iemand giechelde en stommelde rond, toen de stem van Tina, die fluisterde: 'Houd op, idioot! Zo dadelijk vallen we allebei om.'

Dat is ook geen liefde, dacht Lucy. En ze deed het licht uit.

Hoofdstuk 5

Misschien was het maar goed ook dat Gwen MacIvor zich er niet van bewust was, dat haar jongste dochter er niet goed aan toe was. Als ze het had geweten, was ze meteen naar Battersea gereden met het gevoel dat ze er iets moest doen en dat had een abrupt einde gemaakt aan haar eerste idyllische week aan zee. Nu reed ze die middag in zalige onwetendheid Chichester binnen en ze trakteerde zichzelf op een wintercape, een schitterend dramatisch kledingstuk, gemaakt van zwarte wol met een gewaagde paarse voering. Toen kocht ze, omdat ze dít al had gedurfd en omdat het zwart iets nodig had als contrast, ook nog een verpletterende hoed van mauve en paars velours. Ze had er nog nooit zo voornaam uitgezien of zich zo voornaam gevoeld.

Elke dag bracht haar rijkere kleuren. Esdoorns schitterden wijnrood tegen de muren met vuursteen. Vuurdoorn bespikkelde de dorpstuinen met trossen bloedrode bessen. Heggen kwamen onder grijze webben te zitten door het weelderige kant van wilde clematis. Het duurde niet lang of de velden werden tot bruin omgeploegd, grassen begonnen de dag met dauw besprenkeld en de bomen dunden hun zomerse gebladerte uit en tooiden zich in scharlakenrood, goud en geelbruin. De twee grote eiken aan de noordelijke zoom van het dorp werden met het uur geler en de berkenlaan plaveide haar dagelijkse wandeling met een bronzen bladerval. De rijkdom van haar nieuwe leven zou op zich, zonder andere pleziertjes, al verrukkelijk genoeg zijn geweest. Maar er waren wel andere pleziertjes.

De toren werd langzamerhand het thuis dat ze voor ogen had. Haar uitkijkpost was nu een zwevende kas met zeegroene muren, rieten stoelen en een overvloed aan vlijtige liesjes. De blauw met witte badkamer op de tweede verdieping was betegeld, er werden meubels voor haar gemaakt, de telefoon was beloofd voor vrijdag en hoewel de keuken veel tijd kostte, konden de kookplaat, het aanrecht en de koelkast tenminste gebruikt worden. De keuken was dus bijna klaar, ook al waren de muren en de vloer nog kaal en had ze nog geen oven of inbouwkasten. Nog een week, schreef ze Lucy en Eleanor op donderdagavond, en dan is alles ingericht en kan ik mijn huis inwijden met een feestje.

De volgende ochtend zag ze toen ze wakker werd dat de zee grijs was, vol kopjes zat en dat er een straffe wind was. Hij blies zo hard dat hij de meeuwen als propjes papier door de lucht wierp en zo vochtig dat ze de zee zelfs in de toren kon ruiken. Toen ze de deur opendeed om de melk te pakken, blies hij haar de haren in de ogen en bolde haar ochtendjas als een zeil op. Ze voelde zich daardoor zo verrukkelijk springlevend dat ze eventjes bleef staan om gewoon van de kracht ervan te genieten.

'Blaas wind,' riep ze hem toe, King Lear citerend, 'en laat je wangen barsten.'

Als antwoord werd ze onthaald op weer een vlaag – gevolgd door zielig zwak gemiauw. Wat kon dat zijn? Vast geen kat, niet daarbuiten. Maar daar kwam het uit het bijgebouw gestrompeld, niet groter dan een jong katje, klein, zwart, met gele ogen, op hoge poten, broodmager en jammerend. Arm diertje.

'Wat doe jij daar?' riep ze het toe. En in antwoord daarop rende het op luciferdunne poten naar haar toe en miauwde hartverscheurend. Ze pakte het op, hield het tegen haar ochtendjas en ze liet haar handpalm over zijn rug glijden om het te troosten. De vacht was zo nat dat hij in viezige plukken aan elkaar zat gekleefd en ze kon elk botje van de ruggengraat voelen. 'Zeg, jij bent een hoopje ellende,' zei ze vol medelijden. 'Kom maar mee naar binnen, dan krijg je wat te eten.'

Ze warmde wat melk op, dat het verwoed oplikte. Toen zocht ze een oude handdoek en wreef het katje eens goed droog. Ze was ontroerd toen het begon te spinnen. Ze was nog steeds bezig het katje af te drogen toen de postbode zijn hoofd door het open raam stak.

'Wat hebt u daar?' vroeg hij.

'Dit is mijn kat,' zei ze, omdat dat ook zo was. Er was niemand die haar kon verbieden een kat te nemen. Nu niet meer. Ze kon het houden als ze dat wilde. En dat wilde ze ook. 'Hij heet Jet.'

'Hij ziet eruit als een van die duiveltjes,' zei de postbode en hij keek er wantrouwig naar. 'Die van de video's. Ze bespringen je, echt waar, met hun klauwen uit en krijsen dat ze doen! En dan val je op de grond en het bloed spuit uit je ogen en je gaat dood of je krijgt een ziekte of je wordt gek. Ik weet niet meer hoe dat ging in die ene video. Verschrikkelijke dingen, die duiveltjes.'

Ze verdedigde de kat onmiddellijk. 'Het is de kat van een heks,' zei ze terwijl ze de voorpoten afdroogde. 'Helemaal zwart. Er is geen vlekje wit te bekennen. En dat is zeldzaam.'

'O jee,' zei de postbode, ging er snel vandoor en liet haar post op de vensterbank liggen.

'Een duiveltje, hoe durft hij!' zei ze tegen de kat en zette hem op haar nieuwe bank voor ze de post ging ophalen. Er was een brief van Lucy die hoopte dat alles goed ging, een van de meubelmaker met de vraag welke soort handvatten ze wilde hebben, 'brochure bijgesloten', en een derde van het waterschap over haar aanvraag aangesloten te worden op het riool. Die klonk niet erg bemoedigend.

'Uw aanvraag zal te zijner tijd in behandeling worden genomen,' stond er. 'Het is echter niet meer dan billijk u te berichten dat hij laag op de prioriteitenlijst staat. Gewoonlijk maken we geen aansluiting bij een enkele woning die door één persoon wordt bewoond.'

'Met andere woorden,' zei ze tegen haar kat, 'ze maken er alleen maar werk van als de vraag van een zaak of een groep gebouwen komt. Zakkenwassers. We moeten maar eens kijken of ik een van mijn buren erbij kan betrekken.' Niet ver van haar vandaan lag een boerderij. Die had ze op een van haar wandelingen zien liggen. 'Ik ga er vanmiddag wel eens langs om te kijken wat zij ervan zeggen. Wat vind jij daarvan?'

De kat kneep zijn gele ogen toe alsof hij zijn goedkeuring gaf.

'Dat is dan afgesproken,' zei ze en ze genoot ervan te doen alsof ze een gesprek voerden. 'Nu moet ik me hoognodig gaan wassen en aankleden, anders ben ik niet klaar als de werklieden komen.'

Het was echt uiterst plezierig een kat als gezelschap te hebben. Hij krabbelde achter haar aan de trap op en bleef voor de kleine badkamer zitten terwijl zij een douche nam, volgde haar naar beneden naar de keuken waar zij een pot thee zette, krulde zich vervolgens op een van de rieten stoelen in de uitkijkpost op en voelde zich volkomen thuis terwijl zij haar ontbijt nuttigde en van het uitzicht genoot. Nu hij weer droog was, zag hij er helemaal niet zo gek uit en het viel haar op dat hij zichzelf heel zorgvuldig schoonlikte, zo jong als hij was.

Hij zat nog steeds op de stoel toen de monteur voor de telefoon arriveerde, maar daarna werd het zo druk dat ze geen tijd meer voor hem had en ze was opgelucht dat hij niet in de weg liep. Terwijl de monteur aan het werk was, kwamen de bouwvakkers om haar muren rood te schilderen, de vloerbedekking in de slaapkamer te leggen en de rest van de badkameraccessoires de trap op te sjouwen. Er gebeurde in feite zoveel dat ze zich pas halverwege de middag, toen ze terugkeerde van een fikse wandeling, realiseerde dat de keukeninstallateurs niet waren komen opdagen. Ze was er nogal van slag van, maar omdat ze nu telefoon had, belde ze de winkel op en meldde het aan de heer Makepeace.

Hij deed gladjes charmant. Hij begreep er niets van waar ze gebleven waren. Ze hadden om half negen bij haar moeten zijn. Ze moest zich maar geen zorgen maken. Geen probleem. Hij zou erachteraan gaan en haar terugbellen.

Dat deed hij niet, ook al bleef ze binnen en wachtte ze de rest van de middag op zijn telefoontje. Ten langen leste ging ze, toen de andere werklui klaar voor de dag waren, in haar inmiddels rode kamer zitten en belde nog eens. Dit keer kreeg ze het antwoordapparaat met de boodschap dat de winkel tot de volgende ochtend negen uur gesloten was. Nu was ze geïrriteerd.

'Dit is heel vervelend,' zei ze boos toen de kat de trap kwam afgesprongen en op haar toe kwam lopen. 'Ik was van plan iets aan het riool te doen vandaag,' zei ze tegen hem, 'en nu hebben ze me opgehouden. Maar ja, niets aan te doen. We gaan maar eens theedrinken en dan krijg jij nog wat melk, omdat je een zoete kat bent geweest en dan ga ik op zoek naar die boerderij. Wat vind je van dit plan?'

De boerderij was gemakkelijk te vinden omdat een houten wegwijzer de weg wees, dus ze hoefde alleen maar het spoor te volgen.

De ochtendstorm was gaan liggen en nu was de middag winderig en echt herfstig, maar plezierig warm. Ze kon koeien aan de andere kant van de heg horen loeien, ergens links van haar was een tractor aan het werk en ze hoorde een mannenstem iets roepen. Ze was weer gekalmeerd en gelukkig toen ze het erf op liep.

Het was een forse boerderij, met schuren aan drie kanten, vol tractoren en aanhangwagens en een schuur van vuursteen en baksteen aan de vierde kant, bedekt met terracotta dakpannen die duidelijk heel oud waren, want ze waren verkleurd tot stoffig roze en omrand met groen mos. De boerderij stond iets apart, achter de schuur. Het was een stevig gebouw uit de tijd van koning George, net als de schuur opgetrokken van vuursteen en baksteen en prachtig van verhoudingen. Hij had een groene voordeur – die iets openstond, zag ze – en hij werd omgeven door een ommuurde tuin. Gwen voelde zich gesterkt door wat ze zag.

Een boerenknecht stak het erf over. Hij liep scheef onder het gewicht van een emmer en ze hield hem staande om te vragen waar ze de boer kon vinden.

'Meneer Langley?' zei hij en hij fronste tegen haar alsof hij niet zeker wist over wie ze het hadden. 'Nou, hij zal wel in de melkschuur zijn, als hij er is. Volg het pad naar het hek en ga dan linksaf.' Hij zwaaide met een hand om haar te laten zien welk pad hij bedoelde.

Het was een lang onverhard pad maar eenmaal op weg kon ze aan het eind ervan de melkerij zien staan, een groep lage gebouwen met planken daken en muren in de kleur van gebleekt linnen. Ernaast stond een soort silo, glad en zilver, blinkend in de zon. De koeien loeiden weer maar ze kon ze niet ontdekken en terwijl ze doorliep, sprong een fazant uit de heg en schreed hooghartig op hoge poten voor haar uit terwijl hij zijn staart over het pad liet slepen.

Dit is een prachtig landschap, dacht ze onder het lopen en ze vroeg zich vaag af hoe de boer eruit zou zien. Hij leek veel koeien te hebben. Er lag een aantal in de wei links van haar, grote zwartbonte beesten, neergezegen in het gras te herkauwen. Toen ze aan het eind van het pad kwam en zag dat haar weg versperd werd door het hek zoals haar was verteld, kwam een kleinere kudde uit de melkerij in haar richting gekuierd; ze schommelden loeiend over het pad. Ze waren zo groot en ze maakten zo'n lawaai dat ze bang van ze werd, vooral omdat de aanvoerster een lelijke ring door haar neus had. Deze was van geel plastic gemaakt, alsof het een kinderspeeltje was, maar hij zat vol afgrijselijke punten en daardoor zag de koe er opeens agressief uit toen ze haar kop op tilde. Vallen koeien mensen aan? vroeg Gwen zich af en ze bleef aan de veilige kant van het hek staan. Wat zijn ze vies, aan hun flanken zat modder vastgekoekt en hun hoeven zaten onder de stront. Zo werden ze toch niet gemolken?

Even vroeg ze zich af of ze maar beter terug kon gaan naar de toren en het een andere keer opnieuw moest proberen. Maar ze was nu al zover gekomen, dus wachtte ze tot de koeien allemaal voorbij waren, schudde haar schroom van zich af, glipte door het hek, sloot het zorgvuldig achter zich en liep op de schuur af.

Het was een hele vieze wandeling. Na een paar meter waren haar schoenen even besmeurd als de hoeven van de koeien, ook al liep ze heel voorzichtig en keek ze voortdurend waar ze liep. Maar de koestal was nog viezer, want hier liep ze op een aarden vloer die groen uitgeslagen was van oude uitwerpselen en bespat met nieuwe vlaaien en daar trapte ze onvermijdelijk in, hoe ze ook probeerde ze te omzeilen. Aan de ene kant stond een enorme schuur, onderverdeeld in secties alsof het een veemarkt was en er stonden op elkaar gestapelde balen stro. Aan de andere kant was een langwerpige nauwe ruimte volgepakt met wachtende, vieze koeien, die zo dicht tegen elkaar aan stonden geduwd dat ze flank tegen flank stonden. Nu zag ze dat bij elke koe een wit nummer op zijn romp geschilderd stond en ze besefte dat ze in die krappe ruimte stonden te wachten om gemolken te worden. De melkerij moest dat overdekte gedeelte voor hen zijn. Ze liep door, op zoek naar de ingang.

Het was helemaal niet wat ze verwacht had. Tot dan had ze een vage voorstelling gehad dat een melkerij wit betegeld zou zijn, goed verlicht en ruim, maar dit was een lange, nauwe ruimte met twee rijen koeien die diagonaal stonden opgesteld, net als rijen geparkeerde auto's. Ze waren elk in een nauwe box geschoven met een kleine voerbak voor zich en de achterpoten tegen de rand van een sleuf aan, waarin de melkknecht stond met zijn handen ter hoogte van de uiers. De lucht in de ruimte was zoet van de geur van hun adem en vol gedempte geluiden, het vage geruis en getik van de melkmachines en bij tijd en wijle geschuifel van hoeven.

De boer zat aan de andere kant op zijn hurken te praten met de melkknecht. Ze kon niet verstaan wat ze zeiden, maar de teneur van hun stemmen was laag en ernstig, dus wachtte ze een poosje tot de boer opstond en zijn rug strekte.

Toen riep ze zo duidelijk als ze kon: 'Meneer Langley.'

Zijn antwoord klonk humeurig. 'Wie is daar?'

Hij is boos, dacht Gwen en voelde zich onmiddellijk gespannen, zoals altijd als ze zich in de aanwezigheid bevond van iemand die uit zijn humeur was. 'Ik ben uw buurvrouw,' legde ze uit. 'Gwen MacIvor. Ik heb de Westtoren gekocht. Ik ben net verhuisd.'

Het interesseerde hem geen zier wie ze was. 'Wie heeft u verdomme binnengelaten?'

Ze probeerde zich niet ontmoedigd te voelen. 'Ik ben hier met een zakelijk voorstel,' zei ze. 'Als ik ongelegen kom...'

'Ongelegen!' zei hij. 'Godallemachtig! We hebben net een van de ergste mond-en klauwzeercrises die we ooit gehad hebben achter de rug. Leest u de krant niet? U brengt mijn kudde nog in gevaar.'

'Het spijt me,' zei ze, maar ze zette door ook al bonkte haar hart door de woede in zijn stem. 'Ik dacht dat hij al helemaal voorbij was. Ik bedoel, er waren helemaal geen borden met verboden toegang.'

Hij sprong in de sleuf, beende erdoorheen, sprong er weer uit en kwam dreigend op haar af tot ze recht tegenover elkaar stonden. Zijn woede sprak boekdelen. Dreigend stond hij voor haar; hij gaf haar een uiterst ongemakkelijk gevoel en tegelijkertijd vond ze hem tot haar grote schrik zeer aantrekkelijk. Ik had hier niet moeten komen, dacht ze. Dat was een vergissing. En ik hoor dit niet te voelen, zeker niet voor een man die ik nog maar net ontmoet heb. Dat is niet netjes. Ik moet er onmiddellijk mee ophouden. Maar dat lukte niet. Integendeel, het gevoel werd steeds sterker. Ze wilde dat hij niet zo'n heel lange man was. Maar dat was hij wel. Langer dan een meter tachtig en kolossaal als een stier, met heel brede schouders, een ijzeren borstkas en grote, sterke handen. Het soort man dat je op kon tillen en je met kop en kont eruit gooien als hij dat wilde.

'U hebt hier niets te maken, met of zonder bordjes,' zei hij woest. 'Het is verdomme tegen de verordeningen in en het is veel te gevaarlijk. Donder nu maar op.'

Ze vond het naar dat ze werd aangevallen maar ze probeerde zich te verdedigen. 'U hoeft niet zo...'

'Jawel,' zei hij, 'dat moet ik wel. Ik heb net een nieuwe kudde opgefokt en die wil ik behouden.'

Ze bleef hem aankijken, ving zijn blik, hield deze vast en dacht onderwijl dat hij van die schaamteloos blauwe ogen had en zo'n onverzettelijk gezicht, hoekig en een en al uitdaging, met een gebroken neus en een kin zo stevig als zijn handen. Het was een kleine overwinning dat hij als eerste wegkeek, zijn ogen naar beneden richtte met een zwaai van zulke dikke, donkere wimpers dat ze er weer ondersteboven van was.

'Het spijt me dat ik u heb lastiggevallen,' zei ze stijfjes en draaide zich op haar hakken om, liep naar buiten met een kaarsrechte rug, woedend over zijn grofheid en geërgerd over haar ongevraagde – en onverwachte – reactie op hem. Goed, misschien had ze ook niet zomaar binnen moeten lopen, niet na al dat gedoe met mond- en klauwzeer. Maar er stond nergens een bordje en het was helemaal niet nodig haar zo grof te behandelen. Hij had op z'n minst beleefd kunnen zijn.

Voor ze de schuur uit was, zat hij alweer tussen zijn koeien en sprak op zakelijke toon tegen de melkknecht. 'Ik vraag wel of Ed even langskomt om naar haar te kijken.'

Terwijl ze op de terugweg haar voetsporen over de wei volgde, merkte Gwen dat ze nog steeds trilde van de heftige woordenwisseling. Dingen veranderen hier zo snel, dacht ze, en ze kwam tot de conclusie dat er een donkere rand zat aan haar pas verworven vrijheid. Ze kon wonen waar ze wilde, eten waar ze trek in had, zich naar eigen smaak kleden, een kat in huis hebben, maar ze liep ook de kans fouten te maken; ze was op drift geraakt in een wereld die ze niet helemaal begreep, waar discussies en moeilijkheden op de loer lagen, en waar ze mensen van streek kon maken zonder dat dat haar bedoeling was. Maar, dacht ze, hij kan me dan wel de deur hebben uitgezet, hij heeft me niet van mening doen veranderen. Er zijn vast nog wel andere buren en ik wed dat een paar ervan net zo graag willen worden aangesloten op het riool als ik. Ik ga uitzoeken waar ze zijn en dan ga ik bij ze op bezoek. Terwijl de wind haar naar de voordeur blies en haar cape voor haar uit deed fladderen, vond ze het een prettige gedachte dat ze nog steeds vastbesloten en optimistisch was.

De kat lag te slapen op de bank, maar hij werd wakker en geeuwde toen ze de kamer binnen kwam lopen. Hij stond op om zich uit te rekken, kromde zijn magere ruggengraat en strekte zijn dunne pootjes tot ze trilden van de inspanning en plotseling inzakten, zodat hij boos en verbaasd opzij in de kussens viel.

'Gekkie!' lachte ze tegen hem en ze vertelde hem toen het nieuws terwijl ze hem over zijn kop aaide. 'Je vindt het vast niet leuk om te horen dat hij een erg onplezierige man was, kleine Jet. Helemaal niet aardig. Maar ik laat me niet klein krijgen. Ik vind wel een manier om hem te omzeilen. Ik denk dat we fish-and-chips voor het avondeten nemen. Wat dacht je daarvan? Dat hebben we wel verdiend, vind je ook niet? Ik hoop dat ze maandag de keuken afmaken.'

Het werd maandag en deze verliep zonder enig teken van de installateurs. De badkamers waren allebei betegeld, de laatste muur was geschilderd, het speciaal voor haar gemaakte meubilair afgeleverd en op zijn plaats gezet, maar nog steeds geen teken van leven van hen. Dinsdagochtend werd tegen tienen het ronde karpet voor de woonkamer gebracht en het lag onder de trap te wachten tot het kon worden uitgerold, maar de keuken was nog in dezelfde staat als hij op woensdagmiddag was achtergelaten.

'Het is nu bijna een week geleden,' zei ze tegen meneer Makepeace toen ze hem opbelde, 'en ze hebben zich nog niet laten zien.'

Hij begreep er niets van. Maar ze moest zich geen zorgen maken. Hij zou erachteraan gaan. Geen probleem.

'Dat zei u afgelopen vrijdag ook al,' hielp ze hem herinneren. 'En er is niets gebeurd en het is wel een probleem. Sinds ik ben verhuisd leef ik op afhaalmaaltijden en het hele huis ligt vol verhuisdozen. Dit is niet voldoende. Ik wil dat er iets aan wordt gedaan.'

'Ik zei toch al,' zei hij, 'dat ik erachteraan zal gaan.'

Ze had het gevoel dat ze aan het lijntje werd gehouden. 'Nee,' zei ze, 'ik geloof niet dat u begrijpt wat ik aan u vraag. Ik wil niet dat u erachteraan gaat. Ik wil dat u de installateurs hierheen stuurt om af te maken waar ze aan begonnen waren. En ik wil dat u dat nu doet.'

Zijn toon werd scherper. 'Dat zal niet gaan,' zei hij.

'Waarom niet?'

'Ze zitten midden in een andere klus.' Zijn stem klonk neutraal, alsof dit afdoende moest zijn en hij geen tegenwerpingen duldde.

Ze had het kunnen weten. 'Hoe lang gaat dat duren?'

'De hele week. Er moet zeer veel gemonteerd worden. Ik kan toch niet van ze verlangen dat ze daar de boel zomaar laten liggen?'

'Ik zie niet in waarom niet. Ze hebben hier ook de boel zomaar laten liggen. Wat voor de een geldt, geldt voor de ander ook.'

'Wat ik u aanraad is het volgende, mevrouw MacIvor. Laat u het nu maar aan mij over en maak u verder geen zorgen. Ik zal zien wat ik kan doen.'

Wat verdomde neerbuigend! 'En ik raad u aan, meneer Makepeace,' zei ze steeds bozer, 'dat u zich aan het contract houdt. Ik betaal geld, u doet het werk en u doet het naar mijn tevredenheid. Wat u op dit ogenblik niet doet. Dus voor alle duidelijkheid: als de keuken morgenmiddag niet klaar is, schort ik de betaling op.' Ze legde de telefoon op de haak, tevreden over zichzelf dat ze voet bij stuk had gehouden.

Binnen tien minuten stond zijn Volvo in haar tuin en zodra ze hem de toren had binnengelaten, ging hij tot de aanval over.

'Leest u dit eens!' riep hij en hij duwde haar een document in de hand. 'Dat is het contract dat u hebt getekend. Uw handtekening staat onderaan. Dat is toch uw handtekening onderaan? Herkent u die? U gaat het toch niet proberen te ontkennen? Goed dan, leest u dan eens de kleine lettertjes en dan zult u merken dat ik aan mijn deel van de overeenkomst heb voldaan. Tot op de letter. Leest u maar. Ik hoefde alleen maar de apparatuur te leveren. Nou, dat heb ik gedaan. Dat kunt u niet ontkennen. Dus nu moet u ervoor betalen. Zo zit het wettelijk. Het is niet aan mij om ervoor te zorgen dat ze aangesloten worden. Dat is een heel ander bedrijf. Een onderaannemer. Leest u de kleine lettertjes maar. Als zij in gebreke blijven, dan heb ik daar niets mee te maken.'

Ze ging een eindje van hem af staan, las het contract, dwong haar handen om niet te trillen, te bang om te denken of iets te zeggen. Zou ze echt door de kleine lettertjes worden beetgenomen? Hij was toch niet van plan er met het geld vandoor te gaan en haar te laten zitten met een keuken die maar half was aangelegd? Hoe kon ze zich verweren?

Hij raasde door terwijl zij las. 'U moet niet denken dat u mij ook maar enigszins voor de gek kunt houden. Dit gaat allemaal om geld. Daar gaat het om. Geld! En als u denkt dat u mij kunt belazeren met geld dat mij rechtens toekomt, dan kunt u zich maar beter twee keer bedenken. Dan stap ik naar de rechter.'

Door de mist van haar angst heen besefte ze dat ze een andere stem hoorde, van iemand die aan de andere kant stond van de deur die, zoals ze had gezien, meneer Makepeace op een kiertje had laten staan. 'Hallo?' riep de stem.

Ze liep meteen bij haar tegenstander weg, blij met de afleiding, maar toen ze zag wie de nieuwkomer was, had ze het gevoel van de regen in de drup te zijn gekomen, want haar bezoeker was meneer Langley en hij zag er nog omvangrijker uit dan ze zich kon herinneren.

'Het spijt me,' stotterde ze. 'Het komt op dit moment niet erg goed uit.'

'Dat hoor ik,' zei hij opgewekt en hij liep de toren in alsof hij daartoe was uitgenodigd. 'O, ben jij het Tony. Ik dacht al dat ik je stem herkende. Wat heeft dat geschreeuw te betekenen? Ik hoop niet dat je mijn oude vriendin aan het koeioneren bent.'

Zijn tussenkomst zorgde ervoor dat meneer Makepeace meteen zijn gebrul staakte. 'Welke oude vriendin?'

De boer grinnikte. 'Gwen MacIvor. De dame die jij probeert te koeioneren.'

'Ik probeer helemaal niemand te koeioneren,' zei meneer Makepeace met een stem die opeens redelijk en verzoenend klonk. 'We hebben een probleem, dat is alles.'

'Dat jij erger maakt.'

'Dat ik probeer uit te leggen.'

De boer grinnikte weer tegen hem. 'Vertel mij wat.' Toen richtte hij zich tot Gwen. 'Wat is dan het probleem? Ik ben nog nooit een probleem tegengekomen dat niet met een beetje gezond verstand op te lossen viel.'

Hij was zo geruststellend en hij scheen zo volkomen de situatie in de hand te hebben, dat ze het hem zo beknopt mogelijk vertelde. 'De keuken is niet klaar en zijn werklui zijn vertrokken naar een volgende klus en nu zegt hij dat ik hem moet betalen of het werk nu af is of niet, omdat dat niet zijn verantwoordelijkheid is. Het had afgelopen vrijdag al klaar moeten zijn.'

'Ik heb u al gezegd, mevrouw MacIvor,' begon meneer Makepeace, 'dat u niet kunt verwachten dat u altijd uw zin krijgt.'

'Ik zie niet in waarom niet,' zei de boer vriendelijk. 'Als jij het op je genomen hebt dat het werk vrijdag klaar zou zijn, dan had je daar ook voor moeten zorgen, anders krijg je in het hele dorp een slechte naam – en dat zou je niet prettig vinden.'

'Ik zal zien wat ik kan doen,' zei meneer Makepeace en hij nam weer zijn toevlucht tot vage uitspraken. 'Meer kan ik toch niet doen?'

'O, ik denk van wel,' zei de boer. 'Wat denk je van: ik zal ervoor zorgen dat ze vanmiddag komen? Probeer het eens.'

'Dat is niet mogelijk.'

'O, vast wel,' zei de boer minzaam. 'Alles is mogelijk als een reputatie op het spel staat.'

Het antwoord werd met tegenzin gegeven. 'Ik zal doen wat ik kan.'

'Dus ze komen vanmiddag?'

En klaarblijkelijk zouden ze dat doen. Dat werd afgesproken. Hij glimlachte er zelfs bij. Toen was hij weg, even onverwacht als hij was gekomen en zij bleef alleen achter met meneer Langley. Ze voelde zich opgelucht en verbaasd en volkomen uitgeput.

'Het spijt me,' zei ze. 'Ik moet even gaan zitten.' En dat deed ze: ze zonk op de dichtstbijzijnde bank neer omdat haar benen zo trilden dat ze haar niet meer konden dragen.

'Ik heet Jeff,' zei hij en hij ging op de andere bank zitten. 'We worden immers verondersteld oude bekenden van elkaar te zijn. Jeff Langley. Let maar niet op Tony Makepeace. Hij heeft alleen maar een grote mond.'

Ze glimlachte met een zielig gezicht naar hem. 'Hij dreigde met van alles en nog wat voor jij kwam.'

'Hij is een verkoper. Dat is zijn makke. Hij kan aan niets anders denken dan aan het geld dat hij gaat verdienen. Ze zijn allemaal hetzelfde, die van de dubbele beglazing, keukens, afpersers zijn het. Maar hij heeft vanmorgen iets goeds voor me gedaan.'

Ze begon bij te trekken. 'O ja?'

'Ik kwam hiernaartoe om het bij te leggen,' zei hij. 'Je zag me vrijdag van mijn slechte kant, vrees ik. De epidemie was een volslagen nachtmerrie, maar dat is geen excuus voor de manier waarop ik tegen jou sprak.'

Gek genoeg had ze het gevoel dat zij hem moest geruststellen en ze had totaal niet verwacht dat het zo zou gaan. 'Ik had niet zomaar moeten binnenvallen,' zei ze.

'Dus,' zei hij en hij glimlachte naar haar. Hij was uitermate aantrekkelijk als hij glimlachte. 'Heb je zin om met mij te gaan eten?'

Dat was zo'n verrassing dat ze haar mond voelde openvallen. Wat een aparte man, dacht ze. Het ene moment zegt hij tegen me dat ik moet opdonderen en het volgende vraagt hij me mee uit eten. Maar een echt klaargemaakte maaltijd zou wel eens lekker zijn. 'Ik leef al dagen op afhaaldiners,' vertelde ze hem, 'dus, ja, ik denk van wel.'

'Vanavond?'

Ze schoot daarvan in de lach en bedacht bij zichzelf dat hij het er niet bij liet zitten. 'Tja, dat weet ik niet.'

'Om acht uur?'

'Ik heb nog geen ja gezegd.'

'Nou, zeg dat dan.'

Ze twijfelde, gevangen tussen de verleiding van een maaltijd en de angst te gretig te lijken. Gelukkig klonk er gekrabbel van pootjes op de trap en kwam Jet naar beneden, naar hen toe gehuppeld.

'Het is een zwervertje,' zei ze toen het katje onzeker op hen af liep. 'Ik denk dat hij in mijn bijgebouw heeft gewoond. Hij schijnt mij geadopteerd te hebben.'

Hij richtte eventjes zijn aandacht op het diertje. 'Heb je hem laten nakijken?'

'Nee. Moet dat dan?'

'Ik kan het wel doen, als je wilt.'

Dat wilde ze wel. Het zou haar even een adempauze geven om na te denken.

Hij bukte, pakte het katje op in zijn grote handen en onderzocht hem snel, wreef zijn vacht de verkeerde kant op, keek in zijn oren, deed zijn mond open, draaide hem op zijn rug. 'Nou, om te beginnen is het een vrouwtje,' zei hij, 'dus je zult haar snel moeten laten steriliseren, anders komt elke krolse kater van dit eiland aan je raam staan krijsen. En ze heeft vlooien, wat te verwachten was, dus heeft ze waarschijnlijk ook wormen en ze heeft kanker in haar oren.'

'Ik neem aan dat ik dus op zoek moet naar een dierenarts.'

'Ga met haar naar Ed Ferris,' raadde hij aan. 'Hij is eersteklas. En hij zit hier niet ver vandaan. Op Mill Lane. Ik ga altijd naar hem toe.'

Ze herinnerde zich zijn stem in de melkschuur toen hij zei: 'Ik zal Ed vragen langs te komen.'

'Nou, dat is dat,' zei hij en zette de kat netjes op vier poten op de vloer. 'Laat het me weten als de installateurs niet op komen dagen. Ik zie je dus om acht uur?'

Hij zag er zo opgewekt en vol zelfvertrouwen uit dat ze wel ja moest zeggen.

Nadat hij vertrokken was, realiseerde ze zich opeens dat ze hem niet had gevraagd waar ze naartoe zouden gaan. Maar wat deed dat ertoe? Het zou een fatsoenlijke maaltijd worden. En met gezelschap. 'Ik heb een afspraakje, juffertje Jet,' zei ze tegen de kat. 'Wat vind je daarvan?'

Hij belde volgens het klokje op haar nieuwe gasfornuis stipt om acht uur aan, twintig minuten nadat de keuken klaar was en de installateurs vertrokken waren, dus noodde ze hem binnen om het werk te inspecteren.

'Uitstekend,' zei hij. 'Zo zie je maar weer waartoe die enge Tony in staat is als hij maar zijn best doet. Klaar om te vertrekken?'

Hij had een landrover, zoals te verwachten viel, en hij reed goed, hetgeen ook te verwachten was; hij reed haar langzaam door het dorp, langs een rijtje kleine cottages met rieten daken en toen het platteland op.

'Dit is zo'n mooi huisje,' zei ze toen ze langs de laatste cottage reden. Rozen tuimelden langs de voordeur omlaag, romig wit in het avondlicht, en de woonkamer was vervuld van geel licht. De gordijnen waren open en er scheen een of ander kaartspel aan de gang te zijn: acht grijze hoofden verzameld om twee ronde tafels. 'Het ziet er echt romantisch uit.'

'Dat zou je niet zeggen als je wist waar je naar zit te kijken,' zei hij lachend tegen haar.

'Waar kijk ik dan naar?'

'Het duistere onderkomen van mevrouw Agatha Smith-Fernley, de roddelaarster van het dorp.'

Ze lachte ook. 'Hemeltje! Is ze zo erg als dat klinkt?'

'Erger!'

'Dan moet ik ervoor zorgen dat ik haar geen aanleiding tot roddelen geef.'

'We gaan naar de Lobster Pot,' vertelde hij haar. 'Ik dacht dat je wel zin zou hebben in eten van hier. Het is een goed restaurant. Niet zo'n popiejopie-tent. Lekker rustig.'

Dat was het en heel pittoresk, gehurkt naast de bocht van een rivieroever en gebouwd van met leem opgevuld vlechtwerk, met een rieten dak dat naast de zijkanten zo ver naar beneden doorliep dat het leek of het op de regentonnen rustte. Het hele gebouw lag zo veel lager dan de weg, dat er drie treden naar beneden naar het restaurant leidden. Eenmaal binnen werden ze omringd door warmte en gedempt licht, want de antieke open haard was aangestoken en op elke tafel stonden kaarsen te branden.

Toen ze een tafel bij het vuur hadden gekozen, vroeg hij: 'Wat zullen we eens drinken om de nederlaag van die gierige Tony te vieren?'

'Dat was jouw overwinning, niet de mijne,' zei ze. 'Als jij toen niet was langsgekomen, had hij me met gebonden handen nog verslagen.'

'Helemaal niet,' zei hij tegen haar. 'Hij heeft alleen een grote babbel over zich, onze meneer Makepeace. Je hoefde alleen maar voet bij stuk te houden.'

'Je laat het wel heel gemakkelijk klinken.'

'Dat is het ook.'

'Voor mij niet.'

'Aanval is de beste verdediging,' zei hij. 'Je hoeft je alleen maar sterk te voelen. Of te veinzen dat je dat bent. Krachtig overkomen. Eerst grommen.'

'Ja,' zei ze. 'Waarschijnlijk wel.' Maar ze dacht: dat zou ik niet kunnen. Dat is mijn stijl niet.

'Ik houd er niet van verslagen te worden,' zei hij. 'Dus overkomt me dat zelden.'

Nu ze zo zijn krachtige schouders en die koppige kaaklijn zag, kon ze daar gemakkelijk inkomen.

'Behalve door de bureaucratie,' ging hij door, ' dat is vechten tegen de bierkaai.' Er was een serveerster gekomen en ze stond naast zijn stoel te wachten. 'Goedenavond, Bet. Nou, waar heb je trek in?'

Ze genoten van een heerlijke maaltijd van lobster thermidor, die ze wegspoelden met een zeer goede chardonnay. Ze praatten over eten en wijn, plaatsen die hij had bezocht en waarvan hij had genoten, hetgeen haar een gevoel van afgunst bezorgde, en hoe meer tijd ze doorbracht in zijn gezelschap, hoe aardiger ze hem vond.

Tegen de tijd dat ze aan de koffie en chocolaatjes toe waren, praatten ze zo gemakkelijk met elkaar dat het leek alsof ze echt oude vrienden waren.

'Wat vond je ervan?' vroeg hij toen ze haar kopje neerzette.

'Heerlijk,' zei ze warm.

'Niet wat je had verwacht,' vermoedde hij.

Dat bracht haar een beetje in verwarring omdat ze het gevoel kreeg dat hij zat te gissen naar haar eerste indruk van hem. 'Nou, nee,' zei ze en ze besloot hem een beetje te plagen. 'Maar jij zit ook vol verrassingen.' En veel aardiger dan de man in de koeienschuur.

'Een man met veel talenten,' beaamde hij.

'Dat zie ik,' zei ze en ze plaagde hem weer, verbaasd over haar durf. Was dit echt de rustige Gwen MacIvor, die een wildvreemde man die ze nog maar net had ontmoet, zat te plagen? 'Maar niet bescheiden.'

Hij ging er serieus op in. 'Bescheidenheid is voor de dwazen,' zei hij op zijn directe manier. 'Als je weet wat je waard bent, moet je er ook voor uitkomen.'

'En als je dat niet weet?'

Hij gaf haar een schrikbarend rechtstreeks antwoord. 'Weet jij dat niet?'

'Ik ben er niet zeker van,' vertelde ze hem eerlijk. 'Ik heb niet veel aanleiding gehad om daarover na te denken. Niet toen ik getrouwd was. Ik denk dat ik er nu achter aan het komen ben.'

'Getrouwd was?'

'Ik ben weduwe. Hij is in juli gestorven.'

'Dat zijn er dan twee. Ik heb mijn arme schat twee jaar geleden verloren.'

Zijn gezicht werd door zo'n droefheid overschaduwd dat ze ernaar verlangde hem te troosten. 'Wat erg,' zei ze en ze vroeg zich af of dat hem zo humeurig maakte.

'Tja,' zei hij schouderophalend. 'Je komt er weer overheen. Dat zeggen ze tenminste. Ze was op het eind zo ziek dat ik blij was dat ik haar kon laten gaan.'

'Je mist haar,' zei ze begrijpend.

'Ja,' beaamde hij. 'Dat is zo. Ze was een goede vrouw.'

Ze schonk zichzelf een tweede kop koffie in en ze vroeg zich af wat ze kon zeggen zonder bot te klinken, maar hij begon weer te praten voor ze iets had kunnen bedenken.

'Je hebt mooie handen,' zei hij terwijl hij naar haar keek.

Het compliment verraste haar. Ze was niet gewend geprezen te worden en zeker niet om haar handen.

'Vast hard gewerkt,' zei hij.

Dat was waar. 'Dat heb ik altijd gedaan,' vertelde ze hem terwijl ze haar handen bestudeerde. 'Mijn vader was visser. Toen ik klein was, hielp ik hem altijd met de netten. Hij zei dat dat goed voor me was. Dat ik daar sterk van werd.'

Hij glimlachte naar haar. 'Groot gelijk,' zei hij. 'Ik kan opgedofte handen niet uitstaan. Lange nagels en nagellak en dat soort dingen. Dat duidt op luiheid. Tegenwoordig zijn jongens geen haar beter dan meisjes. Weet je dat er hier in ons dorp jongens zijn die een manicure laten doen?' Hij deed alsof hij rilde.

Ze vond 'ons dorp' leuk om te horen, maar ze dacht aan Lucy en Eleanor en ze had het gevoel dat ze hen moest verdedigen. 'Nagellak vormt een onderdeel van het uniform in Londen,' zei ze. 'Mijn dochters zouden zonder niet naar hun werk kunnen. Ze zouden het kantoor uit worden gezet.'

Hij leunde over tafel, pakte haar linkerhand op en hield hem vast. 'Goede, sterke, eerlijke handen,' zei hij. 'Ze zeggen veel over jou.'

Het was uiterst plezierig om door hem aangeraakt te worden. 'Dit lijkt wel iets uit de boeketreeks,' zei ze lachend om haar verlegenheid te maskeren.

'Lees jij die?'

Ze trok een vies gezicht. 'Alsjeblieft zeg! Doe me een lol!'

'Verschillen moeten er zijn,' zei hij. 'Mijn arme schat verslond ze. Ze was er dol op. Ze wist dat het een hoop onzin was, maar ze kon er niet genoeg van krijgen. Ze zei dat ze haar opvrolijkten als het slecht weer was.'

Ze vond dat hij nu wel lang genoeg haar hand had vastgehouden, probeerde hem terug te trekken en lachte erbij om te laten zien dat ze hem niet serieus nam. Maar hij bleef hem vasthouden en daagde haar uit hem weg te trekken, dus ze besloot hem in plaats daarvan te plagen. 'Dit wordt wel heel persoonlijk, meneer Langley.'

Hij glimlachte naar haar, maar bleef haar hand vasthouden. 'Ja, mevrouw MacIvor. Is dat niet leuk?'

'En steeds meer iets uit de boeketreeks.'

'Niet helemaal,' zei hij terwijl hij haar hand losliet. 'Als dat zo was, dan zou jij een hulpje op de boerderij zijn of zoiets. Waarschijnlijk een melkmeid. En ik zie jou geen koeien melken. Niet na de manier waarop je mijn melkerij kwam binnenstormen.'

Nu kon ze openlijk gegeneerd zijn. 'Dat spijt me heel erg. Zoals ik al zei...'

Hij veegde haar verontschuldiging van tafel. 'Gedane zaken,' zei hij. 'Gewoon uit belangstelling: wat lees jij?'

'Heel intellectuele dingen,' zei ze. 'Booker-prijswinnaars en zo. Ik heb Engels en sociologie gestudeerd na de middelbare school. Ik dacht dat ik lerares zou worden. Maar toen trouwde ik en ik heb in plaats daarvan de kinderen grootgebracht. Eigenlijk zonde.'

'Niets in de natuur wordt verspild,' vertelde hij haar. 'Het wordt gewoon weer omgeploegd.'

Het was een troostrijke theorie maar voor ze die kon verwerken, kwam de serveerster met de rekening aanzetten. 'Ik hoop dat je mij mijn deel laat betalen,' zei ze.

'Dat doe ik niet. Ik trakteer. Doe jij het dan de volgende keer. Wat vind je daarvan?'

'Daar kan ik in meegaan.'

'Blij dat te horen,' zei hij en hij legde een creditcard op het schoteltje.

Het was laat tegen de tijd dat ze weer het dorp in reden. De pubs waren gesloten, de cottage van mevrouw Smith-Fernley was een broedende schaduw, de High Street lag er verlaten en vreemd bij. Ze reden de onverlichte duisternis van Mill Lane in; hij parkeerde de landrover en stapte uit.

'Ik loop met je mee naar de deur,' zei hij. 'Het is hier 's nachts pikdonker. Ik wil niet dat je in een sloot terechtkomt.'

Dus liepen ze samen het smalle weggetje af; hij pakte weer haar hand en stopte hem in de boog van zijn arm. Het gebaar had iets zo ouderwets en beschermends, dat ze het zonder iets te zeggen toeliet en zelfs haar vingers om de grove stof van zijn jasje boog. Het was donker, want het was nieuwe maan en wat er aan licht was, werd verduisterd door een voorbijdrijvende wolk.

'Wat zijn de sterren hier helder,' zei ze en keek omhoog. 'In Londen kun je ze nauwelijks zien. En luister eens naar de zee.'

De golven sloegen op de kiezels en ruisten in een lange, sussende zucht weer terug. 'Ik denk dat ik dat het fijnste vind van deze plek, het geluid van de zee. Dat miste ik echt toen ik het huis uit ging. In een stad wonen was echt een cultuurschok. Het klinkt misschien gek, maar ik had het gevoel dat ik daar niet in mijn element was.'

'Misschien is water jouw element,' zei hij. 'Mijn arme schat had je dat kunnen vertellen. Ze had belangstelling voor dat soort dingen.'

'Bedoel je horoscopen?'

'Astrologie,' zei hij. 'Dat was ze aan het bestuderen. Ze had een hele stapel boeken erover en ze had de computer er helemaal op ingesteld. Je hoefde haar maar de dag en het uur van je geboorte te noemen en ze kon je vertellen welke sterren jou beïnvloedden en wat je van ze kon leren. Ik voor mij vond het nogal idioot, maar het was heel belangrijk voor haar.'

Dus ging je erin mee, dacht Gwen en ze was weer verbaasd. Zoveel hield je van haar. Ze benijdde de vrouw om de liefde die ze had gekregen.

'Als ze nu hier was,' zei hij, 'zou ze waarschijnlijk zeggen dat jij onder de invloed van Neptunus bent geboren. Die gaat over affiniteit met de zee. Water en mist en tranen, mysterie, sprookjes, luchtkastelen. Zoveel weet ik nog wel.'

'Het klinkt fascinerend,' zei ze en dat meende ze echt.

'Ik kan je wel wat van haar boeken laten zien, als je dat leuk vindt.'

Ja. Dat zou ze heel leuk vinden.

Ze waren aan het eind van het weggetje gekomen en daar stond haar toren massief en donker tegen de horizon, terwijl een vage mist uit de zee oprees en dichterbij rolde.

'Zee en mist en luchtkastelen,' zei hij. 'Je bent er, dochter van Neptunus. Veilig terug bij de rand van het water.'

Hoofdstuk 6

Mevrouw Agatha Smith-Fernley was in haar eigen ogen het geweten van het dorp. Ze was een grote vrouw in alle betekenissen van het woord: fysiek, moreel en politiek; een vrouw met een onbuigzame wil en een onstuitbare vastberadenheid, lang, zwaar en met platvoeten, een boezem als een welgevulde bolster, koperkleurig haar in een strakke permanent en een stem die droeg over de hele High Street. Ze had haar reputatie en haar dubbele naam verworven door tweemaal met een timide man te trouwen, deze aan zich te onderwerpen en hem te overleven. Nu woonde ze in haar eentje in de romantische rechtschapenheid van Dove Cottage en rekende het tot haar taak alles wat er in het dorp gaande was met haar achterdochtige, zwarte ogen in de gaten te houden.

Ze leidde een uiterst geordend leven. Haar wekelijkse bridgepartij werd onveranderlijk gevolgd door een koffieochtend in Ye Daynty Tea Shoppe, zodat de schandalen die de vorige avond in haar woonkamer te berde waren gebracht, nog eens konden worden doorgenomen en aangedikt door een grotere kennissenkring. Natuurlijk had ze een volgelinge die haar naar de tearooms vergezelde en het eens was met alles wat zij zei. Er was vanzelfsprekend een stoel voor haar gereserveerd in het midden van de erker, waar ze koffie kreeg geserveerd die precies volgens haar wensen was gezet, plus een keuze uit haar favoriete chocoladekoekjes. Er waren mensen die zeiden – natuurlijk in vertrouwen, alleen tegen hun beste en betrouwbaarste vriendinnen – dat ze haar soms een beetje te overheersend vonden, maar het was algemeen bekend dat als je wilde weten wat er gaande was in het dorp, je dat het beste te weten kon komen in Ye Daynty Tea Shoppe als mevrouw Agatha Smith-Fernley jour hield.

Op die bewuste woensdagmorgen kwam haar volgelinge met rode konen en buiten adem aan met een heerlijk nieuwtje. 'Je raadt nooit wat ik gisteravond heb gezien,' hijgde ze.

'Ik doe nooit mee aan raadspelletjes, Teresa, zoals je heel goed weet,' zei de grande dame. 'Je kunt het ons dus maar beter vertellen.'

Teresa O'Malley was een geboren schaduw. Ongetrouwd, klein en bleek, met een spits gezicht, een onderdanige manier van doen en behept met de typisch Ierse truc om door een opmerking te herhalen, te laten blijken dat ze ermee instemde; haar grootste bron van opwinding was te leven aan de rand van Agatha's toorn. 'Dat zal ik doen,' zei ze enthousiast.

'Steek van wal.'

Dus stak Teresa van wal. 'Ik was net bezig naar bed te gaan gisteravond. Ik was nog maar net thuis van het kaarten, in ieder geval niet langer dan een halfuur, en ik had een kopje chocola voor mezelf klaargemaakt, en mijn haar geborsteld en ik ging net naar het raam om het een beetje open te zetten, zoals ik altijd doe. Ik houd ervan 's nachts een beetje frisse lucht te hebben. Dat houdt de luchtpijp open. Nou, ik doe het dus open, en wie denken jullie dat ik in het donker Mill Lane zie inlopen, hangend aan de arm van meneer Langley?' Ze hield even stil, met ogen die rond waren van het heerlijke schandaal.

'Ga door, mens. Wie dan?'

'Haar-van-de-toren,' zei Teresa, rozig van de macht dit te kunnen aankondigen. 'Ze hing zomaar aan de arm van meneer Langley. Zo vrijpostig als wat.'

'Wat heb ik jullie gezegd?' zei mevrouw Agatha Smith-Fernley en ze keek haar gehoor rond. 'Ze deugt niet. Dat zei ik al tegen jullie toen ik haar voor het eerst zag. Ze liep door het dorp met haar broek onder de modder en ik vind het niet juist dat vrouwen een broek dragen, zoals jullie heel goed weten.'

Nu zij hun een leidraad had gegeven, wijdde de koffiegroep zich aan het uiten van kritiek. Haar-van-de-toren werd in ronde bewoordingen verguisd en al haar zonden werden van stal gehaald. Dat ze tegen de zoon van mevrouw Gurney had gezegd dat ze een heks was. 'Ze zei het hem recht in zijn gezicht. Mevrouw Gurney heeft het me zelf verteld. Hij is zich een ongeluk geschrokken, die arme jongen.' Dat ze een zwarte kat had, 'dat zei al genoeg'. Dat ze er erg op leek, als ze in het dorp rondstruinde in die belachelijke mantel. 'Hebben jullie in het dorp ooit een vrouw in een zwarte mantel gezien? Nee. Nou, dat zegt toch wel iets.' Dat ze nooit iets anders dan afhaalmaaltijden at. 'Zo buitensporig. Ze is rijk, moet je weten. Ze heeft meer geld dan goed voor haar is.'

'En nu heeft ze het voorzien op onze arme meneer Langley,' zei Agatha Smith-Fernley. 'Je zou zeggen dat hij genoeg te verduren heeft gehad nadat hij al zijn koeien is kwijtgeraakt.'

Er klonk een duidelijk gemompel uit medelijden met de boer. 'Arme man.'

Op dat moment kwam Connie rechtstreeks van het postkantoor binnenrennen, waar ze een geweldige roddel over meneer Makepeace had gehoord. Alle aanwezigen riepen onderling 'sst' om haar te kunnen verstaan.

'Nou,' zei ze, 'jullie weten toch dat hij voor Haar-van-de-toren een keuken aan het installeren was?'

Dat wisten ze. Ze hadden het nauwkeurig in de gaten gehouden.

'Nou, ze heeft geweigerd hem te betalen. Botweg geweigerd. Ze is tegen hem tekeergegaan en heeft hem van alles naar zijn hoofd geslingerd. Het moet verschrikkelijk zijn geweest. Zijn secretaresse heeft het me net verteld. En toen heeft ze geweigerd om te betalen. Botweg. Wat vinden jullie daar nou van?'

'Dat verbaast me absoluut niet,' zei mevrouw Agatha Smith-Fernley, breeduit in haar rechtersstoel gezeten. 'We zullen haar goed in de gaten moeten houden.'

'Dat zullen we zeker doen,' stemde Teresa O'Malley met haar in. 'Absoluut.'

*

Toen Gwen op de parkeerplaats van de Lobster Pot uit de landrover van Jeff Langley stapte, was de lucht prikkelig van een brandgeur. Ze was onmiddellijk en opgewekt op haar hoede, maar er was geen vuur te zien, geen vlammen of rook voor zover ze kon nagaan, slechts de gebogen schaduwen van een stel door de wind kromgetrokken bomen, die zwart afstaken tegen het indigoblauw van de lucht, de begroeide omtrek van het restaurant en een sprenkeling helderwitte sterren boven haar hoofd.

'Iemand is een vuurtje aan het stoken,' zei ze en ze snoof de lucht op. 'Ik vind de geur van een vuurtje heerlijk.'

'Vuur schijnt mijn element te zijn,' vertelde hij haar terwijl hij naar hun vaste plekje in de hoek bij de schoorsteen liep.

'Dat is niet verbazingwekkend,' lachte ze. 'Ik neem aan dat je daarom een gevaarlijk leven leidt.'

'Dat doe ik helemaal niet.'

De afgelopen twee weken had ze ervaren hoe prettig het was hem te plagen door hem tegen te spreken. 'Dat doe je wel,' zei ze, terwijl ze ging zitten. 'Ik hoop dat je beseft dat dit de vijfde keer is in twee weken dat we hier komen. We krijgen nog een slechte naam als we zo doorgaan.'

'Vijftien dagen, als we goed tellen,' zei hij. 'Van dinsdag tot dinsdag. Bovendien moesten we vanavond wel komen. Ze hebben rode mul. Een lekkernij.'

Hij is zo aardig, dacht ze en ze keek naar zijn verweerde gezicht. En het is zo gemakkelijk om met hem te praten. 'Je verwent me.'

Hij lachte. 'Dat is een moeilijk karwei, maar iemand moet het doen.'

'Dat gekke oude vrouwtje zat ons te bespieden toen we langsreden. Heb je dat gezien?'

Hij werd er niet warm of koud van. 'Laat haar toch.'

'Ben je niet bang voor geroddel?' vroeg ze, terwijl ze haar servet uitvouwde. 'Ik wel. Wat moeten we doen als ze over ons beginnen te praten?'

'Ze praten waarschijnlijk allang over ons,' zei hij smalend. 'Ze raken gemakkelijk gechoqueerd. Dat geeft ze wat om handen. Laten ze er vooral mee doorgaan.'

Het deed haar plezier dat ze iets choquerends aan het doen was. 'Ik heb van mijn leven nog nooit iets schandaligs gedaan. Je hebt een slechte invloed op me.'

Hij nam het menu van de serveerster aan. 'Blij dat te horen. Jij bent het soort vrouw dat baat heeft bij een slechte invloed.'

Ze glimlachte naar hem. Deze vlotte, plagerige manier van omgaan met elkaar was zo leuk. Het maakte dat ze zich jong en avontuurlijk voelde. 'Dat is een dubieus soort compliment.'

'Dat is het beste soort compliment. Tweemaal rode mul en als voorgerecht scampi.' Hij keek Gwen vragend aan en zij knikte. 'Met knoflookbrood.' Toen de serveerster weg was, zei hij: 'Zo, nog nieuws?'

'Niet veel,' gaf ze toe.

'Ga me niet vertellen dat je niets meer weet te zeggen,' plaagde hij.

Ze hadden onafgebroken met elkaar gepraat tijdens elke maaltijd die ze samen hadden genuttigd én de hele weg terug én tot diep in de nacht, toen ze eenmaal hadden afgesproken in de toren koffie te drinken.

'Ik heb je in twee weken meer over mezelf verteld dan ik Gordon in zesendertig jaar heb verteld,' zei ze. Wat volkomen waar was, want deze man had iets wat aanzette tot vertrouwelijkheid. 'Nu is het jouw beurt. Hoe was jouw dag?'

'Als ik daarover begin, ga je gapen van verveling.'

'Helemaal niet.'

'Wel waar. Dan gaat het over melkquota en boterprijzen. Ik ben de hele middag met de boekhouding bezig geweest.' Hij grinnikte weer tegen haar. 'Nu jij. Zeg me waar je het echt over wilt hebben.'

'Goed dan,' zei ze en ze sneed meteen het onderwerp aan dat haar de hele middag in beslag had genomen. 'Waar ik het echt over wil hebben, is de riolering. Ik kan die afgrijselijke septic tank niet uitstaan. Hij stinkt uren in de wind.'

Hij brulde het uit van plezier. 'Dit is het meest romantische wat een vrouw ooit tegen me heeft gezegd.'

Ze was bang dat ze over de schreef was gegaan en ze begon te stotteren. 'O, het spijt me. Het was niet mijn bedoeling...'

'Vast niet. Dat is juist zo aantrekkelijk aan je.'

Ze was nog steeds niet gewend aan zijn complimenten. Ze werden zo plotseling gegeven en meestal totaal onverwacht, dus raakte ze erdoor in verwarring en moest ze ervan blozen, zoals nu ook het geval was.

'Je bent er nu over begonnen,' zei hij, genietend van haar kleur, 'dus je kunt er net zo goed mee doorgaan. Wat is er aan de hand?'

'Ik wil aangesloten worden op het riool maar het waterschap

doet moeilijk. Daarover kwam ik toen op de boerderij met je praten.'

Deze keer glimlachte hij begrijpend. 'Ik neem aan dat je een aanvraag hebt ingediend en dat ze je hebben afgewezen. Klopt?'

Dus vertelde ze hem het verhaal in zo kort mogelijke bewoordingen.

'Het verbaast me niets,' zei hij toen ze klaar was. 'Dat hebben ze ook tegen mij gezegd.'

Dus hij heeft het ook geprobeerd, dacht ze en voelde zich bemoedigd. Ik sta niet alleen. 'Wanneer was dat?'

'Een paar jaar geleden. Toen Dot ziek was. Ik had het moeten aanvechten, maar omdat zij er toen zo slecht aan toe was en ik zo in de zorgen zat over de mond- en klauwzeer, heb ik het laten schieten. Wat ga je nu doen?'

'Een paar van onze buren opzoeken?' vroeg ze. 'Wat denk jij?'

'Ik zal er eens over nadenken,' zei hij. 'Twee is beter dan één, maar om het voor elkaar te krijgen, hebben we iemand nodig met een zwaarwegender aanvraag. We zouden het meneer Rossi eens kunnen vragen.'

'Wie is dat?'

De scampi werden sappig en dampend op tafel gezet. 'Dat vertel ik je later wel,' zei hij en hij nam zijn vork en mes ter hand. 'Als ik het geregeld heb.'

Dat was alles wat ze uit hem kreeg, hoewel ze er nog twee keer op terug kwam tijdens de maaltijd en een keer toen ze weer bij de toren waren. 'Krijg ik nu wat te horen over die geheimzinnige meneer Rossi?' zei ze, terwijl ze de sleutel in het slot stak. 'We zijn nu helemaal alleen. Ik denk dat je het nu wel kunt riskeren.'

Hij snoof de lucht op. 'Ik kan de regen ruiken,' zei hij.

'Dat klopt!' zei ze met geveinsde ergernis. 'Je moet me vooral kwaad maken!'

'Nee, ik meen het. Jij ruikt toch vuur? Ik kan de regen ruiken. Over een uur of twee komt het met bakken uit de hemel zetten.'

Ze draaide de sleutel om en stapte haar mooie rode kamer binnen. 'Daar houd ik je aan.'

'Nu de zaak er zo voor staat,' zei hij terwijl hij achter haar aan liep, 'denk ik dat ik vannacht moet blijven. Daar is het nu wel de tijd voor.'

Twee lange seconden was ze te verward om te antwoorden, terwijl gedachten door haar hoofd tolden alsof ze in de wasdroger werden droog gedraaid. Stelt hij voor dat we met elkaar naar bed gaan? dacht ze. Weet hij wat ik voor hem voel? Mijn hemel, stel je voor dat we het doen? Nee. Dit gebeurt niet. Ik leg er te veel betekenis in. Hij maakt een grapje. Dat moet wel. Dus besloot ze met een grapje te reageren. 'Dat zou heel wat stof doen opwaaien.'

'Is dat een ja of een nee?' vroeg hij.

Ze voelde dat ze werd uitgedaagd. 'Hoe kan ik daar nu antwoord op geven? Dat hangt af van wat jij bedoelt.'

'Ik had nooit gedacht dat jij langzaam van begrip zou kunnen zijn,' zei hij en probeerde zo veel mogelijk zijn lachen in te houden. 'Ik bedoel dat ik met je naar bed wil.'

Ze raakte in paniek van een dergelijk rechtstreeks antwoord, voelde zich in een hoek gedrukt en ze draaide zich van hem af. Het was te vlug. Ze wist veel te weinig van hem. Hij was prettig gezelschap, hij had haar gered van die afschuwelijke meneer Makepeace, hij wond haar al op als hij maar naar haar keek, maar er zaten zwarte randjes aan zijn karakter: zijn intens slechte humeur en de heftige manier waarop hij overheersend kon zijn, zoals ze bij hun eerste ontmoeting had meegemaakt. Ze verzon een uitvlucht en probeerde luchtig te doen. 'Ik denk dat we een beetje te oud voor zoiets zijn, vind je ook niet?'

'Je praat inderdaad onzin,' zei hij en hij legde zijn wijsvinger onder haar kin, tilde haar hoofd op en kuste haar lang en zachtjes vol op de lippen.

Toen viel niet meer te ontkennen wat ze voelde.

'Nog steeds te oud?' vroeg hij met plaaglichtjes in zijn ogen.

'Nou, nee,' gaf ze toe. 'Maar misschien had ik moeten zeggen dat ik niet meer weet hoe het moet. Het is zo lang geleden...'

'Dat klinkt mij als een verschrikkelijke verspilling in de oren,' zei hij. 'Dat moeten we rechtzetten.' Hij kuste haar weer, deze keer met meer hartstocht – en na elke zin. 'Je bent te mooi om niet bemind te worden. Dat weet je toch wel. En te lief. En te aardig. En knettergek.'

Het zou vroeger of later toch zijn gebeurd, dacht ze. En ik vind hem aardig. En het is alleen maar seks.

‘Maak je geen zorgen,’ zei hij en keek naar de uitdrukking op haar gezicht. ‘Ik zal voorzichtig zijn.’

Dat was hij ook.

Ze werd bij het ochtendgloren wakker, besefte met een vlaag van genot en verbazing wat er was gebeurd en strekte een hand uit, om zich ervan te vergewissen dat ze niet had gedroomd. Ze was teleurgesteld toen ze merkte dat hij weg was.

Hij had een briefje achtergelaten tegen het koffiezetapparaat, dat ongebruikt stond op de plek waar ze het de vorige avond klaar had gezet.

Zes uur, stond erop in zijn grote, zelfverzekerde handschrift, *Ben naar de boerderij. Ik heb je niet wakker gemaakt. Je zag er zo vredig uit. Bel je later wel. Zei ik je niet dat het fijn zou zijn?*

Het was fijn geweest, dacht ze. Niet alleen seks, maar een openbaring. Het ging niet alleen om genot, maar ook om het heerlijke gevoel dat ze bijzonder was en dat ze gewaardeerd werd. En dat allemaal na jaren een gehoorzame echtgenote te zijn geweest, Gordon zijn saaie gang te hebben laten gaan als hij dan zo nodig moest en daarna verdoofd een soort celibaat te hebben geaccepteerd toen hij zijn belangstelling voor haar had verloren.

‘Ik heb een minnaar, juffertje Jet,’ zei ze tegen de kat, die zich spinnend tegen haar enkels schurkte, in de hoop eten te krijgen. ‘Vind je dat niet wonderbaarlijk? Dit is onmiskenbaar een nieuw leven. Wat zouden de meisjes zeggen als ze dit wisten?’

*

Gelukkig waren haar meisjes allebei volkomen in beslag genomen door hun eigen zaken. Lucy had zo veel werk te verstouwen dat ze de afgelopen vijf avonden nog tot negen uur op kantoor had zitten ploeteren, zondag inbegrepen. Eleanor had een boek gekocht met de titel *Waarom lijden?* dat beweerde ‘Alles wat je moet weten over het verlichten van de pijn tijdens de bevalling’ te behandelen. Ze was zich geestelijk aan het oppeppen voor haar eerste afspraak bij de zwangerschapsafdeling van haar plaatselijke ziekenhuis voor particulieren.

Vanzelfsprekend was ze al een regelmatige bezoeker van het

ziekenhuis, omdat zij en Pete er zich elk halfjaar lieten nakijken, maar dit bezoek viel in een geheel andere categorie. Dit was iets om te vieren, een aanleiding om te worden bewonderd en verwend en speciale aandacht te krijgen, want nu had ze een bijzondere status als mevrouw Eleanor MacIvor, aanstaand moeder. Ze zwierde door de deuren met spiegelglas naar binnen alsof ze over een catwalk deinde.

Ze had het altijd een plezierig ziekenhuis gevonden. Het was zo koel en modern met zijn witte ontvangsthal en zijn discrete borden en overal verse bloemen die een lekker geurtje aan de verwarmingslucht gaven. Het streelde haar gevoel voor stijl dat de verpleegsters en de doktoren in opleiding uniform in het wit gekleed waren en dat de specialisten modieuze pakken droegen die prachtig van snit waren. De ene specialist die haar die ochtend een anamnese afnam, was een en al charme, vlot en geruststellend en prachtig gekleed, wat maar goed was ook, want ze had heel wat te stellen gehad met een vroedvrouw en een pas beginnende verpleegster voordat ze eindelijk bij hem werd binnengelaten. Hoewel de vroedvrouw op een onhandige manier best aardig deed, was de verpleegster te jong en die had een bril nodig. Ze hoefde haar alleen maar te wegen en haar lengte op te meten en dat kreeg ze niet eens fatsoenlijk voor elkaar. Ze had de lengte goed maar ze zat er ver naast wat het vaststellen van haar gewicht betrof.

'Eenenzestig kilo,' zei ze nadat Eleanor haar ochtendjas had uitgedaan, zoals haar was verzocht, en op haar belachelijke weegschaal was gaan staan.

'Onmogelijk,' zei Eleanor tegen haar. Haar stem klonk scherp omdat ze zo beledigd was. 'Ik weeg al jaren zesenvijftig kilo. Dat varieert nooit.'

'Weegschalen verschillen nogal eens,' zei de verpleegster luchtig, alsof het er niet toe deed. 'Voor ons is het belangrijkste dat we uw gewicht in de gaten houden en erop letten dat u tijdens de zwangerschap niet te veel aankomt.'

'Dat,' zei Eleanor ferm, 'is hoogst onwaarschijnlijk. Ik let zorgvuldig op mijn gewicht.'

De specialist wuifde haar bezwaren weg. 'De zuster heeft natuurlijk gelijk,' zei hij. 'Weegschalen verschillen inderdaad. Veel meer dan onze patiënten zich realiseren. Maar als ik u zo bekijk dan zou ik zeggen dat u zich wat dat betreft absoluut geen zorgen hoeft te maken. Absoluut geen zorgen.' Hij keek in het dossier dat open voor hem op het bureau lag. 'Ik zie dat u zich hier regelmatig laat controleren en de resultaten daarvan zijn allemaal meer dan bevredigend. U hebt altijd uw gewicht prachtig in de gaten gehouden. O, nee, maakt u zich absoluut geen zorgen.'

Toen ze zo bevestigd had gekregen dezelfde slanke Eleanor te zijn die ze altijd was geweest, stond ze toe dat het consult werd voortgezet. Het was zo bemoedigend als ze had verwacht. Hij was het volkomen met haar eens dat ze geen 'onnodige pijn' zou hoeven lijden tijdens de bevalling. Hij maakte lichtjes bezwaren toen ze aangaf dat ze wilde worden ingeleid 'als het te lang zou duren', door het grapje te maken dat al zijn baby's deden wat hun werd opgedragen en dat ze met een marge van een paar dagen op de aangegeven dag ter wereld kwamen. 'Maar we zullen altijd de koers varen die het beste voor u is.' Toen ze het gesprek nog eens overdacht terwijl ze terug naar kantoor reed, moest ze in feite toegeven dat ze maar één keer van mening hadden verschild, namelijk over wat hij de UD noemde, de uitgerekende datum. Hij wilde deze per se berekenen vanaf de datum van haar laatste ongesteldheid, hetgeen belachelijk was omdat ze toen net was gestopt met de pil en vooral omdat dat zou betekenen dat de baby eind februari zou komen in plaats van rond de paasdagen. Maar ze was zo verstandig geweest niet met hem in debat te gaan. Het was niet slim je specialist tegen de haren in te strijken, dat wist iedereen, en het was uiteindelijk niet van belang omdat de baby zou komen op de door haar genoemde datum. Dan zou zijn ongelijk wel blijken.

*

Op Seal Island draaide Teresa O'Malley het nummer van mevrouw Smith-Fernley. Ze trilde van opwinding over het nieuwtje dat ze ging vertellen.

'Agatha!' zei ze toen de grande dame statig had opgenomen. 'Hij was er gisteravond voor de zoveelste keer. Ik heb hem met eigen ogen gezien. O, wat is ze toch hondsbrutaal, wat ik je zeg. Zo brutaal als wat. Ik maakte net een wandelingetje om een luchtje te scheppen – ik houd van frisse lucht 's avonds – en ik bedacht me dat ik net zo goed nog een eindje verder kon lopen tot de bocht en daar stond hij. Nou ja, hij niet, maar zijn auto. Vlak bij haar voordeur geparkeerd om tien uur 's avonds. Wat vind je daar nou van?'

'Ik denk dat ze hem aan de haak heeft geslagen, de arme man.'

'En dat is nog niet alles. Ik was net boven bezig met zilverpoets de kandelaars op te poetsen – met vochtig weer slaan ze in een paar seconden groen uit – en wie zie ik over het weiland lopen? Nog arm in arm ook. In het openbaar!'

Mevrouw Smith-Fernley toonde zich naar behoren geschokt. 'Schandalig!' zei ze. 'Je zou denken dat hij meer verstand had. Waar gingen ze naartoe?'

'Ja, dat is nu net zo merkwaardig. Ik heb hen helemaal nagekeken, want ik vroeg me precies hetzelfde af. Waar gaan ze naartoe? dacht ik. Hij zal haar toch niet meenemen naar de boerderij. Niet bij daglicht en niet in het zicht van jan en alleman. Zo dom zal hij toch niet zijn. En nee hoor, ze namen het voetpad naar het caravanpark van meneer Rossi. Wat denk je daar nou van? Is dat niet vreselijk curieus?'

'Ze verspilt haar tijd als ze op zoek is naar een caravan,' zei mevrouw Smith-Fernley. 'Ik zag vanochtend mevrouw Rossi bij de bakker en ze vertelde me dat ze vanmiddag het park gaan sluiten. Daarom zijn ze hierheen gekomen. We zullen haar goed in de gaten moeten houden.'

'Dat moeten we zeker.'

Hoofdstuk 7

Meneer Rossi ging op het harde plaveisel naast zijn dure caravan staan en zwaaide zijn laatste klanten uit. 'Tot ziens, Madge! Tot ziens John! Tot volgend jaar!' Het stemde hem altijd droevig: de boel weer opslaan en dichttimmeren, dit steeds weer veel te opgewekte afscheid nemen, want nu was de winter in aantocht en ze zouden de zee en zonneschijn niet meer meemaken tot de eerste voorzichtige warmte van Pasen en dat was pas over vijf koude maanden.

Hij zag er merkwaardig uit: klein en gezet, met een rand zwart haar om een volkomen kale kruin, dikke zwarte wenkbrauwen, vochtige rode lippen, vlekkerige wangen en een buik die zo volmaakt rond was dat hij eruitzag als een vriendelijk duikelaartje. Dat kwam vooral omdat hij de gewoonte had op zijn hielen te wiegelen als hij zich ergens op concentreerde. Hij droeg altijd een vlinderdas en een bijzonder kleurig vest, zelfs wanneer hij de leiding had van het leegpompen van de beerputten. Maar al met al was hij een zakenman met aanleg voor rekenen en een goed oog voor een koopje.

'Weer een jaar voorbij,' zei hij treurig tegen zijn vrouw, die gehuld in wol vlak achter de deur van de caravan ijverig zat te breien.

'Het wordt weer gauw lente,' zei ze troostend. Ze keek op omdat twee mensen het terrein op liepen. 'Hallo? Is dat meneer Langley? Dat is een verrassing.'

'Wat fijn u te zien,' zei meneer Rossi die naar voren hobbelde om zijn bezoeker te begroeten en te worden voorgesteld aan Gwen. 'Van de Westtoren, hè? Ik heb veel over u gehoord. Kom binnen, kom binnen. Wat kan ik voor u doen?'

Ze klommen de caravan in en werden ogenblikkelijk door de hitte overmand.

'Wij houden van lekker warm,' verklaarde mevrouw Rossi. 'We zijn een stelletje koukleumen.' Ze was bijna net zo gezet als haar man; ze droeg een dikke trui over haar blouse en broek en ze had een nog dikkere sjaal om haar hals geslagen. 'Hebben jullie zin in een kopje thee?'

'Thee, moeder?' zei meneer Rossi. 'We kunnen hun wel wat beters aanbieden.' Met die woorden haalde hij een fles cognac en vier kristallen glazen uit een van de kastjes boven zijn hoofd. 'Een goede tijd voor een aperitief, toch? Proost, meneer Langley, mevrouw MacIvor.'

De cognac sloeg in als een bom, in de bedompte, overvolle kleine ruimte. 'Wat kan ik voor u doen?' zei meneer Rossi nogmaals.

'Eigenlijk,' zei Jeff, 'gaat het meer om wat wij voor u kunnen doen. We zijn gekomen om u een zakelijk voorstel te doen.'

'Echt waar?' zei meneer Rossi en nam een slokje van zijn cognac. 'Het gaat toevallig toch niet om de andere helft van deze weide?'

'Dat zou kunnen. Hangt ervan af wat we vanmorgen beslissen.'

De schrandere oogjes lachten. 'Gaat u door.'

'Het lijkt mij zo dat u heel wat meer klandizie krijgt als u een zwembad en doucheruimtes enzovoorts zou kunnen bieden.'

'Helemaal waar, maar de beerputten kunnen dat niet aan. Dan zouden we die om de twee weken moeten legen.'

'Precies. Als we ons kunnen laten aansluiten op het riool, zou het er heel anders uitzien.'

'Wij?' Nu was hij heel uitgeslapen.

'U, ik en mevrouw MacIvor.'

'De onkosten worden door drieën gedeeld?'

'Door drieën of zoiets.'

'Ik ga er eens op zitten rekenen,' zei meneer Rossi, 'en dan kom ik er wel op terug. Hoe staat het met uw koeien?'

*

'Is dat alles?' vroeg Gwen en ademde diep de koele lucht in toen zij en de boer een paar minuten later het terrein af liepen. Ze was verbaasd dat er zo weinig was gezegd en ze kon het gevoel niet van zich afzetten dat hun bezoek tot niets zou leiden, hoe intrigerend het ook was geweest.

'Voor nu wel,' vertelde Jeff haar, terwijl hij naast haar over het voetpad beende. 'Hij heeft toegehapt. Nu gaat hij het allemaal op een rijtje zetten en hij gaat bekijken of hij er goed uitspringt. Hij wil de rest van het weiland hebben, weet je. Hij is een ambitieuze man, onze meneer Rossi. Hij zou graag een caravanpark willen zoals dat ene langs de kust. Als hij er hier een goede zaak van maakt, loopt hij binnen en een zwembad zou een goede lokker zijn.'

'Gewoon uit pure belangstelling,' zei ze, 'wat levert dit jou op?'

'Kapitaal,' vertelde hij haar. 'Ik ben mijn koeien kwijtgeraakt aan de mond- en klauwzeer en het heeft me veel tijd gekost mijn kudde weer op peil te brengen, vooral nu de melkprijs daalt. Ik ben op de goede weg, maar ik maak nog geen winst. De braakregeling helpt ook niet bepaald.'

'Wat is dat?'

'Braakregeling? Dat is wat de EU je betaalt om je land niet te bebouwen. Zie je daar dat weiland waar die tractor op staat? Nou, dat wordt volgend jaar braak gelegd, alle 1600 are ervan. Er zal van februari tot september niets op groeien. Ze betalen je om er niets mee te doen. Je reinste verspilling, als je het mij vraagt, maar zo staat het boerenleven er tegenwoordig voor. We kunnen niet meer verbouwen wat we zelf willen. We moeten doen wat ons gezegd wordt.'

Zijn stem en zijn gezichtsuitdrukking waren zo bitter dat ze hem bezorgd aankeek. 'Maar waarom zou je goed land moeten verwaarlozen? vroeg ze. 'Dat slaat nergens op.'

'Dat slaat op de economie, vrees ik,' zei hij. 'Als we de productie terugbrengen, slinkt de graanvoorraad en daarmee worden de prijzen hoog gehouden voor de grote handelaren.'

'Wat vreselijk.'

'Zo gaan de zaken,' zei hij. 'Tegenwoordig gaat het alleen nog om regels en reglementen, hoeveel insecticide je mag gebruiken en wanneer je het moet gebruiken. Koeien van boven een bepaalde leeftijd mogen niet meer in de voedselketen worden opgenomen.'

Gwen dacht aan al die zachtaardige beesten die geduldig met een nummer op hun flank in de koestal stonden te wachten. 'Maar je maakt ze toch niet af als ze nog jong zijn?'

'Nee,' zei hij. 'De meesten ervan gaan zeven jaar mee, met een kalf per jaar om de kudde op sterkte te houden. Sommige moeten eerder weg, maar zeven jaar is ongeveer het gemiddelde.'

'En wat dan?'

'Dan slachten we ze en verbranden we ze. Trek niet zo'n gezicht. Ze betalen ons voor elk karkas.'

Ze had een lelijk gezicht getrokken bij de gedachte aan die arme beesten die geslacht en verbrand werden. Het deed haar denken aan al die afgrijselijke tv-beelden van koeien die in de weilanden werden verbrand. Ze raakte wat van streek toen ze zich realiseerde hoe harteloos hij klonk. Dat was een kant van hem die ze niet eerder had gezien en ze was er niet zeker van of ze die wel zo prettig vond. 'Het is allemaal zo bruut,' zei ze.

'Dat is boeren ook,' zei hij tegen haar. 'Altijd al geweest. Wij houden geen beesten als huisdieren. We houden ze voor de melk en het vlees. Of dat deden we, toen de tijden beter waren. We kunnen tegenwoordig ons land niet eens behouden. In feite...'

Ze richtte haar aandacht weer op het gesprek en spoorde hem aan: 'In feite?'

'Dit is maar een idee,' zei hij. 'Ik heb het nog tegen niemand gezegd, dus houd het voor je. Als ik het riool kan laten aanleggen, kan ik daar bij die steeneik een clubhuis laten bouwen. Kit Voller is de eigenaar van de volgende boerderij die je ziet – die daarginds. Zie je de schoorstenen achter die bomen? Hij speelt met de gedachte drie weilanden op te geven en er een golfbaan met negen holes van te maken. Als ik hem een extra weiland en een clubhuis kan bieden, denk ik dat we een partnerschap kunnen aangaan. Daarmee zouden heel wat problemen kunnen worden opgelost. Je trekt weer zo'n gezicht. Ik weet dat het betekent dat er nog meer goed land niet bebouwd zal worden, maar tegenwoordig moet je in het boerenbedrijf diversifiëren, net zoals overal elders.'

'En ik dacht dat je dit allemaal voor mij deed,' zei ze.

'Dat komt er nog bij,' zei hij ernstig tegen haar. 'Jij hebt het idee weer bij me bovengehaald en ik wil voor jou van die septic tank af.

Geen enkele zakenman is uitsluitend altruïstisch. Dat zit niet in de aard van het beestje. We doen wat we doen om de winst. Of voor het merendeel voor de winst. Als je al doende iemand die je aardig vindt, kunt helpen, dan is dat een bonus maar het is nooit de hoofdreden.'

'Nou, je bent er tenminste eerlijk over,' zei ze even serieus als hij.

Hij tikte tegen een onzichtbare pet. 'Nou, u wordt bedankt, mevrouw.'

Het gebaar wekte een golf van wellust in haar op, die haar verbaasde na het onbehagelijke gevoel dat ze had om bepaalde dingen die hij had gezegd. Ze liet haar hand door de boog van zijn arm glijden, merkte dat ze blij was met de aanraking. Een paar minuten inkameraadschappelijk liep ze stilzwijgend naast hem, terwijl ze verwerkte wat ze had gehoord. Liefde is zo onredelijk, dacht ze. Het ene moment ben ik van streek omdat hij zo harteloos klinkt en het andere moment raak ik opgewonden van hem. Het is niet logisch. Maar misschien is het ook geen liefde. Misschien gaat het alleen om de seks.

Ze waren bij de eerste overstap aangekomen en ze moest zijn arm loslaten. 'Mag ik je een persoonlijke vraag stellen?' vroeg ze.

'Je mag vragen wat je wilt,' zei hij toen ze op de overstap ging staan.

Ze keek op hem neer vanaf de bovenste tree. 'Zou jij zeggen dat we een liefdesrelatie hebben?'

Hij gooide met een brul van verrukking zijn hoofd achterover. 'Ik zou niet weten hoe je het anders zou kunnen noemen.'

'Ik ook niet,' zei ze. 'Daarom vroeg ik het aan jou.' Ze hield even stil om te overwegen wat ze verder tegen hem zou zeggen terwijl hij ook over de overstap klom. 'Ik denk,' zei ze terwijl ze tussen de heggen door verder liepen, 'dat dat is omdat ik niet echt weet wat liefde betekent. Het woord, bedoel ik. Of het woord met betrekking tot mannen en vrouwen. Ik weet wat het betekent tussen moeder en kind. Ik houd ontzettend veel van mijn dochters. Altijd al gedaan. Als iemand hen kwetste, wilde ik me op die persoon storten en hem in stukken scheuren. Maar ik ben er niet zo zeker van of ik ooit van die arme Gordon heb gehouden. In ieder geval niet met dezelfde soort passie.'

Hij had ernstig naar haar geluisterd en hij waagde het zelf ook een persoonlijke vraag te stellen: 'Waarom ben je dan met hem getrouwd?'

'Ik dacht dat dat het beste was,' zei ze. 'Hij wilde met me trouwen. Hij bleef er maar over doorgaan. En ik dacht... Eigenlijk kan ik me nauwelijks nog herinneren wat ik toen dacht. In ieder geval niet wat ik nu denk.'

'Wat denk je nu?'

'Ik vraag me af of dit liefde is, wat wij met elkaar hebben.'

Ze waren bij de driesprong met de wegwijzer gekomen. Ook hier versperde een overstap het pad naar zijn boerderij. Hij zette een voet op de overstap en draaide zich om, om haar aan te kijken. 'Zou je dat willen?'

'Ja, ik denk van wel. En jij?'

Hij lachte haar met een warme, ontspannen, dankbare glimlach toe. 'Als je het mij vraagt, zijn we al goed op weg,' zei hij. 'Ik zou zeggen dat het de goede kant op gaat.'

'Zo klinkt het net of het om een graanoogst gaat.'

'Daar heeft het ook iets mee te maken,' zei hij. 'Als je wilt dat iets sterk en gezond opgroeit, moet je er de tijd voor nemen. Tijd en verzorging en goed voedsel. Je kunt het niet overhaasten.'

'Zo zie jij het dus,' merkte ze op. 'Als iets dat groeit. Hoe zit het dan met liefde op het eerste gezicht?'

'Romantische onzin,' zei hij op die rechtstreekse manier van hem. 'Liefde is iets heel anders. Liefde vergt inspanning en discussie en compromissen en dingen delen. Het is een heel gecompliceerde zaak.'

'Dat hoef je mij niet te vertellen,' zei ze wrang.

Hij tilde zijn hoofd op om te luisteren naar de geluiden die van zijn erf kwamen. 'Ik moet gaan,' zei hij. 'Tot vanavond dan, dochter van Neptunus.'

'Vanzelfsprekend,' zei ze en dacht met een golf van geluk dat het zo vanzelfsprekend was. Onredelijk, ja, onvoorspelbaar en verrassend, ja, maar vanzelfsprekend.

Hij beende al het voetpad af, maar hij draaide zich een tel om, zodat zijn verweerde gezicht zich tegen het herfstblauw van de lucht aftekende. Hij voelde dat ze een keerpunt in hun relatie waren gepasseerd en ook al wist hij niet zeker wat dat was of hoe ze er gekomen waren, hij had het gevoel dat hij dit moest markeren met een geschenk. 'Ik zal een paar van Dotty's boeken voor je meenemen om in te kijken,' zei hij. 'Als je dat wilt.'

*

Op Barbados was de lucht kobaltblauw, het zand wit, de zee turkoois en de hitte slopend. Peter Halliday was de hele ochtend bezig geweest bruingebrand uit de zee te komen lopen en had zijn best gedaan er jong, knap en zorgeloos uit te zien en zijn buik zo stevig mogelijk in te houden. Nu voelde hij zich na zoveel opnames dat hij de tel was kwijtgeraakt, echt afgemat en meer dan een beetje geïrriteerd.

'Tijd voor een pauze?' vroeg Staggers, om moeilijkheden te voorkomen.

'Lijkt me een goed idee,' beaamde Pete. 'Tenzij je een opname van me wilt terwijl ik wegsmelt.' Hij waadde terug de zee in, want hij wist precies wat hij nodig had: even zwemmen om af te koelen, een douche, schone kleren en ijskoud bier.

Hij moest toegeven dat hij niet meer van deze tropische opnames genoot. Ooit waren ze leuk geweest, toen hij in de twintig was en het hem gemakkelijk af ging er zeer aantrekkelijk uit te zien. Nu waren ze gewoon vervelend en hoe minder kleding hij aan moest, des te meer hij leed, terwijl hij ook nog was neergepoot in de hitte met onverteerbaar eten, nooit voldoende te drinken, schorpioenen in zijn schoenen en hordes slecht opgeleide, zogenaamde technici om hem te ergeren, net zoals dit zootje de hele ochtend had gedaan. Ze zijn verdomme nog niet eens droog achter hun klere oren, dacht hij terwijl hij watertrappelde en naar de kust keek, en ze denken dat ze alles weten. En ze zijn de hele tijd hitsig. Neuken, neuken, neuken. Als van die klotekonijnen. En er komt geen zinnig woord uit.

Drie van hen zaten een eind in de lucht te kletsen terwijl hij onder de douche stond. Waarschijnlijk op het balkon naast het zijne, wat verdomd vervelend was omdat dat betekende dat hij niet naar buiten kon gaan, anders zou hij in hun stupide gesprek betrokken worden. Maar hij werd er feitelijk ongewild in betrokken, omdat ze zaten te praten over de Sheldon-overname.

'Ik zie dat de aandelen Sheldon gisteren weer omhoog zijn gegaan,' zei een stem. 'Dat is de derde keer deze week.'

'Dus jij denkt dat het doorgaat,' zei een andere stem.

'Volgens mijn agent wel. Ik ga nog meer aandelen kopen.'

Dat lokte gelach uit. 'Waarmee? Ik dacht dat je blut was.'

'Dus je denkt dat J. R. Grossman erachter zit?'

'Ja. Dat zeggen de geldmensen.'

Dat was precies wat Pete wilde horen. Als Grossman erachter zat, dacht hij, kunnen de aandeelhouders hun slag slaan. Ik vraag me af of Catherine er iets van af weet. Een paar jaar geleden was ze nogal dik met de voorzitter van Grossman. Het kan de moeite waard zijn haar op te bellen.

Het kostte vier telefoontjes en veel ongeduldig gemopper voor hij eindelijk doordrong tot het appartement van de desbetreffende dame in New York. Toen vertelde een of andere idioot aan de andere kant van de lijn hem dat ze 'nu niet bereikbaar' was en gaf aan dat hij het later op de avond nog maar eens moest proberen. Uiteindelijk, toen hij bijna alle vertrouwen in het medium telefoon had verloren, ging haar nummer echt over en nam Catherine zelf op.

'Hé, hallo,' zei ze. 'Wat kan ik voor jou doen, ouwe nietsnut? Ik heb je in geen eeuwen gezien.'

Hij was vergeten dat ze zo'n sensuele stem had. 'Ik ben verschrikkelijk,' beaamde hij, 'maar ik zal mijn uiterste best doen om het goed te maken, geloof me. Trouwens, over een dag of twee ben ik in jouw deel van de wereld. Kunnen we elkaar dan ontmoeten?'

'Ik zal even mijn agenda pakken,' zei haar stem koeltjes. 'Goed. Welke dag had jij in gedachten?'

Het was een truc om hem op een armlengte afstand te houden en dat wisten ze allebei. 'Hé!' protesteerde hij en hij slaagde erin iets van een lach in zijn stem te leggen. 'Maak je tegenwoordig met al je minnaars afspraken via je agenda?'

‘Alleen met nietsnutten en met mensen die me bellen omdat ze iets van me willen.’

Hij lachte daar hartelijk om, besloot haar met de waarheid te overtroeven en ging toen vlotjes door. ‘Om eerlijk te zijn,’ biechtte hij op, ‘ik heb geruchten gehoord over Grossman en een overname. Weet jij daar toevallig iets meer van?’

‘Gaat het je om een uitnodiging?’

‘Wat zeg je?’

‘Ik geef een receptie voor de voorzitter. Woensdag over een week. Vertel me waar je zit, dan stuur ik je een uitnodiging.’

Dit was nog eens geluk hebben. ‘Je bent geweldig,’ zei hij.

Nu hoefde hij alleen maar zijn agent aan het werk te zetten om nog wat aandelen te kopen – nou ja, eigenlijk heel veel aandelen – en een ticket voor Kennedy Airport te bespreken. Puur geluk! Verdomd veel puur geluk! Die goeie Catherine. Hij bedacht dat hij er goed aan deed Eleanor ook te bellen om haar te laten weten wat hij ging doen. Hij keek op zijn horloge. Als hij snel was, kon hij haar nog net te pakken krijgen voor ze naar haar werk ging.

*

Toen de telefoon die ochtend rinkelend de minimalistische rust van Eleanors flat verstoorde, had ze net haar post opgehaald en ze zag met een onverwachte scheut van opwinding dat de bovenste brief van het ziekenhuis kwam. Maar zodra ze wist dat het telefoontje van Pete kwam, legde ze het stapeltje ongeopend op het bed naast zich en ging er eens goed voor zitten om hem haar nieuws te vertellen.

‘Moet je horen,’ zei ze. ‘Ik moet je iets...’ Maar zijn stem onderbrak haar voor ze ook maar een woord had kunnen uitbrengen.

‘Ik heb je toch niet uit bed gehaald of zoiets?

‘Nee, helemaal niet. Het is half acht. De postbode is net geweest. Moet je horen, ik moet je iets vertellen.’

‘Ik ook iets aan jou,’ zei hij. ‘Wacht maar tot je dit hebt gehoord. Daar ben je vast blij mee. Sheldon is op de markt gebracht. Dat had ik je toch verteld? En het bedrijf gaat naar J.R. Grossman. Is dat goed of niet? Ik ga morgen naar de Verenigde Staten om te zien wat ik nog meer te weten kan komen. Ik heb alles al geboekt. Ik dacht dat ik je dat maar beter even kon laten weten, of er zwaait wat voor me. Nee, grapje. Wacht even.' Hij sprak tegen iemand in de kamer. 'Hij is open. Je hoeft alleen maar te duwen. O, ben jij het Staggers. Wacht even.' Toen begon hij weer tegen Eleanor te praten en deze keer had hij zoveel haast dat hij haar nauwelijks de tijd gunde om te antwoorden. 'Luister eens, ik moet nu weg. Staggers is net gekomen. Ik zie je wel weer als ik terug ben.'

'Wanneer?' vroeg ze. 'Ik moet je alleen...'

'Over een paar weken,' zei hij. 'Misschien een maand. Hangt ervan af hoelang ik nodig heb. Ik ga het niet overhaasten. Dit is belangrijk. Tot ziens.' En hij hing op.

Toen Eleanor de telefoon neerlegde, moest ze toegeven dat ze zich verslagen en geïrriteerd voelde. Zijn weigering om te luisteren was kwetsend, alsof hij haar van zich af duwde. Maar ja, dat was Pete ten voeten uit. Het was niet anders. Hij was altijd haastig op weg naar het een of ander, om geld te verdienen, of een film of een indruk te maken, en had dan nergens anders oog voor. Ze kon moeilijk zeggen dat ze er niet aan gewend was. Het is maar goed dat ik een eigen leven heb, dacht ze en ze maakte haar eerste brief open.

Als om haar te laten zien hoezeer ze gelijk had, was het een afspraak voor een scan. Zie je wel, zei ze tegen de telefoon. Ze bieden me een scan aan. Zij nemen het serieus, ook al doet hij dat niet. Wanneer moet ik? Volgende week dinsdag. Hemeltjelief. Dat zeggen ze ook lekker op tijd.

Terwijl ze de brief neerlegde en de volgende openmaakte, daagde het haar dat ze haar moeder over de baby moest vertellen. Het was nu half oktober en meer dan drie maanden geleden dat ze begon te denken dat ze wel eens zwanger kon zijn. Als ze het niet binnen afzienbare tijd vertelde, zou het zichtbaar worden en dan zou die arme lieverd denken dat ze er met opzet buiten was gelaten. Ze had nu al een beetje een buikje, maar niet zo erg dat het niet met slimme kledij verhuld kon worden. Wanneer ga je het echt zien? Met vier maanden toch? Of vijf? Dat zal ik moeten opzoeken. Ik zal haar een briefje schrijven, besloot ze. Om haar te laten weten dat ik aan haar denk. Zoiets. Maar ik zeg nog niets over de baby. Ik laat eerst de scan maken en de kinderkamer en suite verbouwen en dan zal alles van een leien dakje gaan. Dus werd het een kort, nietszeggend briefje.

Lieve mam,

Blijf aan je denken en me afvragen hoe het met je gaat en of je al helemaal ingericht bent. Sorry dat ik niet langs kan komen. Afschuwelijk druk op het werk. Ik heb nauwelijks tijd om adem te halen. Pete is op Barbados, zonnebaden. Boft hij even!

Kom zodra ik kan bij je langs.

Liefs, Eleanor.

Daarna dook ze haar leven weer in. Er moest weer een presentatie worden voorbereid die al zevenendertig pagina's lang was en ze was pas op twee derde; er waren lunches met cliënten en feestjes en diners, en de plannen voor de kinderkamer en suite moesten helemaal worden uitgedacht voor het werk kon beginnen, want ze wilde niet voor verrassingen komen te staan. Alles moest volmaakt zijn zodat haar moeder zo snel mogelijk naar de bewoonde wereld kon terugkeren. Ze kreeg er nu vast al wel genoeg van, daar aan de kust in dat vreselijke weer, die arme lieverd.

*

In feite was 'die arme lieverd' gelukkiger dan ooit in haar leven. De mist kon dan wel in lange witte slierten van de zee het land op komen rollen en het kon dan wel winters kil zijn in het dorp, in de toren was het warm en kleurrijk, ze had Jeff als gezelschap en ze had, sinds Jeff ertoe was overgegaan Dotty's boeken over astrologie mee te brengen, meer dan genoeg intrigerend leesvoer om zich mee bezig te houden als ze alleen was.

Omdat ze nu steevast de bijnaam 'dochter van Neptunus' had, probeerde ze eerst het boek over Neptunus. Ze begon er tamelijk sceptisch aan, in de veronderstelling dat het over horoscopen en toekomstvoorspellingen zou gaan, maar dat was niet zo en hoe verder ze in het boek kwam, hoe meer ze erdoor gefascineerd werd. Het vormde algauw een vast onderdeel van haar dag om zich na de lunch terug te trekken in haar uitkijkpost en er een uur of twee in de zon te zitten lezen met Jet op schoot.

'Het is echt wetenschappelijk,' zei ze tegen Jeff toen ze op een donderdagavond zaten te dineren en hij haar vroeg of ze opschoot met haar nieuwe studie. 'En er staan veel zinvolle dingen in. Ik had niet gedacht dat dat zo zou zijn, maar het is wel zo.'

Het deed hem plezier te denken dat hij haar iets had gegeven waar ze van kon genieten. 'Ik zag dat niet zo,' vertelde hij haar, 'maar dat zei Dotty ook altijd.'

'Ik herken dingen,' zei ze en ze probeerde het uit te leggen, niet alleen aan hem, maar ook voor zichzelf. 'Zelfs de titels van de boeken hebben betekenis voor me. Het boek dat ik nu aan het lezen ben, heet *Neptunus en de zoektocht naar verlossing* en het gaat over allerlei dingen die ik op de universiteit heb gelezen. Mythes over de schepping en verhalen over verlossers, psychologie, zelfs over hoofse liefde en dat was ik allemaal vergeten. Er is zelfs een hele sectie over liefde die echt heel fascinerend is.'

'Ik heb die liever in het echt, dan dat ik erover lees,' zei hij glimlachend tegen haar.

Ze glimlachte terug. 'Dat heb ik gemerkt,' zei ze en ze vervolgde haar betoog. 'Het meest wonderbaarlijke is wel dat het me allemaal zo bekend voorkomt. Ik herken mezelf erin.'

'Dat zal vast wel,' plaagde hij, 'aangezien je de dochter van Neptunus bent. Wat heb ik je gezegd?'

'Blijkbaar zijn wij ertoe geneigd onszelf op te offeren,' zei ze. 'Dat ben ik ten voeten uit. Tenminste, tot ik hierheen kwam. Dat staat ook in de sterrenkaarten. De behoefte te ontsnappen en je terug te trekken en een hang naar de zee. Dan is er de behoefte aan poëzie en muziek. Dat heb ik mijn hele leven gehad. Zelfs de mist is belangrijk. Mistigheid en een wazig zicht. Ik denk dat ik die de hele tijd dat ik bij Gordon was, heb gehad. Ik begin nu pas helder te zien.'

'En vis,' plaagde hij met opzet om het gesprek luchtig van toon te houden. 'Ik wed dat je die ook in het boek hebt gevonden. Hoe is jouw tong?'

'Verrukkelijk,' zei ze. 'Dat doet me aan iets denken. Ik vind dat het hoog tijd is dat ik eens een keer voor jou kook. Ik begrijp nu hoe mijn nieuwe oven werkt en hij doet het geweldig. Wat denk je van zaterdag?'

'Klinkt geweldig,' zei hij. 'Er is storm op komst volgens de weersvoorspelling, dus het zal fijn zijn om binnen te zitten. Misschien blijf ik wel slapen.'

'Dat is nog eens een verrassing,' lachte ze.

Hoofdstuk 8

Op zaterdagavond was het spookachtig weer; de lucht was pikzwart en de regen kwam met bakken naar beneden, de zwiepende wind huilde in de schoorstenen, gierde door de stegen en geselde de kale bomen tot ze kreunden: een nacht voor heksen, duivels, klopgeesten, een nacht voor walgelijke daden, een nacht waarin zelfs de stoere straatverlichting van Zuid-Londen flikkerde en verflauwde alsof ze zo kwetsbaar als een waskaars.

'Hier gaan we spijt van krijgen,' zei Lucy tegen haar flatgenoten terwijl ze naar haar auto holden, dubbelgebogen onder hun paraplu's. 'Ik voel het in mijn botten.'

'Nee, dat gaan we niet,' zei Tina en ze kroop op de stoel naast de chauffeur. 'Het wordt geweldig. Rick komt ook.'

Lucy draaide zich om, om zich ervan te vergewissen dat iedereen in de auto zat en dat de deuren dicht waren. Toen zette ze de auto in de eerste versnelling. 'Is dat even fijn!' zei ze.

Helen zat met haar vingers haar nieuwe kapsel op te doffen en ze bewonderde het krullende resultaat in haar handspiegeltje. 'Wat doet het ertoe?' vroeg ze. 'We zijn straks toch binnen. Klopt? Ik heb het nog nooit zien regenen in de Candy Kitten.'

De kleine club was druk als altijd en het geluidsniveau was hoog; ook al lekte het er niet, het was te merken dat het buiten nat was omdat de vochtigheid de lucht binnen had verzwaard. De sterke geur van vochtige kleding voegde zich bij de gebruikelijke mengeling van zweet en muskus, zware parfum en doordringende aftershave. Toen haar ogen eenmaal gewend waren aan het donker, kon Lucy zien dat de meesten van haar groep aan het dansen waren of in groepjes tegen elkaar stonden te schreeuwen, en dat de teenagers al uit hun dak gingen en met zulke geweldige armzwaaien aan het dansen waren, dat het een wonder was dat ze niet iemand de ogen uitstaken. Ze besloot, nu ze zich door de storm hierheen hadden geworsteld, zich toch maar te gaan vermaken en ze duwde zich het gedrang in om met de anderen mee te gaan dansen.

Ongeacht waar en met wie ze was en hoe slecht haar humeur ook was, het dansen gaf haar altijd een goed gevoel. Het was de meest sexy bezigheid die ze kende, sensationeel en ontspannend in elke betekenis van het woord. Ze voelde de beat die van haar voeten tot haar hoofd door klopte, haar buik liet schudden en maakte dat haar hoofdhuid kippenvel kreeg van genot. Ze bewoog haar hele lichaam op het ritme, steeds maar door, ze wilde niet ophouden, tot er niets anders was dan het duister en de muziek en het plezier van onbegrensde beweging. Het was sensueel, verrukkelijk, orgastisch, een bacchanaal. Daar kon niets tegenop.

Maar het kon wel verstoord worden. Ze stond nog maar een kwartier op de dansvloer toen ze zich ervan bewust werd dat een lichaam zich aan haar opdrong en ze deed haar ogen open om te zien wie het was. Henry! Shit!

'Goed je te zien,' brulde hij tegen haar. 'Heb je lang niet gezien. Waar was je al die tijd?'

'Aan het werk,' zei ze, keerde zich van hem af en ging door met dansen. Wat had ze ooit in hem gezien?

'We moeten weer eens bij elkaar komen,' zei hij terwijl hij achter haar aan liep. 'Wil je wat drinken? Een xtc-pil? Zin om wat te gaan eten?'

'Je trapt op mijn voeten,' riep ze terug en ze danste zo snel mogelijk van hem vandaan; ze glipte door de kleinste openingen tussen de dansende lichamen, waar hij met zijn grote omvang niet doorheen kon. Net toen ze hem had afgeschud, keek ze op en staarde in het verhitte gezicht van Toby Hoe-heet-hij-ook-weer.

'Hallo!' riep hij, pakte haar bij haar middel vast en trok haar naar zich toe. 'Bij jou of bij mij?'

De avond crashte even onverwacht en absoluut als een computer. Ze werd vervuld van een onredelijke drang weg te rennen, hoewel ze geen flauw idee had waarheen. Ergens waar het nieuw en anders was, waar lucht was om adem te kunnen halen, open platteland, wijde zee, grote weidse luchten en geen mensen die zich de hele tijd op je stortten en van je verwachtten dat je à la minute met ze naar bed ging zodra ze dat maar voorstelden. Ze wrong zich los en gooide zijn armen van zich af of het ketenen waren, rende kriskras door de massa heen alsof ze in paniek was – en ze liep tegen Tina aan, die innig stond te zoenen met een of andere hulk met pikzwart haar.

'Ik ga ervandoor!' riep ze tegen haar. 'Wil jij het tegen Helen zeggen?'

Tina deed haar ogen niet open. 'Mm,' zei ze. 'Tot morgenochtend.'

Nee, dacht Lucy, dat niet, want ik ga naar Seal Island. Nu wist ze het. Het was de meest logische plek om naartoe te gaan. Maar ze had geen tijd om het uit te leggen. Ze had alleen die golf van adrenaline die haar voortstuwde, de club uit, haar auto in, terug naar Battersea, haar kamer in.

Ze trok warme kleren aan, pakte een tas in en was weer weg. Ze reed naar het zuiden, tuurde door de beregende voorruit naar de sliert rode achterlichten die voor haar uit knipperden en hobbelden, naar de plotselinge figuren van een stel mensen die laat in de nacht gebogen tegen de regen in liepen, naar een opeenhoping van auto's en bussen bij een kruising. Ze ving een glimp op van vettig wegdek en een hoop vertrapt afval, sigarettenpakjes, ingedeukte bierblikjes, chipszakjes en gebruikte condooms; het gevoel dat ze op de vlucht was, bleef.

Epsom was een wirwar van verkeer, de lange rechte weg voorbij Dorking was goed verlicht maar vrijwel leeg. Toen was ze buiten in zo'n allesverslindende duisternis dat ze zelfs met groot licht de rand van de weg nauwelijks kon zien. Dat bracht haar bij zinnen. Dit was gevaarlijk, besefte ze. In zo'n nacht als deze kon je een ongeluk krijgen. Klote Henry en klote Toby Hoe-heet-je-ookweer. Waarom was jij niet thuisgebleven, dan hoefde ik nu niet hier mijn leven te riskeren. Maar ze ging niet terug. Nu niet, nu ze al zo ver was gekomen, en nu ze het zo hard nodig had te ontsnappen. Als het maar eens ophield met regenen. Of als de maan maar eens opkwam of zoiets.

Maar de maan hield zich verborgen en de regen bleef vallen en de weg was eindeloos en afschuwelijk leeg. Na een paar kilometer begon ze echt bang te worden, ze werd zich ervan bewust dat de bochten van de weg vervaarlijke schaduwen vormden, dat de overhangende bomen sinister zwart waren, dat de grijze heggen dreigend op haar af kwamen. Ze reed steeds sneller, in het verlangen de reis achter de rug te hebben, blij dat ze de borden langs de weg kon aftellen – WELKOM IN WEST SUSSEX, BILLINGHURST, PULBOROUGH – en ze was uiterst opgelucht toen ze het bord van Seal Island had bereikt. Nu, zo troostte ze zichzelf, was het nog een kwestie van een paar minuten en dan zou ze in de toren zijn en warm verwelkomd worden.

Er stond een politiewagen dwars op de weg met een blauw zwaailicht aan, een rode fluorescerende streep en zo vlakbij, dat ze op de rem moest gaan staan en zelfs toen kwam ze nog maar net op tijd met gierende banden tot stilstand. Jezus! dacht ze, verstijfd van schrik. Wat nu weer? Er doemde een agent op uit het gordijn van regen, in een geel fluorescerend jack; het water droop van zijn gestreepte pet, en hij gebaarde dat ze haar raam open moest doen.

'Wilt u achteruitrijden, mevrouw?'

Hoe krijg ik dat in vredesnaam op deze smalle, bochtige weg en in deze duisternis voor elkaar? 'Kan ik er niet gewoon langs?' vroeg ze. 'Ik hoef alleen maar naar de toren.'

Hij hield voet bij stuk. 'Helaas niet, mevrouw. Er is een ongeluk gebeurd. Er komen een ambulance en een sleepwagen aan.'

Nu kon ze de grijze omtrek van een truck zien die ondersteboven in de sloot lag met zijn cabine in de heg. Hij lag met zijn achterwielen midden op de weg en het was overduidelijk dat niemand daarlangs kon – behalve te voet.

'Goed,' zei ze, zette de auto in zijn achteruit en begon stapvoets naar achteren te rijden. Het was afgrijselijk moeilijk. Ten eerste was ze precies in een bocht gestopt, zodat de manoeuvre op klaarlichte dag al een hele klus zou zijn geweest. Ten tweede kon ze door het gebrek aan verlichting en de onophoudelijke regen geen hand voor ogen zien en de onverharde weg was ook nog eens glibberig van de modder. Aan beide kanten stonden heggen veel te dicht op de weg; ze ontnamen haar het beetje zicht dat ze nog had, en telkens als ze bijstuurde, schuurden ze krassend langs de zijkanten van de auto. Maar na een aantal minuten zweten en tieren zag ze de oprit naar een huis en het lukte haar er achterwaarts in te rijden, met meer precisie dan ze had verwacht.

Ze pakte haar paraplu en ze wrong zich voorzichtig uit de auto, de stortbui in. Ze bevond zich in iemands voortuin met haar achterbanden op het gazon. Natuurlijk. Dat zou eens niet zo zijn. In een bovenkamer brandde licht. Ook dat nog. Terwijl ze de sleutel in het onzichtbare slot van haar auto prutste, ging boven haar piepend een raam open en er klonk een stem met een Iers accent.

'Wat is er in vredesnaam aan de hand?'

'Een verkeersongeluk,' riep ze terug. 'Het spijt me. De politie zei dat ik hier in moest rijden. Er komt een ambulance langs.'

De stem veranderde. 'Ik kom zo naar beneden,' zei hij.

'Het giet,' waarschuwde Lucy, maar ze was te laat. Een overvloed van licht straalde naar buiten toen de voordeur werd geopend: een kleine gestalte met een bleek gezicht kwam op haar af getrippeld en zette onder het lopen een zuidwester op.

'Zijn er veel gewonden, denkt u?' vroeg ze, met lijkenpikkerige belangstelling in haar stem en gezicht.

Lucy bekende dat ze dat niet had gevraagd.

'We lopen er samen heen om dat te zien. Die arme zielen,' zei de vrouw. 'Het komt volgens mij door het weer. Je kunt geen hand voor ogen zien. Ik ben al tijden bezig om ze om verlichting te vragen. U kunt zich niet voorstellen hoe vaak. Maar ze luisteren niet.'

Lucy kon haar gezelschap heel slecht gebruiken. Ze wilde helemaal niet meegesleept worden om naar de slachtoffers te kijken, maar ze kon haar niet van zich afschudden.

'Je hebt hier voor je het weet een dodelijk ongeluk,' mopperde de vrouw, 'en niemand wordt er een cent wijzer van. Ze zouden er iets aan moeten doen, echt waar.'

Ze hadden de bocht in de laan bereikt en daar stond de politiewagen dwars op de weg met zwaaiend blauw licht alsof het Kerstmis was, maar er was geen teken van de agent of iemand anders te bespeuren.

'Ik ga naar de toren,' zei Lucy en ze wrong zich langs de auto. Hoe eerder ze hier weg was en in de warmte, hoe beter.

'Nou, dat moet ik u afraden,' zei haar ongewenste metgezel. 'Ze is op z'n best een merkwaardige vrouw, Haar-van-de-toren. Heel merkwaardig is ze. Ik zou haar niet in het donker tegen willen komen. Ze zeggen dat ze een heks is.'

'Zal ik u eens wat zeggen,' zei Lucy boos, 'dat is mijn moeder.' Ze haalde juist diep adem om die onaangename vrouw eens goed te vertellen wat ze van haar en haar stomme opmerkingen dacht, toen ze een man in het duister hoorde roepen.

'Bent u dat, juffrouw O'Malley?'

De vrouw klaarde op en antwoordde: 'Inderdaad.'

'U hebt zeker geen man zien rondlopen?'

'Nee. Bent u iemand kwijt?'

'De chauffeur is aan het dwalen geslagen.'

'Wat zeg je me daarvan!' zei juffrouw O'Malley. 'Sommige chauffeurs hebben geen greintje gezond verstand.'

Haar totale gebrek aan medeleven maakte Lucy helemaal laaiend. Als hij is gaan dwalen, dacht ze, dan verkeert hij waarschijnlijk in een shocktoestand. Ze had erg medelijden met hem, de arme man. 'Hij kan niet ver weg zijn,' riep ze naar de agent. 'Er is toch niets aan het eind van de laan dan het veld en de toren? Als u het veld neemt, ga ik kijken bij de toren.' Ze voelde zich tegen wil en dank bij de situatie betrokken en ze liep meteen weg voor een van hen haar kon tegenhouden.

Eenmaal voorbij de heggen was het zicht een fractie beter, vooral omdat de bovenramen van de toren verlicht waren. Hij is vast in de richting van het licht gelopen, dacht ze. En ja hoor, toen ze bij het hek was aangekomen, viel haar oog op een vage gestalte die door de tuin liep te zwalken alsof hij dronken was.

'Hallo!' riep ze en ze liep naar hem toe. 'Is alles goed met u?'

'Moet terug,' zei hij en hij struikelde tegen de muur van het bijgebouw aan. 'Moet het baas vertellen.'

Ze stond naast hem, strekte een hand uit om hem voor een val te behoeden en ze merkte op dat hij smalle botten had en een donkere huidskleur, waarschijnlijk Indiaas, dat hij trilde, dat er bloed uit zijn rechteroor druppelde, dat zijn ogen niet goed gefocust waren. Toen wist ze niet wat ze moest zeggen.

'Moet terug,' zei hij, haalde haar hand van zijn arm en hij tuimelde in de bloembedden. 'Als ik dit niet meld, ziet u.' Maar zijn woorden werden door de wind weggeblazen.

Ze rende naar de toren en bonkte op de deur. Er reageerde echter niemand, ook al bleef ze kloppen. Ze rende naar de tuinmuur en riep naar de agent: 'Hierheen! Hierheen!' Ze kon zijn silhouet tegen de wind in zien leunen, maar hij hoorde haar niet. Ze keerde terug naar haar slachtoffer en ze probeerde hem naar de toren te leiden, maar hij wilde met alle geweld doorlopen en hij weigerde met haar mee te gaan. Ondanks haar paraplu was ze tot op het bot doorweekt en ze werd verblind door de regenvlagen die maar bleven komen; haar voeten waren gevoelloos van de kou geworden. 'O, kom nou!' riep ze naar haar moeder en ze bonkte op het zware eikenhout van die enorme deur. 'Laat me erin! Ik sta hier te vernikkelen!'

Plotseling kwam de agent op haar afgestevend, terwijl hij de chauffeur aan de arm met zich meevoerde – 'Nog een paar stappen, meneer.' De deur ging open: er stond een volslagen onbekende, lang en breed, met een dikke haardos en een hele vierkante kin, gekleed in een corduroy broek en een veelkleurige trui maar hij had geen sokken aan. Wie was dat verdomme?

'Wat is er?' vroeg hij.

De agent gaf hem antwoord. 'Verkeerspolitie, meneer Langley. Deze chauffeur is gewond.'

'Breng hem naar binnen,' zei meneer Langley, alsof hij de eigenaar van het pand was en hij riep het huis in: 'Gwen! Er is een verkeersongeluk gebeurd. Heb je een oude handdoek of zoiets?'

Lucy kon eerst de voeten van haar moeder in slippers de trap af zien komen, toen haar benen in een broek en haar vertrouwde hand op de leuning. Ze was zich er vaag van bewust dat de muren knalrood waren en ze ving een glimp van een luxe keuken op; ze voelde zich geïrriteerd door het feit dat de kamer vol mensen was die ze niet kende en dat de chauffeur, een Indiër, rondstrompelde terwijl hij zou moeten liggen. Toen besefte ze dat de onbekende man tegen haar aan het praten was. 'Is het goed met u? Zat u ook in de auto?'

'Ik ben geen slachtoffer,' zei ze gepikeerd. 'Ik kom mijn moeder opzoeken. Hallo, mama.'

Gwen kwam naar beneden, en ze had moeite in de vochtige nachtlucht haar gedachten op een rijtje te krijgen met al dat gepraat om haar heen. Ze had liggen slapen toen het gebonk op haar deur begon en zelfs nu nog was de helft van haar geest in slaap. Zodra ze de geërgerde uitdrukking op het gezicht van Lucy zag en de Indiër met de plaatselijke agent naast zich, wist ze echter wat haar te doen stond.

'Dag Neil,' zei ze tegen de agent. 'Breng hem maar hier en laten we eens zien of we hem ertoe kunnen overhalen te gaan zitten.' Ze sprak haar slachtoffer aan zoals ze dat al zo vaak had gedaan gedurende haar jaren bij het persagentschap. 'U bent nu veilig. De ambulance komt eraan. Kunt u dit tegen uw gezicht aan houden?' Ze legde de handdoek op de juiste plek. 'Heel goed. Gaat u daar maar zitten, dan ga ik u verzorgen.'

'Moet terug,' hield de man vol, maar hij deed wat hem werd gezegd, omdat ze te kalm en vastberaden was om niet te gehoorzamen. 'Ik heb vrouw, ziet u, vier kinderen. Ik kan me niet veroorloven baan te verliezen. Ik moet baas vertellen wat is gebeurd.'

'Dat komt wel goed, meneer,' suste de agent hem. 'Wij zullen het hem wel vertellen. Maakt u zich maar niet druk. Als u mij kunt vertellen hoe u heet?'

Het duurde een hele tijd voor de vraag tot hem was doorgedrongen, maar uiteindelijk kwam er een antwoord. 'Khan.'

'En uw adres?'

'Leeds.'

'Waar ergens in Leeds? Kunt u me zeggen welke straat?'

Maar dat ging de man boven zijn pet; hij schudde zijn hoofd en zag er zo ontdaan uit dat Gwen onmiddellijk tegen hem zei dat het niet belangrijk was. Ze keek naar beneden, zag dat Jeff vergeten was zijn sokken weer aan te trekken en ze gaf hem met haar ogen snel te kennen dat hij daar iets aan moest doen. Lucy, die merkte hoe vlug hij haar begreep en zag dat hij er ogenblikkelijk op reageerde, wist nu dat er iets tussen hen gaande was. Maar er was geen tijd zich daarmee bezig te houden omdat meneer Khan kreunde en van de bank gleed terwijl hij het wit van zijn ogen liet zien.

'Pak hem beet!' zei de agent. 'Hij mag het bewustzijn niet verliezen.' Ze schoten alle vier op de bank af, grepen de arme man bij zijn armen en benen en hesen hem weer min of meer rechtop.

'Doe uw ogen open, meneer Khan. Kijk ons aan!'

Het kostte een aantal zeer spannende minuten voor ze hem weer bij bewustzijn konden brengen. Tegen die tijd klonk het loeien van een sirene op het weggetje en de agent zei dat hij ernaartoe moest. 'U kunt het wel een poosje alleen aan, mevrouw MacIvor? Houd hem recht overeind.'

'Ga maar,' zei Gwen geruststellend. 'Maakt u zich geen zorgen. Wij zorgen wel voor hem.'

Maar hij bleef bijna een kwartier weg. Meneer Khan was er overduidelijk slecht aan toe en dat werd steeds erger, ook al deed ze alles wat in haar vermogen lag om hem aan de praat en bij bewustzijn te houden. Lucy was een en al bewondering voor haar en ze was valsig blij te zien dat de man zonder sokken zich slecht op zijn gemak voelde en niet wist wat hij met de situatie aan moest. Nou, net goed. Hij had hier ook helemaal niet moeten zijn.

'Ik denk dat ik maar eens ga kijken waar ze blijven,' zei hij uiteindelijk. 'Als dat de ambulance was, zouden ze hier nu toch moeten zijn.'

Lucy herinnerde zich de situatie op het weggetje. 'Ik vermoed dat ze de vrachtwagen aan het verplaatsen zijn,' vertelde ze hem. 'Hij lag helemaal dwars over de weg toen ik er langskwam.'

'Waarom heeft die stommerd dat in hemelsnaam niet tegen me gezegd?' zei hij, opgelucht dat hij de kans kreeg het huis uit te kunnen. 'Als dat het geval is, ga ik ze wel een handje helpen.' Hij liep meteen naar de deur.

Maar op dat ogenblik hoorden ze mannenstemmen bij de deur. Toen Jeff hem opendeed, kwam er een vlaag winterlucht naar binnen en stonden er twee verplegers in de kamer, lijvig in hun fluorescerende jassen met een stretcher en een grote medicijnkist bij zich en met de agent in hun kielzog. Op dat ogenblik veranderde alles. In Lucy's ogen leek het onderzoek vreselijk lang te duren maar het verliep gestaag in doelbewuste stappen. Toen het was afgelopen, bonden ze hun patiënt op de stretcher vast en droegen hem weg, de duisternis in. Ze lieten een uitgeputte stilte achter.

'Nou, dan ga ik maar,' zei de agent en hij richtte zich tot Lucy: 'Het weggetje is vrij, als u uw auto wilt gaan ophalen.' Toen was hij ook weg en daar zat Gwen in de nu wanordelijke kamer met een bloedbevlekte handdoek, een zeer modderig karpet, en haar dochter en haar minnaar die elkaar steeds vijandiger en stekeliger stonden op te nemen.

'Wat een thuiskomst voor jou, Lucy!' zei ze en ze stapte tussen hen in om hen met een glimlach te kalmeren. 'Ik wilde nog wel dat je het huis op z'n mooist zou zien.' Omdat haar dochter nog steeds stond te loeren naar Jeff en hij vierkant voor haar stond alsof hij zich in het nauw gedreven voelde, stelde ze hen, glimlachend van de een naar de ander, snel aan elkaar voor. 'Mijn buurman Jeff Langley, die een geweldige hulp voor me is geweest, Lucy. Mijn dochter Lucy, accountant in Londen en een zeer goede. Hoewel, ik weet eigenlijk niet of ik je wel een buurman kan noemen, Jeff? Hij woont zo'n vijfhonderd meter verderop, Lucy.'

Jeff voelde dat hij een toenaderingspoging moest doen. 'Neem me niet kwalijk dat ik je voor een patiënt hield,' zei hij. 'Het was allemaal nogal verwarrend.'

Lucy haalde haar schouders op. 'Dat geeft niet,' zei ze terwijl ze zich afvroeg wanneer hij nou eens weg zou gaan. 'Dat kon u niet weten. Ik hoop dat u niet naar huis hoeft te lopen in deze regen. Ik kan u wel een lift geven, als u dat wilt.' Nu moest hij toch wel aanvoelen dat hij hier te veel was.

Hij was niet zo erg in verlegenheid gebracht als ze had gehoopt. 'Bedankt voor het aanbod,' zei hij, 'maar ik heb eigen vervoer. Het is waarschijnlijk beter als ik jou een lift geef. Ik begreep dat jij je auto op het weggetje hebt moeten achterlaten.'

'Ook nog eens in iemands voortuin,' zei Lucy. 'Van ene juffrouw O'Malley of zoiets. Het was de enige plek die ik kon vinden. Een verschrikkelijk mens. Ze zei dat mama een heks was.' Ze voelde zich geërgerd toen hij en haar moeder een veelzeggende blik uitwisselden.

'Als hij daar staat, denk ik dat ik je beter die lift kan geven,' zei Jeff tegen haar, 'dan kun je hem ophalen voor die oude tang naar bed gaat.'

'Ik denk niet dat dat nodig is,' zei Lucy stijfjes. 'Ik ga wel lopen.'

Nog meer veelbetekenende blikken, zeer tot haar ergernis – een opgetilde wenkbrauw, een beslissing. Toen ging hij naar boven voor zijn jas – naar boven nota bene – gaf haar moeder een afscheidszoen – en dat was zeker geen luchtkus – en ging weg. Geen minuut te vroeg.

'Wat een nacht!' zei Gwen en ze probeerde te klinken alsof alles gewoon was. 'Wat brengt jou hier zo laat? Ik had gedacht dat jij wel naar de club zou zijn gegaan.'

'Dat was ik ook,' zei Lucy terwijl ze haar jas dichtknoopte.

De toon van haar stem maakte dat Gwen zich op haar hoede voelde. 'En?'

'Ik had het opeens helemaal gehad. Ik weet niet waarom. Het was op de een of andere manier allemaal zo niksig. Zo onbeduidend. Hoe dan ook, ik moest er even uit.'

'Dus kwam je hierheen gereden,' begreep Gwen. 'Je vluchtte weg. O, Lucy, je bent net als ik. Dat deed ik op de dag dat ik deze toren vond.'

'En dat is het verschil,' zei Lucy. 'Jij vindt een toren, ik kom in een verkeersongeluk terecht.'

'Je kunt maar beter die natte kleren uittrekken,' zei Gwen tegen haar, 'anders vat je nog kou. Ga nu de auto maar halen, dan maak ik warme chocola. O, wat is het fijn om je te zien.'

'Zelfs onder deze omstandigheden?' vroeg Lucy, denkend aan de vreemdeling en diens ontbrekende sokken.

'Onder alle omstandigheden,' zei Gwen die haar gedachten raadde.

Het was heerlijk om een dochter bij zich te hebben om te vertroetelen en te eten te geven en een nachtzoen te geven, ook als dat betekende dat ze Jeffs gezelschap moest missen. Ze bleven tot na drieën op, gaven de kat te eten en praatten over het ongeluk en over het leven in een dorp en in Londen, terwijl de wind om de toren huilde en de regen tegen de ramen tikte. Maar ze zeiden niets over Jeff, hoewel zijn aanwezigheid nog steeds voelbaar in de kamer was, en ze allebei aan hem moesten denken. Toen Gwen voor de tweede keer die nacht probeerde te gaan slapen, vroeg ze zich af hoe ze alles kon uitleggen en hoeveel Lucy al zelf had uitgedokterd. Ze realiseerde zich dat haar verhouding niet langer eenvoudig een kwestie was van liefde en elkaar leuk vinden, maar nu door problemen gecompliceerd was geworden. Er was echter geen weg terug. Ze zat aan hem en haar nieuwe leven vast. Ze moest gewoon een manier zien te vinden om het Lucy te laten begrijpen.

Boven haar was Lucy ook nog wakker. Ze lag in haar vreemde bed in de haar vreemde kamer te luisteren naar het beuken van de wind en ze probeerde de gebeurtenissen van die avond op een rijtje te zetten. Er was zoveel gebeurd en zo vlug, dat het leek alsof haar hersenen door elkaar waren geschud en alles door de war lag – haar vlucht weg van de mensen in de club, die zenuwslopende autorit, de schok van het ongeluk en die man die ze zonder sokken in haar moeders huis had aangetroffen, een man die net deed alsof hij er woonde. Hoe meer ze daarover nadacht, des te minder het haar beviel. Het was niet normaal en het klopte ook niet. Maar ja, alles op deze avond was buiten proportie geweest. Eigenlijk was de agent de enige die nog een beetje normaal was. Hij was de enige betrouwbare persoon ter plekke geweest. Een toetssteen.

Ze zuchtte en ze draaide zich op haar zij. Morgen zie ik alles helderder, dacht ze. Op dit ogenblik kon ze geen hand voor ogen zien, want er was helemaal geen licht in de toren, alleen een ondoordringbare duisternis. Hoe kon je dingen helder zien in een ondoordringbare duisternis? Met die vraag viel ze in slaap.

Hoofdstuk 9

Het was ver over twaalven toen Gwen de volgende dag wakker werd. Jet lag gelukzalig naast haar opgekruld, de regen was weg, de wind was van een gierende storm afgezwakt tot een briesje en de lucht was vol voortjagende wolken boven een vredige blauwgroene zee. De gebeurtenissen van de avond tevoren waren zo ver weg, dat ze wel een droom leken.

Lucy kwam gapend de kamer binnenzetten toen haar moeder haar ochtendjas stond aan te trekken. 'Hoe laat izzut?'

'Midden op de middag,' grapte Gwen.

'Zo vroeg nog? Mag ik een bad nemen?'

Gwen overwoog de vraag. 'Ja. Ik denk dat we ons dat wel kunnen veroorloven.'

Haar dochter was verbaasd over het antwoord. 'Veroorloven?' vroeg ze. 'Je klinkt als een arm familielid. Ik dacht dat je goed in de slappe was zat.'

'Het is geen kwestie van geld,' verklaarde Gwen. 'Het heeft te maken met de septic tank. Een bad is op dit ogenblik een verwennerij, om je de waarheid te zeggen. Als ik er elke dag een zou nemen, zou de tank in een oogwenk vol zijn. Maar vandaag nemen we het ervan omdat het een dag met een gouden randje is en we het verdiend hebben. Dan ga ik een brunch voor ons klaarmaken. Ik heb altijd al eens willen brunchen.'

'Wat heb je hier veel licht,' zei Lucy. 'Het moet heerlijk zijn de zee elke dag te kunnen zien.' Door het zonlicht fonkelde de zee met diamanten lichtflitsen. Ze dacht aan het blauwe schijnsel van de politiewagen op het donkere weggetje en daardoor aan hun verkeersslachtoffer. 'Ik vraag me af hoe het met die arme man gaat.'

Dat zouden ze gauw genoeg te weten komen, terwijl ze plaatsnamen achter hun borden vol bacon, eieren, worstjes, tomaten en bonen, want voor Gwen een hap kon nemen, kwam er iemand op hun deur kloppen.

'Wie kan dat nu zijn?' zei Gwen en ze legde haar vork en mes neer. Jeff vast en zeker niet. Hij zou wel wijzer zijn dan vandaag terug te komen. Ze was opgelucht te zien dat het agent Morrish was, in vrijetijdskleding. 'O, ben jij het,' zei ze. 'Er is toch niets aan de hand?'

Hij scheen slecht op zijn gemak, wat raar was omdat hij doorgaans zo evenwichtig en zeker van zichzelf was. 'Nee. Nee, er is niets aan de hand,' zei hij en hij staarde door de boog de keuken in. 'Ik vroeg me alleen maar af hoe het met u ging. Met u en uw dochter, bedoel ik. Ze is toch nog niet weg? Ik dacht, ik loop even langs nu ik toch in de buurt ben. Ik heb u gisteravond niet echt bedankt en u was beiden zo behulpzaam. Ik vond dat ik in ieder geval zelf moest gaan kijken of jullie weer hersteld waren. Nou ja, niet hersteld. Dat is niet het juiste woord. Ik bedoel om te zien of alles goed met jullie was.'

Hij is zenuwachtig, dacht Gwen en ze vroeg zich af waarom. Maar toen ze zijn gespannen blik door de kamer volgde naar Lucy's afgewende profiel, begreep ze in een flits wat er aan de hand was. Hemel! dacht ze. Hij is verliefd, de arme jongen. Hij is smoorverliefd. Niet dat het hem iets zal opleveren, niet met dat gezicht en met Pete als rivaal. Ze keek naar zijn gebroken neus en zijn scheve gelaatstrekken, naar het te korte stekelige haar en die te jonge, kwetsbare, dunne nek en ze voelde plotseling een enorme sympathie voor hem. 'Kom binnen,' zei ze. 'Zoals ik je al zei, zitten we net aan de brunch. Misschien wil je mee-eten? Ik neem aan dat je vandaag nog niet veel gegeten hebt.'

Zijn gezicht klaarde op. 'O! Nou, graag, ja. Dank u wel. Maar niet als dat lastig voor u is. Ik wil u niet ontrieven.'

Hij liep ondertussen achter haar aan de keuken in en Lucy keek hem vluchtig aan, met zo'n afkeurende blik dat hij dat wel moest opmerken. 'Ik kom op het verkeerde moment,' zei hij en bleef dralend in de boog staan. Hij voelde dat hij weg moest gaan, maar hij was nu hij haar zag, zo van slag dat hij geen voet meer kon verzetten.

'Nee, dat is niet zo,' zei Gwen geruststellend. 'Ga zitten, dan pak ik een bord voor je. Er is meer dan genoeg voor drie personen. We hadden stevig uitgepakt, toch, Lucy?'

Lucy was onaardig. Ze had meneer-zonder-sokken verwacht en ze had zichzelf opgekrikt om onhartelijk te zijn. Nu sloeg haar irritatie om in wrevel omdat haar maaltijd werd verstoord en in ergernis toen haar werd gevraagd deze te delen, en dat ook nog eens met een volkomen vreemde in een uitgelubberde trui en een ouderwetse spijkerbroek. 'Stel je ons nog aan elkaar voor?' vroeg ze, terwijl ze haar kopje neerzette.

Hij glimlachte. Rechtstreeks tegen haar. Alsof hij haar kende. 'Ik ben Neil,' zei hij. 'Agent Morrish. We hebben elkaar afgelopen nacht ontmoet.'

Even was ze in de war. De agent. Haar enige normale toetssteen van de vorige avond. 'Oh!' zei ze en ze smolt. 'Het spijt me. Ik herkende je niet.'

'Mensen herkennen agenten niet als ze hun uniform niet aanhebben,' vertelde hij haar, opgelucht door haar verandering van toon. 'Dat heb ik de eerste week op de opleiding ervaren. Als je dienst hebt, zien ze alleen je uniform. Daar kijken ze naar.'

'Hoe gaat het met meneer Khan?' vroeg Gwen.

Dus ging Neil er eens goed voor zitten en hij vertelde hun tijdens de onverwachte maaltijd wat hij wist. Meneer Kahn had een hersenschudding en werd voor vierentwintig uur ter observatie in het ziekenhuis gehouden, de vrachtauto was weggesleept en de heg werd bijgewerkt. 'Meneer Langley is gekomen om er persoonlijk op toe te zien. Hij is er nu. Ik heb hem net gezien. Hij zegt dat het niet zo erg is als het eruitziet.'

Lucy fronste. Weer meneer-zonder-sokken, dacht ze. Wat gaat het hem aan?

'Hij is de landeigenaar,' zei Gwen als antwoord op de frons. 'Dat zou wel eens zeer gunstig voor mij kunnen uitpakken. Ik wil worden aangesloten op het hoofdriool en die afschuwelijke tank, waarover ik je vertelde, wegdoen. Als hij ook een aanvraag indient, hebben we meer kans dat het doorgaat. Nog wat thee?'

'Nu u het erover hebt,' zei Neil, blij dat hij een nieuwtje kon doorgeven, 'er is blijkbaar nog een aanvraag ingediend. Mevrouw Smith-Fernley vertelde me dat gisteren. Ze is er helemaal niet blij mee. Die vent van het caravanpark wil dat hij daarheen wordt doorgetrokken. Ze denkt dat hij gaat uitbreiden.'

'O, prachtig!' zei Gwen. 'Dat is goed nieuws.' Ze legde het uit: 'Met drie aanvragen maak je een betere kans. Neem nog een worstje.'

Hij aarzelde weer en hij keek Lucy aan.

'Neem hem maar,' raadde ze hem aan. 'Ze beloont goed gedrag altijd met eten. Nog een wonder dat Eleanor en ik niet als ballonnen zijn opgezwollen.'

'Dat komt omdat jullie je door de bank genomen slecht gedroegen,' lachte Gwen tegen haar. Neil zei dat hij zich dat niet kon voorstellen en hij meende het duidelijk. O, hij was smoorverliefd.

Hij was ook een attente gast, hij hielp hen met de afwas en het wegruimen ervan. Hoewel dat ook een excuus kon zijn om in de buurt van Lucy te kunnen blijven. Zo zag het er ook wel naar uit, omdat hij, toen hij hoorde dat ze die middag weg zouden gaan, hun een lift aanbood.

Maar dat, maakte Gwen hem tactvol duidelijk, was te veel eer. Dus bedankte hij hen voor de maaltijd en ging na een laatste blik op Lucy weg.

Ze brachten de middag plezierig door met een wandeling door het dorp en Lucy had een gemakkelijke reis naar huis door een nu volkomen vredig landschap dat door de ondergaande zon dieper werd gekleurd, zonder dat er ook maar een demon of een kobold te zien was. We mogen dan wel een paar dingen voor elkaar geheim hebben gehouden, dacht Lucy, maar ze is nog steeds mijn moeder. Ik vraag me af wat Eleanor zal zeggen als ik haar vertel over meneer-zonder-sokken. Vreselijke man. Ik wed dat hij terugkomt zodra ik mijn hielen heb gelicht.

Maar ze schatte hem verkeerd in. Hij bleef tot maandagavond weg en zelfs toen kwam hij maar een paar minuten langs op weg naar een vergadering van de lokale boerenbond. Haar onverwachte komst had hem ernstig in verlegenheid gebracht. Hoewel hij zich troostte met de gedachte dat hij zijn gevoelens onmiddellijk en met succes had gemaskeerd, ze waren er nog wel, vlak onder de oppervlakte en ze voedden zich als teken, ze beten in hem met kleine, hinderlijke hapjes van vernedering en chagrijn. Verdomme, ze waren bijna op heterdaad betrapt. Hij was praktisch gedwongen geweest om weg te gaan. Hij dook in zijn werk en de eenzaamheid en was dientengevolge sneller uit zijn humeur en minder toegankelijk dan gewoonlijk.

Zondagavond laat vroeg hij zich af of hij zou bellen maar hij besloot het niet te doen, voor het geval de vervaarlijke dochter er nog was. Maandagmorgen vroeg zat hij het zich weer af te vragen en hij besloot niet te bellen, omdat hij te veel werk om handen had. Maar op maandagmiddag was hij erin geslaagd een goede reden voor een, opzettelijk kort, bezoek te bedenken. Hij zou op weg naar de vergadering de computer van Dotty langsbrengen en vragen of zij hem wilde lenen. Hij had Dotty's belangstelling in astrologie nooit goedgekeurd, hoewel hij het had getolereerd, vooral op het eind, toen ze zo ziek was. Zijn persoonlijke opvatting erover was dat het een hoop bijgelovige onzin was. Maar het had een band tussen hen geschapen en nu verschafte het hem de mogelijkheid contact met Gwen te leggen. Door de computer te gaan brengen, vermeed hij de noodzaak van een langdurend bezoek, maakte hij nakaarten onmogelijk en herinnerde hij haar aan een van de dingen die ze gemeenschappelijk hadden, iets waar de dochter niet aan kon komen. Als alles goed ging, konden ze de gewoonte om op dinsdag samen te gaan eten, weer oppakken en al het andere achter zich laten.

Dus zocht hij de oorspronkelijke verpakking, de handboeken van Dotty en haar aantekeningen op, pakte alles in en bracht het naar haar toe.

Toen hij aanklopte, was Gwen op handen en knieën bezig de modder van het karpet te verwijderen.

'Het heeft me de hele middag gekost,' verklaarde ze toen hij tersluiks naar de rommel in de kamer keek. 'Het is nu bijna klaar. Alleen dat kleine beetje achter de bank. Ik zal een portiek moeten laten bouwen zodat daar het ergste vuil terechtkomt.' Toen zag ze de kartonnen doos. 'Wat heb je daar?'

'Ik dacht, ik breng je de computer van mijn arme schat,' zei hij, aangemoedigd door haar ontspannen en hartelijke manier van doen. En hij waagde het erop haar te plagen. 'Nu je alle boeken gelezen hebt.'

'Dat heb ik niet,' lachte ze tegen hem en ze zette de borstel met de emmer achter de bank. 'Ik heb nog heel wat bladzijden voor de boeg. Het is een heel ingewikkeld onderwerp. Maar het zou best eens leuk zijn een horoscoop uit te proberen.'

'Ik ben op weg naar een vergadering,' zei hij, 'maar ik wil de computer wel voor je installeren, als je dat prettig vindt. Daar heb ik nog net tijd voor.' Hij moest die bereidheid wel tonen, nu hij het ding bij haar had gebracht, anders zou ze weten dat het maar een smoes was geweest.

Dus installeerde hij de computer, keken ze het instructieboek door en toetsten ze datum, tijd en plaats van haar geboorte in. Een paar seconden later, kijk eens aan, verscheen er als iets magisch een sterrenkaart, vol sterrenbeelden en verbindingslijnen. 'Goeie god!'

'Ik laat het aan jou over eruit te komen,' zei hij. 'Zie ik je morgen?'

Ze keek nog steeds naar het scherm. 'Daar is Neptunus,' zei ze en ze wees naar het teken van de drietand. 'Daar vlak onder ligt Mars, en dat er precies boven, is de zon, en dat is Venus. Wat stonden er veel sterren toen ik werd geboren. Best eng.'

'Jij weet er meer van dan ik,' lachte hij tegen haar. 'Ik moet weg, anders kom ik te laat.'

Ze scheurde zich los van haar intrigerende sterrenkaart en liep met hem mee naar de deur. 'Tussen twee haakjes,' zei ze glimlachend bij de gedachte aan wat ze hem zou gaan vertellen, 'je had er gistermiddag bij moeten zijn. Dan had je je ogen niet geloofd.'

Hij hield stil bij de deur om terug te lachen tegen haar plagende gezicht. Het is in orde, dacht hij ondertussen. Er is geen schade aangericht. 'Wat dan?'

'Liefde op het eerste gezicht. Onze dorpsagent is gevallen voor mijn Lucy. Ik heb het zien gebeuren. Het was echt ontroerend.'

Zijn hart zonk hem in de schoenen. 'Dan komt ze vermoedelijk ieder weekend hiernaartoe.'

'Dat denk ik niet,' zei ze en ze begreep precies waar hij op doelde. 'Het gleed allemaal langs haar heen. Ze is al jaren verliefd op iemand anders. Maar het was toch heel lief.'

'Neem mijn raad aan en houd je er helemaal buiten,' zei hij.

'Laat ze dat zelf maar uitzoeken.'

Ze strekte zich uit, legde haar armen om zijn nek en kuste hem. 'Je bent zo'n spelbreker,' plaagde ze hem. 'Alleen maar omdat je zelf een goede liefdesrelatie hebt, denk je dat je alle rechten en privileges voor jezelf kunt houden.'

'Helemaal niet.'

'Helemaal wel.'

Ze speelden weer dat ze ruzieden, op hun half plagende, half grappige, intieme manier. Hij kon voelen hoe de zwaarte van geïrriteerdheid en schaamte van zijn schouders gleed en als sneeuw voor de zon wegsmolt. 'We vechten het morgen wel uit,' beloofde hij. En hij ging weg, met een licht gevoel in hoofd en benen.

Wat zijn mannen toch gevoelig, dacht Gwen terwijl ze hem zag gaan. Zelfs de taaiste. Bij aankomst was het helemaal mis met zijn lichaamstaal: zijn hoofd van haar afgedraaid, zijn ruggengraat zo strak gespannen dat hij wel een sergeant-majoor leek die een bezemsteel had ingeslikt. Nu was hij weer zijn ontspannen zelf, met losse ledematen, en hij beende weg alsof er geen wolkje aan de hemel te vinden was. Het deed haar goed te bedenken dat zij hem zo gemakkelijk kon kalmeren, ook al had ze er geen flauw vermoeden van hoe ze dat had gedaan. Toen ze terugkeerde naar de fascinatie van haar sterrenkaart, had ze het voor haar gevoel verdiend ermee te spelen zo lang als ze wilde. Het laatste stukje karpet kon wachten. Ze pakte haar boek, zette Jet op haar schoot en ging weer voor het scherm zitten.

*

Eleanor had die week heel wat tijd achter een pc-scherm doorgebracht. In feite was haar maandag gewoonweg door het afschuwelijke ding overheerst. Haar eigen schuld, natuurlijk. Ze had haar geplande afwezigheid op dinsdag gedekt door de verschrikkelijke mevrouw De Quincy te vertellen dat ze een paar dagen thuis ging werken om de Graham-presentatie af te ronden, dus voelde ze zich moreel verplicht dat dan ook te doen, met flowcharts, spreadsheets en al. Ze was tot twee uur in de morgen opgebleven om het af te maken. Toen hadden natuurlijk de feiten en cijfers die zij op het scherm tot leven had gewekt, de hele nacht door haar geest gespookt; ze kwelden haar als ze wakker was en ze maakten in haar slaap een warboel van haar dromen.

Nu ze in de echoscopie-ruimte op de onderzoekstafel op de echoscopist lag te wachten, voelde ze zich erg slaperig. Ze was ontkleed tot op haar onderbroek en beha, de mousseline deken die de verpleegster haar had gegeven was meer voor het fatsoen dan voor de warmte, de matras was zo hard als een plank, maar ondanks dat alles merkte ze dat ze lekker lag te doezelen. Ze werd met een schok wakker toen de echoscopist binnenkwam.

'Jullie moeders!' zei de jonge vrouw. 'Jullie zijn allemaal hetzelfde. Je hoeft maar een tel alleen te liggen en je bent al weg.'

'Om je de waarheid te zeggen,' corrigeerde Eleanor haar nogal boos, 'ik heb tot twee uur vanochtend zitten werken. Meestal doezel ik overdag niet weg. Je maakt een oude vrouw van me. Bovendien deed ik alleen maar even mijn ogen dicht.'

'Neem dit nou maar van mij aan,' zei de jonge vrouw, 'zorg dat je zo veel mogelijk slaap krijgt zolang de baby nog in je zit. Als hij er eenmaal uit is, krijg je daar de kans niet meer voor.'

Dat was een visie op het moederschap waar Eleanor helemaal niet blij mee was. Wat weet jij er nou van, dacht ze terwijl ze naar het naamkaartje van het meisje staarde. 'Mijn baby zal zich goed gedragen, Sandra,' zei ze. 'Daar zal ik van meet af aan op toezien.' Sandra haalde de deken weg en glimlachte op professionele wijze. 'Laten we maar eens gaan kijken.'

Eleanor voelde zich nogal ongemakkelijk toen haar buik met gelei werd ingesmeerd en de scanner was kleiner dan ze had gedacht. 'Is dat hem?' zei ze, terwijl ze naar de grote hoeveelheid grijze lijnen keek die op het scherm op en neer gingen en heen en weer golfden. 'Het ziet er helemaal niet uit als een baby. Het lijkt meer een blik op de aarde vanuit de ruimte.'

'We zijn er nog niet helemaal,' zei Sandra. 'Maar het is echt de ruimte niet hoor, dat kan ik je garanderen. Het is jouw innerlijke ruimte. Nu is het beter. Daar is het hoofdje. Zie je het? Daar is het hartje.'

Het was aan het kloppen. Ze kon het echt zien kloppen, het zond ritmisch kleine hartslagen uit die de wolken eromheen verstoorden en haar om een onverklaarbare reden plotseling tot tranen toe bewogen. 'O!' zei ze terwijl ze haar tranen liet lopen. 'Het leeft! En daar zit een voet. Dat is toch een voet? O! Hij schopt.'

'Je hebt daar een mooie, sterke baby,' zei Sandra. 'Goed stevige ruggengraat. Prachtig hoofdje. Ongeveer achttien weken, zou ik zeggen. Beweegt veel. Heb je hem al gevoeld?'

Eleanor negeerde de vergissing. Ze kon die later wel corrigeren. Op dit ogenblik bleef ze maar staren, vol verrukking, terwijl het voetje trapte en het prachtige hoofdje zich langzaam draaide, alsof het aan het zwemmen was. Mijn baby, dacht ze. Mijn lieve kleine baby. Maar je bent geweldig. Toen werd ze zich ervan bewust dat haar een vraag was gesteld en dat ze geen antwoord had gegeven. 'Sorry. Wat zei je?'

'Geeft niet,' zei de echoscopist. 'Ik vroeg me alleen af of je al leven hebt gevoeld.'

'Ik denk van niet,' zei Eleanor, terwijl ze naar de hartslag keek. 'Ik heb de afgelopen paar weken wel veel last van indigestie gehad. Maar dat komt doordat ik zo hard heb gewerkt.'

'Wat voor soort indigestie?'

'Een soort tikkend gevoel. Zo is het het beste uit te leggen. Alsof ik kan voelen hoe het eten door mijn lichaam gaat. Tik, tik, tik.'

'Dat komt van de baby, die schopt,' vertelde Sandra haar. 'Je hebt zijn voeten gevoeld.'

Eleanor was weer in tranen. 'Echt waar? Is dat zo?' Maar dat was prachtig. Geweldig. Een wonder: ze had het echt voelen schoppen. Ze voelde zich zo verbonden met haar verborgen kind, verbonden en beschermend en vol van liefde. Mijn baby. Mijn eigen baby.

'Wil je er een afdruk van?' vroeg Sandra.

O, dat wilde ze wel. Dat wilde ze zeker.

Ze hield nog steeds het fotootje stevig vast terwijl ze in de taxi stapte die haar naar de Oxo-Tower zou brengen, naar de lunch met Lucy. Ze was nog steeds verdwaasd van verbazing toen ze achteroverleunde tegen het zwarte leer van de stoel en ze liet de afbeelding haar gedachten overspoelen. Nagloeiend van het wonder arriveerde ze bij OXO-Tower en ze zag dat Lucy al aan een tafeltje op haar zat te wachten.

Ze kusten met de wangen tegen elkaar en gingen het menu bekijken. Na de intense rust van de echoscopie-ruimte was het lawaai in het restaurant oorverdovend. De letters dansten voor haar ogen.

'Je hebt dus mijn telefoontje gekregen?' zei Lucy.

Eleanor was nog bezig haar gedachten bij elkaar te rapen maar ze zag kans een laconiek antwoord te geven. 'Klaarblijkelijk.' Ze citeerde: 'Laten we samen in OXO-Tower lunchen. Ik heb mama gezien en ik heb een nieuwtje voor je. Klopt?'

'Het klopt.'

'Dus,' zei Eleanor terwijl ze boter op een broodje deed. 'Wat is het? Wat zei ze? Je hebt haar toch van de baby verteld?'

'Nou, eigenlijk niet, nee.'

'O Lucy! Waarom niet?'

Lucy gunde zich een tel om van haar nieuwtje te genieten voor ze de bom liet barsten. 'Ze heeft een minnaar!'

Alle plezier van de ochtend was in één klap weggevaagd. 'Doe niet zo mal. Dat kan niet.'

'Ik heb hem gezien. Ze heeft er echt een.'

Het laatste restje van Eleanors euforie smolt weg, het kloppende hart was verdwenen, het perfecte hoofdje loste op in ergernis. Ze was ontzet. Helemaal ontzet. Ze kon het niet geloven. 'Dat is walgelijk!' zei ze. 'Op haar leeftijd! Ik geloof je niet. Zoiets zou ze nooit doen. Je vergist je.'

'Ik wist wel dat je boos zou worden,' zei Lucy. De geschokte uitdrukking op Eleanors gezicht was groots. Ze had haar nog nooit zo van slag gezien. Je mag dan wel een man en een baby hebben, dacht ze, en een graad van Cambridge en alle aandacht, maar nu krijg je je zin niet. Nu eens niet. Ze schaamde zich om het toe te moeten geven, maar het gaf haar echt veel voldoening.

'Ik ben niet boos,' zei Eleanor en ze deed haar best haar woede onder controle te krijgen. 'Ik weet even niet wat ik moet zeggen. Wie is het? Hoe ziet hij eruit?'

Lucy vertelde haar wat zij wist, wat niet veel was. Maar het was genoeg om Eleanor in razernij te doen ontsteken.

'Ik ga er meteen heen om er een stokje voor te steken,' besloot ze. 'Meteen. Morgenochtend. Voor ze vergeet wie ze is.'

Lucy lachte. 'Wie is ze dan wel?'

'Ze is onze moeder,' sprak Eleanor ferm, 'en we hebben haar nodig. Vooral nu. Ze kan niet zomaar links en rechts een relatie aangaan. Ze heeft een taak te vervullen. Ik heb een plan voor de kinderkamer en suite gemaakt. Volgende week komen de bouwvakkers. Hoe kan ze op de baby passen als er de hele tijd een of andere stomme minnaar om haar heen loopt te hijgen? Het is te gek voor woorden.'

'Ik zie niet in hoe je haar kunt tegenhouden,' zei Lucy. 'Niet nu.'

Eleanor zat vol vastberaden energie. 'Let maar eens op!' zei ze.

Lucy dacht niet dat een rechtstreekse aanval enige uitwerking op haar moeder of de boer zou hebben, maar ze zag in dat het verspilde moeite was dit te zeggen, dus veranderde ze van onderwerp. 'Heb je het al aan Pete verteld?'

Eleanor schakelde van boosheid op haar moeder over op een even grote boosheid op haar minnaar. 'Praat me niet van Pete,' zei ze en ze knipte met haar lange vingers. 'Ik heb hem in geen tijden gezien.'

'Belt hij je niet op?'

'O, hij belt wel maar ik kom er gewoon niet tussen. Hij is bezig aandelen te kopen vanwege een overname. Hij praat alleen nog maar daarover. Geld, geld, geld. Dus nee, ik heb het hem niet verteld.'

'Waar is hij?'

'In New York. Waar anders? Ik denk dat hij de hele Verenigde Staten aan het opkopen is.'

Hoofdstuk 10

'Dus,' zei Pete's accountant, 'we hebben nu nog twee mogelijkheden. Of je speelt op safe met optie A, die je een gezond dividend zal opleveren in geval van een overname maar die een niet al te grote aanslag op je portemonnee zal zijn mocht het niet doorgaan. Of je verdubbelt je uitgaven en neemt risico's. Dat is optie D, die je een aanzienlijke winst zal opleveren, maar waarbij natuurlijk risico's navenant zijn, zoals we al besproken hebben.' De verbinding was slecht en hij moest hard praten.

Pete stopte de hoorn onder zijn kin en masseerde zijn oogleden met zijn vingertoppen. Over twintig minuten begon het feestje van Catherine, dus dit moest snel afgehandeld worden. 'Jij adviseert A,' zei hij.

'Alle factoren in aanmerking genomen,' zei de accountant, 'doe ik dat, ja.'

De hotelkamer was veel te warm en slecht geventileerd en nu het moment van de beslissing aangebroken was, voelde Pete zich ongedurig en vol dadendrang. Hij wist dat hij de riskante optie zou kiezen. Nu ze het eenmaal besproken hadden, was er in feite geen andere keuze die hij zonder gezichtsverlies kon maken. Hij kon niet verwachten dat hij voor een koopje vaste grond onder de voeten in een nieuw bedrijf zou krijgen. 'Ik denk dat we voor optie D gaan,' zei hij en het deed hem goed te merken dat hij zo koel zo'n enorm risico durfde te nemen.

'Goed,' beaamde zijn accountant. 'Maar zoals ik al zei, het gaat vierhonderd mille maximaal kosten om zekerheid te krijgen. Ik moet je waarschuwen dat de waarde van aandelen zowel omhoog als omlaag kan gaan.'

'Ja, ja!' zei Pete en wuifde de waarschuwing weg. 'Dat weet ik allemaal wel. Ik heb een paar jaar geleden fors verlies geleden.'

'Klopt,' zei de accountant die het zich op dat moment herinnerde.

Evengoed was vierhonderd mille een ontzagwekkend bedrag om in korte tijd bij elkaar te krijgen en bijna het dubbele van wat hij had verwacht. Het risico was aanzienlijk. Het enige wat erop zat, was een tweede hypotheek op de flat te nemen en van ganser harte te hopen dat hij de uitgaven zo snel kon terugverdienen dat hij niet door de eerste afbetalingen werd lamgelegd. De jaarvergadering was niet voor december gepland, dus tot dan toe zou er geen dividend komen, maar hij zou het moeten kunnen uitzingen. Hij zou Staggers moeten vragen een paar heel goede opdrachten voor hem te regelen zolang hij in de Verenigde Staten was. Als puntje bij paaltje kwam en hij de eerste termijnen niet kon afbetalen – zo zou het niet gaan, maar stel dat – dan kon hij altijd nog de flat verhuren en een poosje bij Eleanor intrekken. Ze zou het begrijpen. Ze was altijd koelbloedig geweest als het om geld ging. Hij zou er een spelletje van kunnen maken. Tegen haar zeggen dat ze een paar weken als een oud echtpaar gingen leven. Of een paar maanden. Zoiets. Ze zou dat misschien wel leuk vinden. Vrouwen hielden van een beetje verbondenheid. Onder het plannen maken werden de risico's minder en de kosten minder onoverkomelijk. 'Daar kan ik wel aankomen,' zei hij vlotjes. 'Geen probleem.'

'E-mail me als je nog iets nodig hebt,' zei de accountant. 'We hebben het beste besluit genomen, denk ik.'

'Dat weet ik,' zei Pete barstend van zelfvertrouwen en hij legde de hoorn neer. Nu op naar het feestje van Catherine. Er was nog net tijd om zijn agent instructies te faxen voor hij weg moest.

Het bleek een van de moeilijkste feestjes te zijn die hij ooit had bijgewoond, vol brallende zakenlui die praatten over grote contracten, het grote geld, investeringen en internet; hun bitse vrouwen met hagedissenhuiden praatten luidkeels met hun afgrijselijk harde stemmen over haute couture en vakanties in het buitenland en de voordelen van cosmetische operaties en dan waren er een stuk of wat escorthoertjes die hun collageenlippen tuitten en pronkten met hun siliconentieten, hun piekerige blonde haar naar achteren gooiden en allemaal met een kinderstemmetje onzin uitkraamden. En nergens iemand van Grossman te bekennen. Maar de champagne was uitstekend, het eten kon ermee door en

Staggers werd dronken en belachelijk en vermaakte hen allemaal. Even na elven, toen Pete de hoop bijna had opgegeven, kwam eindelijk het team van J.R. Grossman binnen. Pete excuseerde zich bij de vrouw die hem vergastte op een gloedvolle aanbeveling van een of andere slechte film die zij de 'nieuwste en belangrijkste' noemde. Hij glipte door de massa heen naar zijn prooi, in zijn sas toen hij merkte dat ze dronken genoeg waren om hen gemakkelijk onder zijn bekoring te brengen.

'Pete Halliday,' zei hij en stak met zijn televisieglimlach zijn hand uit.

'Hallo, Pete!' zei de voorzitter. 'Goed feest!'

Hij beaamde dat. 'Geweldig.'

'Jullie Engelsen zijn nog eens mijn dood!'zei de heer in kwestie en hij imiteerde Pete: 'Geweldig! Wat voor bocht drink jij?' Hij draaide zich om en riep naar een ober: 'Bourbon voor mijn vriend Pete Halliwell.'

'Day,' corrigeerde Pete hem.

'Juist. Mijn vriend Dale Halliwell.'

Het was verspilde moeite hem te verbeteren, dacht Pete toen hij de vlekkerige wangen en waterige ogen zag. Hij was te ver heen. 'Van Sheldon,' zei hij en keek of er een reactie kwam.

'O ja?' zei de man. 'Hoe gaat het daar?'

Dat is beter, dacht Pete en deed zijn mond open om hem dat te gaan vertellen, maar hij was te laat. Zijn prooi stuiterde door de kamer en riep: 'Is dat mijn honneponnetje? Catherine, schatje!'

'Catherine schatje' wierp een quasi-zielige blik op Pete, wat prettig was, ook al wist hij dat het een sein was waarop hij niet kon reageren. Toen stond ze toe dat de voorzitter haar in zijn armen nam voor de verplichte omhelzing en ze verdween uit het zicht achter de grijze zijden stof die strak om zijn vlezige rug gespannen zat, zodat Pete niets anders restte dan rond te lopen, te wachten en steeds gefrustreerder te raken. Algauw voelde hij zich ook misselijk van de combinatie van een beetje te veel bourbon en champagne en veel te veel zelfcontrole. Wat hij nodig had, was een glas lekker koel, gewoon, eerlijk water. Waar was de keuken? Dat zou hij zich nog moeten kunnen herinneren. Ze hadden daar op een zomermiddag een knetterende ruzie gehad toen haar man in

Oost-Europa zat. Later waren ze in bed beland. Hij dacht er nog aan toen hij de lange witte ruimte in liep.

Hij was steriel leeg op een eenzame figuur na die op zijn benen zwaaiend naast de dubbele gootsteen stond; deze draaide zich om toen Pete naar hem toe liep en klaagde dat hij 'die klotekraan niet opengedraaid kreeg'.

Pete draaide hem voor hen allebei open, vond twee glazen en vulde ze met water. Toen stonden ze zij aan zij te drinken als kamelen die uitgedroogd uit de woestijn komen.

'Jezus!' zei de onbekende. 'Dat is beter. Ik kon daarbinnen geen lucht meer krijgen.'

'Ik ook niet,' zei Pete en hij stelde zichzelf voor.

'Tom Johnson,' zei de andere man en hij schudde zijn hand met de moeizame plechtstatigheid van heel dronken mensen. 'Pettig kennis tumaken. Ben jij van een bedrijf? Ja, dach ik al. We zijn vanavond allemaal van een bedrijf. Ik ben de verdommese vicevoorzitter van J. R. Grossman. Wat een straf.'

Bof ik even! dacht Pete en vulde voor de tweede keer zijn glas. 'Dat is nog eens interessant,' zei hij. 'U bent de man voor wie ik naar dit feest ben gekomen. Precies de man. Ik ben de hele tijd naar u op zoek geweest.' Hij slaagde er bij de derde poging in zijn portefeuille uit zijn zak te halen. 'Hier is mijn kaartje. Wilt u uw telefoonnummer op dit kaartje schrijven, dan bel ik u zo spoedig mogelijk.'

'Kaartje,' zei de man giechelend alsof dit de beste grap was die hij de hele avond had gehoord. 'Leg in de gootsteen!' Hij gooide het kaartje in de gootsteen en kotste er prompt overheen.

Ik had nooit naar dit klotefeest moeten komen, dacht Pete en hij liep zo gauw als zijn nu erg wankele benen hem konden dragen bij de gootsteen weg. Absolute tijdverspilling, verdomme. Ik zou in Chelsea bij Eleanor moeten zijn. Daar zou ik moeten zijn. Hij werd overspoeld door heimwee, hij zakte in diep zelfmedelijden weg en daardoor begon hij te zweten. Hij stak zijn hand in zijn zak voor een zakdoek om zijn voorhoofd te deppen – en bedacht dat hij een mobiel had.

*

Eleanor was zo vast in slaap toen de telefoon ging, dat ze verward wakker werd en het haar enkele angstige seconden kostte om te bedenken wat er aan de hand was. Een alarm? Iemand aan de voordeur? Toen herkenden haar oren het geluid en ze nam de telefoon op met een hart dat nog steeds bonkend van slag was. Wat het ook was, het moest iets ergs zijn, zo midden in de nacht.

'Ja,' zei ze. 'Wat is er?'

'Lieverd,' zei Pete met een dikke tong. 'Geweldig om je stem te horen. Ik heb een afschuwelijke klotedag gehad. Helemaal afschuwelijk klote.'

'Pete,' zei ze streng, 'heb je enig idee hoe laat het is?'

Hij veronderstelde dat het laat was.

'Laat!' zei ze boos. 'Het is half vijf in de ochtend en ik heb een belangrijke dag voor de boeg.'

Zijn vergissing ontnuchterde hem. 'O shit!' zei hij. 'Het spijt me. Ik was het tijdsverschil vergeten.' Hij realiseerde zich dat hij het moest uitleggen, dat hij haar moest laten inzien hoe noodzakelijk zijn telefoontje was, dat hij haar aan zijn kant moest zien te krijgen. 'Ik moest dringend met je praten. Ik heb zo'n...'

'Nou, je hebt tegen me gepraat,' onderbrak ze hem midden in zijn zin. 'Mag ik nu weer gaan slapen?'

'Ik bel je morgenavond wel,' zei hij schuldbewust. 'Of vanavond. Of een andere keer.'

'Doe dat,' zei ze en ze hing op.

Maar toen kon ze natuurlijk de slaap niet vatten en terwijl ze lag te woelen, besefte ze dat ze een kans had laten lopen om hem over de baby te vertellen. Terwijl de donkere minuten doortikten en ze zich de strijd herinnerde die voor haar lag, kwam ze echter tot de conclusie dat het misschien maar goed was dat ze niets had gezegd. Dit was te belangrijk om op een afstand te vertellen en als ze eerst dat gedoe met haar moeder afhandelde en die boer eruit werkte en regelde dat zij op de baby zou komen passen, kon ze hem alles in één keer vertellen en dan zou hij zich er niet zo rot over voelen.

*

Gwen was ook die ochtend bij het ochtendgloren wakker geworden. Ze had voor een dag een verticuteermachine gehuurd zodat ze de ingeklonken aarde van haar verwaarloosde tuin kon keren en hij was om zeven uur afgeleverd.

Het was een volmaakte dag om te tuinieren, koud, tintelend en energiek, met een dun laagje vorst op de uiterwaard. De zee golfde stevig en hij had precies dezelfde blauwgrijze kleur als de onderkant van de hoge wolken die erboven dreven en het zeeoppervlak was woelig van de dikke witte schuimkoppen zover het oog reikte. Ze voelde zich opgewekter worden door er alleen maar naar te kijken.

'We hebben een goede dag uitgekozen,' zei ze tegen de kat, 'en we gaan stevig ontbijten zodat we een goede start maken. Wat vind je daarvan?'

Jeff kwam net langs toen ze de bacon aan het bakken was. Dus ontbeten ze samen voor ze aan de tuin begonnen. Het was zwaar werk en ze was blij dat hij sterk genoeg was de machine over de meest weerbarstige stukken te leiden, maar na een paar uur was de plek die ze als moestuin had aangemerkt, onherkenbaar veranderd. Ze stond ernaast, snoof de rijke geur van de zo-even losgewoelde aarde op en ze stelde zich voor hoe haar tuin eruit zou gaan zien. Nette rijen vroege groentes ontloken in haar verbeelding, narcissen kleurden heldergeel tegen rijen blauwe viooltjes, bonen spiraalden omhoog met rode bloesem tot in de zomer, erwten kregen hun ronde vorm in de peulen, rabarber ontvouwde donkere bladeren en onthulde dan het zachte roze van de bleke stelen, frambozen rijpten langs de muur, aardappelen zwollen tot ze een zoete smaak hadden onder de pas gespitte aarde. O, ze kon haast niet wachten tot ze kon gaan planten.

'Ik ga vanmiddag de compost erin spitten,' zei ze blij, terwijl ze op haar vork leunde. 'Met een beetje geluk kan ik misschien ook nog een stel zoden leggen, als het lang genoeg licht blijft. Wat denk jij?'

Op dat ogenblik draaide de Espace van Eleanor de hoek van het weggetje om en reed dikdoenerig tot aan het hek. Ze keek toe, met de vork nog steeds in de grond gestoken, hoe de hooggehakte laarzen van haar dochter de auto uit zwaaiden en in een helder moment van ongemakkelijke eerlijkheid wist ze dat ze haar komst niet prettig vond en dat het moeilijk zou worden haar te verwelkomen.

'Wat brengt jou hier?' zei ze, terwijl Eleanor voorzichtig haar weg zocht door de half omgespitte tuin.

'Ik dacht, ik kom eens even langs om te kijken hoe het met je gaat,' zei Eleanor opgewekt. Het ergerde haar dat ze zo koeltjes werd begroet en ze was woedend een vreemde, lange, ongewenste man in haar moeders tuin aan te treffen. 'Ik neem aan dat u meneer Langley bent,' zei ze. 'Ik ben Eleanor.'

'Dat dacht ik al,' zei hij en hij verpletterde haar vingers in een modderige greep. 'Ben je gekomen om ons een handje te helpen?'

Eleanor rilde bij het idee alleen al. 'Goeie god, nee,' zei ze terugdeinzend. 'Ik kwam mijn moeder opzoeken.'

'Nou, daar staat ze,' zei hij, niet in het minst onder de indruk van het feit dat er zo koel tegen hem werd gedaan. 'Vind je niet dat ze er goed uitziet?'

Eleanor vond heimelijk dat ze er als een zigeunerin uitzag, met die sjaal om haar hoofd, modder op haar voorhoofd en met die lelijke, viezige trui aan. Haar spijkerbroek was met geen pen te beschrijven. Ze had nog nooit zo'n afschuwelijk exemplaar gezien, uitgezakt en gevlekt en stijf van de aarde.

'Ik heb geweldige plannen voor de tuin,' vertelde Gwen haar, terwijl ze haar pas omgespitte aarde bewonderde. 'Ik heb een hele zak narcissen gekocht. Die ga ik allemaal op die verhoging daar planten. Ik dacht, als ik toch met geld smijt, kan ik dat maar beter goed doen. Ik ga er tuiltjes violen tussen planten. De combinatie van die twee kleuren zal prachtig zijn. Denk je ook niet?'

Eleanor dacht van wel, maar toen schakelde haar moeder een afschuwelijke machine in, en in plaats van haar mee te nemen naar de toren en haar daar welkom te heten, raasde ze ermee weg, de tuin over, ploegde de aarde om tot bonken klei en liet ze alle kanten uitspatten. Godallemachtig!

'Zal ik dan maar naar binnen gaan?' riep ze boven het lawaai uit.

'Wat?' riep haar moeder terug.
'Naar binnen,' riep ze en ze wees naar de deur.
'O, ja,' begreep Gwen. 'Ik maak dit even af en dan kom ik naar je toe. Ik ben zo klaar.'
Ze was nog een uur buiten in de tuin bezig; in die tijd verkende Eleanor de toren van boven naar beneden, ze schrok van de kleur van de muren, zag met grote afschuw twee vieze borden op het aanrecht – dus hij was blijven ontbijten, die verschrikkelijke kerel; in haar moeders slaapkamer een enorm nieuw dubbelbed – geen goed teken; een slapende zwarte kat op een van de banken alsof hij daar thuis hoorde; een dure nieuwe computer op een eveneens dure standaard en een paar heel merkwaardige boeken op de boekenplanken – wat deed ze daarmee? Vanaf de bovenste verdieping van de toren, die eigenlijk heel aangenaam was, of zou zijn geweest als de muren wit waren geschilderd, had ze een mooi uitzicht over het Kanaal, maar ze kon niet zien wat er in de tuin gebeurde. Vanaf de begane grond kon ze de tuin maar al te goed zien.
Lucy heeft gelijk, dacht ze. Alle tekenen waren er, en ze waren er te duidelijk om genegeerd te kunnen worden: de betekenisvolle blikken, de helpende hand als haar moeder over een hoop aarde klom, het eindeloze gepraat, het onnodige, stomme gelach. Ze leken meer op een jong liefdespaar dan op een stel van middelbare leeftijd. Het was gewoonweg walgelijk. Ze voelde zich buitengesloten, alsof ze in de steek gelaten was. Hoe kon ze haar moeder over de baby vertellen als ze zich zo gedroegen?
'Nou, wat vind je van mijn toren?' vroeg haar moeder toen ze de kamer in kwam zeilen met de boer naast zich.
Eleanor probeerde tactvol te zijn. 'Tja, het is anders,' zei ze. 'Je hebt een mooi uitzicht op de bovenste verdieping.'
'Dat vind ik ook!'
'De muren zijn natuurlijk hilarisch. Als je die eenmaal geverfd hebt, zullen ze er heel wat mooier uitzien. Ik bedoel, je kunt toch niet tussen rode muren leven, verdorie.' Het leek haar een volstrekt redelijke opmerking toe, dus het ergerde haar dat haar moeder en die vreselijke boer het uitbrulden van het lachen.
'Ik heb die kleur gekozen, eerlijk gezegd,' zei haar moeder. 'Ik vind hem geweldig. We hangen niet allemaal eindeloos aan zwart en wit.'

Eleanor voelde zich gegeneerd. Het was al erg genoeg om zo'n faux pas te maken, maar om ten overstaan van die verschrikkelijke vent terecht te worden gewezen, was heel wat erger. 'Waar ik eigenlijk voor gekomen ben,' zei ze en ze beheerste zich met moeite, 'was om jou mee te nemen voor een lunch. Ergens waar het een beetje bijzonder is. We hebben elkaar al zo'n tijd niet gezien en we hebben heel wat te bepraten. Wat vind je daarvan?'

Het bracht niet de verwachte reactie. 'O,' zei haar moeder en ze keek de boer aan. 'Dat is een beetje ingewikkeld.'

'Ze heeft al een afspraak,' zei de boer. O, wat had hij toch een lelijk, brutaal gezicht! 'Ze gaat met mij lunchen. We hebben een tafel besproken.'

Dat zullen we nog wel eens zien, dacht Eleanor, en ze maakte zich op om de strijd met hem aan te gaan. 'Ja, maar,' zei ze vlotjes, 'nu ik gekomen ben...'

Ze merkte tot haar afgrijzen dat haar moeder, in plaats van haastig van gedachten en van plan te veranderen, nota bene aarzelde. Daarna keek ze naar de boer alsof ze op het punt stond hem te vragen wat ze moest doen. Nu moet je weer toeslaan, zei ze tegen zichzelf. En snel ook. 'Ik heb je zoveel te vertellen,' zei ze tegen haar moeder. 'En natuurlijk wil ik alles horen over de toren en de tuin. We hebben wat te vieren, vind je ook niet? Champagne en zo. Met alles erop en eraan.'

De boer stond te grinniken. Hij stond daar echt tegen haar te grinniken. 'Het is aan jou,' zei hij tegen Gwen.

'Weet je wat,' stelde Gwen als compromis voor, 'waarom kom je niet met ons mee? Ik weet zeker dat ze wel een tafel voor drie hebben.'

En jou met hem delen? dacht Eleanor. Mooi niet. 'Dat lijkt me niets,' zei ze vol sarcasme. 'Ik kan me niet voorstellen dat meneer Langley en ik veel gemeen hebben en ik zou hem niet graag willen vervelen. Bovendien, drie is te veel.' Ze keek hem met een zo giftig mogelijke blik aan. Red je daar maar eens uit.

En dat deed hij. Zo snel en vlot dat ze hem wel een mep had kunnen geven. 'Goed,' zei hij. 'Dat is dan geregeld. Ga je mee, Gwen?'

Nee, dacht Eleanor razend. Dat bedoelde ik niet. Ze keek naar haar moeder om steun te zoeken. En die kreeg ze niet.

Gwen verkeerde in tweestrijd. Ze was echt niet van plan uren te gaan lunchen nu er zoveel in de tuin te doen was en ze de verticuteermachine slechts tot zonsondergang ter beschikking had. Maar aan de andere kant kon ze niet zomaar weglopen. Niet van haar dochter. 'Wat doe jij dan?' vroeg ze zenuwachtig. 'Wacht je hier op ons? Of ga je terug? Ik vind het niet leuk je hier achter te laten.'

'O, maak je maar geen zorgen om mij!' zei Eleanor. Ze hield zichzelf strak in de hand, hoofd omhoog, omdat ze op het punt stond te gaan rillen. Het was hier niet voldoende verwarmd. 'Ik moet vanmiddag weer op kantoor zijn. Dit is alleen maar een bliksembezoekje, om te zien hoe het met je gaat. Ik had me niet gerealiseerd hoe druk je het had.'

'Als je me had laten weten dat je zou komen,' ging Gwen zorgelijk door, 'dan had ik iets voor je kunnen klaarmaken.'

'Geen probleem,' zei Eleanor zo luchtig mogelijk. Ze voelde zich koud, ellendig, genegeerd en verslagen, maar dat ging ze hun beslist niet aan de neus hangen. 'Dan ga ik maar. Ik kom misschien zaterdag weer langs. Heb ik je hiermee vroeg genoeg gewaarschuwd?'

'Zaterdag zou fijn zijn,' zei Gwen die wel door had hoe gekwetst haar dochter was. Maar Eleanor was de deur al uit gebeend, op weg naar haar auto.

Het was een vergissing, dacht ze, terwijl ze, nog steeds rillend, door het dorp reed. Maar hoe had ik nou kunnen weten dat ik een afspraak had moeten maken om mijn eigen moeder te kunnen bezoeken? Mijn eigen moeder, verdomme! Ik kan niet geloven dat ze zo veranderd is. Vroeger zou ze nooit zo gedaan hebben. Dan had ze me binnen genood en had ze me vertroeteld. Het is de schuld van die boerenlul. Omdat er niemand in de buurt was die haar kon zien gaf ze ten langen leste uiting aan haar gevoelens door eens lekker lang te gillen. Nou, je kunt de pot op, mama. Je kunt de pot op, meneer Langley. Je kunt de pot op, Pete. Jullie kunnen allemaal de pot op.

Hoofdstuk 11

Eleanor was nog maar net woedend weggescheurd over Mill Lane, of Gwen begon zich schuldig te voelen. Het was zo'n verrassend bezoek geweest, dat ze nauwelijks tijd had gehad te beseffen wat er gebeurde. Nu het echter voorbij was, wist ze dat ze het verkeerd had aangepakt. Ik had haar meer aandacht moeten geven, zei ze tegen zichzelf en ze kromp ineen bij de herinnering aan haar egoïstische gedrag. Ik had niet in de tuin moeten blijven werken. Geen wonder dat ze boos was. Ik had meer met haar moeten praten. Naar haar moeten luisteren. 'Lieve hemel,' zei ze. 'Ik heb haar van streek gemaakt.'

'Ze komt er wel overheen,' zei Jeff spits. 'Ik ga even mijn handen wassen en dan ben ik klaar. Vijf minuten?' Hij liep met twee treden tegelijk de trap op.

Gwen liep achter hem aan. 'Ze kwam helemaal hiernaartoe,' zei ze zorgelijk, 'en ik heb haar niet eens een kopje koffie aangeboden. Misschien had ik moeten zeggen dat ik met haar ging lunchen.'

'Moet je eens horen,' zei hij terwijl hij de badkamer in liep. 'Ze is een taaie. Ik dacht dat ze mij de ogen zou uitkrabben toen ze kwam. Ik zou me geen zorgen over haar maken, als ik jou was. Je maakt je veel te veel zorgen.'

Gwen deed haar sjaal af en bestudeerde haar vieze gezicht in de spiegel. 'De moeilijkheid is,' zei ze, 'dat ik zo'n groot deel van mijn leven bezig ben geweest te zijn zoals anderen van mij verlangden, dat ik niet meer weet wie ik echt ben. Ik dacht dat dat allemaal vanzelf goed zou komen als ik eenmaal in de toren woonde en op een bepaalde manier is dat ook gebeurd – ik zou hier niet zo met jou staan als dat niet was gebeurd. En te doen wat ik wil in plaats van aan anderen te denken, is heerlijk. Maar dat kun je toch niet de hele tijd doen? Niet als het om je dochters gaat. Misschien ben ik te ver naar de andere kant doorgeslagen.'

Hij kwam de badkamer uit gelopen en keek haar fronsend aan. 'Waar heb je het over?'

'Over egoïstisch zijn.'

'Waarom zou je zo nu en dan niet egoïstisch zijn? De meeste mensen zijn dat. Wees nou maar gewoon jezelf.'

'Maar welke zelf?' zei ze. 'Ik lijk wel een aantal verschillende zelven in één te zijn. Eén zelf met jou, eentje als ik alleen ben, die ene die ik bij Gordon was, eentje nu met de meisjes, die ene die ik vroeger was met de meisjes. Ik denk dat ze het naar vinden om te zien hoe ik ben veranderd.'

'Daar leren ze wel mee te leven.'

Dat weet ik zo net nog niet. Ze verwachten meer van me dan ik bereid ben om te geven.'

'Dus?'

'Dus moet ik misschien meer mijn best doen.'

'Doe dat nou niet,' zei hij. 'Tenzij je voor altijd hun voetveeg wil zijn. Kom nou mee lunchen en pieker er maar niet meer over.'

Omdat ze er niets meer aan kon doen nu Eleanor weg was, ging ze dus mee lunchen. Maar de hele middag stak het schuldgevoel steeds weer de kop op.

*

Tegen de tijd dat Eleanor eindelijk terug was in de kantoortuin van pr-bureau Smith, Curzon en Waterbury, kookte ze niet alleen van woede, maar ze had ook nog eens last van pijnscheuten van de honger. Dus het eerste wat ze deed was een van de secretaresses naar de dichtstbijzijnde Prêt-à-Manger te sturen voor een baguette – 'brie, als ze die nog hebben en een bosvruchtenyoghurt en een plak appelcake'. Toen belde ze haar zuster om stoom af te blazen.

'Ik heb net dat klote-onderkruipsel gezien,' zei ze, 'en je had zo verschrikkelijk gelijk! Hij is afschuwelijk!' En ze stak een woedende tirade tegen de man af.

Lucy staarde met nietsziende ogen naar de cijfers op haar scherm. Ze had een frustrerende middag gehad en nu verlangde ze er hartstochtelijk naar om mijlen ver weg te zijn, ergens waar geen telefoons waren, geen computers, geen chefs – en geen zusters die je onder druk zetten. Maar dat gaf haar een schuldig gevoel omdat ze maar half luisterde en Eleanor was erg van streek. 'Dus je hebt haar niet van de baby verteld,' zei ze toen haar zus eindelijk ophield om even adem te halen.

Eleanor brulde het uit van boosheid. 'Haar iets verteld! Je maakt zeker een grapje. Ik kon haar niets vertellen. Hij liet me er niet tussen komen. Ik zeg je toch dat hij verdomme de hele tijd in de weg liep. Hij woont daar, verdomme. Doet alsof hij de eigenaar is. Hij liet me haar niet eens meenemen voor een lunch, godsamme. Mijn eigen moeder, die dolgraag met me mee wilde gaan, en hij liet haar niet gaan. Hij stond daar gewoon, Luce, hij stond me in mijn gezicht uit te lachen. Het was allemaal zo verdomde afschuwelijk.' Ze was zo opgefokt dat ze in tranen had kunnen uitbarsten als ze niet in een kantoortuin had gezeten. 'Wat moet ik nu doen?' jammerde ze. 'Ik bedoel, ik kan dit toch niet zo door laten gaan?'

Lucy raakte hier helemaal gestrest van en ze vergat, ook omdat ze door schuldgevoel werd opgejut, dat ze tegen Eleanor had gezegd dat dit haar eigen zaak was en dat ze daar zelf iets aan moest doen. 'Nee,' zei ze en ze maakte snel een plannetje. 'Dat kun je niet. We gaan er samen naar toe op onze eerstkomende vrije zaterdag, aanstaande zaterdag als dat lukt en dan gaan we het haar samen vertellen.'

'Je bent een engel!' zei Eleanor. 'Verdomd, een echte engel. Ik wist dat je me zou helpen. Maar wat doen we met hem?'

'Hij zal er niet zijn,' beloofde Lucy. 'Laat dat maar aan mij over. Ik zal mama schrijven om haar te zeggen dat we haar alleen willen zien. Zodra we er zijn, vertel jij haar over de baby. Meteen, voordat hij kan binnenkomen en ons kan dwarsbomen. Het is belachelijk dat je het haar niet vertelt. Ze zal het schitterend vinden om oma te worden en het kan best wel eens precies dat zijn wat nodig is om meneer-zonder-sokken op zijn nummer te zetten.'

Eleanor klaarde op. 'Ik zou wat brochures voor haar kunnen halen,' zei ze. 'Om haar te laten zien wat er in de theaters speelt. Musicals en zo. Dan ziet ze wat ze mist. We kunnen hem haar toch niet laten overheersen? Ik haal ze wel op weg naar huis en dan maak ik er een pakje van.'

Lucy dacht zelf dat een stapel brochures totaal geen indruk op haar moeder zou maken, maar ze ging er niet tegenin. Als Eleanor dat zo graag wilde doen, dan moest ze haar maar laten. Het belangrijkste was hun moeder van de baby te vertellen en die boer op zijn nummer te zetten. 'Goed,' zei ze. 'Doe dat maar.'

'Dat zal ik doen,' zei Eleanor. En ze voegde de daad bij het woord.

Toen ze met een tas vol glossy's terugkwam in haar prettige, koele appartement, stond er een boodschap op haar antwoordapparaat. 'Dit is Pete,' zei zijn stem opgewekt. 'Het spijt me van vannacht. Vergeef je me? Lees in ieder geval je e-mail. Kus, kus.'

Kus, kus, dacht ze, deels gecharmeerd, deels geërgerd. Hij maakt me midden in de nacht wakker, zegt dan 'vergeef je me?' en verwacht dat ik dat vervolgens ook doe. Maar ze scrolde door haar e-mail tot ze zijn bericht had gevonden.

Het was in zijn gebruikelijke, gecomprimeerde stijl opgesteld en bevatte veel informatie, deels onbegrijpelijk, maar ze haalde er de saillante feiten uit: *Nu betrokken bij een megadeal met Sheldon – blijf drie weken in New York – vier opdrachten – begin november weer thuis – xxx.*

'Goed!' zei ze en ze sprak haar vastberaden gezicht in de wandspiegel toe: 'Je hebt drie weken om het aan mama te vertellen en alles voor deze baby te regelen. Dus: aan de slag.' Ze ging naar haar werkkamer om de brochures in te pakken.

*

Het was zo'n groot pakket geworden dat de postbode het niet door Gwens brievenbus kon krijgen en noodgedwongen wel aan moest kloppen. Dat maakte hem doodsbang. Nu kwam hij oog in oog met haar te staan. Nu moest hij haar aanspreken en met haar praten.

Gwen zat achter haar computer de sterrenkaart van haar geboortedag te bestuderen toen hij klopte en ze kwam er met tegenzin achter vandaan. 'O!' zei ze toen ze de deur opendeed. 'Ben jij het. Wat heb je voor me?'

'Pakje.' Het woord kwam er krakend uit, zo verpletterd was hij door het zien van een indrukwekkende wirwar van gekleurde lijnen en rare vormen op haar computerscherm. Dit is zwarte magie, dacht hij, zo zeker als wat. Het was nog erger dan hij zich had kunnen indenken. Stel je voor dat ze hem naar binnen sleurde en een vloek over hem uitsprak? Hoe zou hij haar kunnen tegenhouden? Ze zag er beresterk uit.

Ze volgde zijn verschrikte blik. 'Dat is mijn toverdoos,' zei ze. Hij was zo'n idioot dat ze het niet kon nalaten hem te plagen. 'Mijn zwarte kat en ik werken eraan in het holst van de nacht. We zetten onze ketel op het vuur en ik haal mijn bezemsteel en dan dansen we eromheen en zeggen we spreuken op.'

'O, jee,' zei hij en hij liep weg, zo snel zijn slungelige benen hem konden dragen.

Ze lachte nog steeds toen ze het pakje opende. Eerst dacht ze dat het haar per abuis was toegestuurd. Wat moest ze met *What's on at the Barbican?* en *The London theatre guide*? Toen las ze het opgewekte briefje dat Eleanor aan de voorkant van de *Good restaurant guide* had vastgemaakt en ze realiseerde zich dat het lokaas was. Ze schoot weer hardop in de lach. Die lieve Eleanor, dacht ze. Ze is zo doorzichtig. Ze pakte de brieven en maakte de tweede open omdat deze van Lucy was en de andere er officieel uitzag, waarschijnlijk een rekening.

De brief van Lucy was niet veel meer dan een kattebelletje en teleurstellend kort. *Ik kom zaterdag naar je toe als dat goed is. Bel me als het niet goed is. Eleanor en ik komen samen. We zullen ergens tussen half twaalf en twaalf uur bij je zijn. We hebben je iets te vertellen als je alleen bent, dus je bent dan toch alleen? Het is heel belangrijk.* Bedoelt ze daarmee wat ze me te vertellen hebben of dat ik alleen ben? *Doe geen moeite: je hoeft niet voor ons te koken. We gaan wel uit eten. We zouden wel eens wat te vieren kunnen hebben.*

Dus wat het ook is, het is goed nieuws, dacht Gwen. Ze pakte de tweede brief.

Het was helemaal geen rekening maar een beleefd bericht dat haar aanvraag aangesloten te worden op het riool was gehonoreerd. De beslissing was genomen en de werkzaamheden zouden in het nieuwe jaar beginnen. Dus zo hoor je van een overwinning, dacht ze triomfantelijk. Stilletjes via de post. Ik moet het Jeff vertellen.

Hij had eenzelfde brief gehad en hij kwam hem haar later op de ochtend laten zien. 'Zo zie je maar weer wat je met een beetje samenwerking voor elkaar kunt krijgen,' zei hij. 'Ik zei je toch al dat meneer Rossi over de brug zou komen. Nu kun je een aanvraag indienen voor die garage voordat je auto wegroest in de zilte lucht.'

'Ik maak er vandaag nog werk van,' zei ze, 'voor ik boodschappen ga doen. Dat doet me eraan denken: de meisjes komen zaterdag.'

Hij fronste. 'De meisjes?'

'Ja. Ze komen blijkbaar samen. Ze hebben goed nieuws voor me, volgens Lucy.'

Hij toonde niet erg veel belangstelling. 'Goed,' zei hij effen.

'Het punt is,' zei ze, 'ze willen het me vertellen zonder iemand erbij.'

Nu begreep hij het. 'Dus je zegt dat ik weg moet blijven. Klopt dat?'

'Nee,' probeerde ze het te ontkennen. 'Niet precies. Ze zeiden alleen dat ze het me graag wilden vertellen zonder iemand anders erbij.'

'Dus je zegt dat ik weg moet blijven,' herhaalde hij. 'Goed. Goed. Ik zal uit de buurt blijven. Ik hoop dat je beseft dat ze me zwart willen maken, maar als jij het zo wilt hebben... Maar je gaat 's avonds wel met me uit eten. Die afspraak staat.'

'Natuurlijk,' zei ze. 'Dan zijn ze alweer weg. Het is zaterdag. Dan gaan ze vast uit.'

'Laten we het hopen,' zei hij en hij wendde zich van haar af. Terwijl hij dat deed, zag hij de computer en hij vond een uitlaat voor zijn irritatie. 'Nou is tie mooi! Ben je nu nog steeds bezig met die stomme sterrenkaart?'

Zijn vijandigheid jegens haar dochters had haar van streek gemaakt en ze was blij op een ander onderwerp over te kunnen gaan, ook al kon ze zien dat het hem ergerde. 'Het is fascinerend,' vertelde ze hem. 'Moet je kijken wat ik heb ontdekt. Je had gelijk wat Neptunus betreft. Ik heb het stap voor stap, huis voor huis doorgewerkt en zie je dat symbooltje daar? Dat is Neptunus. Precies in het eerste huis, waar je de invloeden ziet die je hele leven een uitwerking op je hebben. Waar je wordt gevormd. Ik heb ze allemaal opgeschreven.'

Ondanks zijn slechte humeur luisterde hij.

'Hier heb ik het,' zei ze toen ze haar aantekeningen had gevonden. 'Neptunus in het eerste huis betekent *slecht moederschap, een afwezige of krachteloze moeder.* Dat is precies in de roos. Mijn moeder was niet afwezig, maar ik merkte nauwelijks dat ze er was. Ze knuffelde me nooit, voorzover ik me kan herinneren, en ze praatte niet veel met me, behalve om me te vertellen wat ik niet mocht doen. Toen ik bij het twaalfde huis kwam, was het er weer. Zie je wel? Venus in het twaalfde huis. *Eenzame jeugd.* Ik was enig kind en we woonden op een eiland. *Moeder cijferde zichzelf weg.* Toen zocht ik mijn maan en zon op om te kijken wat die me te vertellen hadden en dat was een openbaring, zo accuraat was het. Ik heb de zon op het keerpunt tussen Maagd en Weegschaal, hetgeen betekent: *iemand die wil dienen, een nuttig instrument voor anderen wil zijn.* De maan laat bijna precies hetzelfde zien. Het is gewoon eng. *Harmonieus en gericht op anderen. Uw levenswerk is op dagelijks niveau dienstbaar zijn.* Dat is toch precies wat ik heb gedaan? Hier staat het nog een keer. *Relaties staan centraal voor u. U heeft een neiging tot martelaarschap. Een vermogen te luisteren en te begrijpen. U zult zich realiseren hoe sterk u bent, wanneer er zich een verandering voordoet.*'

'Ik wil geen spelbreker zijn,' zei hij, 'maar ik denk dat je zult merken dat dit soort dingen op heel veel mensen van toepassing zijn. Het is vrij algemeen gesteld.'

'Maar het klopt voor mij,' zei ze. 'Daar gaat het om.'

Hij las over haar schouder haar aantekeningen. 'Waar slaat dit op?' vroeg hij. *Het zelf verlaten voor iets spiritueels, ongebonden en goddelijks.* Ik hoop niet dat je non gaat worden.'

Dat gaf haar de kans om hem te plagen. 'Daar is nogal kans toe, met jou in de buurt.'

'Blij dat te horen,' zei hij en hij glimlachte voor het eerst sinds ze hem over de meisjes had verteld. 'Ik ga er weer vandoor. Ik heb werk te doen. Vergeet niet dat je voor zaterdagavond een afspraak hebt.'

'Alsof ik dat zou kunnen,' zei ze. Maar haar gedachten werden in beslag genomen door plannen voor het bezoek. Deze keer zal ik het op de goede manier aanpakken, dacht ze. Ik zal om te beginnen het tuingereedschap in het bijgebouw zetten en alle modder onder mijn nagels vandaan borstelen en dan ga ik krentencakejes maken voor bij de thee en iets speciaals voor de lunch. Deze keer zal het anders gaan.

Hoofdstuk 12

Lucy en Eleanor arriveerden die zaterdagochtend met veel bombarie bij Gwens toren en ze krabbelden beiden tegelijk uit Eleanors auto, zodat die er in de nogal bezorgde ogen van Gwen uitzag als een metalen kever met uitgespreide vleugels en vier lange, krioelende poten in blauwe spijkerbroeken. Toen kwamen ze naar haar toe gerend, met armen vol bloemen en flessen en met opgewekte gezichten. Allemachtig, dacht ze, wat wordt Eleanor dik. Ze ziet er behoorlijk mollig uit. Maar toen stonden ze op haar stoep en stortten zich de kamer in, hun armen wijd open en ze riepen 'Ta daaa!', zoals ze dat als kind vaak deden. Eleanors lange jas viel open terwijl ze haar armen uitspreidde en Gwen kon zien wat haar nieuwtje was.

'O, Eleanor, kindje,' riep ze en ze trok haar in haar armen, met bloemen en al. 'Je bent in verwachting. Wat heerlijk! Waarom heb je me dat niet eerder verteld?'

'Jouw boer heeft me nooit de kans gegeven,' zei Eleanor lachend, nu haar moeder blijk gaf van genegenheid.

Gwen overlaadde haar met blije vragen. 'Wanneer komt het? Is alles goed met je? Je ziet er goed uit. Heb je het ziekenhuis al besproken? Wat vindt Pete ervan? Ik wed dat hij het geweldig vindt. O, wat is dit heerlijk! Heerlijk! Wat zal dat leuk worden! We gaan eerst lunchen en dan gaan we boodschappen doen. Wat vind je daarvan? Er is een leuk winkeltje in het dorp dat babyspullen verkoopt en als we daar niets vinden, kunnen we naar Chichester gaan. Dat is vlakbij en er is daar een babywinkel en een C&A. Eleanor toch! Dit is het beste nieuws dat ik in jaren te horen heb gekregen.'

Lucy voelde zich enorm buitengesloten. 'Ik zal de tafel wel dekken,' zei ze mat.

Ik heb haar links laten liggen, besefte Gwen, en ze vloog naar haar toe om het goed te maken. 'Dat heb ik al gedaan, kindje,' zei ze en ze legde een arm om haar heen. 'Je zei dat we iets te vieren hadden en dat heb ik in mijn oren geknoopt. Kom mee naar de keuken, allebei.'

Dus werd de champagne weggezet om koud te worden, terwijl het eten werd opgediend en het feestje een aanvang nam. Eleanor giechelde: 'We hebben nu alleen nog papieren hoedjes nodig,' en Lucy deed haar best blij voor haar zuster te zijn. Maar dat was niet gemakkelijk, omdat Eleanor alle aandacht naar zich toe trok – wat had je dan gedacht? Naderhand het dorp door lopen was nog erger, want nu liepen Eleanor en Gwen gearmd en met hun hoofden dicht bij elkaar en Lucy had sterk het gevoel dat ze te veel was.

'Nee,' zei Eleanor toen ze de etalage van *The Happy Stork Baby Store* hadden geïnspecteerd, 'hier ligt niets van mijn gading. Ik bedoel, het is allemaal oerlelijk, vinden jullie ook niet? Laten we naar Chichester gaan.' Toen draaide ze snel haar hoofd om. 'Daar is die politieagent weer,' zei ze. 'Loopt hij ons achterna?'

Gwen draaide zich om, om te kijken over wie ze het had. 'O, dat is Neil,' zei ze en ze zwaaide naar hem. 'Hij is onze agent. Aardige man.'

'Dat is de derde keer dat ik hem heb gezien,' klaagde Eleanor. 'Hij is net een duveltje uit een doosje. Hij duikt overal op. Heeft hij niets anders te doen dan deze ene straat op en neer te lopen? Wat een saaie man!'

'Hij is een goede agent,' zei Lucy, die het gevoel had dat ze hem moest verdedigen. 'Ik heb hem bij een verkeersongeluk ontmoet en dat handelde hij prima af.'

'Dat kan wel zo zijn, met dat verkeersongeluk,' zei Eleanor geringschattend. 'Maar hij ziet er niet bepaald aantrekkelijk uit. Een beetje een monster, zou ik zo zeggen. Dus we gaan naar Chichester?'

Nee, dacht Lucy. Ik niet. Ik heb voor deze middag genoeg van jou. 'Gaan jullie twee maar samen,' zei ze. 'Ik blijf liever hier om de boel te verkennen.'

'Er valt niet veel te verkennen,' waarschuwde Gwen haar. 'Neem mijn reservesleutel maar, dan kun je de warmte in als je er genoeg van hebt.' Ze haalde hem van haar sleutelring af en overhandigde hem haar.

Eleanor en zij drentelden gearmd naar de parkeerplaats en voor Lucy keerde de rust weer.

Haar moeder had natuurlijk gelijk, er viel niet veel te bekijken, maar ze liep van het ene eind van de straat naar het andere en bekeek het weinige wat er voorhanden was. Toen liep ze, net zoals haar moeder destijds had gedaan, de weg in zuidelijke richting af, tot ze bij de zee kwam. Ze besloot een wandeling op het strand te gaan maken.

De zee was kil groen en zond dreigend hoge golven op haar af, die met zo'n kracht op de kiezelstenen sloegen, dat het witte schuim hoog de lucht in spatte. Het strand was helemaal leeg en het was steenkoud. Zelfs weggedoken in haar dikke trui met haar jas tot haar kin dichtgeknoopt en haar sjaal om haar hals gewikkeld voelde ze de kou. Wat was het smerig! De kiezelstenen lagen bezaaid met aangespoelde spullen, oude plastic flessen, vissenkoppen, een afgetrapte schoen, grijs van het zout, een aantal meters vies oranje touw, helemaal in de knoop. De smalle promenade werd gemarkeerd door lange slierten vergaan zwart wier en plakkerige plekken teer. Het deed in de verste verte niet aan een zomers strand denken.

Desondanks was ze vastbesloten de voorgenomen wandeling te maken. Het was een heel geploeter, zelfs op platte schoenen. Haar voeten deden pijn op de kiezels, de wind maakte dat haar ogen begonnen te tranen en het prachtige uitzicht waar ze op had gehoopt, werd verduisterd door wolken en donkere luchten. Dit is een vergissing, dacht ze, terwijl de kiezels onder haar voeten weggleden. En het wordt donker. Ik denk dat ik naar de promenade terugga en dan naar huis.

Maar toen ze naar boven was geklommen, was er geen promenade te zien, alleen een ruwe muur met brokken vuursteen die een sjofele grasvlakte omheinde, met daarachter een rij even sjofele winkels en flats met platte daken en afbladderende verf. Ze schrok ervan dat het er zo verwaarloosd uitzag. Nu ze weer van het strand af was en er geen licht meer was dat door de zee werd gereflecteerd, werd ze zich ervan bewust dat het erg snel donker werd. De wolken boven de daken van de flats waren al blauw en paars en de maan stond bleek aan de hemel. Geen goede plek voor mij, dacht ze en ze versnelde haar pas om zo gauw mogelijk weer bij het dorp terug te zijn, haar hoofd gebogen tegen de wind in, recht voor zich uit kijkend. Ze liep zo snel dat ze de auto niet opmerkte voor deze met koplampen aan dreigend langzamer naast haar ging rijden. O, hemel! Wat nu?

'Ben je verdwaald?' zei een stem.

Ze keek op. Het was de agent, in burger aan het stuur van zijn Mondeo. De koplampen straalden vriendelijk. Godzijdank.

'Nee,' antwoordde ze. 'Ik denk van niet. Ik heb op het strand gewandeld. Ik denk dat ik te ver ben doorgelopen.'

Ze zag er zo koud uit, dat hij het waagde haar een aanbod te doen. 'Zou je een lift terug willen?'

'Ja,' besloot ze, 'dat wil ik heel graag. Als het niet lastig voor je is.'

'Spring er maar in,' zei hij en hij maakte het portier voor haar open.

Het was moeilijk te zeggen wie van de twee het meest verbaasd was: zij omdat ze een lift aanvaardde van een man die door haar zus een monster was genoemd of hij omdat deze betoverende vrouw echt in zijn auto zat, zoals hij gedroomd had sinds hij haar voor het eerst had gezien.

Ze reden door het dorp en sloegen Mill Lane in, waar de toren zwart en onheilspellend boven de heggen opdoemde.

'Nu voel je je vast beter,' zei hij.

Ze zat zich te bedenken wat een opluchting het zou zijn binnen in de warmte te zitten met een lekkere pot thee en een paar cakejes, die haar moeder had gebakken. Dat bracht haar op een idee. Het was aardig van hem mij naar huis te brengen en ik verwed dat hij een eind heeft moeten omrijden. Bovendien, Eleanor zal echt hier woest over worden. 'Je kan wel mee naar binnen komen en thee met me drinken, als je dat leuk vindt,' zei ze. 'Mijn moeder heeft cakejes gebakken.'

Zijn gezicht lichtte zo overduidelijk op dat ze dat niet over het hoofd had kunnen zien, zelfs niet in dit halfduister. 'Nou, dat wil ik best,' zei hij. Toen kreeg hij het gevoel dat hij dit nader moest toelichten, omdat hij bang was dat hij anders een verkeerde indruk maakte. 'Je moeder kan goed koken en bakken.'

Dus dronken ze thee in de keuken, heel fatsoenlijk ieder aan een kant van de tafel en praatten ze met elkaar. Zij vertelde hem over haar baan en dat het hard werken was, hij vertelde haar hoezeer het hem beviel agent in een dorp te zijn.

'Je leert mensen kennen in een klein dorp,' zei hij. 'Je gaat erbij horen. Dat duurt natuurlijk wel een tijdje. Ze zijn nogal kopschuw. Ze accepteren je niet meteen.'

'Hoe lang duurt dat?' vroeg ze, haar moeder indachtig.

'Een paar jaar. Een jaar misschien,' vertelde hij haar, want hij wist wat ze dacht. 'Het hangt ervan af.'

'Hebben ze mijn moeder geaccepteerd?' vroeg ze.

Hij besloot haar de waarheid te zeggen. 'Nog niet, maar ze is er nog maar een paar maanden. Je kunt er nog niets van zeggen.'

'Waarom ik dit vraag,' zei ze, 'is dat die rare oude vrouw – die ene bij het ongeluk, weet je wel? – nou, die zei dat ze een heks was. Ik pikte dat niet en dat heb ik haar duidelijk gemaakt. Maar het zette me aan het denken. Ik zou niet willen dat ze hier ongelukkig werd.'

'Ik zal wel een oogje in het zeil houden, als je wilt,' bood hij aan.

'De machtige arm der wet,' lachte ze. 'Maar in ernst. Ja, dat zou ik wel willen. Wil je nog een kop thee?'

'Is dat een beloning voor goed gedrag?'

'Wat?'

'Je zei dat je moeder je iets lekkers te eten gaf als beloning voor goed gedrag. De laatste keer dat ik hier was.'

Ze was onder de indruk. 'Wat heb jij een goed geheugen.'

'Ik ben erin getraind, goed waar te nemen,' zei hij. Haar lof deed hem deugd. Dit ging zo goed. Beter dan hij had durven hopen. 'Moet je horen,' zei hij. 'Zeg nee als ik buiten mijn boekje ga, maar zou je met me naar de film willen? Als je blijft logeren. Maar je gaat zeker terug? Dat zal wel, op een zaterdagavond. Ik ga echt mijn boekje te buiten.'

'Eigenlijk,' zei ze, terwijl ze bedacht dat dit Elly helemaal enorm zou ergeren, 'blijf ik toevallig logeren. Wat draait er?'

Zijn keel zat opeens zo dicht dat hij maar nauwelijks antwoord kon geven. 'Wat vind je van *Elizabeth*?'

Zijn keuze verraste haar. 'Ja,' zei ze glimlachend. 'Die wil ik graag zien. Hij had goede kritieken.'

Ze hadden een afspraakje! Een afspraakje! Hij was zo blij dat hij op wilde springen, op de tafel bonken, gillen, haar zoenen. Maar met veel wilskracht hield hij zich in en deelde haar mee dat hij haar om zeven uur zou komen afhalen; vervolgens zei hij dat hij er maar beter eens vandoor kon gaan, voor haar moeder zich zou afvragen waarom hij in haar huis rondhing. Hij vertrok zo waardig mogelijk en de hele terugreis naar zijn flat brulde hij het in zijn snelle auto uit van triomf.

Eleanor en Gwen keerden twintig minuten later terug, met opgewekte blosjes op hun wangen en hun armen vol inkopen.

'Kijk eens wat we gekocht hebben,' zei Eleanor en ze maakte alle pakjes open om ze aan haar zuster te laten zien. 'Dit worden boxpakjes genoemd. Zijn ze niet cool? Mama komt volgend weekend naar Chelsea. Dat hebben we toch afgesproken, hè mam? Ze komt kijken hoe mijn kinderkamer en suite opschiet en dan gaan we winkelen bij Harrods. God! Is het al zo laat? Ik moet om acht uur in Bayswater zijn. Even een kopje thee, mam, en een van je cakejes en dan gaan we.'

'Ik blijf hier,' zei Lucy, 'als je dat goedvindt, mam.'

Eleanor was stomverbaasd. 'Blijf je hier? Je bedoelt dat je niet teruggaat naar Londen?'

'Ik heb een afspraak. Ik ga naar de film.'

Verbazing veranderde in ongeloof. 'Met wie?'

'Met jouw monster. Onze politieagent.'

'O, Lucy,' protesteerde Eleanor. 'In hemelsnaam. Je kunt niet met hem uitgaan. Hij is walgelijk. Bovendien, je kent hem niet eens.' Ze riep naar de keuken. 'Zeg jij eens wat, mam.'

Dit beroep op haar plaatste Gwen in een moeilijke positie. Ze wilde niet dat een van beiden bleef logeren, niet na wat ze Jeff had beloofd, maar dat kon ze moeilijk tegen hen zeggen, nu ze de hele middag Eleanor had overladen met cadeaus en Lucy aan haar lot had overgelaten. 'Natuurlijk kun je blijven logeren, kindje,' zei ze en het klonk alsof ze het meende, hetgeen deels ook zo was. 'Heerlijk om je hier te hebben. Ik ga vanavond ook uit maar we hebben allebei een sleutel.'

'Nou, ik vind dat je je belachelijk gedraagt,' zei Eleanor terwijl ze de boxpakjes opvouwde. 'Maar kijk uit.'

'Ja,' beaamde Lucy. 'Dat zal ik doen.'

Dus bereidden ze zich voor op hun diverse bezigheden. Eleanor trippelde met haar armen vol cadeaus naar haar auto en beweerde ondertussen weer dat haar zuster een grote vergissing beging, Gwen ging een douche nemen en de nieuwe jurk passen die ze die middag had gekocht en Lucy ging zich wassen en haar make-up bijwerken, want dat was alles wat ze kon doen, omdat ze geen andere kleren had meegenomen. In een moment van onzekerheid voor de spiegel vroeg ze zich af of ze inderdaad een vergissing beging, maar ze besloot dat het nu te laat was erop terug te komen.

Hij kwam precies op tijd, gekleed in een nieuw blauw overhemd, open bij de hals, een katoenen kaki broek, een ouderwets jasje en zwarte schoenen. Zwarte schoenen, allemachtig! Hij zag er vreselijk gespannen uit, met opgetrokken schouders, vlammende bruine ogen, een strakgespannen mond. O god, dit was toch een vergissing.

Maar ze begroette hem opgewekt: 'Hallo!' Ze riep bij de trap naar boven naar haar moeder alsof dit slechts een gewone afspraak was: 'Ik ga nu, mam. Ik ben niet zo laat terug.'

'Ik dacht dat we erna iets zouden kunnen gaan drinken,' zei hij terwijl ze naar de auto liepen. En toen ze geen antwoord gaf: 'Als je dat leuk vindt, bedoel ik. Of iets eten. Je hoeft maar te kikken.'

'Misschien,' hield ze een slag om de arm en ze dacht: dat hangt ervan af hoe goed we met elkaar kunnen opschieten.

Ze konden beter met elkaar opschieten dan ze had verwacht, want de film gaf ze iets om over te praten en toen ze een van de plaatselijke Indiase restaurants binnenkwamen, liepen ze een groep van zijn vrienden tegen het lijf, de meesten van hen politieagent, allemaal enigszins aangeschoten en uitermate toeschietelijk, zodat het uitje een feestje werd, hetgeen beslist een verbetering was ten opzichte van een moeizaam tête-à-tête.

'Uit Londen, hè?' zeiden ze toen ze werd voorgesteld. 'Wat vind je dan van ons? Zijn de inboorlingen vriendelijk?'

'Sommigen wel,' zei ze tegen hen en ze nam een grote slok van haar bier. 'Lang niet allemaal.'

'Zeg eens wie,' zei een forse man, 'dan zullen wij ze eens in de kraag grijpen, wat jullie, mannen?'

Het duurde niet lang of ze amuseerden haar met overdreven verhalen over de misdadigers die ze gearresteerd hadden en de vuile zaakjes die ze aan het licht hadden gebracht, en met heet eten, hartelijk gezelschap en schuine moppen verliep de avond met luchthartige vaart. Het was na tweeën voor ze uiteindelijk besloten dat ze allemaal maar eens naar huis moesten.

Het platteland was angstig donker en na de stadsverlichting leek de hemel zwart. Ze dacht terug aan haar lange rit hierheen en aan de verschrikkingen die achter het spookachtige grijs van de heggen lagen. Ze huiverde.

Hij maakte zich bezorgd dat ze het koud had.

'Dat is het niet,' zei ze. 'Het is gewoon dat ik het donker haat. Heb ik altijd al gedaan.'

'Ik ben eraan gewend,' vertelde hij haar, blij dat hij een beetje kon opscheppen. Hij had zich nogal ondergesneeuwd gevoeld door al die machopraat in het restaurant. 'Een derde van mijn tijd rijd ik 's nachts rond. Je ogen raken er na een tijdje aan gewend.'

'Het gaat niet om mijn ogen,' zei ze, 'het gaat om de gedachte aan al die enge dingen die op de loer kunnen liggen. Let er maar niet op. Ik doe gewoon dom.'

'Nou, bij mij ben je veilig,' stelde hij haar gerust. 'Ik zal niet iets op de loer laten liggen of van de weg raken of zoiets.'

'Dat weet ik,' zei ze. 'Je rijdt goed.'

Hij was blij met haar lof. 'Ik doe mijn best.'

'Jij drinkt niet als je moet rijden.'

'Ik heb te veel verkeersongelukken gezien.'

Ze dacht aan Henry die, hoe dronken hij ook was, erop stond te rijden. Ze herinnerde zich meneer Kahn en de vrachtauto in de sloot. Ik ben in veilige handen, dacht ze en ze keek naar die handen. Ze werden in precies de goede positie aan het stuur gehouden. Goede, sterke handen. Haar hersenen begonnen woordspelletjes te doen. Doelgerichte handen. Zullen ze zich op mij richten? Alsjeblieft niet, hoop ik. Ik zal iets moeten verzinnen om hem van me af te houden.

Ze kwamen voor de tweede keer die dag bij de toren aan. Nu

was hij slechts een zwarte kolos met een vaag schijnsel in een van de bovenste ramen.

'Je zuster is nog niet terug, zie ik,' zei hij toen ze uitstapten.

'Mijn zus is in Londen,' vertelde ze hem.

'Maar je was toch met haar mee hierheen gereden?' vroeg hij. Het was een retorische vraag, want hij had hen samen zien aankomen. 'Hoe ga je dan terug?'

'Met de trein, neem ik aan.'

'Dat zal moeilijk worden,' waarschuwde hij. 'Er zijn werkzaamheden op zondagen. Je wordt het hele land doorgesleept in aftandse, oude rijtuigen. Dat gaat uren duren.'

'O, geweldig! Daar zit ik echt op te wachten.'

Ze waren bij de deur. 'Weet je wat,' bood hij aan, 'ik kan je wel terugrijden, als je dat wilt. Dan moet je wel wachten tot de middag, want ik heb tot twee uur dienst, maar als je dat niet erg vindt...'

'Nou, dat is heel aardig,' zei ze; het aanbod klonk heel verleidelijk, maar ze wilde niet dat hij dacht dat ze hem aanmoedigde.

'Het zou me een groot genoegen zijn,' zei hij en hij vroeg zich af of hij haar kon zoenen.

Ze stak de sleutel in het slot. 'Ik kan maar beter naar binnen gaan,' zei ze kordaat. 'Ik wil mijn moeder niet wakker maken. Het is een heerlijke avond geweest.'

'Tot morgen,' zei hij. De deur ging open en ze schoof zachtjes naar binnen. 'Welterusten.' Welterusten, geweldig, fantastisch meisje, morgen zie ik je weer.

Hoofdstuk 13

Hoewel Lucy op haar tenen over de overloop van de eerste verdieping liep en zo stil mogelijk de tweede trap op sloop om haar moeder niet wakker te maken, had ze zich al die moeite kunnen besparen, want Gwen was klaarwakker. Eleanors nieuws had haar zo opgewonden en blij gemaakt, dat het voor haar onmogelijk was de slaap te vatten. Ik word grootmoeder en minnares, dacht ze terwijl ze naast Jeffs warme, vredige gestalte lag, in hun comfortabele tweepersoonsbed. Wat verbazingwekkend! Grootmoeder en minnares. Zelfs de woorden klonken heel bijzonder, net een contradictio in terminis. Dat is allemaal kort achter elkaar gebeurd, in een paar maanden tijd. Wie had dat kunnen denken toen ik afgelopen zomer Gordon verpleegde? Ik zou het zelf ook niet hebben kunnen bedenken. Nu ben ik hier, zo gelukkig dat ik bijna te gelukkig ben. Ik moet oppassen dat ik geen fouten ga maken.

Ze had er al bijna een gemaakt aan het begin van de avond, toen ze Jeff, zodra hij binnenkwam, met het nieuws overviel. 'Moet je nu eens horen. Mijn Eleanor is in verwachting.'

'O ja?' zei hij, maar met zo weinig belangstelling dat ze wist dat ze van onderwerp moest veranderen en ze vroeg waar ze heen gingen.

Hij had voor die avond een ander restaurant gekozen omdat hij er goede dingen over had gehoord en omdat hij vond dat ze aan verandering toe waren. 'We hebben zo veel vis gegeten dat het een wonder is dat we geen schubben krijgen,' zei hij. 'Ik heb wel eens zin in een lekkere, sappige biefstuk.'

Het was een slecht besluit. De biefstuk was taai en haar varkenshaasje was nauwelijks beter ook al probeerde ze te veinzen dat hij goed was. In haar huidige staat van opgewekte tevredenheid maakte het haar niets uit hoe hij was.

Maar Jeff was uit zijn humeur en hij riep de ober om zijn beklag te doen. 'Deze biefstuk is niet goed,' zei hij, 'en dat geldt ook voor de varkenshaas. Haal ze allebei maar weg en breng me het menu.'

De ober leek niet erg verrast en hij bood al helemaal geen verontschuldigingen aan. 'We moeten het u toch in rekening brengen, meneer,' waarschuwde hij.

Jeff richtte zich ogenblikkelijk woedend in volle lengte op. 'Dat doet u helemaal niet,' zei hij.

'Dat is het beleid van het huis, meneer.'

'Rot op met het beleid van het huis. Ga de gerant halen.'

De ober kuierde demonstratief langzaam weg.

'Het geeft toch niet,' zei Gwen. Ze was zich ervan bewust dat de andere dinergasten naar hen keken en ze was bang voor een scène. 'Zo slecht is het eten ook weer niet. Ik vind het niet erg. Ik heb niet zo'n erge trek.'

'Het is verrekte walgelijk,' zei hij, 'en ze hoeven heus niet te denken dat ik ervoor ga betalen.'

De gerant probeerde een andere benadering en hij verzekerde hun dat de biefstuk van het allerbeste Schotse vlees was en dat het varkensvlees een lokaal product was en het beste wat er te verkrijgen was, maar het was vergeefse moeite.

'Kom me niet aanzetten met lokale producten,' zei de boer. 'Daar weet ik alles van. Ik ben een van de inwoners van hier die deze producten maken en deze schoenzool is evenmin als u van hier.'

'Ik verzeker u...' probeerde de gerant.

'Als dat wel zo is, dan heeft u een verschrikkelijk slechte chefkok. Zegt u hem maar namens mij dat ik lappen leer heb gegeten die heel wat lekkerder waren. Kom Gwen, we gaan wel ergens anders heen. Dit is geen plek voor iemand met een verfijnde smaak. En kom me nu niet aanzetten met van die onzin over betalen. U boft nog dat we u niet aanklagen.'

'Natuurlijk, meneer,' zei de gerant in een poging tot sarcasme. 'Geen kwestie van dat u betaalt. Alleen heren betalen.'

Jeff hief zich op in zijn volle lengte, blies zich van woede op en schoof sarcasme en de manager opzij. 'Goed,' zei hij. 'Dat is dan geregeld.'

Ze gingen linea recta naar de Lobster Pot. Maar zelfs daar stond hun een teleurstelling te wachten omdat het restaurant vol zat, hun lievelingstafel bezet was en ze te laat waren voor de *lobster thermidor.*

'Maakt niet uit,' zei Jeff en hij probeerde er het beste van te maken om te laten zien dat hij zich weer in de hand had. 'We nemen wel genoegen met de forel, toch, en we maken er volgende week zaterdag een geweldige avond van om dit goed te maken.'

Ze wilde het graag met hem eens zijn, maar de waarheid stond voor haar op en neer te springen en met seinvlaggen te zwaaien. 'Het spijt me vreselijk,' zei ze, 'maar ik heb Eleanor beloofd om volgende week zaterdag naar Londen te komen. Ze heeft plaatsen voor een matinee besproken en we gaan samen eten voor ik terugrijd.'

'Nou wordt ie mooi!' zei hij en zijn boosheid laaide weer op. 'Waarom moest dat per se op een zaterdag?'

'Omdat ze de rest van de week moet werken. O, kom op Jeff, je maakt niet elke dag mee dat je dochter je vertelt dat ze zwanger is.'

'Godzijdank heb ik zonen, dat kan ik er alleen maar op zeggen. Die groeien rustig op, gaan naar de universiteit, halen hun diploma, vinden een baan. Geen gedoe. Jongens doen niet moeilijk, bezorgen je geen last.'

'Het is geen last,' zei ze. 'Ik vind het heerlijk.'

'Dat weet ik,' zei hij boos. 'Dat is het nou juist. O, goed, ik neem aan dat er niets meer aan te doen is. Als je er maar geen gewoonte van maakt. Wat wil je als dessert?'

Toen ze bij de toren terugkwamen, was alles nog donker op de lamp op de overloop na, dus besloot ze in een dwaze, maar verliefde opwelling hem niet te vertellen dat Lucy bleef logeren. Hij had voor een avond al genoeg teleurstellingen te verstouwen gehad en met een beetje geluk zou ze niet terugkomen voordat zij allang in bed lagen te slapen. Dus de laatste teleurstelling kreeg ze zelf te verwerken en deze kon ze keurig voor zich houden. Het was desondanks een teleurstelling, want het was de eerste keer dat ze de liefde bedreven hadden en ze had niets gevoeld. Maar dat had je nou eenmaal, dacht ze, toen ze erna wakker lag, je kunt niet iedere keer een hoogtepunt hebben en het was eigenlijk ook niet mogelijk, omdat ze wist dat Lucy elk moment kon thuiskomen. Op den duur zou het niet uitmaken. Het was maar één nacht van vele. Wat belangrijk was, was dat ze minnaars waren en dat ze grootmoeder zou worden.

Ze viel plotseling in slaap, alsof ze in een diep gat viel, en ze werd in één adem door een nachtmerrie in geworpen. Ze was weer in Fulham Gordon aan het verplegen; hij klaagde en kreunde en was zo zwaar dat ze hem niet kon vertillen, hoe hard ze dat ook met veel gesjor en met grote krachtsinspanning probeerde, omdat ze bang was dat hij zou gaan doorliggen. De meisjes waren ook in huis en ze waren nog klein, ze hadden meer aandacht nodig dan ze hun kon geven, ze vielen en ze schaafden hun knieën, en ze brulden het uit nadat ze van de schommel waren gevallen of ruzieden over een beer die Pete's knappe gezicht had. Ze schrok wakker toen ze de beer in tweeën scheurden en een paar angstige seconden lang kon ze niet bedenken waar ze was. Toen hoorde ze de zee, zag het daglicht door haar raam naar binnen stromen en ze realiseerde zich dat het vrij laat was. Jeff was weg; hij had een van zijn briefjes op de toilettafel achtergelaten. *6 uur 's ochtends. Bewolkt. Bel je later.* Het klonk een beetje koel, maar ze had geen tijd om erover na te denken omdat ze kon horen dat Lucy in de keuken met kopjes in de weer was.

'Wat moet je wel van me denken?' vroeg ze toen ze beneden kwam. 'Zo lang door te slapen.'

'Ik ben zelf ook net op,' deelde Lucy haar mee. 'Er is thee.'

Gwen richtte haar gedachten op een urgenter probleem. 'Hoe ga je terug naar Londen?' vroeg ze terwijl ze thee inschonk. 'Ga je met de trein?'

'Neil heeft aangeboden me met de auto te brengen.'

'Dat is aardig,' zei Gwen. 'Hoe laat komt hij je halen?'

'Half drie,' zei Lucy. 'Als zijn dienst erop zit.'

Het werd inderdaad half drie en ze sloeg zich er met zo'n aplomb doorheen dat haar moeder noch haar begeleider er enig idee van had door welke twijfels ze werd geplaagd nu ze allemaal in het nuchtere daglicht stonden en Eleanor er niet was om te irriteren. Hoe het ook zij, besloot ze, hij mag het niet in zijn hoofd halen te denken dat dit meer dan vriendschap is.

Dus zorgde ze ervoor dat ze de hele weg vrolijk met elkaar kletsten en ze liet niet toe dat het gesprek op enig moment persoonlijk werd. Ze bespraken films, ze vertelde hem dat Eleanor haar moeder had uitgenodigd voor een matinee in een theater en ze praatten over de slechte kwaliteit van de voorstellingen in West End.

Hij voelde zich terneergeslagen toen hij zich realiseerde hoeveel voorstellingen zij al gezien had en hoe kosmopolitisch ze was. Maar hij zette dapper door en hij probeerde er een grapje over te maken. 'Is er iets wat je niet hebt gezien?' vroeg hij.

'Niet veel,' zei ze luchtig. 'Behalve *Les Misérables.* Ze zeggen dat hij heel goed is.'

Hij maakte er in gedachten een aantekening van. 'Ik neem aan dat je van de zomer wel eens naar Chichester komt,' zei hij. 'Ze zeggen dat de voorstellingen daar ook behoorlijk goed zijn.'

Als ik ja zeg, biedt hij aan me ermee naar toe te nemen, dacht ze en ze ontliep die mogelijkheid door van onderwerp te veranderen. 'Daar is een supermarkt. Vind je het erg om daar even te stoppen?'

Ze kocht zo veel verse spullen, dat ze er een week mee kon doen, en toen ze in Battersea aankwamen, moesten ze die samen naar de deur brengen. Tegen de tijd dat ze haar sleutel in het slot had gestoken, stonden Helen en Tina vanuit de erker toe te kijken.

'Dat is het,' zei hij en hij zette de laatste twee tassen neer. Hij aarzelde. 'Ik neem aan dat je gauw weer eens naar Seal Island toekomt?'

'O ja,' zei ze luchtig. 'Vast wel.'

'Volgend weekend?' zei hij hoopvol.

'Nee. Dan niet. Mam komt dan hierheen. Dat heb ik je verteld.'

Hij nam van teleurstelling zijn toevlucht tot stijve vormelijkheid, de enige verdediging die hij kende. 'Goed,' zei hij. 'Ik moet maar weer eens gaan.' Hij vertrok snel.

'Wie was dat?' wilde Tina weten.

'Een kennis van mijn moeder,' vertelde Lucy haar.

'Zie je wel,' zei Tina tegen Helen. 'Dat zei ik je toch. Ik wist dat hij niet de moeite waard was om het bed in te krijgen.' Ze legde uit: 'We doen een weddenschap.'

Lucy pakte de sla uit. 'Je verdoet je tijd. Dat is het niet.'

'Hij is homo. Is dat het?'

'Heel goed mogelijk,' zei Lucy. Het was heel aannemelijk en het zou veel verklaren – de vriendelijkheid, het ontbreken van een vriendin, de oude-jongens-krentenbrood-sfeer in het Indiase restaurant, de nogal afstandelijke houding. Alles behalve dat er niet gezoend werd. Alle homo's die ze kende, waren erg zoenerig aangelegd. Maar dat is typisch iets voor Londen, en verschillen moeten er zijn.

*

Terug op Seal Island benutte Gwen de middagzon ten volle; ze ging hard aan het werk in haar tuin met Jet op haar lievelingsplekje op het dak van het bijgebouw. Jeff zat nogal ongedurig op haar nieuwe tuinbank.

'Hoe lang ga je nog door?' vroeg hij.

'Nog vijf minuten,' verkondigde ze terwijl ze zich bukte om onkruid uit te trekken. 'Waarom? Krijg je trek?'

'Dat zou je wel kunnen zeggen,' zei hij en hij daagde haar met zijn ogen uit. 'Waarom kom je niet hierheen om mij eens een zoen te geven?'

'Ik zit onder de modder,' waarschuwde ze.

'Dat kan me niet schelen.' Hij trok haar op zijn schoot en zoende haar lang en lekker. 'Zo, dat is beter,' zei hij toen ze eindelijk ophielden. 'Nu heb je er zin in. Dat was afgelopen nacht niet het geval, toch?'

Ze raakte van de wijs dat ze zo'n open boek was geweest. 'Hoe wist je dat?' Had hij daarom zo'n koel briefje achtergelaten?

'Je was te stil.'

'De gedachte aan Lucy...'

'Hoe eerder die meiden aan ons gewend raken, hoe beter,' zei hij scherp. 'Je moet ze niet laten denken dat ze jouw leven kunnen bepalen.'

Ze aanvaardde de berisping en ze besloot er een grap van te maken door te salueren alsof hij een officier was. 'Ja, meneer. Ik zal zien wat ik de volgende keer kan doen, meneer.'

'Weet je wat,' zei hij en keek haar met een lome glimlach aan. 'Laten we kijken wat we nu kunnen doen.'

Dus lieten ze kat en tuin achter om zich met elkaar bezig te houden.

*

Eleanor bracht al haar professionele vaardigheden in het geweer voor haar moeders bezoek aan Chelsea. De flat was brandschoon en buitensporig verlicht, brochures voor meubilair en toebehoren waren op de eettafel op volgorde uitgespreid met ernaast stalen gordijnstof als een spel kaarten uitgewaaierd; precies in het midden lag de tekening van de nieuwe babykamer ter inzage en deze werd door witte geurkaarsen op zijn plek gehouden.

Op het eerste gezicht dacht Gwen dat het een altaar was. Ze raakte altijd gedesoriënteerd als ze die schittering van al dat wit met chroom binnenliep. Het was zo ruim en onpersoonlijk, meer een kliniek dan een thuis. Ze voelde zich er niet op haar gemak en ze wist nooit hoe ze moest reageren. Nu stond ze bij de deur in haar zwart met paarse cape en haar gekke hoed op, als een asielzoekster in een vreemd land, en ze vroeg zich af waarom ze erin had toegestemd te komen.

Gelukkig merkte Eleanor haar ongemakkelijke gevoel niet op. 'Geef mij je jas maar,' zei ze en ze stak haar hand uit om hem aan te nemen, 'dan zal ik je er alles over vertellen. Alles staat al klaar.'

Op dat moment besefte Gwen dat ze was uitgenodigd voor een presentatie en ze merkte dat haar koele dochter gloeide van opwinding. Daardoor begon ze zich beter te voelen: een overmaat aan gevoel was te verkiezen boven helemaal geen gevoel.

'Het leek me het beste je eerst rond te leiden,' zei Eleanor. 'Om de boel te verkennen, om zo te zeggen, en dan kunnen we daarna op de details ingaan. Aan deze kant komt de badkamer, met een mooie boog die ernaartoe leidt. Ik weet hoe dol je op bogen bent. Er zal voldoende ruimte zijn voor bedden en ledikantjes en zo. Natuurlijk komen er vaste kasten. Zoveel gemakkelijker – vind je ook niet? Je hebt er zoveel meer ruimte door. In deze hoek komt een kitchenette, voor de flesjes en kopjes thee en zo. Wat vind je ervan?'

Gwen vond het allemaal nogal overdreven, maar ze hield haar mening voor zich en ze zei dat het verstandig klonk.

'Dat dacht ik ook,' zei Eleanor gedecideerd. 'Kom mee naar de eetkamer, dan laat ik je het meubilair zien. Ik dacht aan een witte badkamer. Veel hygiënischer. Vind je deze tegels niet schitterend?'

Persoonlijk vond Gwen ze verschrikkelijk gewoontjes maar ze slaagde erin iets positiefs te zeggen. 'Wit is altijd schoon,' zei ze terwijl ze met haar ogen knipperend het blinkende wit om haar heen bekeek. 'Welke kleur krijgen de gordijnen? Baby's houden wel van een kleurtje.'

Maar de enige kleur die Eleanor in gedachten had, was een streepje bleekgroen in een gordijnstaal en mogelijk een klein bleekgroen werkje in een of twee badkamertegels. 'We moeten niet overdrijven.'

Gwen dacht aan de mobile die zij had gemaakt toen Eleanor nog een baby was: helder rood, blauw, geel en groen. Hij had boven haar bedje gehangen en telkens wanneer ze hem zag, had ze gegild van verrukking. Zelfs Gordon had zijn goedkeuring eraan gegeven.

'Wat vind je ervan?' vroeg Eleanor.

Ze zag er zo gespannen uit dat Gwen loog. 'Het ziet er allemaal mooi uit.'

Eleanor zuchtte van opluchting. 'Ik ben zo blij dat je het mooi vindt. Ben ik iets vergeten? Heb ik ergens niet aan gedacht?'

'Nee,' zei Gwen en vroeg toen: 'Wat vindt Pete ervan?'

'O, hij heeft het nog niet gezien,' zei Eleanor en het kostte haar grote moeite dit op luchtige toon te zeggen.

'Is hij nog steeds weg?'

'Ja. Hij doet een voice-over in Los Angeles of zoiets. Hij zegt dat hij op tijd terug zal zijn voor het vuurwerk bij De Quincy maar daar reken ik niet echt op.'

Vandaar dat ze zo gespannen is, dacht Gwen. Ze mist hem, het arme kind. 'Het wordt hoog tijd dat hij thuiskomt,' zei ze. 'Zeg hem dat maar namens mij. Je hebt verzorging nodig als je in verwachting bent.'

'O, toe nou!' zei Eleanor. 'We hebben het toevallig wel over Pete. Wanneer heb ik hem ooit iets kunnen opleggen?' Door deze vraag welde een vlaag van verdriet op. Kwam hij maar thuis. Als ze het hem maar kon vertellen. 'Tijd voor een borrel,' zei ze kordaat, 'en dan gaan we naar het theater.'

*

Lucy had besloten dat ze die avond weer naar de club zou gaan. Het was op het werk een verschrikkelijke week geweest en ze had lawaai en gekke dingen om zich heen nodig om weer een beetje bij te komen. Ze had zich lekker laten gaan in haar kleding: een zwarte haltertop, korte oranje rok en bergschoenen. Ze had oranje kleurstof op haar haar gespoten en haar lippen in dezelfde kleur gestift. Ze was bezig haar wangen op te fleuren met glitter terwijl ze ondertussen wat tegen haar kamergenoten riep boven het lawaai van de radio uit, toen de telefoon ging.

'Ja?' riep ze en ze drukte haar vingers tegen haar rechteroor. 'Met wie spreek ik?'

'Met mij,' zei Eleanors stem. 'Ik heb een geweldige middag gehad. Het ging erg goed. Ze vindt het leuk.'

Lucy was erg verbaasd. 'Heeft ze toegestemd?'

'Nou, niet met zoveel woorden. Maar zo goed als. Ik bedoel: we hoefden het niet expliciet uit te spreken. Ze was er erg blij mee. Zei dat het prachtig was. Goed hè?'

'Ongelofelijk,' beaamde Lucy. 'Moet je horen, ik kan nu niet praten. Ik sta op het punt om weg te gaan. Bel me morgen.'

'Zal ik doen,' zei Eleanor blij. En ze hing op.

Lucy ging door haar gezicht op te maken en ze voelde zich een beetje overrompeld door zo'n gemakkelijke overwinning. Ze was echter nog maar net met haar rechteroog begonnen, toen de telefoon weer ging. 'Nu niet, Eleanor,' riep ze in de hoorn. 'Ik sta op het punt weg te gaan. Dat heb ik al een keer gezegd.'

In de stilte klonk een ademhaling. Toen zei een onbekende stem aarzelend: 'Eh – hum – kan ik Lucy MacIvor spreken, alstublieft?'

'Met wie spreek ik?' zei Lucy schril, maar terwijl ze dat zei, herkende ze hem. 'Ben jij dat, Neil?'

De stem klonk nog steeds aarzelend. 'Kan ik Lucy spreken?'

'Daar spreek je mee.'

‘O. Neem me niet kwalijk. Ik herkende je even niet. Ik hoop dat dit niet het verkeerde moment is. Maar ik heb twee kaartjes voor *Les Misérables* en ik vroeg me af of je er met me mee naar toe zou willen gaan.’

‘Wat zeg je?’

Hij herhaalde wat hij had gezegd.

‘Lieve hemel!’ zei ze. ‘Voor wanneer? Je moet harder praten. Ik kan je nauwelijks verstaan.’

‘Volgende week vrijdag.’

Lucy was er niet zeker van of ze nog een afspraak met hem wilde, maar de gedachte *Les Misérables* te kunnen zien, was verleidelijk. Ze had rust noch tijd voor een lang gesprek of om het zorgvuldig te overwegen, en bovendien, als hij homo was, liep ze geen enkel risico. ‘Goed,’ riep ze. ‘Ja. Dat vind ik leuk. Bel me morgen.’

‘Wie was dat?’ riep Helen.

‘Mijn homo-politieagent,’ riep Lucy terug. ‘Hij heeft kaartjes voor *Les Misérables*.’

‘O, die!’ zei Helen en ze verloor haar belangstelling. ‘Geef ons ook wat van die glitter, alsjeblieft.’

*

Tegen de tijd dat Gwen die avond in de toren thuiskwam, voelde ze zich behoorlijk afgemat. Het was een opluchting haar schoenen uit te kunnen trekken, haar voeten in slippers te kunnen laten glijden en op de bank te kunnen ploffen. Daar raak je emotioneel versleten van, dacht ze, terwijl Jet op haar schoot sprong om haar te verwelkomen. Het was een hels karwei de juiste dingen te bedenken om te kunnen zeggen. Het had haar verbaasd haar zelfverzekerde oudste dochter zo onrustig aan te treffen, piekerend over gordijnen en toebehoren, terwijl ze voortdurend behoefte had gehad aan haar goedkeuring. Het is niets voor haar om onzeker te zijn, dacht ze. De baby moet meer voor haar betekenen dan ze laat blijken. Maar ik heb mijn plicht gedaan en nu kan ik doorgaan met alle andere dingen die ik moet doen, zoals de kat laten helpen en de bloembedden beplanten en de toren opknappen.

De woensdag erop begon het werk aan het portiek en de volgende ochtend kwam er een brief van de gemeenteraad met de mededeling dat haar aanvraag het bijgebouw om te bouwen tot garage in overweging was genomen en met het verzoek de bijgesloten aankondiging met de aanvraag voor een bouwvergunning op een goed zichtbare plek op te hangen.

Ze prikte het opzichtige oranje plakkaat aan de buitendeur van het bijgebouw, blij met de gedachte dat haar plannen zo goed verliepen. 'Niet dat iemand dit hier ook maar zou zien,' zei ze tegen Jeff. 'Ik zit veel te ver weg van het dorp. Geen mens die er belangstelling voor heeft.'

Hoofdstuk 14

De gemeenteraad van Seal Island kwam plichtsgetrouw elke eerste maandag van de maand in het nieuwe stadhuis bijeen, ongeacht of er iets te bespreken viel of niet. Het was – althans, het beschouwde zichzelf zo – een verheven gezelschap, bestaande uit een voorzitter en acht raadsleden, van wie er vier waren overreed zich kandidaat te stellen en vervolgens prompt werden gekozen – in een echte bonafide verkiezing bovendien, ook al was het opkomstpercentage slechts elf procent geweest. De rest was gecoöpteerd uit vrienden en verwanten. Omdat ze onder aan de electorale ladder stonden, zowel vanwege die belachelijke stemming als vanwege de geringe invloed die hun debatten over het algemeen hadden, hielden ze zich vanzelfsprekend nauwgezet aan het protocol: ze letten er zorgvuldig op dat ze via de voorzitter het woord namen en dat ze om hoofdelijke stemming vroegen bij elke kwestie waarvoor ook maar in de verste verte de mogelijkheid bestond dat er een stemming vereist was. Zo deden ze allemaal, dat wil zeggen, behalve mevrouw Agatha Smith-Fernley.

Zij ging haar eigen gang in de gemeenteraad, net zoals ze dat deed in Ye Daynty Tea Shoppe, ventileerde haar mening met haar doordringende stem en ze dwong gehoorzaamheid af met het overwicht van een Centuriontank. De voorzitter was doodsbenauwd voor haar, hoewel hij zijn uiterste best deed onpartijdig over te komen. Hij was een kleine, parmantige man met een zachte stem, die eruitzag als een ouderwetse bankdirecteur. In werkelijkheid was hij echter de plaatselijke bloemist geweest, tot hij met pensioen was gegaan. Als meneer Perkins, zonder enige titulatuur, kon hij niet tegen mevrouw Agatha Smith-Fernley op.

Op die ene maandagavond voelde hij zich erg tevreden over zichzelf omdat de raad twee nieuwe bouwaanvragen moest bespreken en omdat dit het enige gebied was waarop ze in plaatselijke aangelegenheden echt invloed konden uitoefenen, werd het belang van de avond tot plezierige hoogte verheven.

'Punt vier op uw agenda, dames en heren,' kondigde hij gelukzalig aan. 'Aanvraag van mevrouw Barnes voor het omhalen van een zieke iep in haar voortuin. Ik neem aan dat we hiermee instemmen.'

Dat deden ze, maar het kostte tien minuten voordat ze erover hadden gestemd en konden doorgaan naar punt vijf.

'Bouwaanvraag van mevrouw MacIvor van de Westtoren,' zei de voorzitter, 'voor toestemming tot het ombouwen van haar bijgebouw plus tuinschuur tot een garage met een verharde oprit voor twee auto's.'

'Ik vind dat we dit heel zorgvuldig onder de loep moeten nemen,' bulderde mevrouw Smith-Fernley. 'Het gaat hier om meer dan een eenvoudige tuinschuur.'

Teresa O'Malley begreep dat de aanvraag afgewezen diende te worden. 'Als je het al een tuinschuur kunt noemen, meneer de voorzitter,' zei ze, 'en dat doe ik niet, want dat is om te beginnen een verkeerde benaming. Een uiterst verkeerde benaming. Het is een gebouw van vuursteen en baksteen met een verdieping, dat is het, en het is in de verste verte geen schuur te noemen.'

'Precies,' zei haar mentor goedkeurend. 'Maar waar het om gaat, is dat het een provocatie is.'

Het woord deed bij ieder om de tafel de alarmbel rinkelen – behalve bij de oude mevrouw Gallagher, die met haar kin op de borst in slaap was gevallen en die opgewekte pufgeluidjes in haar lamswollen trui maakte.

'We moeten goed bedenken, meneer de voorzitter,' ging mevrouw Smith-Fernley door, 'dat deze – eh – mevrouw MacIvor een nieuwkomer is. Ze kent onze gewoontes niet en daarbij komt, wat veel erger is, ze heeft niet de geringste poging ondernomen erachter te komen welke die zijn. Niet de geringste poging. Ze denderde over die arme meneer Makepeace heen in de kwestie van die inbouwkeuken. Weigerde de arme man te betalen. Dat is niet de manier waarop wij in dit dorp met elkaar omgaan, dat ben u toch zeker wel met me eens.'

O, dat waren ze, voor honderd procent.

'Ik zal niet ingaan op de geruchten dat ze een heks is,' zei mevrouw Smith-Fernley grootmoedig, 'hoewel er heel wat in omloop zijn, geloof ik.'

'Ze heeft de zoon van mevrouw Gurney verteld, dat ze er een was,' meldde juffrouw O'Malley. 'Zonder omwegen. U kent jonge Kevin, de postbode. "Ik ben een heks," zei ze tegen hem. Kunt u zich dat voorstellen? En ze heeft de merkwaardigste dingen op haar computer. Kevin zag ze laatst nog op een ochtend. Vreemdsoortige kaarten vol occulte tekens. Mevrouw Gurney heeft het me verteld. Als je het mij vraagt, is dat vreemd en duister. Vreemd en duister. Hij was er helemaal van de kaart van, die arme jongen. En ze heeft een zwarte kat.'

Meneer Perkins probeerde onpartijdig te zijn. 'Ik zie niet in wat de – laten we zeggen, neigingen – van deze dame te maken hebben met haar aanvraag,' zei hij. 'Daar gaat de discussie over.'

'Natuurlijk, meneer de voorzitter,' zei mevrouw Smith-Fernley en ze glimlachte minzaam naar hem. 'Het punt waar we rekening mee moeten houden, is de invloed van dit voorgestelde bouwproject op de omgeving. Ik moet wel zeggen dat ik vind dat we het op grond van de volgende artikelen moeten afwijzen. Dat het een onrechtmatige verandering van bestemming is. Nummer 35. Dat het de omgeving schade kan toebrengen. Nummer 97. Dat het de verkeersonveiligheid vergroot. Nummer 68. Dat het een slecht precedent zou vormen. Nummer 102. Op zichzelf kan het best een betrekkelijk onschuldige verandering lijken te zijn, maar we moeten niet alleen rekening houden met de invloed ervan op de huidige omgeving, waarvan het onze plicht is deze te beschermen, maar ook met toekomstige aanvragen, die wel eens ontelbaar zouden kunnen zijn.' Ze spreidde haar beringde handen uit op het groene kleed met de houding van iemand die haar oordeel al heeft geveld.

'Ik open het debat,' kondigde meneer Perkins aan. Hij merkte dat mevrouw Gallagher in slaap was gevallen. 'Zou u – eh?' gaf hij haar buurman een wenk.

De dame schrok wakker. 'Ik hang mijn was altijd op maandag buiten,' zei ze.

Het was een lang en heftig debat, waarin alle zonden van mevrouw MacIvor uitgebreid de revue passeerden; uiteindelijk werden alle vier de bezwaargronden van mevrouw Smith-Fernley in stemming gebracht en ze werden met algemene stemmen aangenomen.

'En nu,' zei meneer Perkins, die een verontrustend vermoeden onderdrukte dat ze wellicht niet helemaal onpartijdig waren geweest, 'resteert ons nog alleen punt 6: de voorbereidingen voor het jaarlijkse vuurwerk. Ik moet zeggen dat het ernaar uitziet, dat dit het beste gaat worden wat er ooit is geweest.'

'De posters zijn al opgehangen,' rapporteerde meneer Vetch tevreden.

'Dat heb ik gezien,' zei meneer Perkins, 'en ze vallen goed op, vinden jullie ook niet?'

*

De posters waren Gwen die ochtend opgevallen toen zij de hoofdstraat af liep om een van die lekkere, verse, ronde boerenbroden bij de bakker te gaan kopen. Misschien kan ik de meisjes uitnodigen, dacht ze. Als het me lukt ze allebei hier voor een weekend te krijgen, zou het wel eens gemakkelijker voor hen kunnen zijn om in het reine te komen met het feit dat Jeff blijft slapen; en een vuurwerkfeest zou daar zeer geschikt voor kunnen zijn. We gingen daar nooit naar toe toen ze klein waren. We stonden dan alleen maar in de woonkamer bij elkaar met sterretjes in onze handen en dat was helemaal niet leuk. Ze dacht aan Gordon, hoe hij zijn snor gladstreek en hen met zijn goedkeuring onder de duim hield. Ze kon zijn stem horen: 'Dit is toch veel beter, meisjes? Wij willen toch niet met een hoop eng vuurwerk aanklungelen. Eng en gevaarlijk, dat is vuurwerk.' Nu kunnen ze aanklungelen waarmee ze maar willen, dacht ze. Ik vraag me af of er een vreugdevuur is.

'Jazeker,' vertelde de bakker haar. 'We hebben altijd een vreugdevuur. Heel groot. Ze zijn het dagen van tevoren al aan het opbouwen. Vlak bij de zee. Al het oude hout van de boerderijen en bouwplaatsen. Mensen komen van overal uit het dorp hout brengen. Echt heel groot. Als hij is aangestoken, kun je hem van kilometers ver zien.'

Alle oerelementen bijeen, dacht Gwen terwijl ze het zich probeerde voor te stellen. Aarde, lucht, vuur en water. Ze pakte haar brood aan en zei: 'Dat klinkt geweldig.'

Die avond wachtte ze tot haar dochters allebei thuis van hun werk zouden zijn en belde toen om het hun te vertellen.

Lucy wist er al van. 'Neil heeft het me verteld,' zei ze, 'toen we naar *Les Misérables* gingen. Hij zei dat het spectaculair zou zijn.'

Gwen voelde zich bemoedigd. 'Daar kan hij wel eens gelijk in hebben,' zei ze. 'Het brengt een hoop opwinding met zich mee. Wat denk je ervan? Kom je hierheen?'

'Misschien wel,' zei Lucy. Ze had eigenlijk al bijna een besluit genomen. Ze had niets beters te doen en haar geweten knaagde omdat ze hem direct na de voorstelling naar huis had gestuurd. Ze hadden een geweldige avond gehad en ze had hem als tegenprestatie op z'n minst eens kunnen uitnodigen om een kop koffie te komen drinken. Hij had bovendien geen druk op haar uitgeoefend. Hij had niet eens toespelingen gemaakt. 'Hangt ervan af hoe het op het werk is.'

'Neem een avond vrij,' raadde haar moeder haar aan. 'Je werkt te hard en ik zou je dolgraag willen zien. Ze hebben een vreugdevuur.'

Daar moest Lucy om lachen. 'Nou, dat geeft de doorslag,' zei ze. En ze plaagde: 'Jij ook met je vreugdevuren!'

'Dan zie ik je volgende week vrijdag,' zei Gwen. En ze belde haar oudste dochter op.

Eleanor klonk alsof ze overal genoeg van had, wat zielig was, omdat ze zo opgewonden was geweest over de kinderkamer. 'O,' zei ze vlak, 'ben jij het.'

'Bel ik ongelegen?' vroeg Gwen bezorgd.

'Nee, nee. Dat is geen punt. Ik hoopte alleen dat het Pete zou zijn.'

'Is hij nog steeds weg?'

'Ja,' zei Eleanor, 'en ik krijg er genoeg van. Maar,' probeerde ze haar stem opgewekter te laten klinken, 'je zult het leuk vinden om te horen dat ze goed opschieten met het kinderappartement. De kitchenette is vanmorgen geplaatst. Het is nu een beetje een rotzooi, maar je kunt al zien hoe het gaat worden. Tegen het eind van volgende week zou alles klaar moeten zijn om door jou te worden geïnspecteerd. Wat vind je daarvan?'

'Guy Fawkes-dag,' zei Gwen. 'Daar bel ik juist voor.' En ze legde het uit.

'Nou, dat is een leuk idee,' gaf Eleanor toe, 'maar dan heb ik het feestje van De Quincy. Dat heb ik je verteld.'

Dat was Gwen vergeten. 'Ja, dat heb je me inderdaad verteld.'

'Waarom kom je niet hierheen?' stelde Eleanor voor. 'Tegen die tijd is het appartement klaar en ik weet zeker dat ik een uitnodiging voor je los kan peuteren. Het is meer een feest dan vuurwerk, maar ze houden er een op Clapham Common en dat gaan we vanuit de zitkamer bekijken.'

'Ik moet zeggen dat me het niet erg aantrekt,' zei Gwen eerlijk. 'Ik ken er niemand en bovendien ben ik niet zo gecharmeerd van jouw mademoiselle De Quincy. Nooit geweest. We kunnen vast niet met elkaar opschieten.'

'Ze is het Grote Witte Opperhoofd.'

'Dat weet ik. En een beetje te veel van het goede, als je het mij vraagt. Kun je haar niet vertellen dat je naar een familiefeestje gaat op Guy Fawkes-avond?'

'Ze zou me ontslaan,' zei Eleanor en dat was maar voor de helft als grap bedoeld. 'Ik kan het me niet veroorloven werkeloos te zijn. Niet met mijn hypotheek en de kinderkamer waar ik nog voor moet betalen en zo. Mijn baan is belangrijk voor me. Heel belangrijk.'

'Ik hoop dat je haar dat niet vertelt,' zei Gwen. 'Als je baan te belangrijk is, krijgen meerderen het gevoel dat ze je in de tang hebben. Ze hebben je vader een hondenleven bezorgd.'

'Ze hebben ons in de tang, neem dat maar van me aan,' zei Eleanor neerslachtig. 'Zo werkt het zakenleven nu eenmaal.'

Ze klonk zo afgemat, dat Gwen besloot haar niet onder druk te zetten. 'Kop op, kindje,' zei ze. 'Hij komt uiteindelijk heus wel thuis.'

Maar dat is juist het probleem, dacht Eleanor terwijl ze de telefoon neerlegde. Hij komt heus wel thuis en dan heb ik het hem nog steeds niet verteld en hij zal meteen zien hoe het met me gesteld is. Dat kan hem nauwelijks ontgaan. Zelfs mijn gezicht wordt nu dik. En wat gaat er dan gebeuren? Op momenten dat ze eerlijk tegenover zichzelf was, moest ze toegeven dat het laf en dom van haar was geweest het hem niet meteen in het begin te vertellen. Maar hoe langer de situatie duurde, des te moeilijker werd het te bepalen wat ze moest doen. Ik zou de volgende keer dat hij belt iets moeten zeggen, dacht ze. Maar ze had er geen idee van wat ze dan moest zeggen. Ze stond besluiteloos voor de spiegel naar haar misnoegde gezicht te staren en ze probeerde de ergste rimpels die haar voorhoofd ontsierden, weg te strijken. O, waarom is het leven zo ingewikkeld? vroeg ze zich treurig af. Ik heb het met mama geregeld en ik heb de kinderkamer laten bouwen, maar nu is dit punt er nog steeds. Ik wed dat hij in de Verenigde Staten de tijd van zijn leven heeft. Ik wed dat hij in geen weken aan mij heeft gedacht.

*

Maar dat had ze mis. Pete maakte een uiterst moeilijke tijd door en hij had op spannende momenten de afgelopen twee weken dag en nacht aan haar gedacht.

De voice-over was een nachtmerrie geweest. Het was vanaf de eerste dag misgegaan, toen de producer verzocht had om 'zo'n bekakte Engelse stem, met afgemeten uitspraak, begrepen?'. Vervolgens had deze, in plaats van hem zijn gang te laten gaan, zich er om de andere zin mee bemoeid en erop gestaan dat het Engelse accent werd gecombineerd met een Amerikaanse woordkeus. Tegen de tijd dat het werk erop zat, was het volkomen grotesk geworden. Maar toen het voorbij was, kon Pete dit tenminste achter zich laten als een van de irritaties die zijn werk met zich meebracht.

Geld vinden om zijn enorme lening te financieren, was veel moeilijker. Hij had afgelopen week nog een e-mail van zijn Londense bank gekregen waarin hem werd meegedeeld dat de eerste maandelijkse terugbetaling van zijn tweede hypotheek 'enigermate achterstallig' was. Hij mailde onmiddellijk terug om hen te verzekeren dat de betaling onderweg was en dat het niet om doelbewuste nalatigheid ging, maar het was een afgrijselijk ogenblik. Zelfs als hij al zijn pasverdiende geld bij elkaar legde, kon hij nog maar net de eerste terugbetaling doen en de volgende termijn kwam al met opengesperde kaken op hem afstevenen. Er was niets aan te doen. Hij zou de flat moeten verhuren en bij Eleanor moeten intrekken.

De gedachte aan samenwonen bij Eleanor stak hem een hart onder de riem. Wat ze ook voor meningsverschillen hadden – en ze hadden zo hun meningsverschillen gehad, maar bij wie zou dat na al die tijd niet zo zijn? – ze steunde hem altijd als hij terneergeslagen was. Nou ja, niet terneergeslagen. Hij stond het zichzelf nooit toe terneergeslagen te zijn. Een beetje uit zijn doen, misschien. Hoe dan ook, het zou fijn zijn haar weer te zien, samen te eten, een fles sjampie, goede seks, wakker worden in haar mooie, koele flat met alles netjes op orde. Ja, besloot hij, dat zou hij doen. De flat te huur zetten en bij Eleanor gaan wonen.

Die middag stelde hij in zijn hotelsuite in New York een gloedvolle beschrijving op van zijn 'schitterende penthouse in Londen, een domicilie voor iemand uit de internationale elite, per direct beschikbaar'. Toen maakte hij een aantal kopieën voor zijn nieuwe maatje, de junior accountant, om ze op de mededelingenborden van het bedrijf op te hangen en nog eentje om via de e-mail rond te sturen en hij wachtte de resultaten af.

Gelukkig lieten die niet lang op zich wachten. De volgende dag had hij tegen twaalf uur vier antwoorden ontvangen en met name één ervan, een telefoontje van ene Walter B. Hackenfleur II, die zei dat hij de president was van een dochtermaatschappij die gelieerd was aan het 'moederbedrijf', was dringend en veelbelovend. 'Zou precies kunnen zijn waar ik naar op zoek ben,' verklaarde hij. 'Mijn vrouw en ik vliegen volgende week maandag naar Engeland en we verblijven liever in ons eigen appartement dan in een hotel. Maar dat is, denk ik, nogal op erg korte termijn.'

'Geen probleem,' verzekerde Pete hem.

'Wat is de huurprijs?'

Pete vroeg het volledige bedrag van zijn maandelijkse hypotheek-betalingen plus nog tweehonderd dollar voor onkosten. Na een zenuwslopende pauze waarin meneer Hackenfleur nadacht, werden de voorwaarden geaccepteerd, 'voor een kalendermaand om te zien hoe het ons bevalt, en als het ons bevalt, voor nog eens twee maanden. Wat vind je daarvan?'

Pete was misselijk van opluchting. Het was een godsgeschenk.

Maar de worsteling om zichzelf naar voren te schuiven als een van de mogelijke directeuren in het bedrijf dat na de overname zou ontstaan, begon steeds vergeefser te worden. Hij had zo vaak bedekte toespelingen in zoveel dovemansoren gefluisterd, dat hij de moed begon te verliezen. Ik loop nog één feest af, besloot hij, en dan boek ik een vlucht naar huis. Deze suite is nu gewoonweg een rib uit mijn lijf. Het helpt me geen steek verder. Ik moet toch al binnenkort in Londen zijn om meneer Hackenfleur de flat binnen te laten.

Dus hechtte hij weinig belang aan de boodschap op zijn antwoordapparaat van 'het kantoor van J. T. R. Johnson', met een uitnodiging voor een lunch. De naam zei hem niets en na zo veel teleurstellingen hoopte hij op niet meer dan het aanbod voor weer een opdracht als model. Het was echter een gerenommeerd restaurant en hij had niets anders te doen, dus nam hij de uitnodiging aan en zorgde ervoor een kwartier te laat te komen.

Zijn gastheer zat er al en stond op om hem te begroeten. Pete herkende hem: de dronkenlap in de keuken van Catherine. Tom Johnson, niemand minder dan de vice-voorzitter van J. R. Grossman.

'Fijn dat u kon komen,' zei hij toen ze elkaar een hand gaven. 'Wat wilt u drinken?'

De maaltijd nam een aanvang na uitvoerige bestudering van het menu en de wijnlijst, er werden aangename opmerkingen over en weer geplaatst en het eten werd becommentarieerd, maar pas toen de trolley met zoetigheden was weggerold, begon het zakelijke gedeelte van hun ontmoeting in ernst.

'Nu, Pete,' zei meneer Johnson en hij stak een sigaar op. 'Ik heb een paar vragen aan je. In vertrouwen, begrijp je.'

Pete trok een keurig nietszeggend gezicht.

Meneer Johnson blies sigarenrook zijdelings zijn mondhoek uit. 'Om je de waarheid te zeggen, Pete,' zei hij, 'en ik geloof in de waarde van het zeggen van de waarheid, dat is altijd mijn motto geweest in het bedrijf; mijn motto. Ik heb een paar allemachtig rare geruchten over jouw bedrijf gehoord.'

'O ja?'

Meneer Johnson leunde voorover over de tafel. 'Zeg eens, Pete – in vertrouwen, begrijp je – wat vind jij nu eigenlijk van Lord Fossway?'

Pete trok zijn eerlijkste gezicht. 'Dat is een prima kerel,' zei hij loyaal. 'Veel ervaring. Hij zit al een kwart eeuw bij de zaak. Kent onze geschiedenis van binnen en van buiten. Daarbij kun je hem niet op een fout betrappen.'

Meneer Johnson trok een lelijk gezicht. 'Niet meer van deze tijd, zou je zeggen?'

Pete wendde voorzichtigheid voor. 'Zo zou ik het niet zeggen.'

'Dat is niet wat wij hebben gehoord, Pete. Van geen kanten. Dus, geef mij het hele plaatje eens.'

'Nou...' zei Pete. 'Hij is een beetje ouderwets, maar dat is niet erg.'

Meneer Johnson blies rook uit als een stoomwals. 'Dat laatste maak ik zelf wel uit, Pete,' zei hij. 'Op welke manier ouderwets?'

'Nou,' zei Pete weer. 'Hij gelooft nog steeds dat reclame op het gezin moet worden afgestemd. Hij ziet het gezin als de belangrijkste consumenteneenheid. Dat is eigenlijk nogal lief.'

'Deel jij die mening, Pete?'

'Nou nee,' zei Pete. 'Ik moet toegeven dat ik dat niet doe. Maar dat doet niets af aan lord Fossway. Het is gewoon zo dat de tijden veranderd zijn. Wij moeten tegenwoordig onze aanbevelingen afstemmen op de cliënt, het product en de markt. Aansluiten bij recent onderzoek en daar gebruik van maken voor de concurrentie dat doet.'

'Dus wat is jouw parool?'

'Snelle communicatie, goede research, adaptatie,' zei Pete vlot en dacht daarbij: ga me nou niet vertellen dat dat niet precies is waar je naar op zoek bent.

Dat was het duidelijk wel, want de sigaar werd terzijde gelegd. 'Ga door.'

Dit was de kans waar Pete sinds zijn aankomst op had geloerd.

'Nou,' zei hij, 'zoals ik het zie, zijn er drie groepen consumenten waar we ons op zouden moeten richten: de tienermarkt, die een enorm bestedingspotentieel heeft, de pre-tienermarkt, die steeds jonger wordt en de markt van alleenstaanden van twintig tot even in de dertig, die een nog groter potentieel heeft, een bepaalde, herkenbare levensstijl waar we op kunnen aansluiten en die de afgelopen vijf jaar verdubbeld is. Dit zijn allemaal gebieden waar de weerstand tegen verandering minder groot is, waar nieuwe producten uitgeprobeerd en geabsorbeerd worden – vooropgesteld dat ze in de juiste taal en met krachtige beeldvorming worden geadverteerd.'

'Heel interessant,' zei meneer Johnson. 'Jij zou in de directie moeten zitten.'

'Of in de nieuwe directie.'

'Als alles volgens plan verloopt. Misschien laten jouw aandeelhouders zich niet zo gauw over de streep trekken.'

'Ik ben zelf een grootaandeelhouder,' zei Pete. 'En ik denk dat ik wel kan zeggen dat het een slim stelletje is.' Hij beheerste zich door zijn koffie op te drinken. Het was tijd om een voorzet te doen. 'Probleem is dat ik de afgelopen paar jaar zo veel modellenwerk heb aangenomen, dat mijn bestuursactiviteiten een beetje aan de zijlijn zijn komen te staan. Misschien is het tijd voor verandering. Tijd dat ik ermee ophoud aan de zijlijn te staan.'

Meneer Johnson knikte. Hij wist voorlopig genoeg. Er waren toespelingen gemaakt. Ze begrepen elkaar. Het gesprek was afgerond. 'Goed,' zei hij en hij wenkte om de rekening te vragen. 'Het was geweldig prettig om met je te praten, Pete. Houd me op de hoogte.'

'Dat zal ik doen,' beloofde Pete. Maar al te graag!

Hij slaagde er met moeite in het restaurant te verlaten zonder een gat in de lucht te springen. 'Jij zou in de directie moeten zitten,' dacht hij. Dat moet ik Eleanor vertellen.

Ze was heel blij voor hem en ze feliciteerde hem hartelijk. 'Dat is precies wat je na al die tijd verdient,' zei ze. 'Jij moet een stem hebben in wat er gaande is. Ik zie het helemaal zitten. Vooral nu je...'

'Lid van het bestuur gaat worden,' zei hij. 'Ja, ik denk wel dat dat gaat gebeuren. Als ik mijn zin krijg. Wat vind je daarvan?'

Ik kan hem niet bereiken, dacht Eleanor. Hij is te veel in de wolken. 'Geweldig,' zei ze. 'Wanneer kom je thuis?'

'Maandag,' zei hij.

'Dan loop je het vuurwerk mis,' zei ze. 'De Quincy geeft een feest. Je zou met me mee kunnen gaan als je eerder thuis zou komen.'

'Geeft niet,' zei hij en hij liet zijn stem dalen tot zijn meest verleidelijke register. 'Er zal een gigantisch vuurwerk zijn als ik terug ben. Gigantisch. Dat beloof ik.'

Hoofdstuk 15

Vuurpijlen schoten gierend en in koor krijsend de lucht in om na elkaar te ontploffen in lange oogverblindende watervallen van kunststerren, vuurrood, klatergoud, neongroen, sneeuwwit. Ze vielen uiteen en ze schoten buitenwaarts alsof ze de hemel uitrekten. Onder het vuurwerk was de uiterwaard vol donkere gestalten, die gehuld in zware overjassen of gevoerde anoraks met hun hoofd achterover stonden te kijken; monden stonden open om te gillen of te zuchten; voorhoofden, wangen en neuzen werden gebronsd door de schittering van de vallende sterren. Midden op het veld rees de brandstapel als een langwerpige piramide tien meter de nachtelijke hemel in. Hij was evenwichtig opgebouwd en stond te wachten tot hij zou worden aangestoken. Overal rondom het veld waren barbecues aangestoken; er lag vlees op te bakken, rook walmde omhoog en de weeïge reuk van geschroeid vlees vermengde zich met de stank van cordiet en de vage geur van omgewoelde modder en platgetrapt gras. De roddelaars hadden zich verzameld bij het voetpad naar Mill Lane, klaar om alles goed in zich op te nemen en overal commentaar op te leveren; de meeste mannen stonden bij de brandstapel bier uit blik te drinken en de kinderen renden gillend van groep naar groep, met in de hand een hamburger, waar ze zo nu en dan een hap van namen.

Gwen keek naar de laatste gouden uitbarsting. 'Prachtig!' zei ze. 'O, moet je die zien! Ben je niet blij dat je gekomen bent?'

Lucy rilde. Ze was er niet zeker van of ze nu wel of niet van het vuurwerk genoot. Het was allemaal heel goed georganiseerd, met nauwelijks drie seconden tussen de lanceringen, en het was fijn om haar moeder zo ontspannen en gelukkig te zien, maar iets aan deze gebeurtenis joeg haar angst aan. Toen de vuurpijlen uitgedoofd waren, lieten ze een onheilspellende leegte na in de nachtelijke hemel. Ze was zich er pijnlijk van bewust dat ze zich buiten in het open veld bevond, waar demonen zich schuilhielden en er van alles kon gebeuren. 'Ja,' zei ze en ze probeerde verstandig te zijn, 'het is heel mooi.'

'Ik heb vanochtend mijn sterrenkaart bekeken,' vertelde Gwen haar vrolijk, 'en het klopte allemaal.'

Dat was een verrassing voor Lucy. Ze had het aanvankelijke enthousiasme voor astrologie van haar moeder opgevat als een teken van heimwee, een behoefte aan troost, een intellectuele manier om de laatste strohalm vast te grijpen, in ieder geval iets wat van voorbijgaande aard zou zijn als ze eenmaal gewend was. 'Nee toch, doe je dat nog steeds?'

'Natuurlijk,' zei Gwen. 'Het is fascinerend.'

'Maar je gelooft er toch niet in?' Het was amper nog een vraag.

'Je klinkt net als Jeff,' lachte Gwen. 'Hij keurt het ook niet goed. Hoe kan ik je dat nu uitleggen? Het gaat niet om wel of niet geloven. Ik bedoel, de zon en de maan en de planeten zijn waar ze zijn, onveranderlijk. Daar valt niet aan te tornen. Je kunt omhoogkijken en ze zien.' Ze voegde de daad bij het woord. 'Het is net of je op een landkaart kijkt. Hij laat je de weg zien waarop je je bevindt, maar je hoeft die niet per se te volgen. O, moet je die zien! Is die niet prachtig! Ik ben dol op vuurwerk.'

'Dus ik veronderstel dat je op de weg van vanavond vuurwerk en vreugdevuren zag, bedoel je dat?' plaagde Lucy.

'Wat mijn sterrenkaart betreft, heeft vanavond alles te maken met de planeet Mars,' verklaarde Gwen. 'Dat is de belangrijkste invloed. Vuur, gevaar, opwinding, iets ongeoorloofds, een neiging risico's te nemen en buiten je boekje te gaan, dat soort dingen.'

'Vuurwerk is niet ongeoorloofd,' zei Lucy nuchter.

'Nee,' gaf Gwen toe. 'Dat is zo. Ze geven me alleen het gevoel dat ze ongeoorloofd zijn. Ik denk omdat je vader ze niet goedkeurde. Je weet wel hoe hij over vuurwerk en vreugdevuren dacht.'

Neil Morrish doemde op uit de rook, in een lijvige, blauw met gele anorak; zijn zwarte laarzen zaten onder de modderspatten. 'Heeft een van jullie zin in een hotdog, of kip of iets anders?'

Gwen keek naar zijn gezicht. Hij is zo gelukkig dat hij naast haar staat, dacht ze. Ik heb nog nooit iemand zo overduidelijk verliefd gezien. 'Laat me er even over nadenken,' zei ze.

Maar terwijl ze nadacht, kwam Jeff eraan; hij zag er van top tot teen uit als een boer en landeigenaar in zijn groene laarzen, zijn Barbour-sportjack en zijn dure platte pet op. Hij kwam hun vertellen dat het tijd was om het vreugdevuur aan te steken. 'Klaar om de honneurs waar te nemen?' vroeg hij aan Gwen.

Ze was verrukt van de vraag. 'Bedoel je dat ik het mag aansteken?'

'Jij, ik en meneer Perkins,' vertelde hij haar. 'Het vereist een gezamenlijke inspanning.'

'Even wachten met de barbecue,' zei ze tegen Neil. 'Eerst het vuur. Waarmee gaan we het aansteken? Toch niet met papier en lucifers?'

Er waren drie geteerde toortsen voor nodig met extra lange handvatten. Ze vatten langzaam vlam, maar toen ze eenmaal aan waren gestoken, brandden ze er lustig op los, zelfs toen hun vlam opzij werd geblazen door de wind. Ze verspreidden een krachtige geur van teer en brandend hout. Gwen hield de hare voor haar gezicht, dat gloeide van de hitte en opwinding. Ze luisterde naar Jeff die waarschuwde dat ze op precies hetzelfde moment in de stapel moesten worden gegooid zodat deze gelijkmatig zou branden. 'Ik tel tot drie. Een, twee, gooi!'

Wat een plezier om een vreugdevuur zo groot als dit aan te steken, de vlammen binnenin kronkelend omhoog te zien schieten, de rook van het hout op te snuiven terwijl het vuur in sterkte toenam en zich omhoogwerkte, toe te zien hoe de grote vlammen als tijgers opsprongen, en het hout dat droogde en vlam vatte te horen kraken, splijten en brullen. Het was magisch, machtig, heidens, deze winterse vuurceremonie. Aarde en lucht en vuur en water, dacht ze. Mars komt samen met Mercurius.

'Mooi?' vroeg Jeff vlak naast haar.

'Ik had dit voor geen goud willen missen,' zei ze.

Hij stelde zijn volgende vraag, ook al wist hij het antwoord. 'Gelukkig?'

'Volkomen.' En dat was waar. Ze hadden hun eerste ruzie doorstaan en nu stonden ze hier samen bij een groot vuur dat hun gezichten verwarmde. Er zou nog meer vuurwerk komen en Lucy was hier om dit alles mee te maken. Het was beter dan ze zich ooit had kunnen voorstellen. Alleen Eleanor ontbrak er nog aan om het geheel te vervolmaken.

*

Bij het voetpad naar Mill Lane, waar een lichte helling voor een goed uitzicht zorgde en waarvandaan ze snel naar het huis van Teresa O'Malley kon vluchten mocht het beginnen te regenen, hield mevrouw Agatha Smith-Fernley hof, met haar vriendin en echo aan haar zijde.

'Moet je dat nou zien!' zei ze. 'Moet je vooral nog zeggen dat ze hem niet aan de haak heeft geslagen. Arme meneer Langley. Hij is niet tegen haar opgewassen, de arme man. Totaal niet tegen haar opgewassen. Moet je kijken hoe ze hem aanstaart. Ze staat zich enorm aan te stellen.'

'Inderdaad,' beaamde juffrouw O'Malley.

'Het vreugdevuur aansteken!' zei mevrouw Smith-Fernley vernietigend. 'Heb je ooit zoiets gehoord. Dat had de gemeenteraad moeten doen, zoals altijd, en dat hij weet maar al te goed.'

' Zo is het maar net.'

'Dit loopt op een drama uit,' voorspelde mevrouw Smith-Fernley. 'Let op mijn woorden.'

*

Het vreugdevuur had de rest van de mensen aangetrokken en het was nu volledig omringd door bewegende gestalten, die in het donker achter de vlammen dansten en opdoemden uit de rook, met gezichten die grotesk werden in het licht van de vlammen. Lucy huiverde bij hun aanblik, terwijl ze naast Neil Morrish stond met een kipburger die ze met beide handen vasthield en waar ze hongerig van hapte.

'Heb je het koud?' vroeg hij. Hij stond erover na te denken of hij een arm om haar heen kon leggen.

'Nee,' zei ze. 'Het is alleen... O, ik weet het niet. Er is iets met deze mensen... De manier waarop ze naar mijn moeder kijken. Ze schuiven op de een of andere manier weg van haar. Ik heb ze staan bekijken. Ze hebben iets vijandigs. Ik stel me waarschijnlijk aan. Let maar niet op me. Is het vuurwerk afgelopen?'

'O, nee,' vertelde hij haar. 'De grote finale moet nog komen.'

'Wat is dat?'

'Dat is een hele stellage. Hij staat daar, zie je hem? Ze gaan allemaal tegelijkertijd af en vormen een patroon. Het is een klereherrie. De kinderen zijn er gek op.'

Hij had gelijk. Het geluid van zoveel vuurpijlen die allemaal op hetzelfde ogenblik omhooggierden, was oorverdovend. Maar toen Lucy zich omdraaide om hem dat te vertellen, stond hij met een boos gezicht en een stijve rug niet naar de lucht te kijken maar naar opzij, naar de toren.

'Wat is er?' vroeg ze. Toen hoorde ze het hoge, snerpende, doodsbange gekrijs, en ze was op slag verschrikkelijk bang. Had ze niet geweten dat er iets afschuwelijks stond te gebeuren? 'Godallemachtig! Wat was dat?'

Hij stormde in de richting van de toren. 'Die verdomde Dion!' riep hij terug.

Ze rende met kloppend hart achter hem aan en ze kon duistere gestalten in haar moeders tuin zien rondspringen. Drie stuks. Mannen? Jongens? Ze waren duidelijk van het mannelijke geslacht, want ze kon zien dat hun hoofden kaalgeschoren waren. Tussen hen in zag ze op de grond een lichtje rondschieten. Ze zag laarzen de lucht in gaan, toen was er weer gekrijs te horen en ze wist dat het om een dier ging dat bang was en pijn leed. Een klein dier. Een kat? Was het een kat? O shit! Het was een kat! Mama's kat!

Neil sprong over de muur, schoot op de drie gestalten af, kreeg er een bij de keel te pakken en drukte hem tegen de muur van het bijgebouw. Een skinhead in een spijkerjasje en enorme laarzen, die vocht en schreeuwde: 'Donder op! Laat me gaan!' De andere twee renden weg, persten zich zo dicht langs haar heen dat ze hun zweet kon ruiken. Het flitslicht verdween.

'Waar is ze heen gegaan?' schreeuwde ze.

Neil had het te druk met zijn worsteling met de skinhead om haar een antwoord te geven. 'Je bent er goed bij!' riep hij.

'Het is de kat van een heks,' schreeuwde de skinhead terug. 'Dat is wat we doen met de kat van een heks.'

'Niet waar ik de ronde doe.'

Goed zo, dacht Lucy. Geef hem er maar eens goed van langs. Maar ze kon haar moeder en meneer Langley over het veld naar hen toe zien rennen en ze wist dat ze de kat moest zoeken en gauw ook. Nu haar hersenen haar benen hadden ingehaald, besefte ze dat ze vuurwerk aan zijn staart moesten hebben gebonden, het arme dier. Nu had ze zich ergens verstopt. Maar waar? Niet in de toren, anders had ze het licht die kant op zien gaan. Het bijgebouw dan.

Het was pikdonker in het gebouwtje en het stonk er naar schimmel en verschaalde drank en vuil, en het stond zo vol troep dat ze nauwelijks een stap kon zetten zonder iets om te gooien, maar ze kon de kat ergens vlak bij haar horen blazen.

'Het is Jet,' zei haar moeder naast haar. 'Heeft ze pijn? Stil maar, Jet. Wij zijn er. Niet blazen.'

Iemand stond met beide handen tegen de deur te duwen en schoof hem wijd open. Het was Jeff, zijn lijvige gestalte bukte zich tussen de spullen met een stuk jute in zijn handen. 'Als ze gewond is, gaat ze krabben,' legde hij aan Gwen uit. 'Als we haar in iets kunnen wikkelen, is ze gemakkelijker vast te houden.'

Lucy's ogen waren nu aan de duisternis gewend. 'Ik denk dat ze in de kruiwagen zit,' zei ze.

Voorzichtig, struikelend over de rotzooi liepen ze op de kruiwagen af; toen konden ze de ogen van de kat zien glinsteren en hoorden ze haar hijgen.

Gwen boog zich voorover naar de kruiwagen, maar Jeff was haar voor. Hij tilde de kat omhoog en hield daarbij alle vier de poten in de jute vast, ook al probeerde ze zich uit alle macht los te worstelen. Toen waren ze allemaal weer in de tuin; Neil en de skinhead waren verdwenen en de voorstelling was voorbij. In het licht van het geweldige baken dat door het vreugdevuur werd gevormd, konden ze zien dat er afgebrand vuurwerk met een ijzerdraadje aan de staart van de kat was gebonden en dat de staart snijwonden vertoonde en ernstig verbrand was.

Gwen was in tranen. 'Wat ontzettend gemeen om dit te doen!' zei ze vol medelijden.

Jeff was al op weg naar de toren. 'We brengen haar eerst in veiligheid in de toren,' zei hij, 'en dan ga ik Ed Ferris halen.'

De kat blies nog steeds en verkeerde duidelijk in een shocktoestand; haar bek stond open en haar ogen waren wijd opengesperd, ook al droeg Jeff haar heel voorzichtig. Lucy herinnerde zich hoe ze geschopt was en ze vroeg zich af welk letsel dat tuig haar nog meer had toegebracht. Maar ze besloot er pas wat van te zeggen als de dokter er was.

Haar moeder en zij gingen naast elkaar op de bank zitten met de kat hijgend op schoot bij Gwen en ze wachtten.

'Het is zo wreed,' zei Gwen en ze streek het diertje over zijn kop. De vacht aan het eind van de staart was zo verbrand en verschrompeld dat het meer leek op de draden van een schuurspons dan op een vacht; het vlees was verkoold en tot op het bot opengebarsten. 'Ik begrijp die mentaliteit niet. Een katje zo pijn te doen. Arm dier. Waaraan heeft ze dit verdiend? Ze moeten echt niet goed bij hun hoofd zijn. Ik wou dat Jeff eens opschoot.'

Het leek een hele tijd te duren voordat Jeff met Ed Ferris terugkeerde, maar deze trad vervolgens doortastend op. 'Ze kan beter naar de kliniek gebracht worden,' zei de dierenarts. 'Hoe eerder dit wordt verzorgd, des te minder kans op infectie. Ik heb een korf meegenomen.'

Lucy kreeg heel even gelegenheid zijn aandacht te trekken terwijl haar moeder de mand met inhoud de voordeur door loodste. 'Ze waren haar aan het schoppen,' waarschuwde ze. 'Ik zag ze het doen.'

'Maak je maar geen zorgen,' stelde hij haar gerust. 'Ik zal elk bot nalopen.'

Buiten op het veld stond het vreugdevuur nog steeds te loeien, maar de hemel was duister, de echte sterren waren teruggekeerd en de menigte was afgenomen. Langs Mill Lane liepen mensen in groepjes pratend huiswaarts. Ze gingen aan de kant staan om de landrover van Jeff te laten passeren en een enkeling zwaaide naar hem. Gwen merkte hen nauwelijks op. 'Wat brengt iemand ertoe zoiets te doen?' zei ze steeds weer; haar gedachten liepen vast op onbegrip. 'Ik kan er niet bij dat mensen zo wreed kunnen zijn.'

*

Eenmaal in haar eentje in de toren zat Lucy te wachten, bezorgd om zowel haar moeder als de kat. Ze wilde dat Neil terugkwam om haar te vertellen wat er met de dierenbeulen zou gaan gebeuren. Ze wilde dat Eleanor hier bij haar was. Ze wilde zelfs dat ze iets aan het huishouden kon doen om haar gedachten bezig te houden. Maar omdat er niets om handen was, toog ze naar de bovenste verdieping van de toren, ging in het donker in haar moeders lievelingsstoel zitten en keek naar de nachtelijke hemel. De sterren stonden helder zichtbaar aan een inktblauwe hemel, maar ze kon de zee helemaal niet zien. Ze zou niet hebben geweten dat hij er was als het ritmische kartelen van wit schuim er niet was geweest. Er was iets bezwerends en kalmerends aan het ritme en daarom bleef ze in het duister zitten kijken. Eindelijk hoorde ze de landrover terugkomen en haar moeders sleutel in het slot. Ze was al op de been en halverwege de trap naar beneden, verlangend om te horen hoe het afgelopen was, toen ze besefte dat haar moeder huilde en dat Jeff Langley haar aan het troosten was.

'Ze is in goede handen,' zei zijn stem.

Haar moeders stem antwoordde, gesmoord en onverstaanbaar en vol tranen. 'Ja, dat weet ik. Het is alleen...'

Hij mompelde troostend en geruststellend: 'Ik weet wat je bedoelt, lieveling.'

'Het is zo oneerlijk,' huilde haar moeder. 'Ze heeft hen toch nooit wat gedaan. Ze is een lief poesje.'

De klank van haar stem deed Lucy boven aan de onderste trap stilstaan. Het was de eerste keer dat ze haar moeder verdrietig hoorde. Ze huilde nooit, had dat ook nooit gedaan, zelfs niet toen papa stierf. Toch stond ze nu tegen Jeffs schouder uit te huilen met zijn armen om haar heen en zijn hand die teder haar haar streelde. Ook dat was voor de eerste keer. Wanneer had ze ooit gezien dat haar moeder werd getroost? Zelf aan het troosten, dat wel, ja. Ze troostte iedereen. Maar zelf getroost worden? Dat was ongekend.

Ze moest een schuifelend geluid op de trap hebben gemaakt, want de boer keek over het gebogen hoofd van haar moeder omhoog, zag haar en sperde zijn ogen vragend wijd open. Ze keek een paar seconden op hem neer, niet zeker van wat ze moest doen, toen mimede hij 'alles is goed met haar' en hij gebaarde met zijn hoofd dat ze weer naar boven moest gaan en haar aan hem moest overlaten. Tot haar verbazing gehoorzaamde ze hem. Het ergerde haar te denken dat hij de dingen beter kon regelen dan zij, en ze was verdrietig toen ze besefte dat haar moeder hem meer nodig had dan haar eigen dochter, maar ze had dat maar te accepteren. Het was een merkwaardige situatie die haar lange tijd uit de slaap hield, terwijl beneden de stemmen steeds maar door mompelden.

Het was voor alle drie een onrustige nacht en ze waren blij dat ze de volgende ochtend konden opstaan om een nieuwe dag te beginnen. Gwen had de instructie gekregen de dierenarts om negen uur te bellen en ze zat bij de telefoon te wachten tot het op Jeffs horloge precies negen uur was.

De stem aan de andere kant van de lijn was beroepsmatig rustig. Het was goed met de kat. Een deel van haar staart was geamputeerd, maar ze had het goed doorstaan. 'U kunt haar vanmiddag na tweeën komen ophalen.'

'Wat heb ik je gezegd?' zei Jeff. 'Zo, dat is dat. We kunnen met de rest van de dag doorgaan.'

Dat deden ze: hij ging naar de boerderij, met de belofte voor de lunch terug te komen, Gwen en Lucy gingen wat kokkerellen.

'Ga je mee met ons, haar ophalen?' vroeg Gwen onder het aardappels schillen.

Bij nader inzien deed Lucy dat liever niet. 'Ik denk dat ik ga wandelen langs de lagune,' zei ze. 'Als je dat goedvindt.' Ze had tijd voor zichzelf nodig om de gebeurtenissen van de afgelopen avond te verwerken en de betekenis ervan te doorgronden.

*

Het was een onrustige, verwarrende middag. Toen Lucy uit haar auto stapte en het paadje naar de lagune af liep, leek alles in beweging te zijn, te wriemelen en te draaien en te fluisteren, van dode berkenbladeren die aan haar voeten suizelend rondwervelden tot de toppen van de kale bomen die onder de kracht van de wind krakend heen en weer zwiepten. Er was niemand in de buurt, wat nauwelijks verbazingwekkend was op zo'n stormachtige dag. Toen ze uit de beschutting van de bomen bij de donkere moddervlakte kwam die de lagune omzoomde, bevond ze zich in het meest deprimerende landschap dat ze ooit had gezien, met een sterk tij dat grijze watermassa's opzwiepte en een lucht vol wolken.

Ze liep werktuigelijk door, tegen de storm in gebogen, terwijl de gedachten door haar hoofd kolkten. Na eerst zo erg tegen Jeff Langley ingenomen te zijn geweest, was het moeilijk onder ogen te zien dat ze hem wellicht verkeerd had ingeschat. Maar nu ze had gezien hoe zachtmoedig hij kon zijn en had toegekeken hoe goed hij was omgegaan met het verdriet van haar moeder, merkte ze dat haar mening drastisch veranderd was. Dan was er de dreiging die ze bij het vuurwerk had gevoeld. Dat had ze goed ingeschat. 'De kat van een heks,' had die verschrikkelijke jongen gezegd. 'Dat is wat we doen met de kat van een heks.' Ze herinnerde zich de vreselijke, oude vrouw op de nacht van het ongeluk. Zij had mama Haar-van-de-toren genoemd. Zij had ook gezegd dat ze een heks was. Er was iets gaande, een onderstroom van roddel en achterklap, en het mishandelen van de kat was er het bewijs van. Maar dat weten was één ding, weten wat haar moeder daaraan zou moeten doen, was iets anders. Ze stapte stevig door langs de lange zandrichel, haar benen in de spijkerbroek marcheerden ritmisch, handen in de zakken; de sjaal fladderde achter haar aan en er lag een frons op haar gezicht van het diepe nadenken.

Zo zag Neil haar toen ook hij opdook van het voetpad. Toen hij haar zo alleen zag strompelen langs de rand van de haven, afgetekend tegen de donker wordende hemel, met slechts gedroogd cypergras en een troep wilde eenden als gezelschap, voelde hij een golf van tedere, beschermende gevoelens in zich opwellen. Hij stampte achter haar aan, zijn laarzen knarsend over het grind en hij riep ondertussen haar naam.

Eerst blies de wind zijn stem weg, maar bij de derde poging hoorde ze hem en ze draaide zich om, om op hem te wachten, met haar schouders hoog opgetrokken tegen de windvlagen. Ze was niet erg verbaasd hem te zien, maar ook niet erg blij. Hij was gekomen om haar te vertellen wat er met het tuig was gebeurd, wat alleen maar juist en fatsoenlijk was, maar ze hoopte dat hij dat snel zou afhandelen, want ze wilde haar gedachtegang voortzetten.

'Heb je ze te pakken gekregen?' riep ze.

'Ja.'

'Alle drie?'

'Nathan is een eitje,' zei hij toen hij haar had ingehaald. 'Altijd al geweest. Je hoeft hem maar een zetje te geven en hij vertelt je alles.' Nu ze tegenover elkaar stonden, kon hij zien dat haar neus rood was en haar gezicht vertrokken. 'Je hebt het koud,' zei hij.

Ze wilde niet over haar gevoelens praten. 'En,' zei ze, 'wat gaat er nu met hen gebeuren?'

Ze liepen naast elkaar verder en zo dicht tegen elkaar aan, dat hij haar parfum kon ruiken. 'Nou,' zei hij en hij probeerde zich professioneel op te stellen, 'om te beginnen hebben ze een waarschuwing gekregen.'

Dat antwoord stelde haar niet tevreden. 'Is dat alles?' zei ze ontstemd. 'Ze hadden moeten worden opgesloten. Waarom heb je hen niet in staat van beschuldiging gesteld?'

'Dan moet je moeder eerst aangifte doen,' legde hij uit.

Dat stemde haar ook niet tevreden. 'Ze laat ze ermee wegkomen,' voorspelde ze. 'Ze is veel te aardig.'

Hij wilde haar tot bedaren brengen, haar laten ophouden met mopperen, haar zich beter laten voelen over dit alles, haar in zijn armen trekken en haar zoenen. Maar dat kon hij natuurlijk niet doen. Daar was het nu niet de tijd of de plaats voor. 'Op dit ogenblik,' zei hij en bood haar daarmee de enige troost aan die hij tot zijn beschikking had, 'zijn ze bezig de rotzooi van afgelopen nacht bij de uiterwaard op te ruimen.'

'Goed,' zei ze grimmig. 'Wiens idee was dat?'

'O, van henzelf,' zei hij grinnikend. 'Toen ik ze eenmaal een beetje onder druk had gezet. En daarna moeten ze bij me komen, bij de toren en je moeder persoonlijk hun verontschuldigingen aanbieden.'

'Ik vind dat nu niet zo'n heel erge straf,' zei ze. 'Iedereen kan zijn verontschuldigingen aanbieden. Dat zijn alleen maar woorden.'

'Ik denk niet dat dit nog eens zal voorkomen,' probeerde hij haar te verzekeren. 'Ik heb tegen ze gezegd dat we, als ze zoiets nog eens uithalen, hen linea recta aangeven bij de dierenbescherming en dat die hun een proces aandoet.'

'Maar ze hoeven dit toch niet nog eens te doen?' zei Lucy bitter. 'Ze hebben hun punt gescoord. Dat is wat ze doen met de kat van een heks. Je hebt gehoord wat die enge Dion zei. De kat van een heks. Dit is erger dan drie hersenloze zakkenwassers die een dier schoppen. Het gaat erom dat iemand tot zwart schaap wordt gemaakt.'

'Tja,' beaamde hij. 'Op dit ogenblik ziet het er wel zo uit.'

'Het ziet er niet zo uit. Het ís zo en dat maakt me razend. Ze kwam hierheen om een nieuw leven te beginnen, niet om uitgescholden te worden en een aanval op haar kat te moeten verduren. Ze is een goede vrouw. Altijd al geweest. Ze is geen heks.'

Haar boosheid deed hem pijn. 'Dat weet ik.'

'Ik zou hen zelf wel eens willen zien met vuurwerk rond hun staart gebonden met een rottig stukje draad. Eens zien hoe ze dat vinden. Ik zou het zo zelf aansteken. Daar zou ik geen enkele moeite mee hebben.'

Hij was ervan overtuigd dat ze dat zou doen maar hij had er geen flauw idee van wat hij hierop moest antwoorden. 'Nou, ja,' zei hij. Hij was boos op zichzelf dat het zo lam klonk.

'Niks nou ja,' snoof ze. 'Denk je maar eens in hoe jij je zou voelen als het om jouw moeder ging. Je zou de wereld op zijn kop zetten. Dat zou je toch doen? Excuus zou niet genoeg zijn. Je zou bloed willen zien. Net als ik.'

'Om je de waarheid te zeggen,' zei hij. 'Ik heb geen moeder.'

Deze bekentenis bracht haar woede tot bedaren, deed haar denken aan haar vader en riep onmiddellijk meegevoel op. 'O, Neil. Het spijt me.'

Hij haastte zich haar gerust te stellen. 'Dat geeft niet. Ze is niet dood. Ik bedoel, ze is niet overleden of zo. Ze heeft me in een tehuis gestopt, dat is alles. Dat bedoelde ik.'

Haar gezicht vertrok van medelijden met hem. 'O, Neil! Dat is vreselijk. Hoe oud was je toen?'

'Het geeft niet,' zei hij weer. Het was niet zijn bedoeling geweest op haar gevoel te werken, maar nu ze met hem meevoelde, werd hij verlegen. 'Ik kan het me niet herinneren. Ik bedoel, ik was twee. Van die leeftijd herinner je je niet zoveel.' Hij probeerde van onderwerp te veranderen. 'Het gaat regenen. Ik denk dat we beter rechtsomkeert kunnen maken. Ik wil niet dat ze ervandoor gaan en geen excuus aanbieden.'

'Ja,' zei ze instemmend omdat ze zijn verlegenheid zag. Ze had graag verder gevraagd om meer te weten te komen. Dat hij een wees was, zou allerlei dingen kunnen verklaren. Ik wed dat hij daarom bij de politie is gegaan. Maar dit was niet de juiste plek om hem uit zijn tent te lokken. 'Ik denk dat we dat maar beter kunnen doen. Wil je dat ik erbij ben als ze door het stof moeten?'

'Jazeker,' zei hij tegen haar. 'Hoe meer mensen het horen, des te sterker dringt de boodschap bij hen door.'

*

Jets drie kwelgeesten hingen rond bij het bijgebouw, pulkten met hun groezelige nagels stukjes korstmos los en schopten met hun eveneens groezelige sportschoenen tegen de stukken vuursteen. In het kille daglicht zagen ze er kleiner uit dan de vorige avond, zo merkte Lucy tot haar genoegen op. De oudste, wiens bleke gezicht bezaaid was met puisten, kon niet ouder dan veertien zijn; de andere twee, de ene papperig van het overgewicht en de andere mager en met priemoogjes, waren zelfs nog jonger. Toen Neil naast hen parkeerde, schuifelden ze alle drie met schaapachtige gezichten bij de muur vandaan.

'Goed,' zei hij tegen hen, 'is het veld schoon?'

De kleinste jongen gaf antwoord. 'Ja, meneer.'

'Heeft meneer Langley dat gezien?'

'Nog niet, meneer,' zei de jongen. 'Hij is, nou ja, bij Haar-van-de-toren.'

Neils dikke wenkbrauwen schoten afkeurend naar beneden. 'Ze heeft een naam, Nathan,' zei hij. 'Net als jij. Ze heet mevrouw MacIvor.'

Wat een gezicht heeft hij, dacht Lucy. Door die gebroken neus ziet hij er echt woest uit.

'Ja, meneer,' zei de jongen. 'Mevrouw MacIvor. Hij is, nou ja, bij haar, meneer.'

'Dan kunnen we, nou ja, ook maar beter naar haar toe gaan, vinden jullie niet?'

Nu zagen ze er alle drie diep ongelukkig uit. Ze schuifelden naar de deur zonder elkaar aan te kijken, klopten aan en werden binnengelaten door Jeff, die streng naar hen keek.

Gwen zat op de bank met de kat slapend op haar schoot. Er zat een stomp verband om het eind van haar staart en iets wat eruitzag als een witte lampenkap om haar nek. Lucy kon vanwaar ze stond, de ether ruiken.

'Zo kan ze het verband er niet aftrekken,' legde Gwen uit toen de jongens naar de lampenkap keken. 'Om het de kans te geven te genezen. Het puntje van haar staart moest geamputeerd worden, ocharm. Het was zo erg verbrand dat het niet meer te redden was. En dat hebben jullie gedaan.'

'Dit is Dion Casterick,' zei Neil en hij duwde de oudste jongen naar voren. 'Dit is Ryan en dat is Nathan. Ze hebben u iets te zeggen, is het niet, jongens?'

Terwijl ze op een rijtje stonden en haar niet aankeken, mompelden ze dat het hun speet.

'Dat zou ik zo denken,' zei ze.

'En?' drong Neil aan.

'Het was, uh, niet onze bedoeling haar pijn te doen,' opperde Nathan. 'We waren uh, een beetje aan het rotzooien.'

Gwen werd kwaad. 'Aan het rotzooien!' zei ze en keek naar het verband van de kat. 'Noem je dit rotzooien?'

'Het was, uh, gewoon voor de lol,' zei de dikke jongen met een uitdrukkingsloos gezicht.

'Voor de lol?' riep Gwen. 'Dus jij vindt het lollig om een dier te kwellen! Is dat het?' voer ze tegen hem uit. 'Ze moet in doodsnood zijn geweest, het arme dier. Ze hebben een stuk van haar staart af moeten snijden. Er is in haar gesneden en ze is verbrand en ze was doodsbang en jij vindt dat lollig! Je zou het niet zo lollig vinden als iemand dat met jou zou uithalen.'

'Het was gewoon een grap,' zei de dikke jongen. 'We dachten niet dat ze gewond zou raken.'

'Jullie hebben helemaal niet nagedacht,' zei Gwen. 'Geen van jullie. Jullie kunnen nu daar maar beter mee beginnen want als ik wil, kan ik een aanklacht tegen jullie indienen en dan moeten jullie voor de rechter verschijnen. Dat weten jullie toch?'

Ze mompelden dat ze dat wisten en terwijl Dion er nog steeds gemelijk uitzag en mollige Ryan onaangedaan oogde, begon Nathan te huilen.

'Alstublieft, mevrouw,' smeekte hij en hij veegde zijn neus af met de rug van zijn hand. 'Ik zal het niet weer doen. Dat beloof ik. Alstublieft, mevrouw. Mijn pa zal laaiend zijn.'

'Ik neem aan dat geen van jullie ouders hier erg blij mee zal zijn,' zei Gwen. 'Of wel?'

De dikke jongen haalde zijn schouders op. 'Dat kan me niet schelen,' zei hij. Toen moest hij echter zijn lippen strak trekken, zodat ze niet konden zien dat ze trilden.

Dion grijnsde. 'Als u het echt wilt weten, mevrouw,' zei hij, 'het kan die van mij geen moer schelen.'

'Houd nu maar op met die praatjes,' zei Jeff, dreigend met zijn grote gestalte. 'Bedenk goed waar je bent en wie je tegenover je hebt.'

Dion keek van hem weg. 'Ja, meneer,' zei hij met een gemelijk gezicht.

Er was een pauze en er klonk nog meer geschuifel met de voeten.

'Goed, dat was het,' zei Jeff en hij deed de deur open. 'Jullie hebben je excuus aangeboden. We hebben dat allemaal van jullie gehoord. Denk er goed aan. We hebben jullie allemaal gehoord. Er staat iemand op jullie te wachten op het veld om te zien of het er goed schoon uitziet, en als dat niet het geval is, zal hij jullie vertellen wat jullie nog meer moeten doen. Jullie kunnen gaan.'

Ze duwden elkaar in zo'n paniek de deur uit om maar gauw weg te komen, dat hij met een klap dichtknalde en de kat er wakker van werd.

'Niets aan de hand,' zei Gwen en streelde haar over haar zwarte kop. 'Ze zijn weg.'

'Wat ga je nu doen?' vroeg Lucy. 'Je gaat toch aangifte doen? Ze moeten bestraft worden, anders denken ze dat ze dit weer kunnen doen.' Ze keek de twee mannen aan om steun te zoeken.

'Als het aan mij lag, dan had ik ze voor de rechter gesleept voor ze hier de deur uit waren,' zei Jeff. 'Maar het is jouw kat. Jouw beslissing.'

'Neil?' vroeg Gwen.

Hij overwoog het zorgvuldig. 'Nou,' zei hij, 'als het alleen om Dion ging, zou ik hem een stevige douw geven. Maar als u hem voor het gerecht sleept, moet u dat met de andere twee ook doen en ik denk dat het beter is hen een paar dagen in hun sop gaar te laten koken en het daar dan bij laten. Ik bedoel, wat je ook met ze doet, het valt niet ongedaan te maken wat zij hebben gedaan. U krijgt er de staart van uw kat niet mee terug. Ze weten dat ze onmiddellijk met de dierenbescherming te maken krijgen als ze ooit weer wat uithalen. Maar zoals meneer Langley zegt: het is aan u.'

Gwen had terwijl hij sprak, haar besluit genomen. 'Tja,' zei ze. 'Wij weten allemaal wat ze hebben gedaan en zij weten dat wij het weten. Ik denk dat dat voldoende is. Die magere was bang. Ik denk dat de dikke dat ook was. Al dat opgeblazen het-kan-me-niet-schelen-gedoe was maar een façade.' Nu ze wist wat ze wilde, veranderde ze van onderwerp. 'Moeten jullie die wind eens horen.' Hij maakte een heel raar geluid, alsof hij om de toren heen huilde. 'Wat klinkt dat woest.' Ze glimlachte uitnodigend, eerst naar Lucy, om haar tot bedaren te brengen – die lieve Lucy, wat was ze boos – toen naar Jeff en Neil. 'Wat denken jullie van een kopje thee?'

Hoofdstuk 16

Het hele weekend gierde er een krachtige zuidwester om de toren. Gwen was allang blij dat ze binnen kon blijven bij Jet, maar Jeff werd rusteloos van de aanhoudende storm.

'Dat heb ik nou altijd,' verklaarde hij. 'De storm doet iets met me. Zodra het begint te waaien krijg ik de kriebels en wanneer de wind echt tekeergaat, kan ik me nergens meer op concentreren.'

Hij was die zondagavond naar haar toe gereden om tegen haar te zeggen dat hij een dag of twee naar Midden-Engeland ging om een paar nieuwe tractoren te bekijken en een bezoek te brengen aan zijn broer. 'Dan ben ik verlost van de wind,' had hij quasi schertsend gezegd.

'Als Jet er niet was, zou ik met je meegaan,' had Gwen gezegd. Er was nog een reden, maar ze besloot om die voorlopig voor zich te houden. De dag na het vuurwerk had Eleanor gebeld om te zeggen dat ze maandagmiddag op visite zou komen, en ze was zo lief en bezorgd geweest dat Gwen verlangend uitkeek naar haar komst.

Het bezoek begon heel plezierig. Eleanor had een enorme bos witte chrysanten bij zich toen ze arriveerde. Met haar bloemen nog in de hand was ze op haar moeder af gesneld om haar te omhelzen.

Daarna liepen ze de toren in. 'Arme poes,' zei ze. Hoe is het nu met haar?'

De poes lag op haar gebruikelijke plek op de bank met haar verbonden stompje staart op een kussen. Ze deed niet eens haar ogen open toen haar trieste verhaal werd verteld.

Eleanor wierp een vluchtige blik op het stompje staart, gewoon om haar goede wil te tonen. 'Afschuwelijk!' zei ze. 'Zal ik de bloemen even voor je in het water zetten?'

'En, hoe is het met je?' vroeg Gwen, terwijl Eleanor in de weer was bij de gootsteen. 'Je ziet er patent uit.'

'Volgens mijn vroedvrouw gaat alles prima.'
'Heb je je eigen vroedvrouw?'
'Jazeker,' zei Eleanor opgewekt. 'Als particuliere patiënt mag je ook wel een paar voordeeltjes hebben. Die keizersnede gaat me een rib uit mijn lijf kosten.'
Het terloops noemen van zoiets ingrijpends als een keizersnede was verontrustend. Er moet iets aan de hand zijn, dacht Gwen, en ze wil het me niet zeggen. 'Hebben ze nu al besloten dat het een keizersnede wordt?' vroeg ze bezorgd.
'Gut, ja,' zei Eleanor. 'Dat mag ik toch wel hopen. Een van beide: óf een keizersnede, óf een ruggenprik. Ik voel er niets voor om al die pijn te ondergaan. Niet als het aan mij ligt. "Verdoof me maar," heb ik tegen ze gezegd. "Het kan me niet schelen wat jullie doen, zolang ik er maar geen weet van heb."' Ze liet een argeloos lachje horen. 'Je kent me. Ik ben een enorme schijtlaars.'
Lieve hemel, dacht Gwen. Ik hoop dat ze weet wat ze doet. Maar het heeft geen zin om ertegenin te gaan. Als ze eenmaal een besluit genomen heeft, dan houdt ze daaraan vast, wat ik ook zeg. 'Hoe staat het met de kinderkamer?'
Eleanor droeg de vaas naar de woonkamer en zette hem op de wandtafel, waarna ze de bloemen net zo lang schikte tot ze tevreden was over het resultaat. 'De kinderkamer is klaar en ingericht,' zei ze. 'Donderdag hebben ze het bed bezorgd. Geweldig, hè. Dus je kunt zo een paar dagen bij me komen logeren als je wilt. Ik dacht dat je het misschien wel prettig zou vinden om er eens even helemaal uit te zijn, na alles wat je hebt meegemaakt. We kunnen naar de schouwburg gaan, dat soort dingen. Hoe lijkt je dat?' Ze ging op de bank zitten, trok haar kleren recht en keek vol genegenheid naar haar moeder op.
Gwen ging op de andere bank zitten en streelde de rug van de kat. 'Dat is ontzettend aardig van je, kind,' zei ze ontroerd. 'Ik wou dat het kon. Maar ik kan Jet niet alleen laten. Ik moet tweemaal in de week met haar naar de dierenarts, om het verband te laten vernieuwen.'
Eleanor fronste. 'Je kunt ook naar een dierenarts in Chelsea gaan, toch? Dierenartsen heb je overal, wil ik maar zeggen.'
Gwen aaide nog steeds de kat. 'Dat zou inderdaad kunnen,' gaf

ze toe, maar daar voel ik weinig voor. Ze is gewend aan deze arts. Bovendien is het een lange reis.'

'Goed, wanneer ze beter is dan,' zei Eleanor, die haar best deed om redelijk te blijven. 'Volgende week bijvoorbeeld. Of de week daarop. Zoiets. Maar je komt toch, hè?'

Gwen kreeg het gevoel dat ze onder druk gezet werd. Ze hield op met aaien en legde haar handen in haar schoot. 'Ik kom een dagje,' zei ze.

'Een dag is natuurlijk ook leuk,' zei Eleanor, nog steeds vastbesloten om redelijk te blijven, 'maar dat is niet hetzelfde als een week, toch? Ik wil dat je je daar thuis gaat voelen, daar wóónt. Ik bedoel: je kunt er zo in. Het bed is top, echt heel comfortabel. Je slaapt er vast heerlijk op. En er zijn allerlei mooie voorstellingen op dit moment. Of concerten, als je daar liever heen gaat. Kom een week.'

'Wie moet er dan voor Jet zorgen?'

Eleanor kreeg zo langzamerhand een sik van die kat, maar ze bleef rustig. 'Neem haar mee,' stelde ze voor. 'Als je bij me intrekt, komt ze toch ook, dus kan ze net zo goed al wat wennen. Zolang ze maar zindelijk is, zie ik geen enkel probleem – en dat is ze toch? Ik heb geen bezwaar tegen katten als ze zindelijk zijn, en het is leuk voor de baby. Kleine kinderen houden van huisdieren. Natuurlijk weet ik dat je af en toe een weekend hiernaartoe wilt, gewoon om te kijken of alles in orde is, maar dat lijkt me geen probleem. Ik zorg tijdens je afwezigheid wel voor de poes en lang zal je toch ook niet wegblijven, want uiterlijk maandagmorgen moet je er weer zijn. Zondagavond is nog beter. Hoe dan ook, ik geef haar wel eten. Er is dus geen vuiltje aan de lucht.'

Gwen kreeg het ongemakkelijke gevoel dat haar de regie over haar leven uit handen werd genomen. 'Waar heb je het in vredesnaam over?' vroeg ze toen haar dochter even pauzeerde om adem te halen. 'Je doet alsof ik bij jou ga wonen, in jouw flat.'

'Nu natuurlijk nog niet,' zei Eleanor geduldig. 'Nee, pas wanneer de baby er is. Wanneer ik weer aan het werk ga.'

Gwen zat enkele ogenblikken vrijwel roerloos en keek naar het knappe, zelfgenoegzame gezicht van haar dochter, terwijl zich tussen hen een kloof opende als een scheur in de aarde bij een aardbeving. 'Even voor alle duidelijkheid,' zei ze, bewust kalm. 'Jij verwacht dat ik naar Londen kom om voor de baby te zorgen, terwijl jij weer aan het werk gaat?'

'Nou ja, ik heb met de gedachte gespeeld om de baby elke week naar jou te brengen,' bekende Eleanor. 'Maar dat zou betekenen dat ik zes uur onderweg ben, drie uur heen en drie uur terug, en dat is lastig, of beter gezegd afschuwelijk, vooral als ik me uit de naad gewerkt heb. En je hebt er geen idee van hoe vaak dat voorkomt. Voor jou is het makkelijker om de reis te maken. Dat zie je zelf toch ook wel? Ik betaal je benzine en de overige kosten en zorg dat het eten klaarstaat als je er bent. Je was toch zo weg van de kinderkamer? Dat heb je toch zelf gezegd?'

'Ja, als kinderkamer, maar niet om er te wonen.'

'Als er iets is wat je niet aanstaat, verander ik het voor je,' bood Eleanor aan. 'Je hoeft maar een kik te geven. Ik wil dat je het naar je zin hebt.'

'Ik heb het híér volmaakt naar mijn zin,' zei Gwen.

'Ja, dat weet ik,' beaamde Eleanor. 'Maar het zou eenvoudiger zijn als je naar mij kwam.'

'Ik heb de indruk dat je niet begrijpt wat ik tegen je zeg,' zei Gwen. 'Ik kom niet naar Londen en de baby komt niet hier. Ik ga niet voor het kind zorgen.'

Dat haar moeder zoiets afschuwelijks zei, schokte Eleanor en haar adem stokte. 'Maar ik heb het allemaal al geregeld,' zei ze, zorgelijk fronsend.

Gwen voelde zich onbehaaglijk door de bedrukte blik van haar dochter, maar ze hield voet bij stuk. 'Dan zal je het moeten terugdraaien,' zei ze.

De kloof had Eleanors dure laarzen bereikt en de grond brokkelde onder ze weg. 'Maar je zei dat je het zou doen,' jammerde ze.

'Nee, Eleanor,' zei Gwen streng. 'Ik heb nergens mee ingestemd. Ik heb alleen gezegd dat ik de kinderkamer mooi vond. Ik heb nooit gezegd dat ik op de baby zou passen en jij hebt er ook met geen woord over gerept.'

'Maar je bent zo'n zorgzame moeder. Echt geweldig! Iedereen zegt dat. Ik dacht dat je het heerlijk zou vinden.'

'Nou, dat heb je dan verkeerd gedacht. Mijn taak zit erop en het was verrekte hard werken. Nu is het jouw beurt. Als je dit kind wilt, moet je er ook voor zorgen. Zo werkt het nu eenmaal.'

'Je begrijpt het niet,' zei Eleanor. 'Zo werkt het helemaal niet. Niet in deze tijd. Je kunt het je niet veroorloven om je baan op te geven en thuis te blijven. Niet vandaag de dag. Niemand doet dat. Als je geen carrière maakt, kun je het wel schudden. En er staat veel meer op het spel dan alleen die job: je vooruitzichten, promotie, pensioen, status, alles. Je komt niet meer aan de bak.'

'Dan heb je een keus,' zei Gwen gedecideerd, 'of niet soms? Of je kiest voor een kind, of je kiest voor een carrière. Kennelijk kun je niet beide hebben.'

'Ja, dat kan wel,' zei Eleanor. 'Het is heel gewoon. Je moet gewoon zorgen dat je goede kinderopvang vindt.'

De zelfzuchtige veronderstelling die aan Eleanors woorden ten grondslag lag stak Gwen, maar ze bleef kalm. 'Dus dat ben ik in jouw ogen? Een goede kinderoppas?'

Eleanor gaf haar een eerlijk antwoord. 'De beste,' zei ze. 'Ik bedoel: wie kan een betere oppas zijn dan oma?'

'De moeder zelf.'

De scheur was een kloof, een gapende afgrond, die zich verbreedde, onoverbrugbaar werd.

'Je wilt niet naar me luisteren,' snikte Eleanor. 'Ik kan het niet doen. Dat is uitgesloten. Je moet me helpen. Ik heb het geld nodig.'

Geld, dacht Gwen. Bij deze generatie draait alles om geld. 'Laat Pete de kost verdienen. Daar zijn vaders voor.'

'Pete weet hier niets van, ik heb het hem niet verteld.' Het was eruit voor Eleanor er erg in had.

'O, Eleanor! In hemelsnaam!'

'Bespaar me je gehemelsnaam!' riep Eleanor uit. 'Hij was de hele tijd weg. Ik heb het geprobeerd. Hij wilde niet luisteren.'

Gwen schudde haar hoofd en trok een lelijk gezicht. 'Ik kan dit niet geloven!'

Gwens grimas gaf Eleanor weer een beetje hoop. Ze had hem vroeger als kind vaak gezien en uiteindelijk had ze altijd haar zin gekregen. 'Dus je helpt me, hè?' vleide ze. 'Ik weet niet hoe ik het klaar moet spelen als je me laat vallen. Nog nooit heeft het water me zo aan de lippen gestaan.'

'Doe niet zo melodramatisch.'

'Het is de waarheid. Ik heb nog nooit iets zo nodig gehad. Ik ben afhankelijk van je. Dus je helpt me, hè? Je laat me niet in de steek.'

Gwen aarzelde. De wind blies onder de deur door en ze hoorde het gebulder van de zee zelfs door de dubbele beglazing heen. 'Hoe kan ik zorgen dat het tot je doordringt?' zei ze. 'Je kunt praten wat je wilt, maar ik doe dit niet. Ik heb zesendertig jaar voor anderen geleefd. Zesendertig jaar heb ik voor jou en Lucy gezorgd en je vader het leven laten leiden dat hij wilde. Dat is een vreselijk lange tijd. De helft van mijn leven. En nu ben ik in de gelegenheid om mijn eigen leven te leiden, op mijn eigen manier, en het is een fijn leven. Ik geniet ervan en ik ben niet van plan het op te geven. Als je iemand voor je kind wilt laten zorgen, dan moet je zien dat je die iemand vindt. Ik doe het in ieder geval niet. Ik heb het één keer gedaan en dat is voldoende.'

Eleanor kon zich niet langer beheersen en begon te huilen. 'Hoe kun je zo verrekte zelfzuchtig zijn,' snikte ze. 'Ik dacht dat je van me hield.'

'Ik hou ook van je.'

'Nou dan. Wees dan een echte oma voor mijn kind.'

'Oma, daar kan ik me wel in vinden,' zei Gwen tegen haar. 'Dat lijkt me enig. Dan neem ik mijn kleinkind mee naar de dierentuin en naar de film. In de vakantie mag het komen logeren. Dan geef ik het zwemles en al dat soort dingen. Maar je kunt niet van me verwachten dat ik voor moeder speel. Echt niet, daar ben ik te oud voor.'

'Ik dacht dat je me zou steunen,' zei Eleanor huilend. 'Ik ben verdorie je dochter. Wie kan een moeder vervangen? Je moeder is de enige in de hele wereld die je kunt vertrouwen. Maar nee. Je bent geen moeder voor me. Je houdt niet van me. Niet wanneer het erop aankomt. O, ik weet wel hoe dat komt. Het is vast die verrekte boer. Wij zijn het kind van de rekening.'

'Nee,' zei Gwen, die moeite moest doen om kalm te blijven. 'Het heeft niets met hem te maken. Hij weet het niet eens. Hoe zou hij het trouwens moeten weten? Ik ben er nog maar net zelf achter. Dit is mijn beslissing. En ik kom er niet op terug.'

Eleanor sprong overeind, pakte haar handtas en bewoog zich onhandig naar de deur. 'Je hebt nooit van me gehouden,' zei ze huilend. 'Nu weet ik het zeker. Je bent een hard en egoïstisch mens. Je hebt geen greintje liefde in je. Je hield niet van papa en je houdt niet van mij. Het kan je niet schelen wat je me aandoet.'

Dat was ook weer een trucje uit haar kindertijd en Gwen herkende het met pijn in het hart, want het zou haar niet helpen. 'Dat zie je natuurlijk verkeerd,' zei ze verdrietig, 'maar ik kan je niet tegenhouden als je dat wilt denken.'

Eleanor liet haar tranen de vrije loop. De deur ging stroef en lastig open, maar ze trok er uit alle macht aan, terwijl de tranen langs haar elegante neus stroomden en op haar elegante jas drupten. 'Doe geen moeite om me uit te laten,' zei ze woedend. En weg was ze.

Nadat ze vertrokken was, bleef Gwen nog een tijdje op de bank zitten en aaide werktuiglijk de kat over haar kop. Ze voelde zich te ellendig om op te staan. Nu het weer rustig was in de toren, drongen zich allerlei lastige vragen op. Denk ik alleen maar aan mezelf? dacht ze ongelukkig. Had ik toe moeten geven? Misschien wel, al was het alleen maar om het kindje. Als ik er niet voor zorg, laat ze het een vreemde doen. God weet wat er dan met de stakker gebeurt. Ze zal er zelf niet voor zorgen. O, wat een uilskuiken ben ik al die weken geweest. Ongelooflijk dat ik niet doorhad wat de bedoeling was. Al dat gedoe over de kinderkamer en al dat gevraag wat ik er wel niet van vond. Het gebeurde voor mijn ogen en ik heb het niet gezien. Hoe heb ik zo blind kunnen zijn? Als ik alerter was geweest, dan had ik me beter kunnen voorbereiden, het beter kunnen aanpakken.

De auto startte en reed weg. Banden slipten op het gravel. 'Nou ja,' zei ze tegen de kat, 'we moeten maar geduld hebben en zien wat ervan komt, zo is het toch, poes?'

Toen klonk het geluid van de auto weer: hij keerde terug. Ze was zo opgelucht dat ze meteen opstond en naar de deur snelde. Als we ons kunnen verzoenen, is het leed te overzien. Ruziemaken is vreselijk. Ik ben niet van plan om haar haar zin te geven, maar daarom hoeven we nog geen ruzie te maken.

Het was inderdaad een Renault, maar niet die van Eleanor. Een onbekende jonge vrouw stapte behoedzaam uit en liep het tuinpad op. Ze had lang zwart haar, droeg een bril met hoornen montuur en was gekleed in een donker broekpak. In haar linkerhand hield ze een klembord.

'Mevrouw MacIvor?' vroeg ze, terwijl ze haar hand uitstak. 'Ik ben Kate Fenchurch, van de gemeente. Het gaat over de bouwvergunning die u hebt aangevraagd. Ik kom de voorgenomen bouwlocatie bekijken.'

Het duurde even voor Gwen haar gedachten kon bepalen tot zoiets prozaïsch als een bouwvergunning. Toen pakte ze haar cape en hoed en liep samen met de jonge vrouw naar het bijgebouw.

Het was een grondige inspectie. Ze controleerde de staat van de muren, mat de lengte van het gebouw op, stelde vragen over het dak, onderwierp de plek waar Gwen de garage wilde neerzetten aan een nader onderzoek en oordeelde ten slotte dat alles aan de eisen voldeed. 'Voor zover ik kan zien, is er niets wat een vergunning in de weg staat. Behalve dan dat er door ingezetenen bezwaar gemaakt is.'

Het was de tweede verrassing die middag, en die was bijna net zo'n koude douche als de eerste. 'Wat voor bezwaar?' vroeg Gwen.

De gemeenteambtenaar zocht even en overhandigde haar een document. Het stuk zei Gwen niets. Ze zag geen bezwaarschriften, alleen maar een klein, slecht gedrukt formulier dat de kop GEMEENTERAAD VAN SEAL ISLAND droeg en waarop iemand vier getallen geschreven had: 35, 97, 68 en 102. Elke toelichting ontbrak. Als hieruit het bezwaar bestond, dan was dat erg merkwaardig. 'Is dit het?' vroeg ze. 'Wat betekent het?'

'O, die cijfers,' zei de vrouw. 'Dat is de stenografie die ze in gemeenteraden gebruiken. Ik heb geen idee wat ze betekenen. Daarvoor moet u bij de voorzitter of de gemeentesecretaris zijn. Hun namen staan op het formulier.'

'Ik ga er vanavond nog heen,' zei Gwen. Het was absurd om bezwaar te maken tegen haar garage, vooral als dat gebeurde via een stel cijfers.

Toen ze die avond vertrok was het al zo donker dat je de koplampen aan moest doen, maar dat weerhield haar niet. Door haar rondwandelingen wist ze dat het huis van de voorzitter zich ergens in de nieuwbouwwijk moest bevinden, helemaal aan de oostkant van het dorp, en ze vond de woning gemakkelijk. Het was een kleine, nette bungalow met een strak ingedeelde tuin en een schoongeveegde oprijlaan.

Het verbaasde haar niet dat ook de man die opendeed klein en netjes was. Ja, hij was inderdaad meneer Perkins, en ja, hij was voorzitter van de gemeenteraad. 'Komt u binnen. Waarmee kan ik u van dienst zijn?'

'U mag me uitleggen wat deze getallen betekenen,' zei Gwen, die rondkeek. Het viel haar op hoe smakeloos de properheid van deze kamer was. Er stond een knots van een tv, boeken waren nergens te bekennen en op de vensterbank stond een hele batterij sierporselein. Toen vertelde ze hem wie ze was, benieuwd naar de uitwerking die dat zou hebben. Ze wist niet of ze blij moest zijn of boos toen ze zag hoe opgelaten hij zich voelde.

'Als u even wacht, haal ik het reglement erbij,' zei hij. 'Neemt u plaats.' Het was allemaal theater. Hij wist heel goed waar die getallen voor stonden. Hij herinnerde zich hoe die gekozen waren. Maar dat kon hij moeilijk toegeven. Zeker niet als ze was gekomen om hem een uitbrander te geven. Was het graafschap maar niet begonnen met die flauwekul van 'openheid naar de burger toe'. Van meet af aan was dat solliciteren naar moeilijkheden geweest. 'Hebbes,' zei hij. Hij legde het boek voor haar neer op de salontafel. 'Kijk, hier. 35: onjuiste verandering van gebruik, 97: aantasting van het milieu, 68: verkeersgevaar, 102: het scheppen van een precedent.'

Nu was Gwen inderdaad heel kwaad. 'Hoe kan er nu sprake zijn van onjuiste verandering van gebruik?' vroeg ze. 'Het gaat om een smerig oud bijgebouw, dat vol staat met lege flessen van de vorige bewoner. U weet dat hij alcoholist was, neem ik aan? Ik wil het laten ombouwen tot een mooie, nieuwe garage. Wat is daar onjuist aan? Hoe kan dat nu schade toebrengen aan het milieu? Een mooie garage is toch zeker te verkiezen boven een varkenskot? U moet eens langskomen, meneer Perkins, dan kunt u het zelf zien.

Dat ding is een belediging voor het oog.'

Hij wist zich geen raad met de pijnlijke situatie. 'Daar twijfel ik niet aan,' zei hij.

'Waarom zet u me dan de voet dwars?'

'Ik geloof dat het de deur van de garage was waar het bezwaar zich op toespitste,' vertelde meneer Perkins. 'Het is natuurlijk allemaal een kwestie van smaak, maar er waren wat mensen die van mening waren dat een moderne garage niet past bij een oud, uit bak- en vuursteen opgetrokken gebouw.'

Ze snoof. 'En smerige oude flessen zeker wel?'

'Zoals ik al zei, over smaak valt niet te twisten.'

'Oké, laten we dan de andere bezwaren maar eens onder de loep nemen. Verkeersgevaar, hè? U weet waar het gebouw staat, neem ik aan. Helemaal aan het eind van Mill Street. Het enige verkeer daar bestaat uit de auto's van mensen die voor mij komen.'

'Er zijn nogal wat wagens met bouwmaterialen geweest, dacht ik.'

'Ja, nogal wiedes,' zei Gwen, die rood aanliep vanwege zo veel stompzinnigheid. 'Ik heb het gebouw letterlijk moeten herbouwen. Het was aan het wegrotten toen ik er kwam wonen. Die zuiplap had het gebouw zo laten verslonzen dat het een wonder mag heten dat het niet was ingestort. In plaats van getallen op een stuk papier te krabbelen, zou u beter eens langs kunnen komen om te kijken wat ik heb gedaan.'

'Men heeft ons gevraagd of we onze mening wilden geven, mevrouw MacIvor,' zei de voorzitter tamelijk gereserveerd. 'En dat hebben we gedaan. Daar is een gemeenteraad voor. En ik wil eraan toevoegen dat de getallen niet neergekrabbeld werden. Ze zijn netjes opgeschreven. Ik heb ze zelf genoteerd.'

Gwen nam het voor kennisgeving aan. 'Waarom is niemand van u naar het bijgebouw gegaan om er een kijkje te nemen?'

'We hebben het bouwplan bekeken; we hebben naar de argumenten geluisterd.'

'U verzet zich ertegen,' zei Gwen, die maar al te duidelijk besefte waar de schoen wrong, 'omdat ik niet van hier ben. Daarom bent u tegen het scheppen van een precedent. Nieuwkomers moeten hun plaats kennen. Heb ik gelijk, of niet?'

'Nee, nee. Mijn beste mevrouw MacIvor, zo moet u niet denken.'

'Een andere reden kan ik niet bedenken,' zei Gwen. Ze stond op en duwde haar stoel naar achteren.

'Het is niets persoonlijks,' probeerde hij haar gerust te stellen.

'Ja, dat is het wel,' zei ze, terwijl ze naar de deur liep. 'Het is persoonlijk, rancuneus en verdomd onvriendelijk. U moet u schamen. Goedenavond.'

'Wie was dat?' vroeg mevrouw Perkins, die de kamer binnenkwam op het moment dat Gwen wegreed. 'Ik kon haar getier in de keuken horen.'

'Dat,' zei haar man huiverend, 'was mevrouw MacIvor, en ik ben bang dat ze zwaar beledigd is.'

Tegen de tijd dat de zwaar beledigde mevrouw MacIvor weer terug was in haar toren, was het volkomen donker en was haar woede weggeëbd. Nu voelde ze zich belegerd en gedeprimeerd. Was het feit dat haar buren zo'n hekel aan haar hadden dat ze een volkomen redelijk voorstel blokkeerden al weinig bemoedigend, erger was het om rond te lopen met het vermoeden dat Jet misschien aangevallen en verwond was om háár een hak te zetten. Als dat inderdaad gebeurd was, was dat boosaardig. Maar het allerergste was de herinnering aan haar vreselijke ruzie met Eleanor. Was Jeff er maar. Ze had een enorme behoefte om met hem te praten.

Maar hij was weg en kwam niet. Ze vond het niet prettig om naar zijn mobiel te bellen en hij belde haar niet. Er belde trouwens niemand, dus was het ellendig eenzaam in haar toren. Woensdagavond laat ging de telefoon eindelijk over. Ze nam op en haar opluchting was zo groot dat ze een nerveuze onrust voelde.

'Ik ben er weer,' zei Jeff met opgewekte stem. 'Ik heb een nieuwe tractor gekocht. Een eersteklas machine. Zelfs de oude Martin liet zich er goedkeurend over uit. Wat een verschil zal het zijn als we het land ploegen. Wacht maar tot je de brochure ziet.'

Ze probeerde enthousiast te zijn. 'Dat is mooi.' Maar ze kon het niet opbrengen om warm te lopen voor een tractor, en haar stem klonk vlak.

'Wat is er aan de hand?' vroeg hij. Zijn stem klonk meteen teder.

'Dat is een lang verhaal,' vertelde ze hem op vermoeide toon. 'Twee lange verhalen, om precies te zijn, en niet zulke vrolijke. Ben je nog bij je broer langs geweest?'

'Ik kom eraan,' zei hij. 'Haal de glazen maar vast tevoorschijn. Ik heb ook nog een fles maltwhisky gekocht.'

Er was veel tijd, een stortvloed van tranen en een aanzienlijke hoeveelheid whisky voor nodig, voordat ze hem had verteld wat er gebeurd was en ze al zijn vragen had beantwoord. Maar zodra ze was uitgesproken, had hij haar een gezond advies gegeven.

'Om te beginnen kun je die twee ouwe zeuren gewoon negeren,' zei hij. 'Ze zijn alleen maar kleingeestig en rancuneus, iets wat je kunt verwachten van een stel waardeloze plaatselijke politici die verder niets om handen hebben. Ze stellen niets voor. De eindbeslissing ligt bij de commissie Ruimtelijke Ordening, en zij zullen de vergunning verlenen. Er is geen enkele reden waarom ze dat niet zouden doen.'

'Misschien moet ik er gewoon van afzien,' zei Gwen, 'en het laten zoals het is.'

'Dat is nou net het slechtste wat je kunt doen,' zei hij tegen haar. 'Dan zullen ze denken dat ze gewonnen hebben en dat moet voorkomen worden. Dat is niet goed voor hun zieltjes.'

'En Eleanor?' zei ze verdrietig. 'Ik had moeten zeggen dat ik haar zou helpen, of niet soms? Ze was zo van streek. Zo overstuur heb ik haar nog nooit gezien.'

'Die Eleanor van jou is keihard,' zei hij. 'Dat heb ik je al eerder gezegd. Ze is vreselijk verwend. Oké, oké, ik zeg niet dat jij dat gedaan hebt, maar iemand heeft het gedaan. Ze verwacht dat ze altijd haar zin krijgt, en dat is niet gezond.'

'Je doet het voorkomen of ze een egoïstisch persoontje is.'

'Ze ís egoïstisch. En je had volkomen gelijk dat je weigerde. Goeie genade, mens, je wilt op jouw leeftijd toch niet voor een baby gaan zorgen?'

Dat was waar, ze moest het toegeven. 'Maar als ik het niet doe, laat ze het iemand anders doen,' zei ze. 'Een of andere vreselijke au pair die met het kind rondzeult en ertegen schreeuwt. Dat kan ik niet verdragen.'

Hij pakte haar beide handen en hield ze stevig vast. 'Je dochter is geen kind meer,' zei hij. 'Zij moet haar eigen fouten maken en jij moet haar die laten maken. Je bent niet verantwoordelijk voor haar. Knip die navelstreng door en laat haar zichzelf redden.' Ze zuchtte en trok een gezicht, waarop hij zweeg en haar enige tijd strak aankeek. 'Oké,' zei hij, 'ik heb een beter idee.'

De uitdrukking op zijn gezicht en de plotselinge verandering van toon maakten haar nieuwsgierig. 'Wat dan?'

'Als je hier werkeloos blijft zitten en er de hele dag over zit te piekeren, zul je uiteindelijk zwichten. Absoluut. Dat weet je zelf ook. Welnu, ik denk dat je iets anders moet gaan doen. Iets belangrijkers.'

'Zoals.'

'Met me trouwen.'

Doordat het haar zo overviel gaf ze hem spontaan een eerlijk antwoord. 'Maar ik wil helemaal niet met je trouwen. Ik vind het prima zo.'

Haar openhartigheid kwetste zijn trots en maakte hem kribbig. 'Nou, je wordt bedankt.'

Ze zag de averij die ze had veroorzaakt en haastte zich om hem te troosten. 'Dat betekent niet dat ik niet van je hou. Dat doe ik wél. Heel veel zelfs. Het is alleen... Oké, als je de waarheid wilt weten: ik wil je vrouw niet zijn. Ik ben graag onafhankelijk.'

'Denk er dan tenminste over na,' drong hij aan. 'Het heeft echt een paar voordelen. Dan ben je niet meer Haar-van-de-toren, maar de vrouw van de boer. Je geniet veel meer aanzien. Het zou in één klap afrekenen met die oude zeurkousen. En we zouden de hele tijd samen kunnen zijn in plaats van al deze vluchtige bezoekjes. Je kunt de toren houden. Je hoeft hem niet op te geven. We kunnen twee huizen bezitten en ze beide bewonen. Eén voor het werk en één om er plezier te maken.'

'Dat doen we toch al?'

'Dat weet ik. Maar denk erover. We zouden een fantastisch span vormen.'

Ze herinnerde zich Eleanors woorden. 'Het is die verrekte boer. Hij wil je voor zich alleen.' Was dat waar? Wilde hij dat inderdaad? Zei hij daarom al deze dingen? En wilde ze wel de helft van een span zijn? Het klonk of ze een span boerenpaarden waren.

'Slaap er een nachtje over,' was zijn raad. 'Misschien kijk je er morgenvroeg heel anders tegenaan.'

Dus beloofde ze dat ze erover na zou denken, hoewel ze al wist dat ze niet van gedachten zou veranderen.

De belofte krikte zijn gevoel van eigenwaarde weer een beetje op. 'En nu we het toch over dit soort dingen hebben,' zei hij. 'Wat vind je ervan om Kerstmis bij mij te vieren. Dit jaar is het mijn beurt om de familie te ontvangen, en op kerstavond hebben we altijd een groot feest. Ik weet zeker dat je het hartstikke leuk zult vinden.'

Dat wilde ze wel afspreken. 'Maar alleen als je het niet vervelend vind om Lucy en Eleanor ook uit te nodigen. Ze vieren Kerstmis waarschijnlijk bij mij – of in elk geval een deel ervan... als Eleanor me tenminste vergeeft.' Maar ja, het zou ook kunnen dat ze helemaal niet kwam. Er was een kans dat ze haar kwijt was. Nee, laat dat niet zo zijn! Dat was niet te verdragen...

Hij zag hoe de uitdrukking op haar gezicht veranderde en sprak snel om haar over de streep te trekken. 'Hoe meer zielen, hoe meer vreugd,' zei hij. 'We zijn met zo veel mensen dat twee extra er nog wel bij kunnen.'

Dat klonk tamelijk angstaanjagend. 'Hoeveel komen er?'

'Ik kom uit een gezin met vijf kinderen,' zei hij. 'Twee jongens en drie meisjes, en we hebben allemaal een gezin. Dus waarschijnlijk komen er een stuk of zesentwintig, als mijn zoons ook komen.'

'Mijn hemel! Het lijkt wel een volksstam.'

'Dat klinkt al beter,' zei hij. 'Ik heb je aan het lachen gemaakt. Slaap er gewoon een nachtje over. Ik moet nu gaan. Ik had een uur geleden al bij die oude Kit Voller moeten zijn. Wij samen, we kunnen bijna alle problemen aan, geloof me.'

Maar dit probleem niet, dacht ze, terwijl ze hem uitzwaaide. Je hebt dit probleem zojuist nog ingewikkelder gemaakt. Nu hij weg was, voelde ze zich ongemakkelijk bij de gedachte dat ze hem vreselijk gekwetst moest hebben door te weigeren, maar wat had ze anders kunnen doen? Ze wilde echt niet met hem trouwen. Van elkaar houden was prachtig – ze had hem moeten vertellen hóé prachtig – maar alleen al de gedachte om getrouwd te zijn deed haar huiveren. Eén keer was meer dan voldoende.

Ze liep naar haar mooie rode woonkamer – ongelooflijk dat hij dacht dat ze dit allemaal zou opgeven. Toch had hij in één ding gelijk. Het zou makkelijker zijn als ze iets om handen had. Als ze hier blijft zitten piekeren, zou ze uiteindelijk toegeven. Misschien moest ze inderdaad een baan zoeken. Er stonden genoeg personeelsadvertenties in de plaatselijke krant. Gistermiddag had ze die nog gezien toen ze de reclames van de tuincentra doorlas en plannen maakte voor haar moestuin.

Ze vond de krant en sloeg hem bijna terloops open, zich afvragend of er iets bij was wat geschikt was. Een baan was maar een baan. Als ze het werk niet leuk vond, nam ze ontslag; dan was er geen man overboord. Dit was misschien wel wat om mee te beginnen: doktersassistente bij een arts in Chichester, 'ervaring met telefonische dienstverlening'. En die baan leek ook niet gek: secretaresse op een school in Little Marsden, 'goede contactuele eigenschappen en enige kennis van het boekhouden'.

De oude Gwen MacIvor zou erover zijn gaan dubben, de nieuwe Gwen MacIvor verspilde geen tijd aan nutteloze gedachten. Ook was ze niet bescheiden bij het opstellen van haar cv. Als ze werk wilde hebben, moest ze zichzelf verkopen. Ze had per slot van rekening haar diploma, ze had goede contactuele eigenschappen, ze had veel ervaring met telefonische dienstverlening, ze had in de winkel in Fulham de hele administratie gedaan. Wat lette haar.

Het kostte haar meer dan een uur om beide sollicitatiebrieven te schrijven, maar toen ze klaar was, was ze behoorlijk tevreden over zichzelf. Het eerste wat ik morgenochtend doe, is naar de brievenbus lopen, besloot ze. En dan zien we wel wat ervan komt.

Hoofdstuk 17

De heer Walter B. Hackenfleur II stond bij het panoramaraam in Pete Pimlico's flat en keek uit over de Theems. Het was laat in de middag en de rivier stroomde schemerdonker met glinsteringen van gereflecteerd licht. Torenflats rezen zwart en donker voor hem op met ramen die schitterden; de bruggen links en rechts waren roetkleurige vormen met heldere lichtjes erin gegraveerd. Een feestelijk verlichte rivierboot voer langs en hij zag hoe de voorsteven twee vleugels van maanverlicht water in de rivier kerfde en hoe benedendeks donkere figuurtjes dansten en dronken. 'Dit is een verdomd mooi uitzicht, Pete,' zei hij. 'Verdomd mooi.'

'Ik ben blij dat u het mooi vindt,' zei Pete glimlachend, maar wat hij dacht was: schiet toch op en teken het contract. Treuzel niet en geef me mijn cheque. Een nieuwe bewoner kon er zo in. Al zijn spullen lagen in de auto, klaar om overgebracht te worden naar Eleanors woning. Het was nergens voor nodig om zoveel tijd te verspillen.

Maar de heer Hackenfleur II wachtte tot zijn vrouw haar fiat zou geven en hoewel ze tevreden leek, 'verliep het inspecteren van de woning traag. De keuken vond ze 'schattig', de slaapkamer met badkamer en toilet 'keurig' en de woonkamer 'fantastisch voor party's'. Nu onderwierp de dame de logeerkamer aan een kritisch onderzoek. Ze trok de ingebouwde kleerkasten open en streek met haar vingers over de vensterbanken om te controleren of ze ook stoffig waren. Geen stofje zul je vinden, dacht Pete, die haar gadesloeg.

Ten slotte zeilde ze terug naar de woonkamer. 'U hebt een fraai woninkje hier,' zei ze met een koninklijk gebaar. 'We nemen het.'

'Daar krijgt u geen spijt van,' verzekerde Pete haar, terwijl haar man het contract tekende en die onmisbare cheque. 'Ik weet zeker dat u hier heel gelukkig zult zijn.' Nu kon hij Chelsea eindelijk als een afgesloten hoofdstuk beschouwen. Die goeie Eleanor, dacht hij. Hij popelde om haar weer te zien.

Eleanor hing aan de telefoon. Ze had een afschuwelijk drukke dag gehad, een aaneenrijging van afgrijselijke vergaderingen. Haar werkdag was geëindigd met een lang en gruwelijk gesprek met mevrouw De Quincy, die nu een blondine was en er met haar witte kuif had uitgezien als een kaketoe. Maar aan het einde van de bijeenkomst had ze de loftrompet gestoken over Eleanors laatste presentatie – 'meneer Young was erg onder de indruk' – en zelfs gevraagd hoe ze zo fris bleef.

Alsof ik een pak melk ben, had Eleanor gedacht, die zuur kan worden. Maar ze glimlachte beleefd en zei dat ze in prima conditie was.

'Ik ga er nog steeds van uit dat alles geregeld is voor na je zwangerschapsverlof,' had mevrouw De Quincy op de valreep gezegd. 'En dat je moeder nog steeds beschikbaar is.'

'Natuurlijk.'

Mevrouw De Quincy speelde haar rol van bezorgde leidinggevende. 'Er zijn dus geen problemen.'

De herinnering aan haar moeders trouweloze handelwijze gaf Eleanor een terneergeslagen gevoel. Maar ze slaagde erin zich groot te houden en antwoordde opgewekt: 'Natuurlijk niet. U kent me toch.' Ik vind wel iemand anders, dacht ze. Ga daar maar gerust vanuit.

Vandaar dat ze, nu ze weer in haar mooie koele flat was, een belronde maakte. Ze probeerde de drie meest voor de hand liggende kandidaten, maar ving overal bot. Toen Pete aanbelde, was ze in gesprek met Monica Furlong. 'Blijf even aan de lijn,' zei ze. 'Er wordt gebeld.'

Voor ze ook maar zijn naam kon zeggen, was hij al in de kamer en had hij haar omhelsd en met kussen overladen.

Hij stopte even om adem te halen. 'Wanneer ben je teruggekomen?' vroeg ze, met haar armen nog steeds om zijn nek. 'Waarom heb je niet gebeld?'

'Nou wordt ie goed!' zei hij gelukkig. 'Die verrekte hoorn ligt er al uren af. Ik heb onderweg de hele tijd geprobeerd je te bellen. Ik heb fantastisch nieuws! Het was een geweldige ervaring. Helemaal te gek. Super. Wacht maar tot ik het je verteld heb. Best mogelijk dat je nu naar een topman van het Londense filiaal van J.R. Grossmann U.K. kijkt. Hoe zou je dat vinden?' En hij kuste haar opnieuw, opgetogen door zijn succes en het feit dat hij weer thuis was. 'Hé,' zei hij, toen hij zich ten slotte van haar losmaakte. 'Laat me je eens bekijken.'

Het was een enorme schok om te zien hoe dik haar gezicht was. 'Allemachtig, Eleanor!'zei hij. 'Wat heb je gedaan, dat je er zo uitziet?'

Ze was zo opgewonden door hun hartstochtelijke hereniging dat ze dacht dat hij haar plaagde, en ze plaagde hem terug. Het was oké, hij hield van haar. Dat liet hij toch blijken? 'Nou, mooi is dat,' zei ze glimlachend. 'Daar zijn er nog altijd twee voor nodig.'

Maar toen ging zijn blik van haar ronde gezicht naar haar dikke buik en de verbazing op zijn gezicht maakte plaats voor afgrijzen, 'Jezus Maria! Je bent zwanger.'

Ze schrok en was bang. Dit ging niet goed. O god, wat moest ze zeggen. Ze probeerde zich uit de precaire situatie te redden. 'Lief dat je me zo spontaan feliciteert,' zei ze, en ze zette een pruillip op. Het was de beste list die ze kon bedenken.

Maar ditmaal werkte de list niet. Duizelig van de schok wendde hij zich van haar af en begon te ijsberen. 'Een felicitatie!' schreeuwde hij. 'Ben je niet goed bij je verstand? Er valt niets te feliciteren. Van wie is het?'

'Doe niet zo achterlijk, Pete,' zei ze. Ze bleef staan waar ze stond, maar keek hem met een stralende glimlach aan. 'Van wie zou het nu zijn, denk je?'

'Nou, niet van mij,' zei hij laaiend. 'Ik neem geen risico's. Nooit. Dat weet je. Heb je vergeten je pil in te nemen? Is dat het? O, Eleanor! Jij stomme idioot.'

Ze herinnerde zich ineens dat de hoorn en nog naast hing en dat anderen ieder woord dat er geschreeuwd werd, konden horen. 'Een momentje,' zei ze, en ze liep naar de telefoon. 'Zeg, Monica, Pete is er... O, dat had je al gehoord... Ja, inderdaad. Je weet hoe driftig hij kan zijn. Blijkbaar heeft hij zich op weg hierheen zitten opwinden... Ik bel je terug.' Toen draaide ze zich om naar haar minnaar. Als hij van plan was om een scène te maken, was het maar beter dat het nu gebeurde. Hoe sneller het voorbij was, hoe beter. 'Goed,' zei ze, 'laat één ding duidelijk zijn: ik ben de pil niet vergeten in te nemen. Ik was ermee gestopt.'

Hij was verbijsterd. 'Bewust, bedoel je?'

Ze kon nu geen kant meer op en er zat niet anders op dan de waarheid te vertellen. 'Ja, bewust. Een paar maanden geleden heb ik het ook eens geprobeerd, gewoon om te kijken wat er zou gebeuren. En er gebeurde niets. Dus heb ik het nog eens geprobeerd.'

Met een gebaar van theatrale wanhoop hief hij zijn handen in de lucht. 'Gekkenwerk!' zei hij. 'Absoluut geschift.'

'Nee, dat was het niet. Ik wilde een kind. Dat wil ik al jaren. Ik had alleen niet gedacht dat het zou gebeuren.'

'Je wilde geen baby. Vertel geen onzin.'

'Ik wilde het toen. En ik wil het nu.'

Zijn gezicht was rood van woede. 'Je had het me moeten vertellen.'

'Dat heb ik ook geprobeerd. Je gaf me gewoon niet de kans. Ik zei steeds: "Ik wil een kind", en jij antwoordde steeds met: "Nee, dat wil je niet."'

'Dat je de pil niet meer nam, dát had je me moeten vertellen,' corrigeerde hij. 'Zodra je het wist... Ik kan dit niet geloven. Het is zo ongelooflijk achterbaks.'

'Het was niet achterbaks,' zei ze, en nu pruilde ze echt, want zijn woorden deden pijn. 'Ik wou het je vertellen. Maar je ging weg. Je wilde niet luisteren.'

'En of ik naar je zou hebben geluisterd als je gezegd had: "Ik slik de pil niet meer." Daar zou ik verdomd goed naar geluisterd hebben. Besef je wel wat je hebt gedaan?'

Ze keek hem onverschrokken aan. 'Ik ben zwanger,' zei ze. 'Ik weet dat je boos bent, maar ik ben blij.'

'Je hebt Russische roulette gespeeld met mijn sperma,' zei hij. 'Je hebt mijn zaad gestolen. En dat is een delict. Ik kan je voor het gerecht dagen. Toen ik in Amerika was, speelde daar zo'n zaak. Precies hetzelfde geval. Zij stopte zonder het hem te vertellen met de pil en hij liet haar dagvaarden en eiste een half miljoen dollar.'

Alleen al de gedachte aan een rechtszaak joeg haar angst aan. 'Bespottelijk,' zei ze. 'En dan heb ik je zeker in bedwang gehouden door je aan de bedstijl vast te ketenen en je vervolgens verkracht? Kom nou toch, Pete. Ik heb niets gestolen. Je hebt het me gegeven. Bereidwillig, voor zover ik me herinner. Maar al te bereidwillig.'

'Ik heb het gegeven voor het plezier,' zei hij woedend. 'Dat was de afspraak. Daar was het voor bedoeld, niet om een kleine schreeuwlelijk te maken. We zijn niet geschikt voor het ouderschap. Ouderschap is om problemen vragen. O, hoe heb je zo stompzinnig kunnen zijn. We moeten zorgen dat je in een goede kliniek terechtkomt. Misschien de Malborough-kliniek?'

'Ik ga al naar een goede kliniek.'

'Goddank! Wanneer vindt de ingreep plaats?'

'Met Pasen,' zei ze. 'Alles is al geregeld.'

'Maar dat duurt nog maanden.'

'Vierenhalve maand om precies te zijn. Ik ben nu halverwege.'

'We hebben het toch over een abortus?'

Ze was geschokt. 'Nee, daar hebben we het niet over. Ik wil geen abortus.'

'Alsjeblieft, Eleanor, je wilt dit toch niet doorzetten, hè? Dat kun je niet doen. Denk aan je carrière. Aan ons. Het ouderschap is niets voor ons. Laat het weghalen. Ik betaal de kosten wel.'

Ze keerde zich van hem af. Ze voelde zich misselijk van ellende. Haar hart trilde op verontrustende wijze en het voetje van de baby tikte tegen haar buik. 'Je klinkt als die waardeloze moeder van me,' zei ze. 'Dat was ook het enige wat zij kon zeggen. Laat het weghalen; een kind en een carrière gaan niet samen. Nou, dan zal ik je eens wat vertellen. Dit is mijn lichaam en mijn kind en als ik het wil krijgen, dan zal ik het krijgen. En ze legde haar hand op de plek waar de voet van de baby schopte en wreef er zachtjes over. 'Maak je geen zorgen, schatje,' zei ze, 'ik zal niet toestaan dat iemand je kwaad doet.'

Haar zelfgenoegzaamheid maakte hem zo razend dat hij het geen seconde langer bij haar uithield. 'Je bent compleet geschift,' brulde hij. Ik ga naar huis.' Met grote stappen beende hij de kamer uit en knalde de deur achter zich dicht.

Ze stond in het midden van haar witte kamer en was volmaakt

kalm. Ze streelde het minuscule voetje dat tegen haar hand bonkte en verbaasde zich erover dat ze zo ontvankelijk voor indrukken was. 'Maak je maar geen zorgen,' zei ze tegen de baby. 'Ik zal voor je zorgen. Je papa en je oma kunnen zo walgelijk zijn als ze willen, maar je hebt mij. Het beste zal nog niet goed genoeg voor je zijn. Merkkleding, een uitstapje naar Disneyland. Een eigen computer. Ik zal niet toelaten dat er iets beestachtigs met je gebeurt, dat beloof ik je. Ik zal de beste au pair van de hele wereld voor je vinden...' Toen begon ze te huilen.

Pete was al halverwege King's Road, toen hij zich herinnerde dat hij niet naar huis kon. Een paar seconden was hij helemaal de kluts kwijt en wist hij niet waar hij heen moest. Maar hij zat zo vast in het verkeer dat hij wel moest blijven rijden. Hij wilde niet naar Staggers, want dan moest hij uitleggen dat hij ruzie had gemaakt met Eleanor en dat hield hij liever geheim. Carolyn was een mogelijkheid, maar ze legde te veel beslag op hem. Susie, hoe zag ze er ook alweer uit – nee, die was te dik. Als mevrouw M. nog in Fulham had gewoond, zou hij daarheen gegaan zijn. Ze zou hem zonder vragen te stellen in huis hebben genomen, net zoals ze had gedaan toen die afgrijselijke ouwelui van hem naar India waren vertrokken en hem in Engeland achterlieten. Maar het had geen zin om daarover na te denken. Ze woonde te ver weg en hij had morgenochtend om negen uur een zakengesprek.

Toen dacht hij aan Lucy, en het was of plotseling de zon doorbrak. Ze was er altijd voor je, altijd liefdevol, net als haar moeder. Zij zou wel eens de juiste keus kunnen zijn. Hij sloeg rechtsaf en reed in de richting van Albert Bridge.

Lucy stond in de badkamer haar haar te wassen. Ze had tot zeven uur gewerkt en was moe en bezweet thuisgekomen, vol verlangen om weer helemaal schoon te worden. Toen Helen onder aan de trap riep dat er een bezoeker was, was ze niet blij met die onderbreking.

'Wie is het?' riep ze terug.

'Pete,' antwoordde zijn stem.

Terwijl het water als een waterval uit haar natte haar stroomde, rende ze de badkamer uit, boog zich over de leuning en zag hem meteen. Hij was alleen. 'Wat doe jij hier?'

Hij stond in haar blauwe en crèmekleurige gang, keek haar recht aan en zond haar zijn mooie, trage glimlach. Hij was zo geweldig knap dat ze maar naar hem hoefde te kijken of haar hart begon sneller te kloppen. 'Lucy!' zei hij. 'Je weet niet hoe blij ik ben om je te zien.'

'Ik pak even een handdoek,' zei ze. 'Loop maar door naar de keuken. Ik kom zo.'

Tegen de tijd dat ze haar haar uitgespoeld en gekamd had, had hij zich geïnstalleerd in de keuken en amuseerde hij Helen en Tina met verhalen over zijn avonturen in New York. 'En raad eens wat hij toen deed. Hij nam de kaart, liet hem in de gootsteen vallen en kotste eroverheen. De vice-president van de onderneming! Het is toch niet te geloven?'

De twee jonge vrouwen luisterden met rode oortjes. 'Jakkes!' zeiden ze. 'Wat goor! Je was vast razend?'

Lucy kwam binnen. 'Je went eraan,' zei hij terloops tegen hen en hij draaide zich naar haar om. 'En hoe gaat het met het beste paard van stal? Je ziet er helemaal te gek uit.'

'Ik ben anders zo moe als een hond.'

'Nee,' zei hij, 'ik meen het. Ik heb je nog nooit zo stralend gezien.'

'Hoe is het met mijn zus?'

'Uw zuster,' zei hij, 'heeft me het huis uit geknikkerd. Ik ben een verstoteling die bij nacht en ontij een beroep doet op uw goedheid.'

Ze moest erom lachen, zoals ze gelachen had toen ze allemaal nog jong waren en hij de pias uithing om hen te vermaken. 'Zit me niet te belazeren.'

Hij was plotseling ontwapenend serieus. 'Ik houd mijn lieftallige Lucy niet voor de gek. Was dat maar zo. Ik heb mijn huis aan een rijke Amerikaan verhuurd. Verrekte onhandig, maar zakelijk gezien heel verstandig. Het moest gewoon. Ik had gedacht dat ik wel een paar weken bij je beminde zus kon logeren. Een pied-à-terre, zoiets. Voor één keer geen lat-relatie. Maar nee. Ze heeft me de deur gewezen, zegt dat ze niets meer met me te maken wil hebben. Ze kan verrekte hard zijn wanneer haar dat zo uitkomt. Dus je ziet: ik heb geen plek om mijn arme oude moede hoofd neer te leggen.'

'En je wilt graag hier blijven,' zei Lucy. 'Is dat het?' Dit gesprek had iets onwerkelijks, iets wat ze niet helemaal kon geloven, hoewel ze er met heel haar hart naar verlangde om er geloof aan te hechten. Al die jaren had ze de wens gekoesterd dat hij bij Eleanor weg zou gaan en bij haar zou komen. En nu, op een gewone avond en zonder dat ze het verwachtte, gebeurde het ineens. Het leek een droom.

'Kan dat?' zei hij, en hij keek haar met zulke intens stralende ogen aan dat ze hem alles zou hebben gegeven om die blik nog wat langer te kunnen zien. O, die hemelsblauwe ogen, die witte tanden, dat knappe en vrolijke gezicht. Hij was als Phoebus Apollo. Hij was een god van liefde en hoop en alle andere mooie dingen, terwijl hij de kamer met warmte en zonlicht vulde. Hij was haar Pete, de man van haar dromen, de man die haar zo dierbaar was, en hij was hier, had zich tot haar gewend om hulp, had haar 'mijn lieftallige Lucy' genoemd, alsof het recht uit zijn hart kwam.

'Dan zul je op de bank moeten slapen,' zei ze, en ze vond het vervelend dat haar stem zo vlak en zakelijk klonk. 'Dat is de enige plaats.' Behalve haar bed dan. O god! Behalve haar bed... Wil je daar wel slapen of ben je alleen maar een asielzoeker?

'Je bent een kanjer,' zei hij. En hij nam haar handen en bracht ze naar zijn lippen om ze te kussen. 'Ik wist dat ik op je kon rekenen.'

Het wond haar zo op dat ze bang was dat ze zou blozen, zodat iedereen het zou merken. 'Je kent me,' zei ze luchtig. 'Ik sta altijd klaar voor mensen in nood.'

Hij hield nog steeds haar handen vast. 'Ken ik je echt?' vroeg hij ernstig. 'Of zijn er verborgen diepten?'

'Zeg, ik smeer hem,' kondigde Tina aan, 'anders vertrekken ze zonder mij.'

Hij merkte de afkeuring in haar stem op en wendde zich tot haar om ook haar met zijn charme in te palmen. 'Ik houd je maar op,' verontschuldigde hij zich. 'Ik heb het verkeerde moment gekozen. Je gaat uit. Ach ja, natuurlijk.'

'Ja,' zei Tina tegen hem, terwijl ze zo ging staan dat ze op hem neer kon kijken. Het ergerde haar dat hij zo'n indruk op Lucy maakte, de stumper. Je mag dan wel die grote meneer van de tv-reclame zijn, dacht ze, maar je bent niet uniek. 'Ja, we gaan uit. Ja toch, Helen? Lucy?'

'Van mijn uitgaansleven is weinig meer over,' bekende Lucy. 'Mijn leven bestaat alleen nog maar uit werk.'

'Je bent nu niet aan het werk,' zei hij. 'Weet je wat, ik trakteer je op een lekker etentje. Dat is wel het minste wat ik kan doen nu ik hier zo binnengevallen ben. Wat vind je ervan? Ik weet een prima adresje.' Hij pakte zijn mobiel en belde om een tafel te reserveren. 'Hallo. Peppi? Ja, ik ben het. Zeg luister, heb je nog een mooi tafeltje? Voor vanavond, voor twee personen? Geweldig! Je bent fantastisch. Over een uur zijn we er.'

Het was een betoverende avond, luxueus in elk opzicht.

'We nemen een taxi,' zei hij toen ze zich had aangekleed en zover was. 'Dan kunnen we zoveel drinken als we willen. Oké?' Zo begon hun avond in de naar leer geurende duisternis van een zwarte taxi. Ze zaten naast elkaar en zijn arm hing nonchalant over de rugleuning van de bank op maar een paar centimeter van haar schouders, terwijl de verblindende lichten van de straten voorbijschoten. Daarna volgde een grootse aankomst bij het restaurant. Alle gasten herkenden hem, de ster, en keken vol bewondering naar hen. 'Let er maar niet op. Dit gebeurt iedere keer.' Vervolgens werd er champagne en een maaltijd geserveerd aan een tafel waar roze kaarsen hun gezichten verwarmden, en waar de geur van bloemen de lucht tussen hen vulde. Ze at werktuiglijk en ze dronk zo veel champagne dat ze al snel wat aangeschoten en giechelig werd.

Ze praatten honderduit, over de dagen in de tuin in Fulham, over de maffe spelletjes die ze hadden gespeeld en de dromen die ze hadden gedeeld, over hoe fantastisch haar moeder voor hem was geweest, wier huis voor hem had opengestaan toen hij door 'die walgelijke ouders' was achtergelaten.

'Is dat nog altijd het beeld dat je van ze hebt?' vroeg ze, door medelijden bewogen door de bitterheid op zijn gezicht.

'Ja,' zei hij. 'Het was onaanvaardbaar wat ze deden, van beiden.

Ze waren meer geïnteresseerd in zichzelf dan in hun eigen zoon. "We zijn op weg naar India", het is toch godgeklaagd. Je laat toch niet simpelweg je eigen zoon in de steek?'

De champagne maakte haar duizelig en ze had moeite zich te concentreren, maar ze vroeg zich af of Eleanor een zoon zou krijgen en wat hij daarvan zou vinden. Maar hij sprak alweer, boog zich over de tafel, pakte haar hand en keek haar aan met die intense blik van hem. Ze was zo dronken van steeds heftiger begeerte, dat ze niet kon praten. Ik ben hier, dacht ze. Hier met hem, met mijn allerliefste Pete.

Hij schonk haar een glimlach. 'Wat zullen we doen?' vroeg hij. 'Zullen we ergens gaan dansen?'

Het was drie uur toen ze eindelijk besloten om een taxi te bestellen en naar huis te gaan. Ze installeerden zich op de achterbank, en ditmaal nam hij haar in zijn armen en kuste hij haar lang, als een bedreven minnaar. 'O, mijn kleine Lucy!' lispelde hij in haar haar. 'Waarom heeft het zo lang moeten duren?'

Het huis lag er donker en erg rustig bij. Haar flatgenoten lagen al in bed en amuseerden zich of sliepen.

Hij sloeg verliefd een arm om haar middel. 'Ik hoef toch niet echt op de bank te slapen?' vroeg hij.

'Mijn bed is maar negentig centimeter breed,' waarschuwde ze.

'Als jij er maar in ligt,' zei hij.

Dus nam ze hem mee naar haar slaapkamer, en ze werden rijkelijk beloond: hun liefdesspel was beter dan hij had verwacht of dan zij ooit had durven hopen. Hij was de minnaar van haar zus en de vader van haar kind en in haar achterhoofd wist ze dat haar moeder dit zou afkeuren, dat Eleanor enorm geschokt zou zijn en dat hun liefde waarschijnlijk geen stand zou houden, maar dat kon haar niet schelen. Hij was hier, in haar bed. Ze rook de geur van zijn huid, zijn tedere handen streelden haar tepels, zijn lange, schitterend gevormde benen slingerden zich om de hare en zijn mooie mond kuste haar aan één stuk door. Zelfs al zou het bij deze ene magische, hartstochtelijke nacht blijven, dan nog was dat voldoende.

Hoofdstuk 18

Toen Gwen die woensdagochtend de twee sollicitatiebrieven in de brievenbus liet glijden, besefte ze vol verbazing dat ze een avontuurlijk gevoel had. Weliswaar liet de gedachte aan wat Eleanor met de baby zou doen haar niet los en deed het haar verdriet dat ze Jeffs trots zo gekwetst had door haar weigering, maar niets kon haar optimisme temperen.

Ze kuierde naar huis en vroeg zich af hoelang het zou duren voor ze antwoord kreeg. Waarschijnlijk een eeuwigheid, want er moest vast een keuze uit vele tientallen sollicitaties gemaakt worden. Ze moest geduld hebben. Maar de volgende morgen werd er al gebeld.

'Met mevrouw Fenchurch,' klonk het aan de andere kant van de lijn. 'Ik ben het plaatsvervangend hoofd van de basisschool van Little Marsden. Ik bel u vanwege uw sollicitatie naar de functie van secretaresse op onze school.'

Dat was snel, dacht Gwen. En omdat er blijkbaar een antwoord verwacht werd, zei ze: 'Ja.'

'Schikt het u om vandaag op sollicitatiegesprek te komen?'

Nou, die zetten er vaart achter. 'Vandaag?'

'Ik weet dat het op korte termijn is,' zei mevrouw Fenchurch, 'maar we willen zo snel mogelijk in de vacature voorzien. Onze vorige secretaresse is aan het eind van de zomervakantie met pensioen gegaan en sinds die tijd hebben we geen vaste secretaresse meer gehad, alleen maar tijdelijke krachten, en Kerstmis komt op ons af gedenderd als een stoomlocomotief.'

Gwen hield van het geluid van dat soort Kerstmis. Het was precies wat ze nodig had. 'Nee, dat is prima,' zei ze.

Dus spraken ze af dat ze er om twee uur zou zijn en dat mevrouw Fenchurch bij de receptie op haar zou wachten.

Gwen legde de telefoon neer. En ik dacht nog wel dat het verrekte lastig zou zijn om aan een baan te komen,' zei ze tegen de kat. Het was allemaal heel opwindend. De dingen gebeuren erg snel hier, dacht ze. In Fulham heb ik jaren een kwijnend bestaan geleid omdat ik niets te doen had, en nu val ik van het een in het ander; eerst de toren, toen de ontmoeting met Jeff en nu de basisschool van Little Marsden. Ik brand van nieuwsgierigheid.

De school was een gebouw zonder verdiepingen, opgetrokken uit bak- en vuursteen, met lange Saksische vensters en een ingangsportaal in het midden. De stijl kon ze nu thuisbrengen: *old Sussex style*. Het gebouw stond op een uitgestrekt terrein. Aan de ene kant van de school bevond zich een sportveld en aan de andere kant waren een tuin en een speelplaats. Bij de receptie stond al iemand op haar te wachten, precies als afgesproken was: een kleine, slanke vrouw met zeer kortgeknipt steil grijs haar en een rode bril met enorme ronde glazen.

Ze liep meteen op Gwen toe om haar een hand te geven en zich voor te stellen, ditmaal als Beatrice Fenchurch. Ze liep met Gwen het gebouw in. 'Onze school is niet bijzonder groot, zoals u kunt zien,' zei ze. 'Er zijn elf groepen – de groep voor kinderen van vier en vijf niet meegerekend – die het ene jaar uit twee klassen bestaan en het andere jaar uit één klas. Daarom hebben we ook nog twee noodgebouwen. Maar ja, wie heeft dat tegenwoordig niet?'

Ze liepen door een gang waar levendige kindertekeningen hingen en een reeks overzichtsplaten met vogels en wilde bloemen, en ze wierpen blikken in de klaslokalen links en rechts van hen. Overal waar Gwen keek leken hordes kinderen te zijn, die allemaal een vuurrode trui droegen. De meesten zaten aan lage tafels. Sommigen zaten te lezen, anderen schreven. Weer anderen waren met lange penselen aan het schilderen of hielden hun vinger in de lucht omdat ze het goede antwoord dachten te weten – precies zoals ze zich herinnerde van de lagereschooltijd van Lucy en Eleanor. Ze liepen een hal door met planken vol kleurige boeken en een tafel waarop meetkundige figuren gerangschikt waren. Aan één kant van de hal zaten drie kleine kinderen hardop te lezen in het bijzijn van een jonge vrouw, die een lange rok van spijkerstof en een ruige wollen trui droeg. Ze keek glimlachend op naar haar bezoek, en mevrouw Fenchurch zei: 'Dit is Kim. Ze is een van onze klassenassistenten.' En ze richtte zich tot haar om te informeren hoe het ging. 'Gaat alles goed?'

Dit is een plezierige werkomgeving, dacht Gwen, terwijl het plaatsvervangend hoofd en zij verder liepen. Er heerst een aangename bedrijvigheid. Het lijkt me leuk om hier te werken.

Ze kwamen bij een deur met het bordje LERARENKAMER. 'Als u hierbinnen even wacht,' zei mevrouw Fenchurch, 'dan ga ik meneer Carter zeggen dat u er bent.'

Nu ontmoet ik de andere sollicitanten, dacht Gwen en ze liep de kamer in. Maar er was niemand. Het enige wat ze zag, waren een aantal leunstoelen die in een slordige kring stonden, vier met mededelingen overwoekerde prikborden en een rij tafels, bezaaid met schoolschriften en vuile koffiekopjes. Het noodgedwongen wachten maakte haar nerveus, dus liep ze naar het raam en liet haar blik over het speelterrein en de daken van het dorp in de verte dwalen. Na ongeveer vijf minuten kwam mevrouw Fenchurch terug en zei dat het schoolhoofd haar kon ontvangen. 'Waar zijn de andere kandidaten?' vroeg ze toen ze weer op de gang liepen.

'Vandaag zijn er geen andere kandidaten,' zei mevrouw Fenchurch. 'We wilden eerst u zien.'

Kijk eens aan, dacht Gwen. Ik ben het neusje van de zalm. Wie had dat gedacht? Ze ging de werkkamer van het schoolhoofd binnen en voelde zich zo zelfverzekerd dat ze warempel naar hem glimlachte en haar hand uitstak om hem te groeten toen hij opstond.

Hij stelde de twee anderen in de kamer aan haar voor. 'Meneer Cole, de voorzitter van het bestuur, en mevrouw Fenchurch, onze adjunct, met wie u al kennisgemaakt hebt.' In zijn bruine pak met slecht geknoopte stropdas had hij iets slordigs, iets beschroomds, wat Gwen voor hem innam. Hij is een doorsneeman, dacht ze, gemiddelde lengte, gemiddelde leeftijd. Ik durf te wedden dat hij gematigd is in alles.

Maar hij voerde een grondig sollicitatiegesprek en naarmate het gesprek vorderde, zag ze dat er meer in hem stak dan zo op het oog te zien was. Hij vroeg hoe snel ze typte en wilde weten of ze overweg kon met een tekstverwerker en of ze gegevens kon opslaan in een database. Verder vroeg hij of ze tegen de werkdruk op een school kon. 'Het is behoorlijk hectisch. Ik kan u maar beter van tevoren waarschuwen. Het komt voor dat je met drie dingen tegelijk bezig bent.' En ten slotte – én in het bijzonder – vroeg hij hoeveel ervaring ze had met boekhouden.

'We moeten ons hier aan een heel strakke begroting houden,' zei hij, anders verspelen we onze credits. Ik heb begrepen dat u de boekhouding van een winkel hebt gedaan.'

Ze vertelde hem wat dat inhield. 'De baas had er het land aan, dus na een poosje heb ik de hele boekhouding van hem overgenomen: de facturering, de bestellingen, de retourzendingen, het voorraadbeheer. Dat was handiger.'

'Dus u ziet niet op tegen het nemen van verantwoordelijkheid.'

'Ik doe niets liever.'

Hij glimlachte. 'Dan zult u hier niet te klagen hebben,' zei hij. 'Het is een veeleisende baan.'

'Dat is het soort baan dat ik ambieer,' zei ze. 'Toen mijn kinderen nog klein waren, heb ik menige basisschool bezocht en de indruk die ik eraan heb overgehouden was dat de secretaresses altijd in de weer waren.'

Hij zweeg, dacht na en keek op het vel papier dat hij voor zich op het bureau had liggen. 'Welnu, zijn er nog vragen die u míj zou willen stellen?'

Ze had het idee dat ze eerlijk tegen hem kon zijn. 'Zijn er onlangs nog nieuwe, voor mij onbekende taken bijgekomen waar we het nog niet over gehad hebben?'

'We hebben hier kinderen die ritalin gebruiken,' zei Beatrice Fenchurch. Het secretariaat zorgt er gewoonlijk voor dat ze hun medicijnen krijgen. U weet wat ritalin is, neem ik aan.'

'Nee, het spijt me. Dat weet ik niet.'

'Het is een medicijn dat toegediend wordt aan kinderen die hyperactief zijn,' legde meneer Carter uit, 'kinderen met ADHD. Als ze geen ritalin kregen, zou er geen land met ze te bezeilen zijn. De meesten functioneren goed op één dosis per dag, maar sommigen hebben meer nodig, en dat zijn degenen waar u verantwoordelijk voor bent. Ze brengen hun medicijnen naar het kantoor en u bewaart ze daar en geeft hun hun pilletjes als ze ze nodig hebben. Meestal nemen ze het zonder problemen in. Ze weten dat het noodzakelijk is dat ze rustig blijven.'

Het klinkt afschuwelijk, dacht Gwen. Als iets uit een sciencefictionfilm. Ongelooflijk dat je een kind had, dat zijn hele leven medicijnen moest gebruiken om rustig te blijven. Maar aan iedere baan zaten onprettige kanten en ze had het gevoel dat ze dit probleem aankon. 'Ik stel het op prijs dat u het me verteld hebt,' zei ze.

'Het moet geen probleem zijn,' zei Beatrice Fenchurch. 'Niet als u ze eenmaal kent.'

Ik krijg de baan, dacht Gwen. Ze praat alsof ik hem al heb. Ze keek naar meneer Carter.

'U zult begrijpen,' zei hij ernstig, 'dat ik dit met mijn collega's moet bespreken. Dus als u het niet erg vindt om buiten even te wachten...'

Het duurde anderhalve minuut. Ze had het geklokt. Toen riepen ze haar terug en kreeg ze te horen dat ze de baan had, 'als u bereid bent om hem aan te nemen'.

En dat was ze!

'Uitstekend,' zei meneer Carter. 'Wanneer kunt u beginnen?'

'Wanneer wilt u dat ik begin?'

Hij glimlachte breed. 'Wat vindt u van maandag?'

'Aanstaande maandag?'

'Maandag is altijd aanstaande maandag.'

Dus werd afgesproken dat ze maandag begon. Het was allemaal zo snel gegaan dat ze het nog nauwelijks kon geloven. Ik zal mijn huiselijk leven moeten plannen, dacht ze toen ze door het schiereiland terugreed naar het eiland. Om te beginnen zal ik de afspraak met de dierenarts moeten verplaatsen naar achter in de middag. En mijn wekelijkse inkopen zal ik nu op vrijdagavond moeten doen. Het huishouden moet dan in de verloren uurtjes, zoals ik dat deed toen ik nog in de winkel werkte. En ik moet het Jeff en de meisjes vertellen. De gedachte om het Jeff te vertellen schrikte haar een beetje af, dus besloot ze eerst Lucy te tackelen, want zij zou er de minste moeite mee hebben. Ze stopte bij de toren. Ik wacht tot ze thuis is van haar werk, dacht ze, en dan bel ik.

Ze wachtte tot acht uur voor ze belde. Maar ze kreeg het antwoordapparaat en dat was een teleurstelling. Ze noemde haar naam en zei dat ze goed nieuws had en dat ze later terug zou bellen, 'liefs, mam'. Na het avondeten probeerde ze het opnieuw. Weer kreeg ze het antwoordapparaat. Zaterdagmorgen was er nog geen antwoord en zaterdagmiddag ook niet. Die is een weekendje weg, dacht ze, en ze maakte zich klaar voor het diner in de Lobster Pot. Er zit niets anders op dan het doordeweeks te proberen, dacht ze. Dat was vervelend want het betekende dat ze het nieuws als eerste aan Jeff moest vertellen, zonder dat ze het eerst op iemand anders had uitgetest.

Gelukkig leek hij in een goed humeur. Hij had van alles te melden over de golfbaan die hij wilde aanleggen en praatte daar de hele eerste gang en een groot deel van de tweede over. 'Ik heb de tekeningen gezien en alles ziet er goed uit. Kit is heel enthousiast. Het kan een goudmijn zijn als we onze schouders eronder zetten. Als het een beetje meezit kunnen we de baan deze zomer al exploiteren.'

'Dat doet me genoegen,' zei ze. Ze at haar chocolademousse en dacht: nu hij hier zo blij over is, krijg ik tenminste niet de wind van voren omdat ik hem teleurgesteld heb.

Hij nam de laatste hap van zijn appel-abrikozentaart. 'De oude meneer Rossi kwam langs,' zei hij. 'Hij wil een extra stuk grond kopen voor nog vier caravans, hij zegt dat hij er 's winters twee wil verhuren aan een paar families hier.'

Gwen probeerde belangstelling te tonen, maar naarmate de maaltijd vorderde, werd ze steeds ongeruster. 'O ja?'

'Ik heb hem op de risico's gewezen, maar hij houdt stug vol dat hij weet wat hij doet. Ze houden de boel in de gaten, zegt hij.'

'Nou, dat is zo gek gedacht nog niet, lijkt me.'

'Niet bij dat soort lui,' zei hij geëmotioneerd. 'Ze zullen de zaak verruïneren. Het zijn neven van Dion, jouw kattenkweller. Of achterneven, zoiets. Ik wil helemaal niets met ze te maken hebben. Maar het is zijn verantwoordelijkheid. Zolang hij de pacht maar betaalt, is het zijn zaak wat hij met de caravans wil doen. En wat heb jij vandaag zoal gedaan?'

Ze keek hem recht aan en bracht hem snel op de hoogte, voor

ze de moed zou verliezen. 'Ik heb een baan.'

Hij was onmiddellijk witheet en zijn gezicht veranderde volkomen van vorm. Zijn wangen verlengden zich, zijn mond werd strak, zijn wenkbrauwen fronsten en zijn ogen keken dreigend. 'Je hebt wát?'

'Een baan,' zei ze. Haar stem bleef vast, maar het kostte haar moeite. 'Als secretaresse op een school in Little Marsden. Maandag begin ik.'

Hij keek haar aan met onverholen woede. 'Hoe haal je het in je hoofd?

'Jij hebt het me zelf geadviseerd.'

'Dat heb ik niet. Volgens mij heb ik alleen maar gevraagd of je met me wilde trouwen.' Het schijnsel van het haardvuur weerspiegelde zich in haar wijnglas en haar adem deed de kaarsen flakkeren en roken. Hij wond zich op terwijl hij naar haar keek. Het was allemaal hartstikke oneerlijk. 'Als ik me goed herinner, heb je me afgewezen.'

'Wat ik me herinner,' verweerde ze zich, 'is dat je tegen me hebt gezegd dat ik iets om handen moest hebben, anders zou ik thuis maar zitten te piekeren en Eleanor uiteindelijk haar zin geven.'

'Ik heb je een fantastisch voorstel gedaan,' zei hij, 'en jij vertelt me doodleuk dat je het afwijst en op een of andere waardeloze school gaat werken. Schoolsecretaresse, het is niet te geloven! Je bent niet goed wijs.'

Ze zuchtte. 'Ik wist dat je kwaad zou zijn.'

'Kwaad?' zei hij. 'Ik ben sprakeloos.'

Ze boog zich over de tafel om zijn hand aan te raken, en haar gezicht stond verzoenend. 'Ik wilde je geen pijn doen. Dat moet je geloven. Ik wil gewoon mijn eigen leven leiden. Het spijt me, maar zo is het.'

'Ook als het betekent dat je me afwijst?'

'Ik wijs je niet af.'

'Zo voelt het anders wel.'

'Dat doe ik niet. Echt. Ik wil gewoon niet je vrouw zijn. Ik wil dat alles blijft zoals het was.'

Hij gromde. 'Weinig kans, nu.'

De koffie kwam, maar de stemming bleef gedrukt. Hij was nog

steeds buitengewoon geïrriteerd en liet zijn afkeuring duidelijk blijken.

Hij zette een krabbel onder de rekening. 'Ik breng je naar huis,' zei hij. 'En ik ga meteen door.'

Ze had het gevoel dat ze in de steek gelaten werd, maar ze slaagde erin om kalm te blijven. Ertegenin gaan was energieverspilling. 'O.'

'Ik moet nog ergens naartoe om een paar dingen te regelen.'

'Ik begrijp het.'

Het was of ze zich voor elkaar hadden afgesloten; of ze elk contact hadden verbroken en vreemden voor elkaar geworden waren. Zonder nog een woord tegen haar te zeggen reed hij haar terug naar de toren. Hij staarde somber over zijn stuur heen. Zodra ze bij de voordeur waren en ze haar sleutel in het slot gestoken had, had hij zich op zijn hakken omgedraaid en gebromd: 'Nou, welterusten dan maar', en was verdwenen in de duisternis.

Ze hield zich goed tot ze binnen was, de lichten had aangedaan en de gordijnen had dichtgetrokken. Toen zakte ze neer op de sofa en liet haar tranen de vrije loop. We hadden het zo goed met z'n tweetjes, dacht ze. Het kan toch niet zomaar ineens voorbij zijn. Toch niet op deze manier. Toch niet zo snel. Jet, gehinderd door de kartonnen toeter om haar hals, kroop stuntelig op haar schoot; ze wilde geaaid en getroost worden.

'We hebben allemaal behoefte aan liefde, hè poes,' zei ze. En nu heb ik mijn kans vergooid.' De gedachte alleen al gaf haar een mistroostig gevoel. Dat komt er nu van als je zelfzuchtig bent, dacht ze. Eerst maak ik Eleanor van streek en vervolgens maak ik een puinhoop van mijn relatie. En ik wilde het echt niet. Ik weet niet hoe ik zo dom heb kunnen zijn. Maar gedane zaken nemen geen keer. Ik heb het gedaan, het is mijn schuld en ik zal het onder ogen moeten zien. Het is maar goed dat ik een baan heb. Maar ze was zo terneergeslagen dat ze zelfs niet zeker meer was of ze daar blij mee was.

Die maandagochtend was het naargeestig koud. Lange, grauwe wolken zeemist dreven op de kust af en omhulden de toren, en de steengrijze zee was maar voor een deel zichtbaar. Typisch novemberweer, dacht Gwen, terwijl ze zich op weg begaf naar Little

Marsden. Of een mooi voorbeeld van het projecteren van menselijke gevoelens op de natuur.

Maar eenmaal op school, werd ze omgeven door warmte en bedrijvigheid en ze voelde zich meteen een stuk vrolijker. Het werk nam haar zo in beslag dat ze geen tijd had om te piekeren. Voor ze de kans had om haar cape uit te doen, had ze al twee telefoontjes gehad, beide van ouders die hun kinderen ziek meldden, en daarna rolde ze van het een in het ander. Klassenvertegenwoordigers, die allemaal trots hun badge droegen, kwamen de klassenboeken halen, de telefoon ging onophoudelijk, een berg post werd bezorgd en de eerste van haar ADHD-kinderen verscheen verlegen bij haar raam voor zijn extra dosis ritalin.

'U bent nieuw, hè, mevrouw?' zei hij. 'Blijft u hier?'

'Jazeker,' verzekerde ze hem. 'Je zult het een hele tijd met me moeten doen. Ik ben hier voor vast.' En tegen het eind van de middag had ze werkelijk het gevoel dat dat zo was. Meneer Carter en zij hadden alle post afgehandeld en een stapel weggewerkt die er al vanaf het midden van de vorige week lag; ze had haar boterhammen opgegeten aan haar bureau en had zo veel koppen thee gedronken dat het een wonder mocht heten dat het water niet uit haar sijpelde, en ze had een begin gemaakt met het invoeren van de gegevens.

'En, hoe is het gegaan?' vroeg Beatrice Fenchurch, toen ze in de personeelsgarderobe hun jas aantrokken.

Gwen trok een scheef gezicht. 'Het was me het dagje wel.'

Het plaatsvervangend hoofd grinnikte. 'We hebben je gewaarschuwd.'

Maar het was een rijk leven, ook al was het overladen. Tegen het eind van de week kende ze alle klassenvertegenwoordigers en was ze een paar leraren en een heleboel kinderen van dienst geweest. Nu was ze bezig met het fotokopiëren van de teksten van de liederen voor het kerstspel. Halverwege het tweede kerstlied had ze een kind gezien dat de mantel uitgeveegd werd omdat het ongehoorzaam was geweest en had ze twee onderwijzeressen met elkaar horen ruziën omdat ze de aula op dezelfde tijd gereserveerd hadden. En ze had beseft dat spanningen eigen waren aan het leven op een school. Die donderdag gingen bij Jet het verband en de toeter eraf en werd ze helemaal genezen verklaard. En toen het eenmaal vrijdag was, had Gwen het ritme van haar nieuwe leven te pakken en lukte het haar om in de aula naar de kinderen van het zesde jaar te luisteren die hun speciale kerstlied zongen. De trots van hun leerkracht en de onschuldige passie van hun stemmen was hartverwarmend.

'Ik houd van Kerstmis,' zei de onderwijzer. Hij was jong en zag er slordig uit. Het was te zien dat hij genoot. 'U ook?'

'Zó wel,' zei Gwen.

Eigenlijk waren alleen de weekenden moeilijk, en dat was te verwachten. Zaterdagmorgen en een groot deel van de middag kon ze zichzelf wel bezighouden. Dan winkelde ze of ze deed huishoudelijk werk dat was blijven liggen. Maar de avonden waren eenzaam. Dat kon ze niet ontkennen.

Die tweede zaterdag had ze Lucy zo vaak gebeld dat ze de tel was kwijtgeraakt, maar ze had steeds het antwoordapparaat gekregen. De gedachte kwam bij haar op dat haar dochter óf op vakantie was, óf doelbewust niet thuis gaf, hetgeen zorgelijk was. Had ze met Eleanor gepraat? Was dat het? Waren ze nu alle twee boos op haar? Normaal gesproken zou ze Eleanor hebben gebeld om erachter te komen wat er was gebeurd, maar dat was uitgesloten. Eleanor was duidelijk nog boos, anders had ze wel contact opgenomen. Ze had graag met Jeff gebeld, maar dat was ook niet mogelijk gezien de manier waarop ze afscheid hadden genomen. Als iemand van hen het initiatief moest nemen, was hij het. Zij had ook haar trots.

En zo gingen de dagen voorbij, en brieven of telefoontjes bleven uit. Het tweede weekend verstreek net zo langzaam en stil als het eerste. Het enige wat je kon doen op een donkere avond in de toren was televisiekijken of naar de radio luisteren. Er stond niets in de boekenkast dat ze wilde lezen. Zelfs niet Dotty's boeken over astrologie. Maar die brachten haar in ieder geval op een idee.

Ik zal eens opzoeken onder welk sterrenbeeld Eleanor geboren is, besloot ze, en kijken of dat me iets kan vertellen over onze moeilijkheden. Zelfs als dat niet het geval is, kan het toch best interessant zijn.

Ze toetste de gegevens in – datum, tijd en geboorteplaats – en wachtte op het resultaat. En dat kwam. Ze had de Leeuw in haar ascendant. Natuurlijk. De Leeuw die haar zelfvertrouwen en gewichtigheid gaf, het goudkleurige kind met het mooie zonnige gezicht en met het dikke lange blonde haar in haar nek. Ongeduldig en heerszuchtig: ja. Zelfzuchtig: ik ben bang van wel. Vastbesloten: absoluut. Toen zag ze dat het vijfde huis – dat, zoals ze nu wist, het huis was dat van invloed was op de relatie met je kinderen – helemaal geen planeten bevatte, en dat leek haar een erg onheilspellend voorteken. Ze had echter genoeg boeken van Dotty gelezen om te weten dat er behalve de planeten nog andere invloeden op de huizen waren, dus haalde ze de hele rij van de boekenplank om uit te zoeken wat die invloeden waren.

Het onderzoek boeide haar, maar niet vanwege de dingen die ze vond over Eleanor of over haar horoscoop. Eigenlijk was ze die na tien minuten alweer helemaal vergeten. Wat ze ontdekte was een serie aantekeningen in Dotty's keurige handschrift. Bijna op elke bladzijde vond je ze. Ze stonden onder aan en boven aan de pagina, en af en toe ook in de kantlijn. De eerste bevond zich boven de tamelijk stoutmoedige bewering dat wat de maan voorspelde gebeurde, of je het nu wilde of niet. *Klopt*, had ze geschreven, *en ik kan het weten. Mijn dood nadert met rasse schreden en ik moet hem dulden, of ik wil of niet.* Vervolgens had ze het woord *dulden* doorgestreept en vervangen door *accepteren.*

Wat een moed had ze, dacht Gwen, en ze sloeg de bladzijde om.

Ditmaal was de relevante passage onderstreept met rood. 'Deze conjunctie duidt een tijd van afscheid nemen aan, een tijd om je huis op orde te brengen en je zaken te regelen.' En *Hoe kan ik dit verdragen?* had ze boven aan de pagina geschreven. *Ik moet afscheid nemen van mijn zoons. Het zal mijn hart breken, en als ik het niet goed doe breek ik dat van hen. Ik zie hier niets waar ik kracht uit kan putten. Waar kan ik nog kracht vinden? Ik voel me met het uur zwakker worden.* Maar onder aan de pagina had ze geschreven: *Kop op, Dorothy. Toon wat lef. Bekijk het van twee kanten. Er is altijd zowel goed als kwaad.* En op de volgende bladzijde leek ze het gevonden te hebben, want ze had de woorden 'In acceptatie ligt troost, ook als dat wat geaccepteerd wordt uit tegenspoed bestaat' onderstreept.

Gwens hart deed pijn van bewondering. Om zo te kunnen schrijven als je doodgaat aan kanker, dacht ze, en dat met zo'n zorg om anderen en met zo weinig zelfbeklag, Gordon zou er niet toe in staat geweest zijn. Ze herinnerde zich zijn dagelijkse klacht: 'Waarom ik? Waar heb ik dit aan verdiend?' en hoe chagrijnig en egocentrisch hij geworden was. En ze verlangde naar deze onbekende vrouw en wilde dat ze haar ontmoet had. Ze las verder.

Jeff is erg goed voor me, luidde de volgende notitie. *Hij doet nu alles voor me. Zeventig jaar zou niet voldoende zijn om zijn tederheid te compenseren.* Ze heeft gelijk, dacht Gwen. Hij is teder. En nu ben ik hem kwijt. Zo is het toch?

Drie bladzijden verder had Dotty de woorden 'Een tijd van tegenstellingen, kracht en zwakte, vooruitgang en achteruitgang' onderstreept en eronder had ze geschreven: *Pijn en vreugde. Wanneer de pijn komt is er alleen maar pijn, wanneer de pijn verdwijnt is het leven zo mooi. O Jeff, schat van me.*

Toen begon Gwen te huilen, maar ze ging verder met lezen en volgde de aantekeningen van bladzijde tot bladzijde. Ze zat nog steeds met het boek op haar schoot toen er op de deur geklopt werd. Ze legde het boek neer, veegde de tranen uit haar ogen en ging kijken wie er was.

Het was Jeff. Hij zag er lijvig uit in zijn dikke waxcoat en leek zich erg slecht op zijn gemak te voelen. Maar de uitdrukking op zijn gezicht maakte plaats voor bezorgdheid toen hij haar gezicht zag.

'Wat is er aan de hand?' vroeg hij. 'Scheelt er iets aan?'

'Nee, nee,' zei ze. 'Kom binnen. Het is gewoon... iets wat ik gelezen heb.'

Hij liep met grote passen de kamer in. En zag het beeldscherm.

'Toch niet weer een van die verdomde horoscopen?'

'Nee,' zei ze. 'In feite ben ik me wat meer gaan verdiepen in je vrouw. Wist je dat ze aantekeningen gemaakt heeft in deze boeken?'

Dat was niet het soort antwoord dat hij verwachtte, maar hij was blij met de neutraliteit die ze tentoonspreidde en profiteerde er zo veel mogelijk van. 'Ze had de gewoonte om door het hele huis briefjes achter te laten,' zei hij. 'Geheugensteuntjes voor dingen die ze nog moest doen. Berichten voor mij als ze wegging.'

Gwen pakte het boek. 'Deze notities zijn echt heel bijzonder. Ze vormen een soort dagboek over haar terminale ziekte. Ze was een heel dappere vrouw.'

Hij deed zijn jas uit, gooide hem over de rugleuning van een stoel, ging op de lege bank zitten en keek haar aan. 'Dat was ze inderdaad,' zei hij. Hadden ze vaste grond onder de voeten? Konden ze praten? Het leek mogelijk.

'Ik wou dat ik haar gekend had,' zei Gwen.

Hij ontspande zich en op zijn gezicht verscheen een glimlach. 'Jullie zouden elkaar wel gelegen hebben,' zei hij tegen haar. 'In veel opzichten lijken jullie op elkaar. Zij was alleen geen vechtster. Ik wou dat ze dat wel geweest was. Ik wilde de hele tijd dat ze tegen de kanker zou vechten. Maar ze wilde niet. Ze zei dat ze de ziekte op haar beloop moest laten. Ze bleef me maar vertellen dat het makkelijker was om erin mee te gaan. Ik denk dat vechten niet in haar aard lag. Ze was iemand die er was voor anderen.'

'Ja,' zei Gwen. 'Dat zie je. Het blijkt uit allerlei dingen. Dat ze zich zorgen maakte om jou, bijvoorbeeld. En om je zonen.'

'Ze heeft me anders ooit een blauw oog bezorgd,' zei hij.

Dat was een verrassing. 'Dat geloof ik niet.'

'Toch is het zo. We waren aan het ruziën en ze haalde uit. Ze raakte me net onder mijn oog. Een pracht van een blauw oog.'

'Hadden jullie wel eens ruzie dan?'

'Natuurlijk,' zei hij. Nu moesten ze hun eigen onenigheid onder ogen zien. 'In elke relatie heb je ruzies. Tenzij beide partners vanaf hun nek verlamd zijn of geen moer om elkaar geven. Ze maken ruzie en daarna maken ze het goed. Meestal, tenminste.'

'Het spijt me dat ik je zo van streek gemaakt heb,' zei ze.

'Het spijt mij dat ik zo fel reageerde. Dat wilde ik je even komen zeggen.'

'Maken we het weer goed?'

'Ik hoop het,' zei hij ernstig. 'Luister, het regent weliswaar pijpenstelen, maar heb je zin om naar de Lobster Pot te gaan?'

'Ja,' zei ze, en ze legde het boek op de tafel. 'Dat lijkt me heel erg leuk.'

Alle twee waren ze vastbesloten er een harmonieuze avond van te maken en hoewel dat oogmerk hun spontaniteit remde, werden eventuele pijnlijke momenten erdoor voorkomen. Gwen had het niet over haar baan, hij sprak niet over zijn voorstel, en geen van beiden zei iets dat hen zou herinneren aan hun ruzie. Aan het eind van de avond liepen ze door de plassen terug naar huis, want de weg door het drassige terrein stond gedeeltelijk onder water. Nat maar gelukkig bereikten ze haar beschutte portaal. Beiden vonden ze dat het een geslaagde avond was geweest.

'Zal ik vannacht bij je blijven slapen?' zei hij hoopvol.

'Nou, dat moesten we maar doen, vind je niet?' zei ze, terwijl ze ervoor zorgde dat haar toon luchtig bleef. 'Ik kan je moeilijk voor de deur laten verdrinken.'

Toen kuste hij haar, eindelijk. 'Ben ik even blij dat het regent,' zei hij.

Hoofdstuk 19

Lucy verkeerde in zo'n staat van extatisch geluk sinds Pete in haar leven opgedoken was, dat ze nauwelijks nog oog had voor iets of iemand anders. Op haar werk verwerkte ze werktuiglijk grote hoeveelheden numerieke data, zonder zich erom te bekommeren of de gegevens goed of fout waren; thuis leefde ze toe naar het moment dat hij thuis zou komen en dus vergat ze haar rekeningen te betalen, liet ze brieven onbeantwoord en hoorde ze de telefoon niet. Elke nieuwe dag was de verlenging van een wonder, het bewijs dat de liefde waar ze zo naar had verlangd mogelijk was, echt gebeurde, voortduurde. Af en toe drongen kleine irritaties haar geluk binnen. Het hardnekkige geknipper van het rode lampje op haar antwoordapparaat was er een van, vooral wanneer de nummerherkenning aangaf dat het haar moeder was die belde. Dan voelde ze zich schuldig omdat ze besefte dat ze terug moest bellen, en ze voelde zich nog slechter omdat ze dat niet deed.

Een paar keer was ze bang dat het Eleanor was die belde, en ze vroeg zich af hoe ze haar in hemelsnaam te woord zou staan, maar Eleanor belde niet en na een tijdje besloot ze om er zich niet druk over te maken. Er waren te veel andere dingen die haar aandacht opeisten, zalige dingen.

De derde avond dat ze samen waren, vroeg ze Pete wat hij zou doen als Eleanor ergens kwam waar zij ook waren en hen zou zien.

De vraag had hem helemaal niet van streek gemaakt. 'Ik zou vragen of ze bij ons kwam zitten, denk ik. We zijn allemaal volwassen mensen.'

Wat is hij onverstoorbaar, had ze vol bewondering gedacht. Het is fantastisch. Maar ja, alles was fantastisch aan haar nieuwe leven. Of, beter gezegd, bijna alles. Het irriteerde haar wanneer hij de badkamer voor zich opeiste, de kleerkast vol hing met zijn kleren, overdreven aandacht schonk aan zijn schoenen, maar ze tilde er niet te zwaar aan omdat ze wist hoe belangrijk het voor hem was om er in het openbaar piekfijn uit te zien. Een andere ergernis was dat hij het haar niet altijd vertelde als hij 's avonds laat thuis zou komen, maar ze zag het door de vingers omdat hij zo'n drukke agenda had en wist dat hij zijn best deed om gekozen te worden in de raad van bestuur. En ze vond het maar niets dat hij zijn vuile goed overal liet rondslingeren, in de veronderstelling dat zij het wel op zou rapen en zou wassen, maar ze vergaf het hem omdat het de schuld van Eleanor was. Ze had hem beter moeten opvoeden.

Maar meestal was ze gewoon gelukkig en tevreden. Ze genoot van haar nieuwe, zorgeloze bestaan, had het ene pleziertje na het andere – rode rozen die naar hun tafeltje gebracht werden, bonbons op haar kussen, copieuze diners, liters champagne, veelvuldige en verrukkelijke seks – en stelde niet té veel vragen.

En in die gelukzalige toestand werd ze ineens geconfronteerd met een telefoontje van haar zus, net nu ze dat het minst verwachtte. Het was woensdagavond en Pete en zij waren zich klaar aan het maken voor een etentje bij Quanto's. Hij borstelde zijn haar bij haar toilettafel en bewonderde zijn spiegelbeeld; zij zat op het bed en bracht een tweede laag mascara op. Ze werd gebeld op haar mobiel, die naast haar op het dekbed lag, en ze was er zo zeker van dat alleen haar collega's dat nummer zouden gebruiken, dat ze zonder erbij na te denken opnam.

'Hoi,' zei Eleanor vrolijk. 'Lang niets van je gehoord. Hoe is het met je?'

Het duurde een paar ogenblikken voor Lucy van de schrik bekomen was en ze moest een paar maal kuchen voor ze haar stem weer onder controle had. 'Ik kom om in het werk,' zei ze, terwijl ze zichzelf tot kalmte bracht door haar mascara weg te zetten en haar spiegeltje dicht te klappen. 'Je weet hoe het gaat.'

'Niets nieuws onder de zon dus?' zei Eleanor meevoelend. 'Ze laten mij ook op mijn tandvlees lopen.'

'Hoe is het voor de rest met je?'

'Ik voel me zo gezond als een vis. Geen problemen. Behalve...

Heb je al iets van mama gehoord?'

'Nee... Ik bedoel, ze heeft me gebeld, verscheidene keren zelfs, maar alles was zo hectisch dat ik nog geen tijd heb gehad om haar terug te bellen. Ik voel me eerlijk gezegd een beetje schuldig.'

'Nou, dat is nergens voor nodig,' zei Eleanor. 'Ze verdient niet anders. Ze is ongelooflijk gemeen tegen me geweest.' En ze vertelde in geuren en kleuren haar verhaal. 'Je eigen dochter afwijzen. Dat is toch beneden alle peil, vind je ook niet?'

Lucy voelde zich in een hoek gedreven en wist zo gauw niet wat ze moest antwoorden. 'Ik kan niet zeggen dat het me verbaast,' waagde ze te zeggen. 'Ze heeft het echt naar haar zin in die toren van haar.'

'Ja, dat weet ik wel, maar van een paar dagen weg gaat ze niet dood. Ik vraag haar niet om haar hele leven in Londen te blijven. Het is verdomme alleen voor doordeweeks. Dat moet ze toch op kunnen brengen. Ik ben toch haar dochter.'

'Ja,' zei Lucy. Pete trok vragend zijn wenkbrauwen op en ze bewoog geluidloos haar lippen: 'Eleanor.'

'Het is zo zelfzuchtig,' ging Eleanor verder. 'Ik bedoel, wat moet ze anders met haar tijd doen? Als ze nu een baan had of zoiets, dan had ik het kunnen begrijpen. Maar dat is niet zo. Ze vertikt het gewoon om me te helpen. Ze weigerde botweg. Ik kreeg de meest vreselijke dingen van haar te horen: "Een kind en een carrière gaan niet samen. Laat het weghalen." Ze doet net of ik die keus nog heb. Ik ben al over de helft. De baby schopt de hele tijd. Je kunt toch geen kind weg laten halen dat schopt? Dat is tegennatuurlijk.'

'Ik heb verschrikkelijk met je te doen, Eleanor,' zei Lucy, die zich in bochten wrong om haar medeleven te tonen en tegelijkertijd neutraal te blijven. 'Het moet vreselijk zijn.'

'Het is niet jouw schuld,' zei Eleanor warm. 'Jij bent niet degene die gemeen geweest is. Je bent de beste vriendin die ik heb.'

Lucy wist zich geen raad van schuldgevoel en keek over haar schouder naar Pete, die zijn jasje aantrok en zichzelf in de spiegel bewonderde. 'Ik wou dat ik je helpen kon,' zei ze. 'Wat ga je nu doen?'

'Een au pair zoeken, denk ik,' zei haar zus. 'Of een kinderjuffrouw. Ik heb een paar adressen. Natuurlijk zou hij liever zijn oma hebben, het arme schaap, maar je moet nu eenmaal roeien met de riemen die je hebt. Je bent Pete toch niet toevallig ergens tegengekomen?'

Ook al kwam de vraag niet onverwacht, hij zorgde er toch voor dat Lucy zich ongemakkelijk en beschaamd voelde. Ze keek naar de andere kant van de kamer, waar hij zijn haar gladstreek, zijn das rechttrok en in de spiegel naar haar glimlachte. En weer bewoog ze geluidloos haar lippen: 'Ze wil weten waar je bent.'

Hij schudde zijn hoofd en fronste om haar te laten weten dat ze vooral niets moest zeggen. Ze knikte naar hem en zei toen: 'Hij is dus weer terug.'

'Alweer twee weken, zei Eleanor. 'En hij zit tot over zijn oren in een of andere zakelijke transactie,' voegde ze er als verklaring aan toe, omdat ze voelde dat Lucy zich anders af zou vragen waarom zij naar hem vroeg. 'Ik zou hem wel op zijn werk kunnen bellen. Alleen bel ik liever niet naar zijn mobiel. Hij is een beetje gevoelig op dat punt.' En omdat Lucy luisterde zonder antwoord te geven, praatte ze zo luchthartig en opgewekt mogelijk verder. 'We hadden woorden. Niets ernstigs. Je weet hoe we zijn. Ik dacht dat hij terug naar zijn flat was gegaan, maar blijkbaar was dat niet het geval. Hij schijnt hem te verhuren aan een Amerikaans stel. Heel aardige mensen. Ik heb net met ze gebeld. Ze hebben trouwens zijn post doorgestuurd. Ik heb een hele stapel hier, die hij vast wil hebben. Dus ik dacht, ik zal links en rechts eens vragen of iemand weet waar hij uithangt.'

'Ik kan je verder ook niet helpen,' zei Lucy, die haar best deed om zo natuurlijk mogelijk over te komen. Maar ze schaamde zich voor haar slinksheid.

Eleanor zuchtte. 'Nou ja, ik heb mijn best gedaan. Dan blijft die post maar liggen. Morgen vertrek ik naar Parijs om voor Jean-Paul Renaldo een presentatie te doen. Ze lanceren een nieuw parfum. Ik bel je wanneer ik weer terug ben.'

'Pas goed op jezelf,' drukte Lucy haar op het hart, en ze was opgelucht toen ze merkte dat ze het meende.

Pete stond voor haar en zag er ongelooflijk knap uit. 'Je bent een kanjer,' zei hij. 'Bedankt.'

'We zullen het haar toch een keer moeten vertellen,' waarschuwde ze. Zijn onverschilligheid ergerde haar behoorlijk. Het zou geen kwaad kunnen als hij wat bezorgdheid toonde. 'Vandaag of morgen komt ze er toch achter. Ze krijgt jouw post. Die Amerikanen sturen alles door.

Dat was hem volledig door het hoofd geschoten. 'Geen probleem,' zei hij opgewekt. 'Ik stuur wel iemand om de hele boel op te halen. Oké? Ben je klaar?'

Terwijl ze haar handtasje inspecteerde, viel het Lucy in dat ze, nu Eleanor eindelijk had gebeld, heel anders had gereageerd dan ze verwacht had. Jarenlang had ze ervan gedroomd dat ze er met Pete vandoor zou gaan, dat hij voor haar zou kiezen en haar zou beminnen en hoe dat Eleanors verdiende loon zou zijn, haar straf voor al die jaren dat ze alles naar haar hand had gezet. Toen had het allemaal zo eenvoudig geleken, waarschijnlijk omdat ze altijd had aangenomen dat het totaal onmogelijk was. Maar nu bleek de realiteit een stuk ingewikkelder te zijn dan haar simplistische fantasie. Want onder al het plezier huisde, opspelend als een blindedarmontsteking, het besef dat ze eigenlijk medelijden had met Eleanor, die in haar eentje een kind moest opvoeden zonder dat er iemand was die haar hielp; en dat ze zichzelf minachtte omdat ze zo achterbaks en zelfzuchtig was – en daarvan genoot.

'Voel je dan helemaal niets voor die baby?' vroeg ze, terwijl ze in zijn BMW stapte.

'Nee,' zei hij. 'Het is haar verantwoordelijkheid, niet die van mij. Ik wil er niets mee te maken hebben. Dat heb ik je toch verteld.'

'Ja, dat weet ik. Maar wil je dan niet weten hoe het met haar gaat?'

Hij zette de auto in de versnelling en zette zijn meest arrogante gezicht op, want hij had geen zin in een discussie. 'Niet speciaal,' zei hij. 'Alles zal wel op zijn pootjes terechtkomen. Maak je maar geen zorgen om haar. Dit is een belangrijke avond. De laatste voor de aandeelhoudersvergadering. Ik zal nog een hoop overtuigingskracht in de strijd moeten gooien.'

Het was de eerste keer dat ze zag hoe gevoelloos hij kon zijn en het deed haar geluk vervliegen, want ze wist dat hij net zo onverschillig zou zijn als zíj zwanger was. Arme Eleanor, dacht ze. Ik weet dat ze hem had moeten vertellen dat ze gestopt was met de pil, maar ze moet er een hoge tol voor betalen, en het zal nog erger worden wanneer de baby er is. Ik hoop dat ze succes heeft in Parijs. Echt een megasucces.

Ze liepen het restaurant binnen. 'We eten eerst,' zei hij. 'En dan gaan we met z'n allen verder.'

'Met z'n allen?' vroeg ze. 'Ik dacht dat we gewoon met ons tweetjes waren.'

'Goeie hemel, nee,' zei hij glimlachend. 'Zoals ik je al zei, dit is zakelijk. Dit is het moment om indruk te maken op de aandeelhouders: je beste beentje voorzetten, grote stralende glimlach, dat soort dingen.'

Ze kromp ineen, ontzet omdat van haar verwacht werd dat ze de aandacht op zich zou vestigen, en dat terwijl ze zich had ingesteld op een romantisch etentje voor twee. 'Hoeveel aandeelhouders?'

'Ik heb ze niet geteld,' zei hij onverschillig. 'Een stuk of wat. Geen nood. Ze eten uit onze hand.'

Het waren er meer dan twintig, en zodra hij de bar in kwam, kwamen ze allemaal tegelijk op hem af. Meteen nam hij zijn sociale rol aan, schonk hun zijn meest oogverblindende glimlach en had voor iedereen een persoonlijk woord bij het handen schudden. 'Leuk je dat je er bent.' 'Hoe gaat het met de kinderen?' 'Heb je die cruise nog gemaakt, Jerry?' 'Dit is mijn vriendin Lucy. Lucy, dit is meneer Tempest, een van onze belangrijkste aandeelhouders.' En hij gaf haar via een snelle blik te kennen dat de man ingepakt diende te worden.

Het was een briljante vertoning, gelikt, opvallend en volkomen kunstmatig, net een goed ingestudeerd toneelstuk. Zelfs in de tamelijk verbitterde stemming waarin ze nu verkeerde, moest Lucy er wel bewondering voor hebben, hoewel het haar niet ontging dat de aandeelhouders niettegenstaande al hun voorgewende jovialiteit een sluw stelletje vormden en dat ze – zelfs terwijl ze met hem stonden te praten – duidelijk aan het inschatten waren hoeveel winst ze konden behalen met de overname. Uitzondering was een oudere dame die zei dat ze toch zó hoopte dat hij een zetel in de raad van bestuur zou krijgen. 'Zodra de hele zaak beklonken is.

Hij is zo'n knappe jongeman. Vind je ook niet, meisje?'

Lucy beaamde het, en ze deed haar best om wat te kletsen met de anderen, maar het was heel vermoeiend en toen Pete en zij eindelijk weer in Battersea waren en er een einde was gekomen aan haar lange avond, had ze hoofdpijn van uitputting. Maar dat was niet het ergste. Erger was dat haar oude, pure liefde voor hem aan glans begon in te boeten.

'Dat ging goed,' zei hij, en hij liet zich achterover op haar bed vallen. 'Als ze na dit alles niet voor de overname stemmen, zal me dat hogelijk verbazen. We vormden een prima team. Vind je ook niet?'

Ze schopte haar schoenen uit. 'Ik zou het niet weten,' zei ze. 'Het is een wereldje waar ik niets mee heb.'

Hij was rozig van triomf. 'Kom eens hier en kus me,' zei hij bevelend.

Ze was niet in de stemming, maar ze deed haar best om het bevel op te volgen. En toen was ze boos, op zichzelf en op hem, omdat ze niets voelde.

Toen ze de volgende morgen wakker werd, voelde ze zich nog steeds depri. Hij was al op en stond zich met veel watergekletter te wassen in haar badkamer. 'Belangrijke dag, vandaag,' zei hij, toen hij rood van het douchen verscheen, met een handdoek om zich heen. 'Wees een schat en breng me mijn ontbijt, wil je?'

Ze sloeg haar kamerjas om zich heen alsof het een schild was. 'Als je een dienblad wilt, pak ik er een voor je, maar je moet zelf naar beneden komen om het te halen. Ik ben niet van plan om trappen op en af te lopen.'

Hij schonk haar zijn meest betoverende glimlach. 'Ook niet voor mij?' vleide hij.

'Ik heb geen tijd,' zei ze. 'Voor mij is het ook een belangrijke dag,' voegde ze er tamelijk kattig aan toe.

Het was een slecht begin en het zou nog slechter worden. Toen ze de keuken binnenkwam, stond Tina bij de gootsteen. Ze was bezig met haar handen haar haar in model te brengen zodat het meer volume kreeg, en keek nadenkend.

'Luister,' zei ze abrupt. 'Eigenlijk was ik van plan het je pas volgende week te vertellen, maar ik kan het net zo goed nu doen. Ik ga verhuizen.'

Het nieuws deed Lucy behoorlijk schrikken. Ze hadden het huis gezamenlijk gekocht en de hypotheek in drie delen gesplitst. Met zijn tweeën zou de woning onbetaalbaar worden. Maar ze bleef koelbloedig, nipte van haar thee en zei alleen: 'Wanneer?' Alsof het niet belangrijk was.

'De derde week van september,' zei Tina. 'Als je het goedvindt. Dan heb jij een maand om een vervanger te vinden en hebben wij de gelegenheid om de overeenkomst en de hypotheek en al dat soort dingen te regelen. Mijn nicht heeft net een flat in Kensington gekregen en ze heeft me gevraagd of ik die met haar wil delen. Dat leek me wel wat. Ik bedoel, deze woning was prima voor ons drieën, maar met z'n vieren is het hutjemutje. Dat zie je zelf toch ook wel?'

'Hij woont hier maar tijdelijk,' zei Lucy, die zich genoodzaakt voelde om hem te verdedigen. 'Over een maand of twee zit hij weer in zijn eigen flat in Chelsea. Dit is alleen ter overbrugging.'

'Hm,' zei Tina, terwijl ze uit ongeloof geringschattend haar gepileerde wenkbrauwen optrok. 'Nou, je ziet het, of niet soms? Hij heeft de huisregels geschonden, of hij hier nu permanent is of tijdelijk. De huisregels weet je nog wel? Geen gehok. Dat was iets waar we het allemaal roerend over eens waren.' En toen Lucy haar mond opendeed om hem te verdedigen, ging ze snel verder: 'Dit is nu een volstrekt academische vraag. Ik heb al gezegd dat ik wegga. Mocht hij verhuizen, dan vind je snel genoeg iemand anders. Met zo'n woning.'

Als ze is verhuisd kan hij wél mooi de hypotheek betalen, dacht Lucy, die duidelijk een gevoel van bitterheid ten aanzien van hem had. Het wordt tijd dat hij ook zijn deel betaalt. Maar er was geen tijd om nog meer te zeggen, want op dat moment kwam Helen gapend de keuken binnen met de post van die dag.

'Laat me eens raden,' zei Tina, die opnieuw met haar vingers haar haar opschudde. 'Nog meer van die verdomde rekeningen.'

Helen kwakte de stapel op tafel. 'Voor het merendeel reclamedrukwerk,' zei ze. 'Maar jij hebt persoonlijke post, Lucy.'

Het was een brief van Neil Morrish.

Een berichtje, zoals beloofd, schreef hij. *Ik heb je moeder de afgelopen dagen verscheidene keren ontmoet en je zult het wel pret-*

tig vinden om te vernemen dat er geen incidenten meer hebben plaatsgevonden. Poes is genezen verklaard en ziet er gezond uit; ze heeft alleen niet meer haar hele staart. De tuin is nu omgespit en voorzien van planten. Je moeder maakt het goed en is gelukkig met haar nieuwe baan.
We hebben de laatste tijd heel veel zeemist gehad, maar afgezien daarvan is het mooi weer geweest. Zelfs in de winter kan het hier behoorlijk warm zijn.
Ik neem aan dat je niet van plan bent om in deze tijd van het jaar hierheen te komen, maar misschien dat we elkaar met de kerst kunnen zien. Je moeder vertelde me dat ze van plan is om je uit te nodigen. Misschien vind je het leuk om naar het theater te gaan. Er zijn een paar erg goede shows met Kerstmis en ik weet dat je van theater houdt.
Ik moet trouwens opschieten. Over tweeëntwintig minuten begint mijn dienst.

Met vriendelijke groet,
Neil, je buurtagent.

Ze werd overspoeld door een golf van onverwachte genegenheid voor hem. Hij is eerlijk, dacht ze, en bescheiden en ongecompliceerd. Als hij je iets belooft, houdt hij er zich aan. Ik schrijf meteen terug om hem te bedanken. Maar toen drong het tot haar door wat hij haar had geschreven, en dat was verontrustend. Wat voor nieuwe baan? dacht ze. Haar moeder had nooit iets gezegd over een baan. En die uitnodiging voor Kerstmis, wat had dat allemaal te betekenen? Ik kan daar niet heen met de kerst. Ze nodigt Eleanor vast ook uit. Misschien heeft ze het al gedaan. En wat zal er dan gebeuren? Alles zal uitkomen en de wereld zal te klein zijn. Ik kan haar maar beter bellen en een excuus verzinnen. Ze had nog geen idee welk excuus, maar ze zóú er een bedenken.

'Dan ga ik maar,' kondigde Pete aan. Hij was plotseling naast haar opgedoken en zag er schitterend uit in zijn pak van Gieves & Hawkes. 'Wens me maar geluk!'

'Ik zou zo denken dat je dat na gisteravond niet meer nodig had,' zei ze.

'Geloof dat maar niet te hard,' zei hij ernstig. 'Je kunt de puntjes op de i zetten en toch nog geluk nodig hebben, vooral wanneer het op een stemming aankomt.' Hij gaf haar een veel te mechanische kus, nam een slok van haar thee en verdween.

Gwen was bezig om aardappelen in blokjes te snijden en uien te snipperen voor de soep toen de telefoon ging. Ze had die middag op de terugweg van school boodschappen gedaan bij Sainsbury's, en bij het zien van de verscheidenheid aan aardappelen op de schappen had ze zin gekregen in een zelfgemaakte, ouderwetse maaltijd. Maar ze legde het hakmes weg zodra ze Lucy's stem hoorde.

'Hé, hallo!' zei ze. 'Leuk dat je belt. Hoe is het met je? Heb je mijn berichten ontvangen?'

'Het werk eiste al mijn tijd op,' zei Lucy, diplomatiek de eerste vraag beantwoordend en de tweede negerend. 'We hebben het hartstikke druk gehad. Ik heb gehoord dat je een baan hebt.'

'Dat klopt,' zei Gwen, en ze vertelde haar in het kort over haar werk. 'Elke dag is weer anders,' zei ze blij. 'Ik geniet er echt van.'

Wat is ze toch slim, dacht Lucy. Ze maakt duidelijk dat ze niet van plan is om voor Eleanors baby te zorgen en ze doet het in een taal die Eleanor zeker zal begrijpen. 'Zoiets had ik al begrepen.'

'Van wie? Hoe heb je het ontdekt?'

'Neil heeft het me verteld. Je weet wel, je buurtagent.'

'De mensen hier weten ook alles van elkaar,' zei Gwen. 'En hoe heb je je tijd doorgebracht, afgezien van je werk?'

'Niet veel bijzonders,' zei Lucy, en het lukte haar om te lachen alsof ze een grapje maakte.

'Hier treft iedereen voorbereidingen voor Kerstmis,' vertelde Gwen. 'In Chichester hangen de lichtjes al, klaar om aangestoken te worden. Ik heb ze vanmiddag gezien. En de winkels in het dorp hangen vol met klatergoud en kerstverlichting. Heel mooi allemaal.' Toen zweeg ze even om Lucy de gelegenheid te geven om te reageren. Als ze belangstelling toont, dacht ze, nodig ik haar uit om Kerstmis hier te vieren.

Alleen al het woord Kerstmis zorgde ervoor dat Lucy zich kwetsbaar voelde, maar ze voelde zich verplicht om antwoord te geven, dus zei ze dat ze het zich kon voorstellen, en zette zich toen schrap om haar moeder het slechte nieuws te vertellen.

Haar aarzeling was voldoende om haar moeder hoop te geven. 'Dit wordt mijn eerste Kerstmis in de toren,' zei ze. 'Ik popel om in mijn mooie nieuwe oven een kalkoen te braden. Ik heb twee heerlijke puddingen gemaakt. Die kunnen we dan tweede kerstdag eten, had ik zo gedacht. Jullie komen toch, hè? Eleanor en jij. En Pete ook, als hij niet weg is. Ik zou het heerlijk vinden als jullie er waren. Jeff geeft een feest op kerstavond. Zijn hele familie komt. Hij komt uit een gezin van vijf broers en zussen, vertelde hij me. Ik zal een beetje steun nodig hebben om me te handhaven met al die mensen.'

'Breng je de kerst dan samen met hem door?' Misschien was dat de oplossing.

Maar het antwoord van haar moeder maakte het probleem alleen maar groter. 'Alleen kerstavond. De rest van de feestdagen hebben we voor onszelf. Je komt toch, hè? Ik weet dat alles anders is sinds de vorige kerst, maar het zou fijn zijn om weer eens allemaal bij elkaar te zijn. Vind je ook niet? Zeg alsjeblieft ja, Lucy. Misschien is dit de gelegenheid om een aantal zaken recht te zetten. Toe nou!'

Die laatste kerst stond Lucy plotseling weer levendig voor de geest. Ze zag hen met z'n vieren weer om de eettafel in de geelbruine kamer zitten, terwijl haar vader oreerde over aanpassingen van het kiesstelsel. 'Papa leefde toen nog,' herinnerde ze zich. 'En Pete zat op Hawaï. Ongelooflijk dat het nog maar een jaar geleden is. Ik denk dat het komt omdat er in de tussentijd zoveel is gebeurd.'

'Ja,' zei Gwen, 'dat kun je wel zeggen. Nou, wat denk je ervan? Lijkt het je wat om Kerstmis te vieren in een toren?'

Ik kan niet vierkant *nee* zeggen, dacht Lucy. Niet wanneer ze zo graag ja wil horen. Ik zal het haar uiteindelijk moeten vertellen, maar niet nu. 'Misschien,' hield ze de boot af. 'Ik heb nog niet over Kerstmis nagedacht. Heb je Eleanor al gevraagd?'

Het noemen van haar naam gaf Gwen een ongemakkelijk gevoel. 'Nog niet,' bekende ze. 'Ik heb het vreselijk druk gehad.' Even vroeg ze zich af of ze Lucy zou vertellen wat er was gebeurd, maar ze zag ervan af. Het was geen onderwerp om over de telefoon te bepraten – als ze het er al over moest hebben.

'Ze zit op het ogenblik in Parijs,' zei Lucy.

'Is alles goed met haar?'

'De laatste keer dat ik haar sprak zei ze dat ze zich zo gezond voelde als een vis.'

'Nou, dat hoop ik dan maar,' zei Gwen. 'Je weet het nooit met Eleanor. Ze doet zich altijd stoer voor. Dat deed ze als kind al.'

'Ja,' zei Lucy, die het zich herinnerde. Maar hoe zou ze reageren als ze erachter kwam dat Pete bij haar was?

'Hoe dan ook, geef haar een dikke zoen van me, wanneer je haar ziet. Wanneer komt ze weer thuis? Weet je dat toevallig?'

'Nee,' zei Lucy, min of meer naar waarheid. 'Dat kan nog weken duren. Ze is daar voor een of andere reclamecampagne. Voor een van de grote modehuizen.'

'Ze laten jullie te hard werken,' zei Gwen, 'dat is het probleem.'

Het was hét moment om afscheid te nemen. 'Mijn chef komt eraan,' zei Lucy. 'Ik moet ophangen. Ik bel je snel weer.' Ze maakte een kussend geluid en legde neer.

Het kantoor lag bezaaid met papier, de bureaus stonden vol vieze koffiekopjes, de lucht was muf en ranzig en de beeldschermen waren hinderlijk aanwezig. Ik heb er een potje van gemaakt, dacht Lucy, en ze schaamde zich ervoor dat ze zo laf geweest was. Maar tot een besluit komen om iets pijnlijks te zeggen is één ding, het echt zeggen is heel wat anders.

Hoofdstuk 20

Voor een firma die gold als een van de meest respectabele, degelijke en saaie van Londen, was de jaarvergadering van Sheldon U.K. een buitengewoon opwindende gebeurtenis. Het merendeel van de mensen die de vergadering bijwoonden, was aandeelhouder vanaf de oprichting en velen waren oude vrienden met aanzienlijke aandelenpakketten. Dus werd er voorafgaand aan de vergadering zelfverzekerd en met kennis van zaken over financiële aangelegenheden gepraat. Allemaal waren ze zich ervan bewust dat de winst van het bedrijf de laatste drie jaar min of meer op hetzelfde niveau was gebleven, wat niet tot vreugde stemde, en hoewel de koers van het aandeel omhooggeschoten was sinds de geruchten over een Amerikaanse overname begonnen waren, hadden de meesten het idee dat er nog veel te verbeteren viel. Ze hoopten dat de overname dat zou bewerkstelligen, zoals 'die jonge vent, die Halliday' had voorspeld.

Ze waren onder de indruk van Peter Halliday. 'Een jongeman op wie je kunt bouwen,' zeiden ze tegen elkaar. 'Geeft adviezen die houtsnijden. Hij zou uitstekend in de raad van bestuur passen, vind je ook niet?' Vooral lord Foss-Wellington sprak lovend over hem en verklaarde dat het een 'vastberaden kerel' was. Hij wees erop hoe goed Halliday de handel kende en hoe waardevol zijn internationale ervaring was. En natuurlijk hadden velen van hen uitgebreid gedineerd op kosten van de jongeman en hadden ze gemerkt hoe charmant en genereus hij was. Een aanwinst voor de firma, dat stond buiten kijf.

De aanwinst zelf had op het passende moment zijn entree gemaakt, en sinds zijn komst zijn charmes tentoongespreid en geglimlacht tot zijn kaken er pijn van deden, hoewel hij inwendig heen en weer geslingerd werd tussen hoop en vrees. Vooruit, vooruit, spoorde hij ze in stilte aan, terwijl zijn medeaandeelhouders op hun gemak de zaal in liepen. Schiet nu verdomme toch op.

Hij hoefde niet bang te zijn, want de overname was praktisch al een feit. Het enige wat er nog moest gebeuren, was het tellen van een paar stemmen en de bekendmaking van de uitslag. Yes! dacht hij toen hij naar het applaus luisterde en overal tevreden blikken ontmoette. Yes! Yes! Hij popelde om het Eleanor te vertellen. Ze zou echt in haar nopjes zijn. Nu kan ik lid van de raad van bestuur worden. Hij zag zich al in een nieuwe Mercedes-cabrio rijden, prestigieuze diners geven, de raad van bestuur domineren, geld als water verdienen.

Maar toen zijn opwinding wat was gezakt, kwam zijn geheugen weer terug en herinnerde hij zich dat het Lucy was die thuis wachtte en aan wie hij het nieuws moest vertellen, en hij vond het stom van zichzelf om zich zo te vergissen – ook al was het niet in het openbaar.

Een man met een hard gezicht stak zijn hand uit. 'Gefeliciteerd, meneer Halliwell. Of mag ik u Pete noemen?'

'Dank u wel,' zei Pete, die zijn verwarring van zich afschudde. 'Pete. Ja. Natuurlijk.'

'We mogen aannemen dat er nu wel het een en ander zal veranderen, Pete,' vervolgde de man. 'Maar ik heb me nog niet voorgesteld. Jimmy Foster, lid van de raad van bestuur. We hebben elkaar bij Peggy ontmoet.

Pete kon hem niet thuisbrengen, maar hij zei: 'Ach, ja!' alsof hij zich hem persoonlijk herinnerde. Aha, dacht hij, de mobilisatie van steun is al begonnen.

'Ik geef volgende week zaterdag een etentje,' zei meneer Foster, 'om de strategie te bespreken. De firma is al jaren toe aan een reorganisatie en nu kunnen er eindelijk spijkers met koppen geslagen worden. Dat internetidee van je is eersteklas. Ik hoop dat je ook van de partij bent?'

Nou en of, dat zou hij. Een knappe jongen die hem tegenhield.

'Tussen acht en halfnegen,' drukte meneer Foster hem op het hart, en hij gaf hem zijn kaartje. 'En neem dat aardige vrouwtje van je mee.'

Zijn aardige vrouwtje had in een bijzonder wispelturige stemming de middag doorgebracht. Na die bijna-aanvaring over dat ellendige dienblad en Tina's slechte nieuws bij het ontbijt had ze een uiterst nare werkdag gehad. Meteen aan het begin van de morgen was de hoofdboekhouder weer eens in woede uitgebarsten, en door de spanning die dat met zich meebracht was iedereen op kantoor vanaf dat moment in een prikkelbaar humeur geweest. Het was al heel laat toen ze naar huis ging, en ze wist dat ze in een verlaten flat zou komen, want zowel Helen als Tina had een afspraakje. Het verkeer was chaotisch, haar rug deed pijn, ze was net ongesteld geworden en ze was moe en had honger.

Eerst maar boodschappen doen, dacht ze, en dan meteen naar huis. Het was maar een paar honderd meter naar de minisuper. Meestal hadden ze wel een lekkere ossenhaas en de groente was er altijd vers. Als hij nu eens één keer op tijd thuis was.

Maar dat was hij natuurlijk niet. Hij kwam vrolijk de keuken binnenwaaien en was zo vervuld van zichzelf dat ze niet de kans kreeg om ook maar een woord te zeggen. Hij kuste haar, vluchtig en ruw, en spreidde toen in triomf zijn armen en riep: Was dát een succes, of niet? Wat denk je? Wil je niet weten hoe het gegaan is?'

Het was dom om zo makkelijk van je stuk te raken, ze wist het. 'Ik kan het aan je zien,' zei ze. 'Je gezicht spreekt boekdelen.'

'Helemaal te gek,' gnuifde hij luidruchtig, en hij kuste haar weer, dit keer nog ruwer. 'Wat schaft de pot?'

Ze vertelde het en kreeg een compliment voor haar keuze, maar de stemming was onaangenaam. Wat is hij egocentrisch, dacht ze, terwijl ze toekeek hoe hij at. Hij heeft helemaal geen aandacht voor me. Ze vroeg zich af waarom haar dat niet eerder was opgevallen. En ze besloot om hem een probleem voor te leggen.

'Wat doen we met kerst?' vroeg ze.

'Het vieren, denk ik,' zei hij achteloos.

O, nee, dacht ze. Zo gemakkelijk schuif je het niet terzijde. Je irriteert me en je hebt maar antwoord te geven. 'Mama heeft ons allemaal uitgenodigd om naar de toren te komen.'

Hij glimlachte. 'Goed idee,' zei hij. Het is gigantisch lang geleden dat ik kerstfeest bij je moeder heb gevierd.'

Zijn onnadenkendheid verbijsterde haar. Hij zou toch moeten weten wat de gevolgen konden zijn? 'Ons allemaal,' zei ze grimmig. 'Jij en ik en Eleanor.'

Nog steeds geen zweem van bezorgdheid. 'Nou en?'

'O alsjeblieft, Pete. Met zijn allen, dat gaat toch niet. Of kan het je niet schelen dat ze het te weten komt?'

Hij haalde zijn schouders op. 'Vandaag of morgen ontdekt ze het toch,' zei hij. 'Het is een volwassen vrouw, ze kan het wel aan. Ik zie het probleem niet.'

'Ik denk,' zei Lucy, en ze sprak langzaam, haar woorden met zorg kiezend, 'dat je een excuus moet bedenken om zelf niet te gaan zodat Eleanor en ik daarheen kunnen gaan om de problemen tussen haar en mama uit de wereld te helpen.'

'En ik denk,' zei hij op even bedachtzame toon, 'dat je je er niet mee moet bemoeien. Laat het ze maar zelf oplossen, het is niet jouw zaak.'

Met ieder woord van hem werd haar ergernis groter. 'We hebben het anders wél over jouw kind.'

Hij keek haar woedend aan. 'Luister eens,' zei hij, 'als je zus een kind wil, moet zíj dat weten. Laat haar gewoon haar gang maar gaan. Ik wil er niets mee te maken hebben, begrepen! Helemaal niets. Het ouderschap is walgelijk en ik laat me er niet in meesleuren. Niet door haar, niet door jou; door niemand. Oké?'

Ze was ontdaan door zijn agressieve reactie. We zijn nog geen drie weken samen, dacht ze, en we hebben al ruzie. Ik wist wel dat het niet voor altijd was, maar dit is vreselijk.

Hij schoof zijn lege bord weg en veegde zijn mond af met haar witte servet. 'Dat smaakte voortreffelijk,' zei hij. 'Je bent een geweldige kok. Wat heb je als toetje?'

Dat oude woord uit hun kindertijd deed haar wat ontspannen. 'Aardbeien met slagroom,' zei ze.

'Klinkt goed. En het herinnert me aan iets. We zijn uitgenodigd voor een diner, zaterdag over een week.'

'O ja?' zei ze, terwijl ze afruimde. Misschien hoorden dit soort ruzies wel bij hem, was het zijn manier om zich af te reageren. Misschien zoek ik er te veel achter. 'Bij wie?'

'Jimmy Foster. Een van de grote jongens in de raad van bestuur.

Jij en dat aardige vrouwtje van je, zei hij.'

Ze was zo geïrriteerd door de kleinerende omschrijving dat ze wel een stekelige opmerking moest plaatsen. Aardig vrouwtje, godallemachtig! Ze zette de vuile borden neer en keek hem recht aan. 'Hij bedoelde vast Eleanor, denk je ook niet?'

Hij hervond zijn evenwicht. 'Het was onze eerste kennismaking,' zei hij koeltjes tegen haar. 'We hebben elkaar net ontmoet. Hij is heel invloedrijk. We moeten proberen hem te paaien.'

Ze had plots een onplezierig gevoel van déjà vu. Eleanor had zich ook op die manier geuit. '*We* zullen het mama moeten vertellen.' Wat lijken ze toch op elkaar, dacht ze. 'Wie zijn *we?*' vroeg ze veelbetekenend.

'Dat weet je best, wie *we* is,' zei hij. Het kwam er onhandig uit doordat hij ondanks zijn uiterlijke kalmte nog steeds geagiteerd was. 'Jij en ik. Ik heb gezegd dat we beiden zouden komen.'

'Is het bij je opgekomen dat ik wel eens geen zin zou kunnen hebben?'

'Natuurlijk heb je zin,' zei hij, en hij schonk haar zijn trage, brede glimlach. 'Je zult het fantastisch vinden. We praten hier over een puissant rijke man. Het wordt een geweldig feest.'

Zijn charme werkte niet. Voor de eerste keer werkte zijn charme niet. Dus dat gebeurt er wanneer we ruziemaken, dacht ze. Ik verkil en mijn gevoel voor hem is weg. 'Nee,' zei ze koppig, 'ik ga niet. Ik voel me daar niet thuis. Ik ken daar niemand.'

Hij probeerde het opnieuw, met zijn glimlach nog steeds op haar gericht. 'Je maakt daar zo contact met mensen.'

'Jouw slag mensen, niet mijn slag.'

Zijn glimlach verdween. 'Mag ik je erop wijzen dat we het hier over mijn carrière hebben?' zei hij. 'Het is belangrijk.'

'Voor jou misschien. Niet voor mij.'

'Ik dacht dat we een relatie hadden. Ik dacht dat je van me hield.'

'Luister,' zei ze, omdat ze het gevoel had dat ze hem dit duidelijk moest maken, 'je woont in mijn huis, je betaalt geen huur – waar we overigens wat aan moeten doen, want Tina vertrekt – en je slaapt in mijn bed...'

Hij besloot om zich er met een grapje uit te redden: 'Dus ik moet weer op de bank slapen. Is dat het?'

'Hoezo *weer*,' verklaarde ze. 'Daar heb je toch nooit op gelegen?' En ze was boos op zichzelf omdat het zo kleingeestig klonk.

'Ik begrijp het al,' zei hij meevoelend, en schonk haar zijn betoverende glimlach. 'Je hebt een zware dag gehad en het is de verkeerde tijd van de maand. Toch?'

Dat was zo lomp dat ze ziedend werd. We praten hier over belangrijke kwesties, dacht ze woedend, over hoe we onze relatie vorm moeten geven en wiens behoefte voorrang moet krijgen. En nu meneer zijn zin niet krijgt, gooit hij het op mijn hormonen. 'Behandel me niet zo neerbuigend,' zei ze. 'Dat is goedkoop.'

Hij voelde zich weer op zijn teentjes getrapt. 'Nou,' zei hij, 'ik leefde anders echt met je mee.'

'Laat dat meegevoel maar zitten. Ik wil dat je me financieel een beetje steunt.'

'Dat zal ook gebeuren. Zodra mijn dividend uit wordt gekeerd.'

'En wanneer is dat?'

'Over een maand waarschijnlijk. Je kunt het tot die tijd nog wel uitzingen, toch?'

'Nou nee,' zei ze. 'Dat kan ik niet. Zoals ik je daarnet al heb verteld, verhuist Tina. Ik kan het me niet veroorloven om twee derde van de hypotheek voor mijn rekening te nemen.'

Oké, oké. Ik zal mijn deel betalen zodra ik wat geld heb.'

'En wat moet ik dan in de tussentijd doen?'

'Geen idee,' zei hij. 'Het is jouw huis. Ik bedoel, ze is jouw huurster of mede-eigenares of hoe jullie het ook geregeld mogen hebben. Neem iemand anders.'

Het was zo'n glad antwoord dat ze in de aanval ging. 'Voel je je dan nooit ergens verantwoordelijk voor?'

Het was meer dan hij kon verdragen, het was beledigend. 'Oké,' zei hij. 'Nu is het genoeg geweest! Ik ben hier niet heen gekomen om ruzie te maken. Ik hou het voor gezien.'

De gedachte om midden in een ruzie alleen gelaten te worden, bracht haar van de wijs, en bij gebrek aan iets beters zei ze: 'En de aardbeien dan?' Om vervolgens weer kwaad op zichzelf te zijn omdat het zo dwaas klonk.

'Smeer die aardbeien maar in je haar,' zei hij. 'Ik ga.' En weg was hij.

Toen hij was vertrokken at ze beide porties aardbeien op, ook al bezorgde de royale hoeveelheid slagroom haar een onpasselijk gevoel. Daarna ruimde ze de tafel af, deed de afwas, maakte het aanrecht schoon en zette een beker sterke zwarte koffie voor zichzelf. Het was de enige remedie tegen huilen, en ze verdomde het om een potje te gaan zitten janken. Ze zouden vandaag of morgen toch ruzie hebben gekregen. Ze had het van het begin af aan geweten. Maar niet zo. Niet het huis uit stormen en mij hier achterlaten. Dat is wreed, dacht ze verdrietig.

De rest van de avond lag als één trieste leegte voor haar. Ze liep met haar ziel onder haar arm de televisiekamer in, maar er was niets op de tv wat de moeite waard was, dus liep ze de kamer maar weer uit. Iemand bellen? Maar wie? Een paar brieven schrijven? Maar aan wie? De enige die haar de afgelopen week een brief had geschreven was die politieman. Nu dacht ze met warme gevoelens aan hem. Neil de Toetssteen. Oké dan. Ze zou hem schrijven. Nu. Waar had ze zijn brief ook alweer neergelegd?

Het duurde een paar minuten voor ze hem had gevonden, maar het schrijven lukte meteen. Ze schreef eenvoudig het eerste het beste op dat haar inviel, blij dat ze iets om handen had en aan niets anders hoefde te denken.

Toen ze hem had bedankt voor het feit dat hij zich bekommerd had om haar moeder en hem wat interessante nieuwtjes uit het Londense roddelcircuit had gegeven, die hem, dacht ze, wel zouden interesseren, voelde ze zo'n genegenheid voor hem dat ze afsloot met de woorden *Tot gauw*, alsof hij een van haar Londense vrienden was en een spoedig weerzien tot de mogelijkheden behoorde.

En dat bracht haar op een ander idee. Er was geen sprake van dat ze naar dat rotdiner ging. Ook als Pete terugkwam en poeslief deed, diende hij te begrijpen dat ze niet zijn bezit was, en zeker niet zijn 'aardige vrouwtje'. Oké dan. Ze zou dat weekend gewoon weg zijn. En de voor de hand liggende plek daarvoor was Seal Island. Ze vouwde de brief aan Neil op, deed hem in een envelop en schreef een tweede, kortere, brief aan haar moeder:

Komt het je uit als je het weekend na het volgende een kind van je te logeren krijgt? Ik kan niet heel lang blijven, omdat ik niet graag in het donker rijd, maar ik zou zaterdag tegen lunchtijd bij je kunnen zijn en dan ga ik zondagmiddag om drie uur weer weg. Als het je schikt, tenminste. Bel even als dat niet zo is. Zonder tegenbericht zien we elkaar dat weekend.

Veel liefs, Lucy

En omdat ze nog steeds de tijd moest doden en het een heldere avond was liep ze, ondanks de kou, naar de brievenbus.

Terwijl ze de brieven door de gleuf in de metalen duisternis van de bus schoof, wierp ze een blik op Neils adres – Neil Morrish, East Beach Parade 6, Seal Island – en vroeg zich af hoe East Beach Parade eruit zou zien. De naam klonk tamelijk romantisch, een stuk beter dan Abercrombie Road, Battersea, waar je je zorgen moest maken over het bijeenbrengen van twee derde van de hypotheek – en over ruzies met je vriendje.

In werkelijkheid was de flat waar Neil Morrish sliep en at wanneer hij geen dienst had een nietszeggend appartement boven een rij sjofele winkels aan de rand van het dorp. Zijn woning bestond uit twee identieke kleine vierkante magnoliakleurige kamers. De ene kamer werd geflankeerd door een ijscoroze badkamer, de andere grensde aan een keuken waarvan de gootsteen vuil was, het fornuis zijn beste tijd gehad had, de koelkast gehavend was en de keukeninventaris zelfs in zijn allerminst veeleisende ogen armzalig was. Het enige positieve aan de woning was dat je vanuit de woonkamer een mooi uitzicht op de zee had, hoewel je dan wel eerst over een met afval bezaaid grasveld heen moest kijken, waar de plaatselijke rouwdouwen 's avonds bijeenkwamen om te roken, te dollen en te pronken met hun motoren. Eerst had het hem niet gestoord. Het was een goedkope huurflat, goed genoeg om te ontbijten, te slapen, te dromen en om er af en toe een afhaalmaaltijd te eten. Bovendien had het hem handig geleken om tussen de wat meer problematische elementen van zijn politiedistrict te wonen. Maar nu, met Lucy's brief in zijn hand, had hij zijn bedenkingen.

Het was nou niet bepaald het soort flat waar je een vrouw mee naartoe nam, zeker niet een vrouw als zij. Hij herinnerde zich de rijke overvloed van dat huis in Battersea – zelfs van de buitenkant was te zien wat een dure woning het was –, dacht aan de warme kleuren en het mooie meubilair in de toren van haar moeder, aan de chique kleren die haar zus droeg en de blitse auto waarin deze reed, en hij voelde zich van een andere klasse.

Het was geen nieuw gevoel. Het grootste deel van zijn leven ging hij er al onder gebukt. Op de lagere school hadden ze hem uitgelachen omdat hij niet de juiste sportschoenen of de juiste merkbroeken droeg. Op de politieschool plaagden ze hem omdat hij zich onbeholpen uitdrukte of niet de juiste clubs en pubs bezocht. Altijd was hij de verschoppeling, altijd was hij gespannen als een veer. Zelfs nu voelde hij zich alleen op zijn gemak wanneer hij schuilging in zijn uniform, en hij was zich ervan bewust dat het erg gemakkelijk was om fouten te maken en jezelf bloot te geven wanneer je een keus geboden werd.

En die aanlokkelijke keus deed zich nu voor. Een kans om een leven te leiden waar hij zijn hele jeugd naar verlangd had, *de* kans om een prachtige vrouw te beminnen die op haar beurt van hem zou houden, om te trouwen en een gezin te stichten: een echte familie in een echt huis. De eerste keer dat hij haar ontmoette, op die verbazingwekkende avond in november, had hij meteen geweten dat zij de vrouw was die hij lief zou hebben als dat mogelijk was. Sindsdien had hij aan niets anders meer gedacht, hoewel altijd met twijfel en een hinderlijk gebrek aan zelfvertrouwen, overtuigd als hij was dat hij te gewoon en te lelijk was om door haar opgemerkt te worden – laat staan dat ze hem aandacht zou schenken. En toen ze met hem naar de film ging en toestond dat hij haar naar Londen terugreed en toen ze samen *Les Misérables* zagen, was hij sprakeloos van geluk en begon hij zelfs hoop te krijgen – voor een paar uur dan. Maar de tijd verstreek en hij hoorde niets meer van haar, en na een poosje werd hij weer neerslachtig. Ervan dromen deed hij nog wel, maar hoop koesteren vermeed hij, want uit bittere ervaring wist hij hoe gevaarlijk dat kon zijn. En nu had ze hem deze prachtige brief geschreven en laaide de hoop in hem op als nooit tevoren. Hij kon zijn geluk niet geloven.

Gwen MacIvor had die morgen ook belangrijke post ontvangen, hoewel ze toen de reeks enveloppen door de brievenbus op haar deurmat terechtkwam niet onder de indruk was geweest.

'Allemaal reclame,' had ze tegen de kat gezegd toen ze de post had opgeraapt. Maar bij het doorkijken van de speciale aanbiedingen met hun bonte enveloppen en schreeuwerige slogans had ze voor de verandering een echte brief ontdekt, en ze zag dat hij van de commissie Ruimtelijke Ordening was. De brief was positief, beleefd en ter zake doende en bevatte de mededeling dat haar verzoek om een 'permanente garage' te mogen bouwen was ingewilligd.

'Wat zeg je me daarvan!' zei ze, en ze liet de brief aan Jet zien alsof het dier lezen kon. 'Ik mag nu toch mijn garage van ze bouwen. Is dat niet geweldig. Moet je opletten als ik het Jeff vertel. Hij heeft steeds gezegd dat die toestemming er kwam. Wat zullen die zeurkousen balen. Zo krijgen ze hun verdiende loon voor hun rancuneus gedrag.'

Daarna bekeek ze met meer belangstelling de rest van haar post, en tot haar grote genoegen vond ze een ansichtkaart van Monets tuin in Giverny, geadresseerd in Petes fraaie handschrift.

Beste mevrouw M, had hij geschreven.

Via Lucy ontving ik uw boodschap. Kerstmis in de toren lijkt me super. Hebt u nog wensen? Is champagne een goed idee? Ik popel om u te zien. Voor mijn gevoel is het eeuwen geleden dat we elkaar voor het laatst zagen.

Gwen legde de kaart naast haar bord. Wat een goed nieuws, dacht ze. Als hij van plan is om hierheen te komen, betekent dat dat Eleanor ook komt. Nu kunnen we elkaar een zoen geven, het goed maken en een of ander compromis sluiten over de baby. Er is alleen een klein duwtje voor nodig om ons weer bij elkaar te krijgen. Die goeie Pete. Hij moet haar op andere gedachten hebben gebracht. Ik vraag me af of Lucy het weet. Dat moet wel. Het kan bijna niet dat ze zo'n besluit nemen zonder het haar te vertellen. Ze belt Eleanor altijd over van alles en nog wat. Of Eleanor belt haar.

Ze gooide de volgende reclame op de stapel die weg kon. Pal eronder lag een brief van Lucy zelf. Ach, wat een lieve brief. Lieve, lieve Lucy. Natuurlijk heb ik 'plaats voor een kind van me'. Dus ik had gelijk. Je weet het en je komt ook met kerst. Jij en Eleanor en Pete. O, wat verlang ik ernaar om jullie allemaal te zien.

Maar ondertussen was het tijd geworden om aan het werk te gaan. Als ze niet opschoot kwam ze te laat op school. 'Ik kan maar beter voortmaken,' zei ze tegen de kat.

Het was een prachtige morgen. De zon was nog te bleek om warmte te geven, maar wel al sterk genoeg om de kale takken van de bomen in het dorp van een onverwacht rijke kleur te voorzien. Voor ze op Seal Island woonde, wist ze niet beter dan dat bomen in de winter saai en doods waren, grijs wanneer het droog was en zwart als het regende – want zo hadden ze er in Londen uitgezien. Nu, tijdens haar rit door het dorp, zag ze dat veel van de kale takken eigenlijk oranjebruin van kleur waren en dat ze magnifiek afstaken tegen de lichtblauwe hemel. En dan al die schakeringen groen: keurige grasperken, hulst, altijdgroene heesters en ontelbaar veel cipressen.

Toen zag ze Neil Morrish, die haar tegemoet fietste in zijn zo karakteristieke bedachtzame tempo. Ze stopte, zodat ze het raampje naar beneden kon draaien om een praatje met hem te maken.

'Wat een heerlijke dag, hè,' zei ze. 'Ik heb vanmorgen zulk goed nieuws gekregen.' Het ging hem eigenlijk niets aan, maar het stemde haar zo blij, dat ze het iemand moest vertellen. 'Mijn dochters komen met de kerst. Vanochtend kreeg ik een kaart van Pete.' Ze zag hem hoogst verbaasd kijken en besefte dat hij niet wist over wie ze het had. 'Hij is de vader van het kind,' legde ze uit. 'Eleanors vriend. Ze komen trouwens allemaal. We vieren Kerstmis in de toren.'

Neil voelde zich plotseling heel eenzaam. Weer werd hij buitengesloten. 'Dan zal ze daarvoor waarschijnlijk niet meer komen?' vroeg hij. 'Lucy, bedoel ik.'

Ze was ontroerd door de uitdrukking op zijn gezicht. 'Ja hoor,' zei ze. 'Toch wel. Ze komt zaterdag over een week. Ze blijft een weekend.'

Zijn lelijke gezicht werd rood van plezier. 'Fantastisch!' zei hij, waarna hij zijn gevoelens probeerde te verbergen. 'U zult wel heel blij zijn, bedoel ik.'

'Dat ben ik ook,' zei ze. En ze zag hoe een bekende jas hun kant uit liep. Zo, zo, kijk eens aan, daar hebben we die vreselijke mevrouw O'Malley. Wat een buitenkansje! 'Ik had warempel nog meer goed nieuws vanmorgen,' zei ze, en ze sprak op luide toon, zodat haar vijandin het kon horen. 'Een brief van de commissie voor Ruimtelijke Ordening. Ze hebben me toch een bouwvergunning verleend voor mijn garage. Ik kan gaan bouwen wanneer ik dat wil. Is dat niet geweldig?'

'Fantastisch,' beaamde Neil. 'Wanneer begint u?'

'Na de kerstdagen, denk ik,' zei Gwen. Ze zag met genoegen hoe mevrouw O'Malley zich verdekt had opgesteld bij de ingang van de supermarkt en deed of ze de etalage bewonderde, maar ondertussen duidelijk meeluisterde. 'Het zal een hele opluchting zijn om alle troep die die afschuwelijke ouwe vent heeft achtergelaten op te ruimen. Zo'n bijgebouw vol lege drankflessen maakt het geheel tot een belediging voor het oog. Nu kan ik alles schoonmaken en er een mooi nieuw dak op laten zetten. Dan zal het een sieraad voor onze gemeenschap zijn.' Zo, dat kun je in je zak steken, mevrouw Kletskous.

Op dat moment draaide mevrouw Kletskous beschroomd haar hoofd om en liep haastig de winkel in.

Neil grijnsde. 'Nu heeft u de knuppel in het hoenderhok gegooid,' zei hij.

'Mooi zo,' zei ze. 'Ik hoop het.' Vanavond zullen ze in Rose Cottage hun gal wel spuwen, dacht ze. 'Maar nu moet ik er als een haas vandoor, anders kom ik te laat op school.'

'Zo brutaal als de beul,' zei Teresa O'Malley, terwijl de kaartspeelsters plaatsnamen aan hun tafels. 'Ze kletste onze politieman de oren van het hoofd. Arme kerel. En zo luidkeels. Daar heb je geen idee van. Daarom kon ik het ook horen, echt waar.'

'Ik begrijp niet waarom ze de moeite nemen om ons naar onze mening te vragen als ze er uiteindelijk toch niets mee doen,' zei mevrouw Jenkins bits. 'Al die moeite die je je getroost! Mijn Clarence is er de hele nacht voor opgebleven. Het is niet eerlijk.'

'Dat is de zwakte van het systeem,' legde Agatha Smith-Fernley op haar gezaghebbende wijze uit. 'Ik vrees dat het hun vrijstaat om ons advies naast zich neer te leggen, ook al is het nog zo verstandig. En dat is de dwaasheid ten top, want zij weten natuurlijk niet wat er werkelijk speelt en hoe dat ingrijpt in het leven van de plaatselijke bevolking, en wij wel. Maar wat wil je, die ambtenaren van Ruimtelijke Ordening staan ver af van de burger, maar ze hebben wel het laatste woord.'

'Inderdaad,' zei mevrouw O'Malley instemmend. 'Jammer genoeg wel.'

'De hoofdzaak,' zei mevrouw Smith-Fernley, die de wikkel van een nieuw spel kaarten afscheurde, 'de hoofdzaak is dat we duidelijk gemaakt hebben waar we staan. Dat kan mevrouw MacIvor nauwelijks zijn ontgaan. En dat is waar het om gaat.'

'Zo is het,' klonk het in koor.

'Ze mag misschien denken dat ze nu de sterkste is,' ging mevrouw Smith-Fernley verder, terwijl ze de kastanjebruine haargolven van haar nieuwste kapsel liet opwippen, 'maar de tijden kunnen veranderen en ze zou er verstandig aan doen als ze dat in gedachten hield. Niemand van ons weet wat er vlak om de hoek ligt, neem dat maar van me aan.'

Hoofdstuk 21

Eleanor kwam slecht geluimd terug uit Parijs. Ondanks haar uiterst nauwgezette voorbereiding was de presentatie een fiasco geworden. De grote ontwerper was afwezig geweest voor een of andere prutshow elders en hoewel zijn ondergeschikten gedweept hadden met haar presentatie en die *divin*, *superbe* en *incroyable* hadden genoemd, had toen puntje bij paaltje kwam niemand van hen de macht gehad om de knoop door te hakken. Daarvoor moest ze bij Jean-Paul zijn, verklaarden ze. Die had het laatste woord. Wat betekende – daar had ze genoeg ervaring voor – dat de concurrentie groot was en dat er een keus gemaakt moest worden.

Tot overmaat van ramp zwol haar buik op als een ballon. In die drie dagen Parijs was ze zelfs uit haar nieuwe rok gegroeid. En de terugreis was uitgesproken oncomfortabel, ook al zat ze in een van die mooie brede stoelen van de Eurostar. Nog erger was dat ze al die tijd taal noch teken van Pete vernomen had. Geen telefoontje, geen mailtje, niets. Ze begon het idee te krijgen dat het afgelopen was met hun relatie, dat hij echt meende wat hij had gezegd over de baby en dat ze werkelijk op zichzelf aangewezen was.

Maar het verslag dat ze aan de grote mevrouw De Quincy uitbracht was positief. Ze gaf toe dat er nog geen beslissing genomen was, maar benadrukte hoe geïmponeerd de ondergeschikten waren geweest. 'Ze nemen alle tijd voor dit soort dingen,' legde ze uit. 'Heel vervelend, dat moet ik toegeven, maar u zult zien dat men ons aanbod uiteindelijk accepteert. Ik zie geen andere onderneming iets produceren dat met ons product kan wedijveren.'

'Laten we het hopen,' zei mevrouw De Quincy en ze schudde haar asblonde kuif. 'Er hangt een hoop van af.'

Dat klonk als verkapte kritiek en dat was geen lekker gevoel, vooral niet omdat een van de dingen die van de transactie afhing Eleanors kans op promotie was. En het maakte haar meer van streek dan ze wilde toegeven.

Het was een verademing voor haar om weer thuis te komen in haar mooie smaakvolle flat, haar schoenen uit te schoppen, op haar mooie witte bank neer te ploffen en met een kop thee onder handbereik de post door te nemen. Geen enkel bericht van Pete natuurlijk, hoewel ze constateerde dat zijn post nog steeds naar haar werd doorgestuurd. Waar is hij? dacht ze nijdig. En waar was hij op uit? Hij had in ieder geval tegen ze kunnen zeggen waar ze de boel heen moesten sturen, nu zit ik ermee opgescheept. En zelfs toen ze al die irritante brieven in een la bij de andere gestopt had, was ze nog steeds boos op hem en boos op zichzelf en boos op de ondergeschikten en boos op mevrouw De Quincy. Het is niet aardig om zijn brieven hiernaartoe te laten doorsturen, mopperde ze in zichzelf. Hij moet toch weten dat daardoor de herinneringen weer bovenkomen. Als hij met me breekt, laat hij dat dan radicaal doen en ervoor zorgen dat ik niet geconfronteerd word met een stapel aan hem geadresseerde post.

Ze zat erover te denken om Lucy te bellen en te kijken of zij wist waar hij uithing. Ja, verdomd, ze zou haar bellen. Ook als ze niet wist waar hij was, zou het leuk zijn om met haar te babbelen.

Maar Lucy was die avond weg en ze kreeg alleen haar antwoordapparaat. Dat was te verwachten, dacht ze. Iedereen heeft me in de steek gelaten. Ik neem een lekker warm bad en dan ga ik vroeg onder de wol. God weet dat ik het verdiend heb. En ze herinnerde zich hoe ze vroeger aan Crescent Road haar tienersores had verlicht met geurige baden.

Het was nu vijf dagen geleden dat Pete het huis in Abercrombie Road was uit gestormd, en omdat hij niet was teruggekomen en ook niet gebeld had, maakte Lucy er een gewoonte van om vaker weg te zijn dan thuis en had ze haar antwoordapparaat ingeschakeld om te laten zien dat ze bezigheden elders had. Dat hij haar zo abrupt verlaten had, maakte haar nog steeds woest en dus was ze niet van plan om thuis te blijven zitten wachten tot hij zich verwaardigde contact met haar op te nemen. Laat hem ook maar een paar keer bot vangen. Dus kreeg niemand die haar belde haar aan de telefoon, hoewel velen van hen het een aantal keren probeerden. Het afluisteren van de berichten was het eerste wat ze deed als ze van haar werk thuiskwam, maar de stem waar ze op hoopte hoorde ze niet en hoe langer ze daarop wachtte, hoe ellendiger ze zich voelde. De vijfde avond bracht hierin geen verandering: mama, die twee keer belde en zo te horen gelukkig was; Eleanor, die liet weten dat ze weer terug was en zei dat ze het nog een keer zou proberen – maar geen telefoontje van Pete. Waar hangt hij verdomme uit? dacht ze, terwijl ze het antwoordapparaat uitschakelde. En als om haar vraag te beantwoorden, ging de telefoon.

'Ja?' zei ze ademloos. O, laat het Pete zijn. Laat het alsjeblieft Pete zijn.

'Met Neil,' klonk zijn stem. 'Ik dacht, je vindt het vast wel prettig om te weten dat ik je moeder weer ontmoet heb.'

Ze slikte haar teleurstelling weg. 'Ik heb heel weinig tijd,' waarschuwde ze.

'Ik zal je niet lang ophouden,' zei hij en zweeg toen, omdat hij niet precies wist wat hij verder moest zeggen.

'Is alles goed met haar?' hielp ze hem.

'Jazeker. Heel goed. Ze is ontzettend gelukkig dat jullie allemaal komen met de kerst.'

Ze kon haar oren niet geloven. 'Wat?'

'Ze heeft een kaart gekregen van Pete,' verklaarde hij. 'Ze was echt in haar nopjes.'

Lucy was zo nijdig dat ze een paar seconden roerloos bleef zitten, met gefronste wenkbrauwen. Ze was sprakeloos. Waar haalde hij het lef vandaan om haar zoiets te schrijven! Waar was hij op uit?

'Lucy,' vroeg Neil bezorgd. 'Is daar iets mis mee?'

'Nou, laat ik het zo zeggen,' zei ze. 'Voor mij is het nieuw. Ik heb daarover nog geen beslissing genomen.'

'O,' zei hij, en hij voelde zich ontmoedigd. 'Ik hoop niet dat ik een stommiteit heb begaan.'

Ze probeerde hem gerust te stellen. 'Nee, nee,' zei ze. 'Het is niet jouw schuld. Je hebt me alleen maar verteld wat je weet.'

'Dan kom je zaterdag zeker ook niet?' zei hij.

Ik móét nu wel gaan, dacht ze. Ik móét het uitleggen. 'Jawel,' zei ze. 'Ik kom.'

'Ik vraag het,' zei hij, 'omdat ik me afvroeg of je het leuk zou vinden om zaterdagavond ergens wat te gaan eten of zoiets. Ik wil niet dat je in je eentje bent, en zij gaan vast uit – jouw moeder en meneer Langley bedoel ik – het is tenslotte zaterdag. Maar misschien heb je al plannen.'

Ze was die hele boer vergeten. 'Ja,' zei ze, 'dat vind ik leuk, bedankt.' Het was prettig om op een etentje getrakteerd te worden, zelfs als de uitnodiging kwam van een politieman met het gezicht van een baviaan. Beter dan een danstent. En veel beter dan de godganse tijd zitten wachten op een telefoontje van Pete. Wat een gotspe om te zeggen dat ze allemaal met de kerst zouden komen!

'Tot zaterdag dan,' zei Neil. 'Om zeven uur, als dat je schikt.'

Er kwam iemand de trap af gestommeld die tegen de spijlen bonkte en giechelde, en de herrie was zo enorm dat ze nauwelijks kon verstaan wat hij zei.

'Ik moet ophangen,' zei ze. 'Het is hier een gekkenhuis. Tot dan.' En ze liep de gang op om te kijken wat er aan de hand was.

Het was Tina, die net de laatste tree nam en uit het lood getrokken werd door het gewicht van een enorme koffer. Met haar andere hand hield ze een stuk of wat uitpuilende draagtassen tegen haar borst geklemd. 'Kom, dacht ik, ik breng maar vast een paar zaken naar Kensington,' zei ze van achter haar stapel. 'Een voorbereiding op de echte verhuizing, zullen we maar zeggen. Waardevolle zaken, dat soort dingen. Het liep alleen een beetje uit de hand.'

'Dat kun je wel zeggen,' zei Lucy, en ze nam twee plastic tassen van haar over, voor haar bepakte en bezakte vriendin ze liet vallen. 'Waarom doe je het niet in twee keer?'

Tina moest opnieuw giechelen. 'Ik dacht dat het me wel zou lukken. Dat denk ik altijd.'

Ze strompelden de flat uit en liepen moeizaam naar haar auto, die drie huizen verderop stond. En de telefoon ging opnieuw.

'Neem maar op,' zei Tina, bewogen door de uitdrukking op het gezicht van haar vriendin. Ze mocht dan geen hoge pet op hebben van Mister Ego, maar ze was dol op Lucy. 'Ik red me wel.'

Maar Lucy stond erop de plastic tassen naar de auto te dragen. Als het Pete is, dacht ze, dan moet hij maar even geduld hebben.

Na al die tijd kan dat er nog wel bij. En is hij het niet, dan maakt het niet uit. O, laat het Pete zijn. Dat heb ik nu zeker wel verdiend. Tina deed de kofferbak open. De telefoon ging nog steeds. Hij ging nog toen ze weer de gang op sjeesde. Deze keer was ze zo buiten adem van de hoop en van het rennen, dat het enige wat ze kon zeggen toen ze de hoorn opnam 'Ja' was.

'Weet je wat die waardeloze eikel nu weer gedaan heeft?' klonk de woedende stem van Eleanor.

Lucy's teleurstelling maakte ogenblikkelijk plaats voor verbazing en toen voor een angstig vermoeden. 'Welke eikel?' vroeg ze.

'Pete, wie anders? Hij heeft mama een brief geschreven en tegen haar gezegd dat we allemaal met kerst bij haar komen.'

Hij is weer terug bij haar, dacht Lucy, en ze werd verteerd door jaloezie. 'Heb je hem gezien?' vroeg ze.

Eleanors stem klonk smalend. 'Nee, natuurlijk niet. Ik heb het je toch gezegd? Hij is hem gesmeerd.'

Opluchting. Schuldgevoelens. Nieuwsgierigheid. 'Maar hoe weet je dit dan? Heeft mama...'

'Ze heeft hem een brief geschreven. Ik heb hem opengestoomd.'

'Eleanor!'

'Geen gemoraliseer. Ik moest weten wat erin stond. Ze zou hem niet hebben geschreven als er niets aan de hand geweest was. Dit is een serieuze zaak.'

'Ja,' beaamde Lucy. 'Dat is het. Wat ben je van plan eraan te doen?'

'Om te beginnen ga ik niet. Niet nu ze me zo behandeld heeft. En zeker niet als hij ook komt. Daar hoeft hij niet op te rekenen. O, ik zie wel wat hij in zijn schild voert, de linkmiegel. Maak je geen zorgen, ik heb hem door. Ik weet wat hem drijft.'

'Beter dan ik,' gaf Lucy toe – en daar was geen woord van gelogen.

'Hij probeert me tot handelen te dwingen,' zei Eleanor. 'Dat is zijn bedoeling. Maar dat zal hem niet lukken. Ik laat me niet ringeloren. Dat hoeft hij niet te denken.'

'Luister,' zei Lucy. 'Ik ga zaterdag naar haar toe. Als je nu eens met me meeging? Ik bedoel, het is toch te zot voor woorden dat jullie ruziemaken en elkaar niet meer zien.'

'Geen sprake van,' zei Elly gedecideerd. 'Niet na wat ik de vorige keer heb moeten meemaken. Maar weet je wat? Als jij haar nu eens overhaalde om voor mijn baby te zorgen?'

'Dat zal niet gaan,' zei Lucy, en ze glimlachte bij de gedachte aan de steek die ze ging toebrengen. 'Ze zal nu helemaal voor niemand meer zorgen. Ze heeft een baan gevonden.'

Eleanor's stem sloeg over van woede. 'Ze heeft wát?' En toen Lucy haar alles had verteld wat ze wist: 'Verdomme! Wat is ze toch egoïstisch. Dat iemand zo zelfzuchtig kan zijn! Ze weet dat ik haar hard nodig heb. Ik heb het haar duidelijk laten weten, heel duidelijk. Wat moet ze in jezusnaam met een baan. Ze heeft mij en de baby toch. O, ik kan dit niet geloven.'

'Je hoeft niet zo tegen me te schreeuwen,' zei Lucy. 'Ik ben alleen maar de boodschapper.'

Met veel moeite lukte het Eleanor om zichzelf onder controle te krijgen, en dat strekte haar tot eer. 'Dat is waar,' zei ze. 'Je hebt gelijk. Zeg, ik moet er als een haas vandoor. Ik heb een etentje.' En ze hing op.

Typerend! dacht Lucy kwaad. Eleanor vliegt op, gaat tekeer en schreeuwt, en vervolgens gaat ze ervandoor. Pete schrijft een ontzettend stomme kaart, smeert hem en belt niet. En ik ben degene die de scherven moet lijmen. Hoe moet ik het haar vertellen? Arme mama. Ze zal geschokt zijn.

Maar toen ze op Seal Island arriveerde, trof ze haar moeder juist in een opperbeste stemming aan. De woonkamer lag vol met brokaten gordijnen. Ze lagen uitgespreid op de vloer, hingen over de bank en lagen opgevouwen op een stapel op een stoel. Allemaal waren ze schitterend van kleur: scharlakenrood, goudkleurig, hemelsblauw, pauwgroen.

'Wat ben je aan het doen?' vroeg ze, terwijl ze probeerde om het allemaal te vatten.

'Het is voor het kerstspel,' vertelde Gwen blij. 'Ik maak de kostuums voor de drie koningen. Sorry dat het hier zo'n puinhoop is. Loop er maar omheen. Ik heb al gedekt voor de lunch.'

Ze gingen aan de keukentafel zitten. 'Ik dacht dat je schoolsecretaresse was,' zei Lucy.

'Ik heb het uit mezelf aangeboden,' zei Gwen. 'Het is heel erg leuk. We hebben buikdanseressen en Romeinse soldaten en kamelen en ik weet niet wat nog meer. Ik wou dat je hier was om het te zien. De koningen zijn te gek.'

Ze vertoeft in een andere wereld, dacht Lucy, terwijl ze het slacouvert hanteerde. Ik kan het haar nu niet vertellen. Niet nu ze zo gelukkig is. Ik moet het juiste moment kiezen. Maar het juiste moment deed zich niet voor. Ze waren nog kostuums aan het naaien en over school aan het praten toen Neil Morrish kwam om met haar uit te gaan.

Neil had zijn gewone, weinig modieuze pak aan. Hij was heel zenuwachtig en putte zich uit in verontschuldigingen omdat hij zo vroeg was.

'Geen probleem,' zei Lucy om hem op zijn gemak te stellen. 'Je kunt beter te vroeg zijn dan dat je het begin van de film mist.'

Natuurlijk wás er een probleem, en Lucy droeg het de hele avond met zich mee. Dat probleem drukte zo zwaar op haar dat het de film reduceerde tot enkel geluid en schaduw. Ook benam het haar alle eetlust, en dat terwijl hij haar had meegenomen naar een echt Indiaas restaurant en zijn best deed om dat eten voor haar te bestellen, waarvan hij wist dat ze het lekker vond. Toen ze weer terugreden naar de toren uitte alles zich in één enkele zucht die ze niet kon onderdrukken.

Hij voelde zich bekritiseerd en had het idee dat hij tekortgeschoten was. 'Het spijt me dat het zo'n draak van een film was,' zei hij.

Ze rukte zich los uit haar gedachten. 'Het was geen draak van een film,' zei ze. 'Die film was prima. Het lag niet aan de film. Het ligt aan mij. Ik ben... nou ja, een beetje bezorgd.'

Hij keek even naar haar. 'Waarover?'

'Over Eleanor en mama.'

'Met je moeder is toch alles goed?' vroeg hij. 'Ik bedoel, er hebben zich toch geen incidenten meer...'

'Nee,' zei ze snel. 'Wat dat betreft is alles in orde. Ik heb haar eigenlijk nog nooit zo gelukkig gezien. Dat is nu net het probleem.' Omdat hij wachtte, ging ze verder. 'Het is die kaart van Pete. De kaart waarover je me verteld hebt, weet je nog wel? Ze heeft eruit opgemaakt dat we met kerst allemaal komen, en dat is niet zo.'

Hij voelde zich ineens terneergeslagen. 'Niemand van jullie?'

'Nou ja, ik kom en Pete vermoedelijk ook, hoewel je dat met hem nooit weet, maar Eleanor komt zeker niet. En nu heeft hij die stompzinnige kaart gestuurd en is ze zo gelukkig als een kind, omdat ze denkt dat we met Kerstmis allemaal bij elkaar zijn. En dat is niet zo en ik moet haar dat vertellen.'

'Ze hebben je ermee opgezadeld,' begreep hij. 'Is dat het?'

'Daar komt het wel op neer,' beaamde ze en ze trok een lelijk gezicht, omdat ze het land had aan zichzelf, aan Eleanor, aan Pete; omdat ze doodziek was van de hele netelige kwestie. 'Ik zit tussen twee vuren.'

De auto reed met een rustig gangetje tussen de grijze heggen. Ze waren alleen in de duisternis die hen als een deken omsloot, afgescheiden van de rest van de wereld in een behaaglijke eigen ruimte waarin persoonlijke bekentenissen niet alleen mogelijk waren, maar ook gemakkelijk. En nu ze eenmaal begonnen was, vertelde ze hem maar meteen alles, of beter gezegd, bijna alles. Over het feit dat Pete bij haar ingetrokken was, liet ze natuurlijk niets los – dat was al te privé – maar ze gaf een tamelijk helder verslag van haar moeders dilemma, en ze vertelde hem dat ze er schoon genoeg van had om voor bemiddelaar te spelen. 'Dat heb ik mijn hele leven al gedaan en ik begrijp eigenlijk niet waarom. Het is niet mijn probleem.'

Toen ze ten slotte uitgepraat was, voelde ze zich er een beetje schuldig over dat ze zoveel gespuid had. Het was zijn zaak niet en ze was bang dat ze hem misschien in verlegenheid had gebracht.

Maar hij gaf haar serieus antwoord en leek helemaal niet in verlegenheid gebracht. 'Ik denk dat je gelijk hebt,' zei hij. 'Als je zus een kind wil, moet ze bereid zijn om ervoor te zorgen. Ik ben het niet eens met al die flauwekul over kinderopvang: dat de moeder zodra de baby er is weer aan het werk moet. En dat een baby niet zou beseffen wie er voor hem zorgt. Dat is gewoon kletspraat. Dat besef hebben baby's wél. Maar ja, ik ben bevooroordeeld. Ik heb er zo mijn eigen motieven voor. Ik ben van mening dat niemand de opvoeding van zijn kind aan een ander moet overlaten. Als je niet bereid bent om het zelf op te voeden, moet je geen kinderen nemen. En als je ze hebt, moet je ervoor zorgen.'

Hij sprak met zo'n bevlogenheid dat ze er verrast en beschaamd door was. 'Het spijt me,' zei ze. 'Ik had het me moeten realiseren. Ik bedoel, dat je...'

'Het geeft niet,' stelde hij haar gerust. 'Het was niet bedoeld om me van streek te maken, dat weet ik. Je zei gewoon waar het op stond. Oké toch? Ik heb er alleen een uitgesproken eigen mening over en ik vond dat je die moest horen.'

'Ik ben het met je eens,' zei Lucy ernstig. 'Ik vind het afschuwelijk om een baby in de steek te laten. Elk kind eigenlijk. Ik weet wat het met je doet.' En toen hij haar vragend aankeek: 'Petes ouders hebben hem alleen achtergelaten toen hij vijftien was. Ze verdwenen naar India, dumpten hem op een kostschool en kwamen nooit meer terug. Hij heeft het ze nooit vergeven. Hij heeft het altijd over "mijn walgelijke ouders" en "dat stuitende stel", dat soort termen. Hij heeft een bloedhekel aan ze.'

'Gelijk heeft hij,' zei hij krachtig. 'Als ze hem dat geflikt hebben, verdienen ze niet beter.'

Ze waren nu zo vertrouwelijk aan het praten, dat ze zonder rekening te houden met de eventuele gevolgen vroeg: 'Jouw ouwelui, heb je een hekel aan ze?'

Hij glimlachte van opzij naar haar. 'Ik heb ze nooit gekend,' zei hij, 'dus nee, niet op die manier. Ik vind het alleen afschuwelijk wat ze me hebben aangedaan. Of beter gezegd, wat zij me heeft aangedaan. Mijn vader heeft vermoedelijk nooit geweten dat ik er was. Het zou hem trouwens koud gelaten hebben.' Toen gooide hij het over een andere boeg. 'Je moeder is een goede vrouw.'

'Ja,' stemde Lucy in. 'Dat is ze inderdaad. En dat ik haar nu van streek moet maken... Dat is niet eerlijk, hè.'

Al hij het stuur niet had moeten vasthouden, had hij een arm om haar heen geslagen om haar te troosten. Nu moest hij haar helpen met een bruikbaar advies. 'Het lijkt me dat er drie mogelijkheden zijn. Je kunt de rest van het weekend je mond houden en niets zeggen, wat uitstel van executie betekent. Of je kunt tegen je zus zeggen dat ze haar eigen boontjes moet doppen. Dat is wat ik zou doen. Of je kunt het morgen tegen je moeder zeggen en er het beste van hopen.'

Hij is zo verstandig, dacht ze, terwijl ze naar zijn gebroken neus en die scheve mond keek. Zo evenwichtig. 'Vermoedelijk doe ik het laatste,' zei ze. 'Als ik het juiste moment kan vinden, tenminste.'

Hij reed Mill Lane in. 'Dat is altijd het probleem,' zei hij. 'Het vinden van het juiste moment.'

Op de nachtlamp in het portaal na brandde er geen licht in de toren. Mama en de boer zijn zeker al naar bed, dacht Lucy, en ze was blij dat ze hen niet onder ogen hoefde te komen.

'Bedankt voor het avondje uit en zo,' zei ze tegen Neil. 'Je was geweldig.' En handelend in een impuls boog ze zich naar opzij en kuste hem op zijn wang.

'Graag gedaan,' zei hij, en één onstuimige seconde lang vroeg hij zich af of het oké zou zijn als hij haar echt zou kussen. Maar ze deed het portier al open, zwaaide haar lange, in een blauwe spijkerbroek gestoken benen de kille nachtlucht in en stond naast de auto. Daar nam ze afscheid.

'Ik bel je,' zei hij. 'Om te horen hoe het is gegaan. Succes!' Met een hart dat nog steeds bonsde keek hij haar na, terwijl ze wegliep en verdween in het mistige halfdonker van het portaal.

Hoofdstuk 22

Wat was het een relaxte, huiselijke ochtend. Een zonovergoten tafel met thee en geroosterd brood, de klok die tikte en zo meteen elf zou slaan en het raspende geluid van het garen dat door het dikke brokaat werd geregen van het tweede kostuum, dat haar moeder aan het afzomen was. De vredige sfeer gaf Lucy plotseling een triest gevoel. Hoe kan ik het haar vertellen op een dag als deze, dacht ze. Dat is toch onmogelijk.

Gwen hield de voltooide tunica omhoog. 'Goed, hè?' zei ze. 'Wat vind jij?'

'Schitterend,' zei Lucy. En dat was ook zo. 'Je moet de hele nacht doorgewerkt hebben.'

'Sommige mensen zijn 's ochtends al vroeg uit de veren,' plaagde Gwen. 'Bovendien hou ik ervan om lekker bezig te zijn. Het zorgt ervoor dat ik me nuttig voel. Ik heb al mijn kerstinkopen al gedaan. Heb ik je dat nog niet verteld? Ik heb een prachtige sjaal voor de baby en een paar leuke oorbellen voor Eleanor. Ik zal je ze zo meteen laten zien. O, ik verlang zo naar Kerstmis, Lucy. Met z'n allen voor de eerste keer om deze tafel – Pete, Eleanor, jij en ik. Het zal een waar feest zijn.'

Lucy's moment deed zich voor, weliswaar ongevraagd, ongelegen en met scherpe randjes, maar te direct om het uit de weg te gaan. De woorden waren eruit voor ze er erg in had. 'Niet allemaal,' zei ze. 'We komen niet allemaal.' En toen haar moeder haar verbluft aankeek: 'Ik kom en Pete komt ook voor zover ik weet, maar Eleanor komt niet. Het spijt me.'

Het nieuws was een koude douche voor Gwen. Het deed haar geluk bevriezen en de relaxte ochtendsfeer stollen. Ze verzette zich ertegen, wilde dat het niet waar was. 'Nee, meisje,' corrigeerde ze haar. 'Je hebt het mis. Ze komt. Pete heeft het me zelf geschreven.'

Nu ik eenmaal a heb gezegd, moet ik ook b zeggen, dacht Lucy en ze ging snel verder. 'Je hebt een kaart van hem gekregen, toch?'

'Een heel aardige kaart,' zei Gwen. 'Ik zal je hem laten zien.' Ze stond op om hem te zoeken. *Kerstmis in de toren lijkt me super... Ik popel om u te zien.*

Lucy nam de kaart en las hem langzaam. 'Het is een boodschap van hem,' verklaarde ze. 'Alleen van hem. Hij zegt niets over Eleanor. Lees hem nog maar eens, dan zie je het zelf.'

Gwen wilde de kaart niet nog een keer lezen, wilde het niet zien. De slinger die haar sinds die vreselijke ruzie had doen bewegen tussen hoop en vrees was kapot en onbruikbaar geworden en verwijderde zich snel. Ze stak haar hand uit alsof ze hem wilde grijpen. 'Nee,' zei ze. 'Maar dat ligt erin besloten. Als hij zegt dat hij komt, komt zij ook. Ik bedoel, hij zal niet gauw zónder haar komen, toch?'

Lucy nam de tijd voor haar antwoord. 'Luister,' zei ze ten slotte, 'Ik vind het vervelend dat ik het ben die je dit moet vertellen, maar ze zijn uit elkaar. Hij weet helemaal niet wat haar plannen zijn.'

Waar heeft ze het over, dacht Gwen. Dat kan niet waar zijn. Niet na al die jaren. 'Onmogelijk,' zei ze koppig. 'Het is een ruzietje. Meer niet. Zo gaan ze nu eenmaal met elkaar om. Dat hebben ze altijd gedaan, vanaf het allereerste begin. Ze vechten als katten in een zak. Meestal over niets. Dan stuift hij naar buiten en is zij chagrijnig. En na paar dagen komt hij terug en maken ze het weer goed en is alles weer koek en ei. Het is gewoon een van hun ruzietjes. Meer niet.'

Lucy stak haar hand uit naar haar moeders arm. 'Nee,' zei ze, zo vriendelijk als ze kon. 'Dat is het niet. Dit keer is het anders. Hij is echt bij haar weg.' En toen Gwen nog steeds ongelovig keek, vervolgde ze: 'Vanwege de baby. Hij zegt dat ze hem belazerd heeft. Hij wil de baby niet, zegt dat hij nooit een kind gewild heeft.'

Gwen had het gevoel of ze in het slechte nieuws verdronk. 'Het is zijn kind,' zei ze, 'of hij het nu wil of niet. Je laat je kind niet zomaar in de steek. Als er één is die dat zou moeten weten is hij het wel. Wat mankeert hem?'

'Hij is getrouwd met zijn werk,' legde Lucy uit. 'Sommige mannen zijn dat tegenwoordig. Een hele hoop mannen, eigenlijk.'

Gwen MacIvor ontstak in woede. 'Hij is een egoïst,' zei ze. 'Dat is wat je in feite zegt. Het kind kan stikken, zolang hij maar kan leven zoals hij het wil. Zelfzuchtig. Daar komt het op neer. En dat is je zus ook, moet ik helaas zeggen. We leven in een zelfzuchtige wereld. Ik, ik en nog eens ik. De egoïsten hebben ons in hun macht. Als je tot compromissen bereid bent, kun je aan het compromissen sluiten blijven. Als je toegeeft, blijf je toegeven. Ik dacht dat ik het recht verdiend had om mijn eigen leven te leiden. Ik dacht dat ik voor één keer onverantwoordelijk kon zijn, mijn eigen weg kon gaan, mijn eigen dingen kon doen. Wat een verrekte idioot was ik. Ik heb helemaal geen rechten. Zodra je verantwoordelijkheden op je hebt genomen, kun je niet meer terug. Ik heb het geprobeerd en dit is het resultaat. Ze weet dat ik dit kind onder mijn hoede neem. Ze weet dat ik uiteindelijk toe zal geven. Zijzelf denkt helemaal niet aan de baby. Dat doe ik. Ze denkt verdomme alleen maar aan haar eigen rechten. Dat is het probleem. Iedereen hamert voortdurend maar op zijn rechten. Rechten van de vrouw. Rechten van de consument. Het recht van moeders om weer aan het werk te gaan wanneer ze kinderen hebben gekregen waarvoor ze zouden moeten zorgen. Niemand die het over plichten en verantwoordelijkheden heeft. Ze lopen allemaal weg van hun verantwoordelijkheden.'

Tegenover een dergelijke woedeaanval stond Lucy machteloos. 'Niet iedereen,' zei ze. 'Sommigen van ons...'

Gwen luisterde niet. Ze dacht aan Eleanor, die met van tranen glinsterde wangen door die deur gelopen was en haar had laten stikken. Eleanor die niet schreef, niet belde, niet kwam met kerst. Eleanor die van plan was om haar kind ergens te dumpen. 'Het is vreselijk,' tierde ze. 'Onnatuurlijk. Kleine kinderen horen bij hun moeder te zijn en horen niet aan de een of andere armzalige au pair te worden overgelaten; vaders zouden hun kinderen moeten steunen in plaats van hen in de steek te laten. Er zijn duizenden bijstandsmoeders in dit land, die de belastingbetaler een fortuin kosten omdat de vaders geen verantwoordelijkheid voor hun kroost willen nemen en hem gesmeerd zijn. Het is een schande. En kijk eens wat er op melkveebedrijven gebeurt. Dat is ook onnatuurlijk. Kalfjes horen gevoed te worden door koeien. Zo zijn ze beide geschapen. Maar nee, zodra ze zijn geboren, worden ze bij de moeder weggehaald, de zielenpoten, en gevoed met een of ander vreselijk mengvoer – en dan kijkt men nog vreemd op als ze diarree en afgrijselijke infecties krijgen. Wist je dat? Vast niet. Ik wist het pas toen ik het met eigen ogen zag. En ze voeren de arme koeien korrels die zijn gemaakt van dierlijke karkassen, hoewel iedereen weet dat koeien gras eten. Vind je het gek dat ze de gekkekoeienziekte krijgen en die vervolgens overdragen op ons? En mond- en klauwzeer. Het druist volkomen tegen de natuur in. En het gebeurt allemaal omdat wij goedkoop vlees en goedkope melk willen en de groothandelaren hogere winsten. Het is allemaal verkeerd. Als je niet bereid bent om voor je kind te zorgen, moet je niet aan kinderen beginnen.'

'Dat zei Neil ook,' herinnerde Lucy zich. 'We hadden het er gisteravond over.'

'Hij is tenminste verstandig,' zei Gwen goedkeurend. Maar toen, uitgeput door haar lange tirade, zuchtte ze en was haar woede plotseling verdwenen. 'O, lieve Lucy. Ik weet het niet meer! Ik dacht dat deze kerst ons samen zou brengen. Ik dacht dat we een soort van compromis zouden kunnen bereiken. En nu...'

Lucy boog zich over de tafel om haar moeder een bemoedigend klopje op haar arm te geven. 'Het spijt me verschrikkelijk,' zei ze. 'Ik wist dat het je van streek zou maken.'

'Het is niet jouw schuld,' zuchtte Gwen. 'Je bent alleen maar de boodschapper.'

'Of het een troost voor je is weet ik niet, maar ik vind haar ook zelfzuchtig.'

'Maar dat zal haar er niet van weerhouden om de baby te dumpen, hè?'

'Ben je echt van plan om ervoor te gaan zorgen? Het zou betekenen dat je hier weggaat en dat je je baan moet opgeven.'

'Ik weet niet wat ik ga doen,' gaf Gwen moe en verdrietig toe. 'Ik wil mijn toren niet opgeven. Niet nu ik net alles voor elkaar heb. En ik zou het vreselijk vinden om mijn baan op te geven, want het is ontzettend leuk werk. Bovendien is die baan me op het lijf geschreven. Maar als ze van plan is de zorg voor de baby over te laten aan een au pair of aan zo'n vreselijke nanny, heb ik niet veel keus, of wel soms?'

'Niet als je het zo stelt,' zei Lucy. 'Nee.'

'En dan al die cadeautjes,' herinnerde Gwen zich. 'Voor haar en de baby. Die liggen hier nu maar te verkommeren.'

Lucy probeerde haar op te vrolijken. 'Dat hoeft toch niet? Je kunt ze per post versturen.'

Gwen was te verdrietig om zich te laten opbeuren. 'Misschien.'

'Verstuur ze,' drong Lucy aan. 'Het laat haar zien dat je nog steeds van haar houdt. Want dat doe je toch, ondanks al haar kuren en streken?'

'Je houdt nooit op met van je kinderen te houden,' liet Gwen haar weten. 'Niet als je daar eenmaal mee begonnen bent. Daar zit hem nou net de moeilijkheid.' Ze keek door de boog haar rode woonkamer in, waar Dotty's computer uitdrukkingsloos op zijn tafel stond. 'Ik denk dat de sterren me niet goed gezind zijn,' zei ze verdrietig. 'Dat is het natuurlijk. Ik durf te wedden dat als ik mijn horoscoop van vandaag zou raadplegen, het er allemaal in staat.'

'Misschien ook niet,' zei Lucy, blij dat het gesprek even over wat anders ging. 'Misschien blijkt er wel uit dat je een fantastische dag hebt. Dat zou interessant zijn, vind je niet?' Ze had altijd sceptisch gestaan tegenover horoscopen en het zou vermakelijk zijn om te zien dat de sterren het bij het verkeerde eind hadden. Kijk maar eens.'

'Zal ik het doen?'

'Waarom niet?'

'Ja,' zei Gwen, die het nut ervan inzag. 'Waarom niet?' Het was even iets helemaal anders en het zou de zinnen verzetten. En God wist dat ze daar beiden aan toe waren.

Ze zette de computer aan, tikte de datum in en binnen een paar seconden dook de magische cirkel op van de astrologische kaart met zijn vertrouwde symbolen, die schenen als de sterren die ze voorstelden. Gwen werd getroost door de aanblik ervan. Ze wist dat er niets door zou veranderen, dat de fouten die ze had gemaakt nog steeds pijnlijk waren en verdeeldheid zouden blijven zaaien en dat Kerstmis gedoemd was om te mislukken, maar ze voelde dat ze weer een beetje controle over de dingen kreeg. Ze had nu weinig moeite meer met het lezen van een astrologische kaart – in ieder geval kon ze de symbolen herkennen en wist ze waar ze moest kijken als ze niet onmiddellijk snapte wat er werd bedoeld.

Ze nam plaats voor het scherm. 'We beginnen met het vijfde huis,' zei ze. 'Want dat is het huis dat van invloed is op de huiselijke haard en het gezin. Daar is het al. En dat is de planeet Uranus, dat icoontje dat eruitziet als een televisieantenne op een wereldbol.'

'Ja,' zei Lucy, die meekeek over haar schouder. 'Ik zie het. Wat is de betekenis daarvan?'

'Weet ik niet,' bekende haar moeder. 'Ik zal het moeten opzoeken.'

Volgens Dotty's boeken wees 'Uranus in het vijfde huis' op onverwachte dingen die met kinderen te maken hadden. 'Wat zeg je me daarvan?'

Lucy keek van het symbool naar de woorden in het boek – oplettend en geboeid, want ze had een dergelijke nauwkeurigheid beslist niet verwacht. 'En wat nog meer?' vroeg ze.

De rest van de astrologische kaart was nogal een teleurstelling: op verschillende manieren werden ongeveer dezelfde dingen gezegd. Gwen vond haar eigen situatie er niet in terug, want ze hadden allemaal betrekking op wat de boeken 'haar relatie met haar omgeving' noemden. Ze las wat ze in de boeken vond hardop voor. 'Deze conjunctie wijst op een periode waarin je identiteit binnen je omgeving ingrijpend zal veranderen. Nou, dat klopt niet. Deze conjunctie staat voor teamwerk, werken met andere mensen, het begin van een nieuwe cyclus. Dat zou de school kunnen zijn. Deze conjunctie duidt op een uitbreiding van je gezag. Dat zou ook de school kunnen zijn. Maar het klopt niet als het verwijst naar mijn leven in dit dorp. Ik werk hier helemaal niet met andere mensen samen. Ik probeer ze juist te ontlopen na die verschrikkelijke geschiedenis met die arme Jet en de manier waarop ze mijn aanvraag hebben geblokkeerd.'

De kaart intrigeerde haar dochter. 'Ik had niet verwacht dat er ook maar iets waars in zou schuilen,' gaf ze toe. 'Ik had gedacht dat het allemaal een soort oplichtersstruc was. Iets om een hoekje in de krant te vullen. Maar dat is het niet, hè? Het is eigenlijk erg gecompliceerd. Al die dingen zouden op je werk kunnen slaan, toch? En als dat zo is, is het heel nauwkeurig. Weet je wat? Laten we eens kijken wat de kaart over Kerstmis te zeggen heeft.'

Het bleek meer van hetzelfde, wat geen van beiden ook maar enigszins bevredigend vond. Gwen had genoeg van onverwachte dingen die te maken hadden met kinderen en Lucy wilde een voorspelling.

'Probeer Nieuwjaar,' stelde ze voor. 'Misschien vertellen de sterren ons hoe dat eruit zal zien.'

Dus ging Gwen verder in de tijd, en terwijl ze daarmee bezig was drong het tot haar door dat er iets belangrijks gebeurde. 'Moet je kijken,' zei ze. 'Ik moet me sterk vergissen als dat geen passage is. Uranus is onderweg en beweegt zich dwars door mijn planeten. Zie je dat? En moet je daar kijken. Jupiter is ook op drift en zet koers naar Vissen. Zoiets heb ik nog nooit eerder gezien.'

Lucy volgde de bewegingen ook. 'Wat betekent het?'

'Geen idee,' zei haar moeder. 'Daarvoor weet ik er te weinig van. Ik zou het moeten opzoeken. Passages van hemellichamen brengen verandering. Dat weet ik wel. Er komt een verstoring aan. Niet met Kerstmis. Niet met Nieuwjaar. En evenmin in januari, voor zover ik kan zien. Nee, januari ook niet. Weliswaar komen ze dichterbij, maar ze zijn nog niet op hun plek. Ik denk dat ze afstevenen op een positie waarin ze haaks op elkaar staan. En dat is echt belangrijk. Het is heel opwindend.' En toen kwam ze bij 26 februari en zag ze dat er een zonsverduistering in Vissen zou plaatsvinden. En Jupiter stond precies opzij van de zon en de maan, in hetzelfde teken, met Uranus en Neptunus daar direct onder.

'Alsjeblieft,' zei ze tegen Lucy, 'dan gaat het gebeuren. Eind februari. En het zal alles wat nu speelt radicaal veranderen.'

'Wat voor soort verandering?' vroeg Lucy. 'Kun je dat ook zien? Ik bedoel, kun je daar achterkomen?'

'Misschien,' zei Gwen. 'Maar daar heb ik wel wat tijd voor nodig. Om er echt wijs uit te kunnen worden, moet ik elke planeet afzonderlijk opzoeken.'

'Hoeveel tijd kost dat dan?' wilde Lucy weten. 'Uren? Dagen?'

Gwen keek naar haar opgewonden gezicht. 'Meer tijd dan we nu hebben,' zei ze. 'Je moet zo meteen gaan, als je voor donker thuis wilt zijn. Weet je wat, ik bel je wanneer ik het weet. Wat vind je daarvan?'

Het werd afgesproken. In goede verstandhouding. 'En Kerstmis komt goed,' zei Lucy, terwijl ze elkaar een afscheidskus gaven. 'Ik beloof het. En vergeet dat pakje niet.'

'Meteen als je weg bent, pak ik de cadeaus in,' beloofde Gwen.

En dat deed ze, nadat ze een oude bonbondoos en genoeg touw had gevonden om er een mooi en stevig pakje van te maken. De sjaal van de baby werd bedekt met zijdepapier en keurig opgevouwen, en het kleine doosje met de oorbellen werd voorzichtig boven op het boek met sonnetten gelegd. En omdat er nog ruimte over was, voegde ze er een doos met gekonfijte tamme kastanjes aan toe. Na alles netjes en veilig met proppen zijdepapier tegen stoten beschermd te hebben, concentreerde ze haar aandacht op het briefje dat ze mee wilde sturen.

Als het een zoenoffer wilde zijn, moest het een subtiel briefje worden, en na lang nadenken en een aantal ruwe versies vond ze ten slotte de juiste woorden. Ze noemde de relatiebreuk niet – voor het geval ze dat niet had mogen weten of Lucy het bij het verkeerde eind had – en ze droeg er zorg voor dat ze in haar definitieve versie geen spoor van afkeuring liet doorklinken en uit niets liet blijken dat ze graag zou willen weten hoe het met Eleanor was, want de deur moest opengelaten worden, alsof dat volkomen vanzelf sprak. Op die manier waren ze misschien in staat om verder te gaan, vooropgesteld dat Eleanor wílde dat ze verder gingen. Haar oudste vergaf niet gauw, iets wat ze maar al te goed wist, want daarin leek ze op haar vader. Als hij ruzie met iemand had gehad, praatte hij nooit meer met die persoon. Zelfs niet als het zijn eigen moeder en zijn zuster waren. O, god. Zelfs niet met zijn moeder! Toch had ze, terwijl ze de laatste ruwe versie doorlas, terwijl ze de woorden ontwarde uit de zwarte doorhalingen van al haar angstig herschrijven, het gevoel dat ze een opening gemaakt had, ook al was contact niet waarschijnlijk, en dat ze het tactvol had gedaan. Ze had niet de indruk gewekt dat ze het verwachtte of daarop hoopte.

Lieve Eleanor, schreef ze uiteindelijk,

Wat vind ik het jammer dat je met Kersmis niet hier kunt komen. Lucy heeft het me verteld. Ik zal je missen. Ik stuur je deze cadeautjes als postpakket, zodat je ze de ochtend voor Kerstmis hebt, waar je ook bent. Ik kon de sjaal niet laten liggen en ik zag de oorbellen al in je oren. Ik vond dat de tamme kastanjes wel een mooie aanvulling voor het kerstfeest waren, waar je dat ook mag vieren. Ik hoop dat je zwangerschap voorspoedig verloopt en dat je het goed maakt.
Een heel prettige kerst,

Je liefhebbende moeder

Ze speldde het briefje op de opgevouwen sjaal, omwikkelde het pakje met bruin papier en bond er touw om, met het gevoel dat ze goed en verstandig gehandeld had – en misschien ook een beetje dwaas. Vervolgens pakte ze haar naaiwerk weer op.

Lucy's terugreis naar Londen was donker en oncomfortabel. Hoewel ze haar moeder dankzij de sterren met een beter gevoel had verlaten, was haar geweten gaan knagen zo gauw ze het dorp uit was. Nu voelde ze zich ellendig bij de gedachte dat ze haar moeder zo overstuur had gemaakt, was ze boos op Eleanor omdat die haar als werktuig had gebruikt en woedend op Pete omdat hij die kaart gestuurd had. De enige persoon aan wie ze zonder boosheid kon denken, was Neil Morrish, en zelfs hij stelde haar voor een probleem omdat het ernaar uitzag dat hij toch geen mietje was en dat zou even wennen zijn. Hoe langer ze over haar weekend nadacht, hoe problematischer het allemaal leek. Wat heb ik het haar tactloos verteld, dacht ze. Ik had veel voorzichtiger moeten zijn, in plaats van het er zo uit te flappen. En dit is nog maar het begin. Vroeg of laat moet ik het haar vertellen, van Pete en mij. En wat zal er dan gebeuren? Ze maakte zich daar nog steeds zorgen over, toen ze afsloeg en Abercrombie Road in reed.

Natuurlijk was er nauwelijks plek om te parkeren. Een gloednieuwe Mercedes blokkeerde haar rechtmatige parkeerplaats, dus moest ze haar auto een eindje verderop tussen een vrachtauto en een mini wringen. Kak in pak, dacht ze, terwijl ze langs de Mercedes liep, nijdig vanwege zo veel luxe. Komt een kijkje nemen bij de eenvoudige man en denkt meteen dat de straat van hem is.

Maar ondanks het weekend en het pak was het geweldig om weer terug te zijn, om weer veilig in haar eigen mooie, degelijke portaal te staan, om haar eigen mooie, degelijke deur te openen, om binnen te stappen in haar eigen huis met zijn vertrouwde geuren en spulletjes.

De lampen in de gang en in de keuken brandden. Ze hoorde dat in de voorkamer de tv aanstond en zag de flikkering van de blauwe schaduwen door het gat van de halfopen deur. 'Hallo?' riep ze, terwijl ze de kamer binnenliep.

Het was Pete, die onderuitgezakt in de grote leunstoel naar voetbal keek, met zijn benen op haar salontafeltje.

Hij draaide zijn hoofd lui naar haar toe en glimlachte. 'Hé, hallo!' zei hij. 'Je huisgenotes zijn de hort op. Zeg, heb je mijn nieuwe Mercedes gezien? Te gek, hè?'

Even wist ze niet wat ze moest zeggen, enerzijds omdat ze erg verrast was hem te zien, anderzijds omdat hij ongelooflijk knap was zoals hij daar in zijn magentakleurige T-shirt en magentakleurige jeans nonchalant en met uitgestrekte benen in haar stoel lag, terwijl de muurspotjes zijn ogen donkerder maakten en zijn haar deden glanzen als goud. 'O, hallo,' zei ze ten slotte en zo koel als ze kon. 'Waar heb je al die weken gezeten, vreemdeling?'

'Dagen,' verbeterde hij. 'Die heb ik gebruikt om vooruit te komen in de wereld. Mijn dividend werd uitgekeerd. Je kijkt naar een rijk man, mijn lieftallige Lucy. Super toch? Kom hier en geef me een zoen.'

Ze probeerde hem ijzig te behandelen. Wílde hem ijzig behandelen. 'Dan kun je nu dus je deel van de hypotheek betalen,' zei ze.

'Geen enkel probleem,' zei hij. 'Noem het bedrag maar. Ik ben tenslotte miljonair. Mil-jo-nair.' Helemaal waar was dat niet. Maar het scheelde verrekte weinig. Een kleine verstandige investering en het miljoen was in een mum gepasseerd. 'Kom hier en geef me een zoen.'

'Nee,' zei ze. Met gefronst voorhoofd stond ze voor hem.
'Waarom niet,' vroeg hij, en hij schonk haar een glimlach.
'Omdat ik het niet wil,' zei ze onverzettelijk. 'Ik kom net terug van Seal Island. Mijn moeder is behoorlijk van streek en dat is allemaal jouw schuld.'
Hij lachte. 'Ik begrijp niet hoe je daarbij komt. Ben ik daar geweest of zo?'
'Nee, jij niet, maar je kaart wel.'
Hij haalde zijn schouders op. 'O, die kaart.'
'Ja,' zei ze woedend. 'Die kaart. Die heeft een hoop onheil veroorzaakt. Ze dacht dat we met zijn allen met kerst zouden komen en ik moest haar vertellen dat Eleanor niet kwam.'
Hij was ineens een en al oor. 'Waarom niet?'
Ze hebben ruzie gehad. Over de baby. Eleanor wil dat mama voor het kind zorgt en mama past daarvoor.'
'Alweer die verrekte baby.'
'Het is niet de schuld van de baby. Jíj hebt die kaart geschreven.'
'Nou, het spijt me dat ik haar overstuur heb gemaakt,' zei hij nonchalant. 'Natuurlijk heb ik die kaart niet geschreven om haar van streek te maken. Ik schreef hem om haar te vertellen dat ik met kerstmis kwam. Als ik me goed herinner, heb ik gezegd dat ik ernaar uitkeek. Ik ben dol op je moeder. Altijd al geweest. Maar als daardoor alles uitkomt, dan is dat maar zo.'
'Hoe kun je zoiets zeggen?'
'Omdat het de waarheid is. O, alsjeblieft, Lucy, vroeg of laat komt ze het toch te weten. Het heeft geen zin om dingen uit te stellen.'
'Jij hebt het uitgelokt,' zei ze, woedend vanwege zijn onverschilligheid. 'Opzettelijk. Ik noem dat niet dol zijn op iemand. Ik noem dat onvriendelijk. Wreed.'
Hij was in het geheel niet uit het lood geslagen door haar uitval. 'Stel,' zei hij koel, 'dat ik wreed was – hetgeen ik bestrijd – dan was ik wreed uit vriendelijkheid. Jullie zijn alle drie hetzelfde, jullie zijn niet in staat om moeilijkheden onder ogen te zien. Dat hebben jullie nooit gekund, geen van drieën. Als het lastig wordt, kijken jullie de andere kant op en houden jullie je gedeisd. Jullie

denken dat de onaangenaamheden vanzelf wel weer verdwijnen als je je rustig houdt. Nou, laat mij je uit de droom helpen, mijn lieftallige Lucy, dat doen ze nooit. Ze zijn latent aanwezig en worden steeds onaangenamer. Hoe eerder je de confrontatie ermee aangaat, hoe gemakkelijker je ze het hoofd kunt bieden.'

Dat was waar – kijk naar mama toen ze naar het eiland ging en hun dat pas op het laatste moment vertelde, kijk naar Eleanor die hem niets over de baby had verteld – maar ze was niet van plan om het toe te geven. En ze was ook niet van plan om terug te krabbelen. 'Oké,' zei ze. 'Dan is hier iets voor jou om onder ogen te zien. Ik heb haar verteld dat je het hebt uitgemaakt met Eleanor.'

Ze was opgetogen toen ze zag dat zijn knappe gezicht even vertrok van zorg. Maar hij herstelde zich erg snel. 'Nou, zoals ik net al zei,' zei hij schouderophalend, 'ze was het vroeg of laat toch te weten gekomen.'

'Ze was woedend op je.'

Hij haalde opnieuw zijn schouders op. 'Helaas, dat zat erin.'

'Dus het kan je niet schelen dat je haar overstuur gemaakt hebt,' zei ze boos. 'Is dat het wat je wilt zeggen?'

'Je weet donders goed wat ik bedoel,' zei hij. 'Je luistert gewoon niet. Ik zou haar voor geen goud willen kwetsen. Dat weet je. Niet opzettelijk, tenminste. Ze was de enige die het voor me opnam toen dat stuitende stel de benen nam naar dat klote-India. De enige. Ze is als een moeder voor me geweest. Beter eigenlijk, wanneer je bedenkt wat een kutwijf mijn echte moeder was. Ik zal je zeggen wat ik ga doen. Ik stuur haar een enorm boeket als spijtbetuiging en met kerst ga ik naar haar toren en leg ik haar in de watten. Als Eleanor en zij ruzie met elkaar hebben gehad, zal ze zich ongelukkig voelen. Toch? Dus is het aan ons om haar op te vrolijken, of niet soms?'

Ze werd wat milder, omdat hij daarin gelijk had. Het loste het probleem van Eleanors wegblijven niet op, maar hij was in ieder geval positief. En liefdevol. En verrassend. Hoewel ze het had kunnen verwachten, tenslotte kende ze hem al jaren. 'Ja,' zei ze instemmend. 'Ik denk dat je gelijk hebt.'

Hij stond op en sloeg zijn armen om haar heen, terwijl de plechtige uitdrukking op zijn gezicht plaatsmaakte voor een van tedere bezorgdheid. 'Hou je nog van me?' vroeg hij.

Ondanks alles wat ze wist, voelde het zo goed om in zijn armen te zijn. Ondanks het feit dat ze zich schuldig voelde omdat ze Eleanor bedroog, en ellendig omdat ze haar moeder van streek had gemaakt. 'Dat weet je,' zei ze. 'Ik heb altijd van je gehouden.'

Hij vlijde zijn hoofd tegen haar hals en kuste de geurige huid van haar hals. 'Lekker!' zei hij.

Dat is zo, dacht ze, maar het is niet goed. 'Kijk,' zei ze, terwijl ze kracht verzamelde om hem tegen te houden.

'Ik kijk al,' zei hij en hij kuste haar lang en hartstochtelijk.

'Dit is bedrog,' zei ze ademloos. Ze wist dat ze boos op hem moest blijven, hem moest dwingen naar haar te luisteren, zodat hij zou begrijpen hoe overstuur haar moeder was geweest en zijzelf ook. Maar wat hij deed was zo opwindend dat ze niet meer helder kon denken.

'Ja,' stemde hij in, en hij kuste haar opnieuw in haar hals. 'Heerlijk, hè. Weet je wat, laten we eerst naar bed gaan en daarna pas eten.'

Ze moest kiezen tussen de loyaliteit die ze nog steeds voelde ten opzichte van haar moeder en haar tomeloze begeerte. Natuurlijk won haar begeerte het. Maar later, toen ze naast elkaar in het halfduister van de straatlantaarn lagen, keerden schuldgevoel en twijfel terug en daarmee haar gevoel van onbehagen.

Hoofdstuk 23

Gwens zoenoffer werd om zes uur bij de flat van haar dochter bezorgd, op de avond van de kerstparty van Smith, Curzon en Waterbury. Eleanor was net thuisgekomen van haar werk. Laat natuurlijk. Ze was tegenwoordig laat met alles. Monsterlijk dik was ze, dat was het probleem. Verlangend naar privacy bewoog ze omzichtig de sleutel in het slot, toen haar buurman aan de andere kant van het trapportaal glimlachend met een pakje in de hand zijn deur uit kwam.

'Dit kwam vanmorgen als expressebestelling,' verklaarde hij. 'Ik dacht dat u het bij thuiskomst wel meteen zou willen hebben.'

Ze maakte het pas open toen ze voor haar broodnodige rust op haar bed lag, met haar voeten op een kussen en met een kop thee naast zich om de inwendige mens te versterken. Het waren mooie cadeaus, dat moest ze toegeven. De sjaal was schattig. De oorbellen ook. Ik zal ze vanavond dragen, besloot ze. 'Alweer een cadeautje,' kon ze dan zeggen wanneer de mensen ze zagen, en dan zouden ze allemaal denken dat ze een fantastische kerst had.

Ze had de afgelopen twee weken voortdurend dezelfde komedie opgevoerd – vanaf het moment dat ze geconfronteerd werd met de twee wrede, onlosmakelijk met elkaar verbonden feiten dat Pete niet terugkwam en dat ze het kerstfeest in haar eentje moest vieren – en daar werd ze langzamerhand doodmoe van.

Thuis, als ze alleen was, stond ze zichzelf toe om te huilen, maar niet te lang, anders ging haar gezicht er opgezwollen uitzien. In gezelschap wist ze van geen ophouden en was ze de gangmaker bij elk feest. Ze was vastbesloten om geen enkele feestdag ook maar een minuut vrije tijd te hebben. Door het geven van twee prestigieuze diners en door het voeren van quasi-argeloze gesprekken, was ze erin geslaagd om haar sociale agenda bijna volledig te vullen, hoewel er een aanzienlijke hoeveelheid slinkse manipulatie voor nodig was geweest om een uitnodiging voor eerste kerstdag los te krijgen.

Iedereen was er natuurlijk van uitgegaan dat ze, zoals altijd, de kerst bij haar familie zou doorbrengen, en het lukte haar pas om dit recht te zetten toen ze de koppige en onvermoeibare meneer Cuthbert mee uit lunchen nam.

'Die goeie ouwe mama van me maakt momenteel een cruise,' vertelde ze. 'Liet ons moederziel alleen achter. Niet dat ik het haar verwijt. In feite heb ik er zelf op aangedrongen dat ze zou gaan. Ze is toe aan rust en ontspanning na alles wat ze heeft meegemaakt. Maar het betekent natuurlijk dat we Kerstmis dit jaar niet in familiekring vieren, wat erg jammer is. En natuurlijk zit Pete op het ogenblik tot over zijn oren in het werk, met alles wat er bij die overname komt kijken.'

'Je gaat me toch niet vertellen dat je met kerst alleen bent?' vroeg meneer Cuthbert met gefronste wenkbrauwen.

'Ja,' bekende ze lachend. 'Ik ben bang van wel. Belachelijk, niet?'

'Maar dat is vreselijk,' zei meneer Cuthbert. 'Luister eens. Vind je het erg als ik het tegen Helen zeg?' Omdat hij op kantoor de rechterhand van de belangrijke dame was, vond hij het zijn plicht om haar op de hoogte te houden. 'Ik weet zeker dat ze je op Clapham zal uitnodigen. Ze wil zo graag dat haar personeel gelukkig is. Vooral met Kerstmis. Dat is een van de dingen waar ze heel veel belang aan hecht. Ze beschouwt ons in de kersttijd als één grote familie.'

En dus werd – nadat Eleanor had tegengesparteld en had gezegd dat ze echt niemand tot last wilde zijn en dat ze het hem alleen maar voor de grap had verteld – de boodschap doorgegeven, waarna er een uitnodiging kwam. Die had ze geaccepteerd, en Kerstmis was geregeld. Godzijdank. Nu was het slechts zaak om de feestdagen goed door te komen en zich passend te kleden, wat niet eenvoudig was omdat ze zich ongemakkelijk en dik voelde in alles wat ze droeg, zelfs in haar nieuwe ruimvallende broekpak.

Ik zal blij zijn als de bevalling achter de rug is, dacht ze, terwijl ze het grijze zijden gewaad behoedzaam over haar hoofd liet glijden. Ze stond zijdelings voor de spiegel zodat ze de omvang van haar buik kon zien. Ik ben zo massief als een huis en ik heb nog drie maanden te gaan. Nog steeds hielden die malloten in het ziekenhuis vol dat ze in februari was uitgerekend en er waren momenten waarop ze zich afvroeg of het misschien toch klopte wat ze zeiden. Maar dat was een zorg voor later. Deze avond had zo zijn eigen zorgen: ze moest de juiste schoenen bij haar zijden bloes vinden en een juiste indruk maken op het feest – wat makkelijk genoeg zou zijn, want het zou zeker een grote avondpartij worden.

En dat was het. 'Wat leuk je hier te zien!' riep ze, terwijl ze zich met een glas champagne in de hand van de ene op de andere collega stortte.

'Wat zie je er goed uit,' zeiden ze, met een steelse blik op haar dikke buik. 'Wat is je geheim?'

'Karakter,' zei ze gekscherend, 'en een hoop vitamines.'

Maar net toen ze echt met zichzelf in haar nopjes was, kwam die vreselijke Sally van de administratie op haar af, met die afschuwelijk valse glimlach van haar en gekleed in een zwart broekpak dat haar stuitend mager maakte. 'Hoi, Eleanor!' lispelde ze. 'Waar is die knappe Pete van je?'

'Die werkt zich de pleuris,' zei Eleanor koel. 'Zijn firma is net overgenomen door J.R. Grossman. Dat zal je vast niet ontgaan zijn. Het heeft in alle kranten gestaan.'

'Ik sla het financieel-economische nieuws altijd over,' zei Sally. 'Dat vind ik stomvervelend. Geef mij de roddelrubrieken maar. Zeg, ik zag hem gisteren in Quango's. Hij zat daar te lunchen.'

Nu komt het, dacht Eleanor, en ze draaide zich met een stralende glimlach om met het doel zich er moedig doorheen te slaan. Nu komt ze met haar vuilspuiterij. Wist ik het niet! 'Logisch,' zei ze. 'Hij is altijd wel met iemand aan het lunchen. Zo doet hij zaken.'

Sally sperde haar grote blauwe kijkers open en schonk haar de stralende blik van haar boosaardige onschuld. 'Ze mocht er zijn,' zei ze.

'Dat kun je verwachten in het zakenleven,' liet Eleanor haar weten. 'Je hoeft alleen maar om je heen te kijken.'

'Lucy heette ze. Zo noemde hij haar tenminste. Lieve Lucy. Ze hielden elkaars hand vast.'

Eleanor voelde haar hart ineenkrimpen. O god! dacht ze. Niet Lucy. Dat kon hij haar toch niet aandoen. Niet mijn zusje. Maar ze behield haar kalmte en antwoordde even stralend als altijd: 'Ach, wat leuk. Lucy is mijn zus. Wat goed dat hij het heeft onthouden. Ik was even bang dat het hem door het hoofd geschoten was nu hij tot over zijn oren in het werk zit. Hij neemt haar namelijk altijd mee uit met kerst. Het is iets als tussen broer en zus. We zijn allemaal samen opgegroeid, moet je weten. Mijn moeder heeft hem min of meer geadopteerd.' Toen zag ze Monica Furlong met een schommelgang op zich afkomen in een strapless topje dat een aantal maten te klein was, en ze schoot weg om haar te begroeten voordat die afschuwelijke Sally de situatie nog beroerder kon maken door haar nog meer dingen te vertellen die ze niet horen wilde. 'Monica, lieverd! Wat zie je er fantastisch uit.'

Vanaf dat moment verdubbelde ze haar inspanning om in het brandpunt van de belangstelling te staan. Ze prees elk slecht gekozen ensemble, vertelde gewaagde verhalen en lachte luidruchtig om elke grap, terwijl gedachten als lastige muggen door haar hoofd zoemden. Hij kon het niet aangelegd hebben met Lucy. Dat kon eenvoudig niet. Dat was obsceen. Incestueus. Misschien logeerde hij daar wel gewoon, nu de flat verhuurd was aan die Amerikanen. Maar anderzijds had ze me het vast en zeker verteld als dat het geval was. Ik heb haar nog gevraagd of ze wist waar hij was. Nee, had ze gezegd. Een leugen! Dat moest wel. En als ze loog, waren ze schuldig. O god, hoe kan hij mij dit aandoen? En dat na al die jaren. Ik dacht dat hij van me hield. Nee. Nee. Trek geen overhaaste conclusies. Misschien was het gewoon een lunch, verder niet. Maar als dat zo is, waarom loog ze dan tegen me? O god, ik kan dit niet verdragen.

Tegen de tijd dat ze terug was in Chelsea, was ze doorgedraaid door de behoefte aan wraak. Van slapengaan was geen sprake. Ze pakte de meest opvallende kerstkaart uit haar uitgedunde stapel en ging zitten om haar moeder te schrijven:

Prachtige cadeaus. Lief van je. Heel hartelijk dank. Ik hoop dat je een fantastische kerst hebt met Lucy en Pete. Ik heb zoveel te doen, dat ik de benen uit mijn lijf loop. Ik ben nog nooit naar zo veel feesten geweest en dan ga ik in januari nog naar Birmingham om een presentatie te verzorgen voor Vixen Brothers en daarna ga ik naar Edinburgh en daarna moet ik weer in Parijs zijn om de overeenkomst met Jean-Paul Renaldo te beklinken. Het is een drukte vanjewelste. Ik heb nauwelijks tijd om op adem te komen.

Heel veel liefs, Eleanor

Kan niet beter, dacht ze, toen ze het had doorgelezen. Dankbaar en hartelijk, terwijl ik toch afstand bewaar. De cadeautjes zijn mooi, maar ze moet niet denken dat ik het haar vergeef.

Daarna zocht ze een nog grotere envelop, schoof haar moeders kaart erin en schreef haar dodelijke boodschap dwars over de voorkant: *Beste Pete en Lucy, De ingesloten kaart is voor mama. Jullie vinden het vast niet erg om hem aan haar te geven wanneer jullie daarheen gaan, en ik weet zeker dat jullie samen een fantastische kerst zullen hebben. E.*

De volgende morgen ging ze niet direct naar haar werk, maar maakte ze een omweg om de brief persoonlijk in Battersea te bezorgen. Het was over tienen en ze wist dat er niemand thuis was. Maar de envelop zat nog niet in de bus, of haar woede verdween en ze veranderde van mening. Ze aarzelde op de stoep en wenste dat Lucy thuis was, zodat ze konden praten. Stel dat ze de verkeerde conclusie getrokken had, dat het alleen maar een lunch geweest was, dat ze hen vals beschuldigd had, wat dan?

Ze liep terug naar haar Renault Espace. Ik moet het weten, dacht ze. Maar hoe kon ze erachter komen, behalve door te bellen en hen rechtstreeks te beschuldigen? Toen herinnerde ze zich de doorgestuurde post. Maar natuurlijk, dacht ze, terwijl ze voorzichtig manoeuvrerend de rij geparkeerde auto's verliet. Ik zal naar zijn flat bellen. Zijn post moet toch ergens naartoe nu ik die niet meer krijg, en zij weten vast wel waarheen.

Er waren drie telefoontjes voor nodig voor er opgenomen werd en tegen die tijd was ze zo gespannen dat haar nek en haar schouders er pijn van deden. Maar de stem van de vrouw die ze aan de lijn kreeg klonk vriendelijk – maar wel knauwerig Amerikaans. 'Met Miriam Hackenfleur,' zei de stem, en toen Eleanor vroeg of ze meneer Halliday kon spreken: 'Het spijt me, die woont hier niet. Wij huren de woning.'

'U heeft zeker geen adres voor het doorsturen van de post?'

'Ik denk het wel. Het moet hier ergens liggen. Als u even wacht. Ja. Hier heb ik het. Abercrombie Road 26, Battersea. Hebt u daar wat aan?'

Eleanor bedankte haar beleefd en vertelde haar dat ze heel behulpzaam was geweest, maar woede en gekrenkte trots deden zo veel tranen opwellen, dat ze moest simuleren dat ze een wimpertje in haar oog had, zodat ze een excuus had om naar de wc te rennen voordat iemand op kantoor merkte in wat voor toestand ze verkeerde. Hoe kon hij zoiets doen? Nou, het was zijn verdiende loon als die envelop hem de schrik van zijn leven bezorgde. En dat gold ook voor haar. Zo kregen ze beiden hun trekken thuis.

In feite werd de envelop pas ontdekt toen ze die avond laat thuiskwamen van het feestje van zijn kantoor en zij besloot om de recent bezorgde kerstpost open te maken voor ze platgingen. 'Daar hebben we 's ochtends geen tijd voor,' zei ze, terwijl ze de post bij elkaar raapte en de stapel doornam.

'Niet als je bij het krieken van de dag meteen naar je werk wilt,' zei hij ironisch, en hij liet zich op de bank vallen.

'Tien uur noem ik niet het krieken van de dag,' zei Lucy, en ze wierp hem een karmijnrode envelop toe. 'Die is van Staggers, hè? En deze is van Carla. En die...'

'...is van het stuitende stel,' zei hij. 'Oké, geef maar hier. Het kan me niet schelen.' Hij scheurde de envelop met zijn duim open, waardoor er kartels achterbleven. 'Eens kijken waar ze nu zijn. Kun je het geloven! Sri Lanka! Goeie genade! Ik had het kunnen raden. Ze hebben het er maar druk mee. Is het niet aandoenlijk! Het verbaast me nog dat ze eraan toekwamen zich mij te herinneren.'

Zijn gezicht was zo veranderd dat Lucy zou hebben gezegd dat het lelijk was als het Pete niet was geweest naar wie ze keek. Zijn mond was volledig verwrongen, zijn voorhoofd gefronst; zijn neus leek verschrompeld en smal. Zelfs zijn blauwe ogen zagen er klein en woedend uit, als van een in het nauw gedreven dier. 'O,

Pete,' zei ze vol mededogen. 'Ik vind het zo erg voor je.'

'Geeft niet,' zei hij, en hij duwde haar hand weg. 'Hoeveel van die krengen moet je nog openmaken?'

'Drie,' stelde ze hem gerust. 'Meer niet. Ik kan het ook morgen doen, als je dat liever hebt.' Maar toen zag ze het handschrift op de tweede envelop en ze sloeg haar hand voor haar mond.

Hij werd zo in beslag genomen door zijn eigen ellende dat hij het veelbetekenende nerveuze bewegen van haar vingers bijna niet had opgemerkt. Maar hij keek instinctief op, zag het handschrift toen ook en had meteen door wat er aan de hand was, terwijl zijn hart zo sterk ineenkromp dat het pijn deed.

'Eleanor,' zei hij toonloos.

Lucy's ogen waren opengesperd van radeloosheid. 'Ze weet het,' zei ze. 'Mijn god! Dit wordt steeds erger.'

Hij was vastbesloten om zich niet voor de tweede keer van de wijs te laten brengen. Eén keer was genoeg. 'Goed,' zei hij, zo onverschillig als hij kon, 'dus ze weet het. Ach, veel maakt het niet uit. Vroeg of laat zou ze er toch achtergekomen zijn.'

Lucy hield de envelop met beide handen vast, alsof het om een levend wezen ging dat weg zou rennen als je het losliet. 'Dit is verschrikkelijk,' zei ze. 'Stel dat ze belt? Wat moet ik tegen haar zeggen?'

'Zeg niets,' adviseerde hij, nu zonder ook maar een spoor van emotie. 'Als ze je een vraag stelt, geef je antwoord. Voor de rest doe je of je neus bloedt.'

'Dat kan ik niet,' zei ze snikkend. 'Ze is mijn zus.'

'Hoor eens,' zei hij, 'ze heeft zich dit allemaal zelf aangedaan door niet eerlijk te zijn over die verdomde baby. Ze wist hoe de zaken ervoor stonden. Nu moet ze de gevolgen maar aanvaarden. Dat is niet jouw probleem.'

Ze wist dat ze niet tegen hem tekeer moest gaan, dat hij daar de pest aan had en ertegen in zou gaan, dat het averechts zou werken, maar ze deed het toch, zonder het eigenlijk te willen. 'Hoe kun je zoiets ongelooflijk doms zeggen?' schreeuwde ze. 'Natuurlijk is het mijn probleem. Ze is mijn zus, verdomme. Ze was jouw geliefde...'

Hij was woedend. 'En nu niet meer,' zei hij. 'Geen liefde duurt eeuwig. Kijk maar naar het stuitende stel. Vijf minuten liefde voor hun eigen zoon is hun nog te veel. Spreek me niet van liefde. Zij was tóén mijn vriendin. Jij bent dat nu. Behalve als je genoeg van me hebt. Wil je me dat soms zeggen?'

Met angst zag ze zijn boze gezicht, en haar hart kromp ineen bij de gedachte dat ze hem zou verliezen. 'Nee,' zei ze gepassioneerd. 'Je weet toch dat ik je niet kwijt wil.'

'Welnu, laat het dan rusten. Ik weet niet hoe het met jou staat, maar ik ben bekaf en ben toe aan mijn bed. Ik wil morgen uitgerust achter het stuur zitten. We laten onze gedachten er later nog wel eens over gaan. Oké?'

Kerstmis, dacht ze. Ook dat nog. Het besef dat ze er vreselijk tegen opzag, maakte haar verdrietig. 'Op één voorwaarde,' zei ze. 'We vertellen mama niets over onze relatie.'

Hij was te moe om haar tegen te spreken. 'Oké,' zei hij. 'Ik vind het onverstandig, maar als je het zo wilt...'

'Zo wil ik het. En we slapen apart tijdens ons verblijf daar.'

Hij gaapte. 'Het enige wat ik wil is slapen. Nu,' zei hij. 'Ik sta te tollen op mijn benen.'

Ze drong aan. Ze wilde er zeker van zijn. 'Mee eens?'

'Ja. Ja. Met alles wat je zegt.'

Nu het akkoord gesloten was, gingen ze naar bed, waar hij met zijn rug naar haar toe ging liggen en binnen een paar seconden moeiteloos in slaap viel. Maar zij was te overstuur om lekker te liggen. Het was alles goed en wel om te zeggen dat ze er later nog wel over zouden nadenken, maar door problemen op de lange baan te schuiven, loste je ze niet op. Van welke kant je de zaak ook bekeek, ze bedrogen Eleanor, en nu wist Eleanor het. Uiteindelijk zouden ze haar onder ogen moeten komen, en dat zou beslist afschuwelijk zijn. Ook konden ze het niet eeuwig voor mama verborgen houden. Het kon zelfs zijn dat Eleanor het haar al verteld had. Mijn god! Stel je voor dat ze dat gedaan had. Wat zou het haar van streek maken. Arme mama. Het is allemaal zo oneerlijk tegenover haar. O, waarom moest liefde toch zo verdomde ingewikkeld zijn?

Als Lucy het had geweten, had ze zich niet zo druk gemaakt over haar moeder. Gwen had namelijk haar eigen besluit over Kerstmis genomen. Haar enorme woede-uitbarsting bezorgde haar nog steeds schaamte wanneer ze eraan terugdacht, maar de aanval was ten slotte uitgemond in een merkwaardige toestand van acceptatie en verdraagzaamheid. Ze had besloten om zo veel mogelijk te genieten van de dagen die voorafgingen aan de feestdagen en geen aandacht te schenken aan haar problemen, althans voorlopig. Ze had een heleboel dingen te doen en een heleboel dingen om zich op te verheugen. Little Marsden bruiste van activiteit en zij was zo gelukkig om deel uit te maken van de algehele opwinding – van de pracht en gewichtigheid van het kerstspel tot het vrolijke lawaai van de kerstdisco van de zesde klas. En thuis waren er de sterren die haar bezighielden.

De dagen vlak voor Kerstmis stond ze overdag in de keuken; 's avonds bestudeerde ze Dotty's boeken. Toen kerstavond naderde, stonden de kasten vol met lekkere dingen, had de astrologische kaart zijn meeste geheimen prijsgegeven en had ze Lucy een kerstkaart gestuurd om haar te vertellen wat ze ontdekt had. Jeff mocht er dan de spot mee drijven, maar het stond nu vast dat er eind februari iets ongewoons zou gebeuren en dat zij er middenin zou zitten, wat het ook was. Het was echt heel opwindend en het bracht op een vreemde manier haar huidige problemen in perspectief, terwijl het liet zien dat het leven desondanks voortrolde. Ze was niet helemaal zeker van haar gevoelens ten aanzien van Pete nu ze wist hoe zelfzuchtig hij was, maar één ding stond vast: ze was niet van plan om hem de les te lezen, zoals ze tegen Jeff verklaarde toen ze op kerstavond naar de Lobster Pot reden.

'Ik ga geen martelaar van hem maken,' zei ze, 'dat zou hem alleen maar sterken in zijn overtuiging dat hij goed gehandeld heeft. Ik accepteer zijn excuses zonder verdere vragen te stellen – heb ik je verteld dat hij me bloemen heeft gestuurd? – en ik zal hem gastvrij ontvangen en hem precies zo behandelen als ik altijd heb gedaan. En dan maar kijken of zijn geweten daartegen kan.'

'Heel slim,' zei Jeff goedkeurend.

'Ik leer snel. Hoe gaat het met de voorbereidingen voor het feest?'

'Alles onder controle. Hoe staan de sterren?'

Ze vertelde hem er in geuren en kleuren over.

'Het zal een overstroming zijn,' zei hij toen ze was uitgepraat. 'Er is meestal een overstroming in februari. Ik zie je al met een heksenbezem het water terug in zee vegen.'

'In een van Dotty's boeken las ik dat dit soort overgangen een gevoelig moment vormen voor – wat was het ook alweer? – krachtige, onverwachte, persoonsoverstijgende gebeurtenissen. Onverwacht. Dus kan het geen overstroming zijn, want dat is iets wat je verwacht. Het moet iets onverwachts zijn.'

'En wat voorspellen de sterren voor deze avond?' vroeg hij, terwijl hij zijn auto parkeerde.

'O, allerlei goede dingen,' vertelde ze hem. 'Lekker eten, goede wijn, gezellig haardvuur, prettige omgeving. Aangenaam gezelschap had ik ook nog willen noemen, maar dan zou je misschien naast je schoenen gaan lopen.'

'Weinig kans met jou erbij,' grijnsde hij.

O, het was goed om weer te kunnen terugvallen op hun ongedwongen, vrolijke plagerijtjes. Het was een gezellige avond. Een gezellige, normale avond. Precies waar ze behoefte aan had. En toen ze aan de koffie toe waren, werd het nog beter.

'Schenk jij de glazen bij?' zei hij. 'Ik heb wat in de auto liggen. Ik ben zo terug.'

Even later was hij alweer terug, met een klein langwerpig doosje. 'Ik dacht, ik geef je dit vanavond vast,' zei hij. 'Morgen zal het wel een chaos zijn. Vrolijk kerstfeest, dochter van Neptunus.'

Het was een gouden ketting waar een gouden bedeltje aan hing, een bijzonder en opmerkelijk bedeltje dat de vorm had van het symbool van Neptunus: de drietand met zijn sierlijke kruis eronder. In het kruis bevond zich een blauwe opaal, ingezet in goud. Ze nam het sieraad uit het doosje en hield het in de palm van haar hand, terwijl ze het zo draaide dat de opaal flonkerde.

'Wat een magnifieke ketting,' zei ze. 'Het is het mooiste cadeau dat ik ooit gekregen heb.' En daar was geen woord van gelogen. Gordon had haar altijd de saaiste dingen gegeven, zoals praktische pantoffels, schorten en zelfs, als miserabel dieptepunt, een paar ovenwanten. 'Mag ik hem nu omdoen?'

Hij keek haar stralend aan; haar vreugde was zijn mooiste beloning. 'Draag hem wanneer je maar wilt,' zei hij. 'Ik dacht, dan heb je iets om aan te denken, voor het geval het er tijdens de kerst stevig aan toe gaat.'

Ze deed de ketting om haar hals. 'Ik verwacht niet dat alles probleemloos zal verlopen,' zei ze, 'maar ik denk dat ik me wel red.'

'En dan is er ook altijd nog de overstroming om aan te denken,' plaagde hij, 'vergeet dat niet.'

'Kome wat komen mag,' zei ze, terwijl ze haar bedeltje aanraakte.

Hoofdstuk 24

Op eerste kerstdag werd het schoorvoetend licht met windstoten, regen, hagel en natte sneeuw, en de zee strekte zich loodgrijs en pokdalig uit onder een tinnen hemel. Gelukkig had Gwen het te druk om het op te merken, anders had ze het misschien als een voorteken beschouwd. Het bereiden van het kerstdiner had haar altijd veel plezier bezorgd, zelfs tijdens de meest sombere dagen aan Crescent Road, want ze was een goede kok en wist uit ervaring zo precies wat ze moest doen dat ze niet bang hoefde te zijn dat er iets misging. Nu, in haar nieuwe keuken met alles wat ze nodig had bij de hand, was het een rustgevend genoegen – wat de dag verder ook mocht brengen.

Ze was vrolijk aan het werk en het eten was klaar om opgediend te worden, toen ze het knarsen van banden op het gravel hoorde. Het geluid deed haar hart trillen en dat ergerde haar, maar ze zette de heteluchtoven op de juiste stand, vastbesloten om hen welkom te heten, ongeacht de stemming waarin ze verkeerden.

Lucy maakte een koele en, begrijpelijkerwijs, bezorgde indruk, maar Pete was superenthousiast en rende op haar toe met een hele lading cadeaus in zijn armen. 'Vrolijk kerstfeest, mevrouw M!' riep hij. 'Waar zal ik ze neerleggen?'

Ze nam hen mee naar binnen, stelde voor dat hij zijn pakjes op de boekenkast zou leggen en zag hem naar de keuken snellen om twee flessen champagne in de koelkast te zetten.

Hij was zo blij en opgewonden dat ze zonder het te willen moest lachen. 'We drinken nooit twee flessen,' protesteerde ze.

'Wedje maken?' zei hij. 'Hoe is het met u? U ziet er fantastisch uit. Zeelucht doet u goed. Leuk, dat nieuwe kapsel. En wat vindt u van mijn nieuwe auto?'

Hij was haar nog niet opgevallen.

'Ik neem u straks mee voor een ritje. Tjonge, dat ruikt lekker!'

Vanaf dat moment maakte hij de dag tot een succes. Hij prees haar kookkunst, schonk voortdurend champagne voor hen in, vermaakte hen met dwaze verhalen. Ten slotte nam hij hen na de maaltijd mee voor een tochtje naar de lagune om 'een frisse neus te halen'. Hij was nog steeds bezig met het vertellen van sterke verhalen toen het tijd werd om naar Jeffs feest te gaan.

'Dit is de eerste keer in mijn leven dat ik naar een groot familiefeest ga,' bekende Gwen, terwijl ze naar boven liepen om zich klaar te maken. Nu het feest naderde begon ze zich angstig en onzeker te voelen, hoewel ze zeker niet van plan was hun dat te vertellen. Aangespoord door Jeff had ze voor de gelegenheid een nieuwe jurk gekocht – lang en recht en gemaakt van wijnrode jersey – maar nu was ze bang dat zijn zussen zouden denken dat ze in het middelpunt van de belangstelling wilde staan, met zo'n kleur. Hij had zo aangedrongen dat ze zich mooi zou kleden dat ze wist dat hij met haar wilde pronken, en dat hinderde haar.

'Voor mij is het ook de eerste keer,' liet Lucy weten. 'We waren altijd maar onder elkaar, toen ik klein was.'

'Inderdaad,' herinnerde Gwen zich. 'Je vader had weinig op met feestjes.'

Ze bereikten de eerste overloop en de deur van Gwens slaapkamer. 'Het stuitende stel was dol op non-stopparty's,' vertelde Pete. 'Het leven was één groot feest. We vierden kerstfeest altijd in communes. Iedereen was het grootste deel van de tijd stoned.'

'Hoe was het eten daar?' vroeg Gwen, die geïntrigeerd was door het idee van Kerstmis in een commune.

'Geen idee,' lachte Pete. 'Ik heb er nooit eten gehad. Het meeste zal wel op de grond beland zijn.'

Hij zet zijn beste beentje voor, dacht Gwen, die hem onwillekeurig bewonderde. Ze was nog steeds nijdig dat hij Eleanor in de steek had gelaten, maar ze moest toegeven dat ze blij was met zijn gezelschap en de manier waarop hij zich gedroeg. Zelfs toen hij merkte dat hij hen niet in zijn nieuwe auto naar het feestje zou rijden, deed hij dat met een grapje af en schreed hij te voet door de velden met haar partybijdrage, een groot blik met zoete pasteitjes, alsof hij een van de koningen uit het kerstspel was.

Ook Lucy, die hem arm in arm met haar moeder door de donkere velden volgde, bewonderde hem. Hij blijft zelfvertrouwen uitstralen, dacht ze, en ze werd heen en weer geslingerd tussen opluchting, omdat hij zo moedig omging met de situatie, en irritatie, omdat hij zo kalm was, terwijl zij zich rot voelde. Het is gemakkelijk voor hem, dacht ze, net zo gemakkelijk als het aandoen van een lamp.

Stralend als een cruiseschip rees de boerderij op uit de donkere zee van velden. Elk raam was verlicht en aan de kale takken van de eiken om het huis hingen massa's gekleurde lampjes te schudden en te dansen in de wind. De voordeur werd aan het zicht onttrokken door een enorme krans van hulst en klimop, en de hele benedenverdieping leek uit haar voegen te barsten door de dreunende muziek. Ze konden mensen zien dansen in de zitkamer en toen Jeff de deur opendeed, was de gang een mêlee van beweging en heldere kleuren.

Gwen was als gehypnotiseerd. Ze stond onbeweeglijk in de deuropening, in beslag genomen door de vrolijke chaos vóór haar. Haar bezorgdheid was als sneeuw voor de zon verdwenen en ze genoot van de warmte en de opwinding, van de mengeling van geuren, van de witte armen die zwaaiden en gebaarden, van het leger van bewegende benen, de meeste in spijkerbroek; genoot van de glinsterende ogen, de gloeiende huiden, de monden die lachten en schreeuwden. Voor zover ze kon zien was er maar één persoon die niet bewoog, en dat was een kindje dat naast Jeff stond, met zijn arm om de hals van een grote en buitengewoon harige Duitse herder. Dus zo ziet een familiefeest eruit, dacht ze. En in dat korte moment dat de deur openging en ze alles in zich opnam, besefte ze wat ze al die dorre jaren met Gordon had gemist en wist ze dat ze van elke minuut ervan zou genieten, om het even of deze familie haar zou accepteren, om het even wat Lucy van Jeff dacht, om het even wat zij nu van Pete vond, om het even wat één van hen zou zeggen.

'Kom binnen!' zei Jeff, die zich vooroverboog om haar te kussen. 'Als je tenminste nog een plekje kunt vinden. Jij bent vast Pete. Ja, hè? Zijn dat de pasteitjes? Zet ze voorlopig maar op de tafel. Dag Lucy. Willen jullie misschien wat punch? Ik sta er voor in dat hij lekker is. Zelf gemaakt!'

In een hoek van de gang stond een soepterrine vol punch te dampen. De drank was gloeiend heet en heel sterk.

'Fantastisch!' zei Pete goedkeurend. 'Precies wat je op een avond als deze nodig hebt.' Hij draaide zich om en gaf Gwen een knuffel. 'Deze verschrikkelijke vrouw heeft ons het hele eind laten lopen. Onvoorstelbaar, toch? We zijn verkleumd tot op het bot, hè, Lucy?'

Jeff gaf hem een beker vol punch. 'Hier word je weer warm van,' zei hij. 'Dat garandeer ik je.'

'Wat heb je erin gedaan?' lachte Gwen, toen ze een slokje had genomen. 'Straks zijn we allemaal dronken.'

'Dat is nu net de bedoeling,' zei hij vrolijk. 'Kom mee, dan stel ik je even voor.' Hij greep de arm van een passerende tiener. 'Dit is mijn nichtje Sandy. Geef Gwen maar een hand. Ze is mijn nieuwe buurvrouw. Dit is mijn broer Nick en dat is Peggy, mijn jongere zus. En dit is Jenny, haar dochter. En degene die daarginds zit te klieren is Sam.'

Het waren er zoveel dat het onmogelijk was om ze uit elkaar te houden, maar Gwen gaf hun een hand, zei dat ze het leuk vond om kennis met hen te maken en vertelde hun dat ze allemaal sprekend op elkaar leken.

'Alle Langleys hebben dezelfde neus,' zei broer Nick. 'Een neus die zijn charme heeft, als hij tenminste niet gebroken is.' Hij grijnsde naar Jeff.

'Dat zijn de beste neuzen,' zei Jeff.

De neus en de ogen, dacht Gwen, terwijl ze naar de enorme wimpers van het meisje dat Sally heette keek, en dezelfde manier van praten en je recht aankijken. Het is een echte familie. Ze was diep onder de indruk.

Er klonk lawaai uit het andere eind van de kamer en een mannenstem brulde: 'Peggy! Peggy! waar ben je? Die rothond van je eet mijn puddinkje op.'

Peggy baande zich een weg door de menigte in de richting van het geschreeuw. 'Nogal wiedes dat hij het opeet als je het op de grond zet. Wat had je anders verwacht, slimmerd.'

'Je kunt iets nog geen twee seconden laten staan,' klaagde de man. Maar hij lachte, zag Gwen, alsof het een spelletje was. 'Waarom pas je niet wat beter op dat verrekte beest?'

'Het is een zoetekauw,' zei Peggy. 'Dat kan hij ook niet helpen. Hè, Sugar.'

Sugar was een golden retriever, die naast het schoongelikte bord lag. Hij hield zijn kop volmaakt stil, maar aan zijn ogen zag je dat hij het gesprek nauwlettend volgde.

Gasten wervelden lachend en gillend om hen heen en belemmerden Gwen het uitzicht, maar ze hoorde Peggy zeggen: 'Alsjeblieft, hier heb je een schoon bord. Haal maar een nieuwe portie en maak geen drukte om niets.' Toen merkte ze dat Pete en Lucy niet meer naast haar stonden en ze keek om zich heen om te zien waar ze waren.

Pete hield een bord vol hamsandwiches in zijn hand en glom, want hij was herkend door Sandy en haar nichtje, die verlokkend hun lange haren schudden en hem uitnodigend aankeken.

'Ik hoop dat u het niet vervelend vindt dat ik het zeg,' waagde Sandy het erop, die vlak bij hem stond, 'maar u lijkt sprekend op de man van de koffiereclame.'

'In persoon,' zei hij, terwijl hij een buiging voor hen maakte en zich van zijn meest charmante kant liet zien.

'Bedoelt u dat u die man bent?'

'Dat bedoel ik.'

'Vet!' zei Sandy, die diep onder de indruk was.

Lucy bevond zich aan de andere kant van de kamer en praatte met een van de zussen van Jeff. Gwen was blij om te zien dat ze zich enigszins ontspannen had en bijna vrolijk glimlachte. Ze zwaaide even naar haar over de mensenmassa heen en Lucy zwaaide terug; blijkbaar vertelde ze wie ze was, want de zus keek in haar richting en zwaaide ook. Tot nu toe is alles nog goed gegaan, dacht Gwen, terwijl ze een glimlach terugzond. Maar ze had zich te vroeg ontspannen. Jeff stond alweer naast haar en had een jongeman bij zich met donker haar, donkere ogen en een afkeurende uitdrukking op zijn gezicht.

'Dit is mijn zoon Simon,' zei hij. 'De verkeersvlieger. Simon, dit is Gwen MacIvor.'

Ze gaven elkaar een hand, reageerden zoals van hen verwacht werd, zeiden 'aangenaam'. Maar de rug van de jongeman was te stijf, zijn gezicht was te hard en zijn vijandigheid tegenover deze vrouw, die de plaats van zijn moeder innam, was te voelbaar. Ik moet heel erg voorzichtig zijn, dacht Gwen, en ze besloot om niet te glimlachen, maar zo ernstig met hem te praten als hij haar toestond.

'Ik ben wel een beetje een indringer op een feest als dit,' zei ze.

'Nee, dat ben je niet,' protesteerde Jeff. Maar zijn zoon keek haar alleen maar onvriendelijk aan.

'Mijn dochters verkeren in dezelfde positie als jij,' zei Gwen, terwijl ze zo rustig mogelijk terugkeek. 'Het was een behoorlijke schok voor ze toen ze ontdekten dat ik een verhouding had met jouw vader.' Maar een reactie van hem bleef uit, dus moest ze snel verdergaan. 'Niemand van ons houdt van verandering, zolang we tevreden zijn met onze situatie tenminste. Ik denk dat dat het is. We willen allemaal de klok terugdraaien naar betere tijden wanneer de dingen verkeerd gaan. Ik ook, dat weet ik van mezelf. Soms denk ik dat het heerlijk zou zijn om een totaal nieuwe tijdzone te ontdekken.'

'Ik vlieg de hele dag van de ene tijdzone naar de andere,' zei Simon, en zijn gezicht stond nog steeds onvriendelijk. 'Het enige wat je ervan krijgt, is een jetlag.'

Gwen zag de grimmige trek om zijn mond. O jee, dacht ze. Maar zijn opmerking gaf haar in elk geval de kans om belangstellend te vragen naar iets wat niets met haar relatie met zijn vader te maken had. 'Hoe bied je die het hoofd?'

'Door twee horloges te dragen.'

'Je hebt het gezonde verstand van je moeder,' zei ze. 'Ze was een opmerkelijke vrouw,' voegde ze daar snel aan toe, want ze voelde hoe zijn afkeuring toenam.

Dat was niet wat hij had verwacht en het ergerde hem. 'Heb je haar dan gekend?'

'We hebben elkaar nooit ontmoet, als je dat soms bedoeld,' zei ze, 'maar ik heb het gevoel dat ik haar ken. Niet natuurlijk op de wijze zoals je vader en jij haar hebben gekend, maar op een andere manier. Je zou het een literaire manier kunnen noemen.' Dat maakte hem voldoende nieuwsgierig om een beetje van de afkeuring op zijn gezicht te laten verdwijnen. Dus legde ze het uit. 'Ik denk dat ik haar sowieso zou hebben bewonderd, vanwege de manier waarop je vader over haar praat, maar ik heb ook een paar van haar boeken gelezen. Hij heeft ze me geleend, om me op te vrolijken toen ik hier net was. Ik hou net zoveel van boeken als zij.'

Nu was het Jeffs beurt om afkeurend te kijken. 'Welke boeken waren dat?'

'De boeken over astrologie.'

Die waren onbelangrijk. 'O, die!'

Gwen glimlachte. 'Ja, die!' zei ze. 'Nou, ik vind ze fascinerend. En ontroerend. Het gaat namelijk niet om de boeken, maar om de dingen die je moeder in de kantlijn heeft geschreven, dingen over haar ziekte en over de acceptatie daarvan. Sommige notities zijn heel bijzonder.'

Simon keek zijn vader verwijtend aan. 'Wist je dit?' vroeg hij.

'Nee,' zei Jeff tegen hem. 'Niemand van ons wist het. Ik zou het niet geweten hebben als Gwen er niet geweest was.'

De jongeman wendde zich weer tot Gwen. 'Hopelijk beseft u dat het om intieme zaken gaat.'

'Ja,' zei Gwen, die standhield. 'Dat zag ik meteen. Het is een soort dagboek. Daarom voelde ik me ook zo vereerd dat ik ze mocht lezen.'

'Misschien had u ze helemaal niet moeten lezen, is dat wel bij u opgekomen?' Het klonk onverholen vijandig nu.

'Luister,' zei Gwen. 'Er is iets wat je moet weten. Ik probeer haar plaats niet in te nemen. Ik ben niet van plan om met je vader te trouwen.'

Hij geloofde haar niet. 'Ja, dat zal wel.'

Zijn vijandigheid was zo openlijk dat Gwen niet wist hoe ze zich ertegen moest verweren, en terwijl ze naar woorden zocht, sjokte de jongen van de Duitse herder hun groepje binnen met de hond op sleeptouw. 'Mama zegt dat ik geen custardcake meer mag,' klaagde hij. 'Maar dat mag wel, hè?'

Jeff roste de hond over zijn harige kop. 'Niet als je moeder nee gezegd heeft,' zei hij. 'Neem maar wat ijs, dat is minder machtig.' Hij wendde zich tot Gwen en Simon. 'Ik heb jullie nog niets te eten gegeven. En Lee ook niet. Waar is ze?'

'Daarginds,' zei Simon, die zijn blik gevestigd hield op het andere eind van de kamer, waar een knap Chinees meisje met Pete stond te praten.

'Breng haar maar wat,' droeg Jeff hem op, 'voor Sugar zich over de tafel ontfermt. Vraag haar maar wat ze lekker vindt. Zo, en wat wil jij hebben, Gwen?'

Ze liet zich door hem meetronen naar de tafel, ook al wist ze dat ze geen eten meer zien kon – niet na alles wat ze al gegeten had en niet nu ze zich zo uit het veld geslagen voelde.

'Mijn god!' zei ze, toen ze min of meer alleen waren. 'Was dat niet vreselijk!'

Jeff haalde zijn schouders op. 'Hij komt er wel overheen.'

'Hij gelooft me niet.'

De drank maakte hem stoutmoedig. 'Dat geldt ook voor mij. Ik vind nog steeds dat we moeten trouwen. Dat kan ik maar niet uit mijn hoofd zetten.'

'Begin daar alsjeblieft niet weer over,' smeekte ze. 'Niet nu. Ik moet al alle zeilen bijzetten met al deze nieuwe mensen.'

Iemand keek naar hen vanaf de andere kant van de tafel. O, nee! dacht Gwen. Nu niet. Het was Neil Morrish. Hij was gekleed op zijn paasbest en liet een stralende glimlach zien.

'Is Lucy...'

'Ze staat daarginds,' zei Gwen, die hem zo snel mogelijk kwijt wilde, 'naast de golden retriever.' En ze was blij dat de politieman meteen die kant op snelde. 'Nou,' zei ze, terwijl ze zich naar haar geliefde wendde. 'Luister...'

Maar er was een stormloop van mensen die zich plagend en dringend om de tafel verzamelden en omdat hij wist dat hij haar had geërgerd, nam Jeff het op zich om voor hen te zorgen. Naast Gwen verdrongen zich nu al zijn zussen: de zus die Peggy heette, de zus die vanuit het andere eind van de kamer naar haar had gezwaaid en een derde zus, met wie ze nog niet kennisgemaakt had.

'Pak je bord en kom bij ons zitten,' zei Peggy tegen haar. 'Je moet je niet de hele avond door hem in beslag laten nemen.'

'Mooi is dat,' protesteerde Jeff. 'Ik heb nauwelijks de kans gehad om iets tegen haar te zeggen.'

Haar zussen waren al net zo gedecideerd als hij. 'Kom mee,' zei

Peggy, en ze stak haar hand onder Gwens arm. 'Dan zoeken we een rustig hoekje.'

'Daar komt niets van in,' zei Jeff. Maar ze hadden haar al tussen zich in genomen en baanden zich een weg langs de zwaaiende armen van de dansende tieners, tot ze uiteindelijk in een kleine oranjerie kwamen. De enige verlichting bestond uit een blauw peertje en het rook er naar vochtige aarde en schimmel, maar ze maakten tussen de potplanten wat ruimte vrij voor hun borden en glazen, vonden drie tamelijk wankele rieten stoelen, gingen zitten en begonnen aan wat je gerust een ondervraging kon noemen.

Nadat ze haar zussen had voorgesteld – 'dit is Madge en dat is Sis' – viel Peggy meteen met de deur in huis. 'En, wanneer is de bruiloft?' vroeg ze.

Daar gaat ie dan, dacht Gwen, en ze gaf een eerlijk antwoord, waarbij ze Peggy's gezicht in het halfduister gadesloeg om te zien hoe ze zou reageren. 'We gaan niet trouwen. Dat heb ik Simon daarnet ook al verteld.'

De zussen keken elkaar veelbetekenend aan. 'Dat was heel verstandig,' zei Marge. 'Hij was erg op zijn moeder gesteld. Maar je kunt het ons wel vertellen. Wij zijn er allemaal voor. Hij loopt met zijn ziel onder zijn arm sinds Dotty dood is, de arme stakker. Natuurlijk komen we als het maar even kan op bezoek om een oogje op hem te houden, met Kerstmis en in de zomervakantie bijvoorbeeld, maar dat is niet hetzelfde. Het is toch anders dan als je een paar huizen verderop woont.'

'Dat klopt,' beaamde Gwen en ze vervolgde: 'Eigenlijk is dat prima om een paar huizen verderop te wonen. Dichtbij genoeg voor gezelligheid en niet zo dichtbij dat je op elkaars lip zit.'

De hint was niet aan ze besteed. 'Wanneer is de bruiloft,' drong Sis aan.

'Die komt er niet,' zei Gwen. 'We zijn heel gelukkig samen, maar we gaan niet trouwen. Ik heb mijn eigen stek en een volledige baan, en hij heeft de boerderij en zijn melkvee. Trouwen zou alles maar ingewikkeld maken. Hoe dan ook, we zijn gelukkig zo.'

'Dat is anders niet wat híj zegt,' zei Madge, die een hap van haar pasteitje nam. 'Hij wil dolgraag trouwen. Dat heeft hij ons gisteravond nog verteld.'

Gwen was ineens woedend op hem. Hoe kan iemand zoiets stoms doen, dacht ze. Was hij toen ook dronken? 'Het kan best dat hij het heel graag wil,' zei ze. 'Maar ik houd het liever zoals het nu is.'

'Het is een schitterend huis,' zei Sis. 'Queen Anne.'

'Mijn toren is ook behoorlijk indrukwekkend,' riposteerde Gwen. 'Jullie moeten een keer langskomen. Weet je wat, kom morgen op de thee.' Als ze zijn verkeerde voorstelling van zaken wilde rechtzetten, was het het beste als ze vriendschap sloot.

Peggy trok haar wenkbrauwen op. 'Wij allemaal?'

'Waarom niet? Alleen moet je wel je eigen kopje meebrengen, want ik heb er maar twaalf.'

'Daar houd ik je aan,' zei Peggy.

In de zitkamer waren mensen bezig met het verplaatsen van meubels en het joch met de Duitse herder verscheen in de deuropening. 'Ik moest van oom Jeff zeggen dat we gaan beginnen met *Hints*,' kondigde hij aan.

'We komen eraan,' liet Sis hem weten, en ze stopte het laatste stukje pastei in haar mond.

Ze voegden zich bij de grote groep mensen in de zitkamer, waar Jeff bezig was om stoelen in een halve kring te zetten en anderen een enorme doos met verkleedspullen naar zijn plaats zeulden, voor de openslaande deuren. Hij keek vragend naar Gwen toen zij samen met zijn zussen binnenkwam, maar ze was nog steeds boos en wilde zijn blik niet beantwoorden. Met een uitdrukkingsloos gezicht keek ze van hem weg. Zodra ze allemaal aanwezig waren, begon het luidruchtige kiezen van de teams, en dat maakte elk gesprek onmogelijk.

Het spel had nogal wat voeten in de aarde, want ze kibbelden over elk woord en over elke lettergreep. En naarmate het gebeuren voortschreed, werd het steeds luidruchtiger en zotter, want als beloning werden alle acteurs volgestopt met drank en werd er lekkers naar ze gegooid. Neil Morrish had kans gezien om in hetzelfde team te komen als Lucy, en hoewel hij zo'n houterig acteur was dat ze hem uiteindelijk de rol gaven van een politieagent die wat het woord ook was dat gevonden moest worden, niet meer mocht zeggen dan 'Hé, wat doen we daar?', amuseerde hij zich kostelijk en ving hij snoep als de beste. Omdat hij steeds losser werd en zijn zelfvertrouwen toenam, mocht hij de rol van een dominee met papieren boordje spelen die advies moest geven aan Lucy, die voor bruid speelde en een echte, zij het sjofele sluier droeg. Het was hun laatste scène en het woord dat hij terloops moest laten vallen was *trouwbelofte.* Dus gaven ze hem een lijst met vierlettergrepige woorden als afleiders en lieten hem zijn gang gaan.

'Ik ben blij dat u bij me gekomen bent voor advies en informatie,' las hij op. 'De huwelijkse staat is een eerbiedwaardige staat, ingesteld met het oog op wederzijdse hulp en steun, en een trouwbelofte dient niet te lichtvaardig gegeven te worden. U moet betrouwbaar zijn en verstandig handelen en...' Maar toen keek hij in Lucy's ogen en hij vergat de lijst. 'Een eerbiedwaardige staat,' zei hij. 'De beste, de sterkste en de mooiste band die er in de hele wereld bestaat. Twee mensen die er de rest van hun leven helemaal voor elkaar zijn, wat er ook gebeurt. Ze zorgen voor elkaar in tijden van tegenspoed, hebben plezier met elkaar, vertrouwen elkaar en delen alles met elkaar – de dingen die ze denken en dromen, de dingen waar ze op hopen – want je man is de enige persoon in de wereld die er altijd voor je is, die je nooit in de steek laat, die nooit wegloopt, die je altijd trouw blijft, degene op wie je altijd kunt vertrouwen.' Op dat punt gekomen raakte hij buiten adem, zweeg en bloosde diep, terwijl het publiek uitbarstte in applaus.

'Wat een spreker is die man!' riepen ze. En: 'Kon ik dat maar!' en: 'Goed gezegd!' En Jeff keek Gwen recht aan en riep luid: 'Hij haalt me de woorden uit de mond.' Waarop al zijn familieleden zich op hun stoelen omdraaiden om naar haar te kijken.

Het ergerde haar dat ze onder zo'n massale druk stond, vooral omdat ze niet zo snel een manier kon vinden om die om te buigen, en ze voelde dat ze begon te blozen. In 's hemelsnaam, dat niet. Maar terwijl ze worstelde om de controle over de situatie terug te krijgen en vurig hoopte op een ingeving, kwam Pete haar te hulp.

'Een fluitje van een cent,' riep hij. 'Huwelijksbelofte. Helaas, helaas,' spotte hij, 'geen lekkers voor hen.' Iedereen lachte, er werd snoep gegooid en hij en zijn team stonden op voor de volgende act.

Hij was de ster van de show. Hoe kon het ook anders. Wat hij ook deed, hij kreeg een ovationeel applaus. Hij speelde een teletubby; een door zijn lief verlaten vrijer, waarbij hij in Sandy's gehypnotiseerde ogen keek; een probleemkind op school – met witte pruik en stuurse blik – en inspecteur Morse, compleet met nerveus tikkende voet. En alsof dat nog niet genoeg was leverde hij ook nog eens het mooiste woord van de avond: werp-hen-gel.

'Is hij geen supertalent?' zei Madge tegen haar nieuwe vriendin Gwen. 'Je kunt wel zien waarom ze hem voor die koffiereclame hebben genomen.'

Gwen stemde er graag mee in. Weliswaar had Pete Eleanor schandalig behandeld, maar hij was fantastisch gezelschap.

Ten slotte ontdekte iemand de jongen van de herdershond onder aan de trap. Hij sliep als een roos en gebruikte zijn huisdier als kussen. Dat was het moment waarop iedereen op zijn horloge keek en met verbazing constateerde dat het al kwart over een was.

'Het wordt tijd om te gaan,' zei Gwen.

'Eigenlijk doodzonde om nu te stoppen,' zei Peggy, 'maar je hebt gelijk. Het is bedtijd voor deze jongelui. We zullen je even uitgeleide doen.'

En zo verzamelde de hele groep zich in de tuin om afscheid te nemen. Nergens brandde meer licht. De straatlantaarns in het dorp waren allang gedoofd, de maan werd verduisterd door een wolk en de kerstverlichting ging verloren in de takken, hoe mooi de gekleurde lampjes ook waren. Gwen huiverde en tastte naar haar zaklantaarn, want ze wist dat het aardedonker zou zijn op die uitgestrekte, verlaten velden.

'En, heb je je geamuseerd?' vroeg Jeff, die achter haar opdook.

'Ik zou me nog veel beter geamuseerd hebben,' zei ze, zacht genoeg om onhoorbaar te zijn voor de anderen, 'als je je zussen niet had verteld dat we gingen trouwen.'

'Ze vroegen het,' verklaarde hij. 'Ik heb hun verteld wat ik hoopte.'

Wat is hij verrekte vasthoudend, dacht ze, terwijl ze naar zijn vooruitspringende kaak en zijn gespierde nek en schouders keek. Hij is er zo zeker van dat hij zijn zin krijgt, zo zeker dat ik uiteindelijk zal toegeven. Ze herinnerde zich hoe hij het daar al meteen vanaf het begin over had gehad, toen hij meneer Makepeace omwille van haar de les had gelezen: 'Je neemt je voor dat je gaat winnen en je houdt gewoon vol.' En nu past hij diezelfde tactiek bij mij toe. Nou, dat zal hem niet lukken. Ik laat me niet koeioneren. Niet meer. 'Ik vind het aanmatigend,' zei ze.

Ze haalden al adem om ruzie te gaan maken, toen Lucy opdook uit de schaduw, haar moeders arm pakte en hen onderbrak. 'Waar is Pete?' vroeg ze.

Op het grasveld krioelde het van donkere gestalten, maar Pete was nergens te bekennen. Pas na een aantal minuten kwam hij het huis uit. Natuurlijk was zijn exit buitengewoon dramatisch. Hartstochtelijk toegejuicht door de toeschouwers slingerde en strompelde hij voort, vergat het pad te nemen, struikelde over zijn eigen benen en vloog recht tegen de zijkant van de eik, met zo'n kracht dat de lagere takken heen en weer zwaaiden en de kerstverlichting schuddend klingelde.

'Solly,' lalde hij. 'Beje moeite me d'ouwe benen. Effe sitte.' Hij viel opzij en bleef plat op zijn rug op het gras liggen, terwijl het publiek applaudisseerde.

'Hij is dronken!' siste Lucy naar haar moeder. Meteen liep ze boos, met grote stappen op hem af om hem overeind te trekken.

Dat had ze beter niet kunnen doen. 'Wiess' dat?' vroeg hij, toen hij de wazige contouren van haar gezicht zag. 'Eleanor, hè?'

'Niks Eleanor,' zei ze, en ze stak een hand uit. 'Vooruit, sta op. Je maakt je belachelijk.'

Hij keek naar de schilfers gekleurd licht die over haar gezicht dreven, was de kluts kwijt en probeerde zijn ogen te focussen. 'Het sniet Eleanor. Ik zou mijn Eleanor overal herkennen. Ik sjal je seggen wie het is. Het is mijn lieve Lucy. Mijn lieve lieftallige Lucy. Het beste meisje in de hele weleld.' Hij wendde zijn hoofd naar zijn publiek. 'Dit is mijn Lucy. Ze houdt famme. So's toch, mijn lieftallige Lucy? Ze is mijn meisje. Het beste meisje in de hele weleld. Doet alles voor me.'

Mijn god! Dit is afschuwelijk, dacht Lucy, terwijl ze naar de rijen lachende en grijnzende gezichten achter haar keek, zich ervan bewust dat haar moeder daar ook stond. Ik moet ervoor zorgen dat hij ophoudt. 'Hou verdomme je kop!' stoof ze op.

Maar nu hij eenmaal was begonnen, wilde hij van geen ophouden weten. 'Mijn lieftallige Lucy,' zei hij. 'Ze heeft altijd van me gehouden. Altijd. Niet zoals die andere. Nam me gastvrij op. Een ontheemde bij nacht en ontij. Mijn lieve lieftallige Lucy. Bed en eten.' Hij begon te giechelen. 'In ieder geval een bed. Zo is het toch, mijn schat.' Hij scheen het niet eens te merken dat ze hem schopte en ook niet dat haar gezicht verwrongen was van woede. 'Kost en inwoning, en niet één saai moment,' zei hij. Toen, zonder enige waarschuwing, draaide hij zich om op zijn zij en viel als een blok in slaap.

Ze was des duivels over de grenzeloze domheid van deze man, van wie ze meende te houden. Hoe kon hij zo onnadenkend, zo onvriendelijk, zo'n absolute dwaas zijn? Maar er was geen tijd voor vragen of antwoorden of om zelfs maar stil te staan bij haar eigen verdriet. Voeten renden over het donkere gras, en toen ze opkeek zag ze hoe haar moeder en Jeff naar de dronken gast staarden, haar moeder vol ongeloof en Jeff zo te zien geamuseerd. Het ís niet leuk, dacht ze, haar moeders blik vermijdend.

'Uitgeteld,' lachte Jeff.

Gwen boog zich over de slapende man. 'Wat doen we met hem?' vroeg ze.

'We leggen hem in de oranjerie,' zei Jeff. 'Dan kan hij daar zijn roes uitslapen. Je kunt hem moeilijk naar de toren dragen. Maak je maar geen zorgen, er zijn genoeg mensen om hem naar binnen te slepen.'

Het was een verstandige oplossing, maar het was nog een hele tippel door de donkere velden en er was niemand om hen te begeleiden. Ze keek om zich heen of ze Neil ook zag, maar die was nergens te bekennen, en ze kon moeilijk van Jeff verlangen dat hij zijn gasten in de steek zou laten, zeker niet nu ze bijna ruzie hadden gekregen.

Pete werd in een oud gordijn gerold en door een groep spottende mannen en laatdunkende tieners naar binnen gedragen. Lucy stond onder de boom het geheel gade te slaan. Ze maakte een afgetobde indruk in het zwakke licht.

Hoe eerder we thuis zijn, hoe beter, dacht Gwen. Ze knipte de zaklantaarn aan en keek naar haar dochter. 'Het enige wat we hoeven doen is de lichtbundel volgen,' zei ze en ze sloeg het pad in. 'Het komt allemaal goed. Maak je maar geen zorgen.'

Hoe kan ik me nu geen zorgen maken, dacht Lucy, terwijl ze gehoorzaam achter haar moeders golvende cape aan liep. Na alles wat er is gebeurd.

Hoofdstuk 25

Na de drukte van het feest deed de toren stil aan: een gespannen stilte. Zelfs toen Gwen de lampen aandeed en Lucy en zij elkaar knipperend aankeken in het heldere licht, bleef de vloed van stilte tussen hen opzwellen, zwanger van vragen.

Gwen liep de keuken in om de thermostaat hoger te zetten. 'Oké,' zei ze, 'tijd om opening van zaken te geven. Ik neem aan dat het niet alleen maar dronkenmanspraat was.' Haar woede op Jeff had haar onvermoede kracht gegeven.

Lucy stond in het midden van de kamer, alsof ze in het beklaagdenbankje stond. 'Nou, nee,' gaf ze toe, en ze haastte zich om het toe te lichten: 'Maar wel de manier waarop hij het zei. Dat was dronkenmanspraat.' De herinnering eraan was pijnlijk voor haar. 'Hij liet het klinken als iets vulgairs, en dat is het helemaal niet. We houden echt van elkaar.'

'O, Lucy!' zei Gwen bedroefd, terwijl ze naar de keuken liep. 'Hoe heb je zo dwaas kunnen zijn?'

Lucy wendde haar hoofd af en keek naar de vloerplanken, zoals ze dat had gedaan wanneer ze als kind een standje kreeg. 'Alsjeblieft, wees niet boos,' smeekte ze. 'Ik weet dat ik het niet had moeten doen, maar het gebeurde gewoon.'

'Ik ben niet boos,' zei Gwen naar waarheid. 'Ik ben verdrietig. Of, nee, dat is niet het juiste woord. Het gaat veel dieper dan verdriet. Dit is een vreselijke puinhoop en jullie zullen er allemaal onder lijden.' Ze liep de trap op. 'Ik móét me afschminken. De huid van mijn gezicht voelt aan als craquelé. Loop met me mee, dan praten we in mijn slaapkamer verder.' Ze zou zich boven minder kwetsbaar voelen, het arme schaap.

Lucy keek nog steeds weg. Met afgewend gelaat en hangende schouders volgde ze haar moeder de trap op. 'Ik weet dat het onverstandig is,' zei ze. 'Dat hoef je me niet te vertellen. Maar ik houd veel van hem, dat is het probleem. Mijn hele leven al. Je hebt geen idee hoeveel.'

Ze hadden de kleine overloop op de eerste verdieping bereikt en Gwen zag hoe haar lekkere bed uitnodigend op haar stond te wachten. Bekaf stond ze in de deuropening, vervuld van medelijden met haar dochters. Wat wilde ze graag dat ze deze biecht niet hoefde aan te horen, want absolutie kon ze toch niet geven. 'Dat heb ik wel,' zei ze. 'Ik heb het altijd geweten.'

Dat was als een schok. 'Echt waar?'

'Ja. Het stond op je voorhoofd te lezen, elke keer dat je hem aankeek.'

'Mijn god,' zei Lucy. 'Nee, toch! Wist iedereen het dan?'

'Alleen ik,' stelde Gwen haar gerust. 'Volgens mij heeft niemand het verder gemerkt. Je vader zeker niet, en Eleanor werd altijd te veel in beslag genomen door haar eigen emoties om zich bewust te zijn van de gevoelens van anderen.' Toen, omdat ze zich ongemakkelijk voelde onder Lucy's verslagen blik en niet wist hoe ze verder moesten gaan, liep ze haar slaapkamer in, waar ze een stapje opzij deed, zodat Lucy zou volgen. Dat gaf hun wat tijd om bij te komen. Eenmaal in haar slaapkamer ging ze voor haar toilettafel zitten en begon ze haar make-up te verwijderen, waarbij ze met watten over haar voorhoofd wreef. Op die manier had ze iets om handen en kon ze Lucy's gezicht in de spiegel zien zonder dat er sprake was van een lastige directe confrontatie.

'En dan doe je zo je best om het geheim te houden,' zei Lucy bitter.

'Ik denk niet dat je dingen verborgen kunt houden voor je moeder,' zei Gwen. 'Niet als kind van twaalf in elk geval. Maar misschien zit ik uit mijn nek te kletsen, want mijn moeder wist nooit wat ik dacht.'

Lucy ging op het bed zitten. Ze was moe en leek moed te verzamelen voor een nieuwe bekentenis. Ik zal het gemakkelijker voor haar maken, dacht Gwen, en ze keek weer via de spiegel naar haar. 'Mag ik je iets vragen?'

Lucy's zucht was net zo ontroerend als haar afgewende hoofd was geweest.

'Dit is niet de reden waarom hij Eleanor heeft verlaten, hè?'

Die vraag kon gelukkig ontkennend beantwoord worden. 'Nee,' zei Lucy opgelucht. 'Wij... onze... dat gebeurde pas later. Hij had zijn flat aan een paar Amerikanen verhuurd en kon nergens heen toen het uit was tussen Eleanor en hem. Dus kwam hij bij mij. Zo is het begonnen.'

'Weet zij van jullie relatie?'

Opeens schoot Lucy iets te binnen. 'O, god. Ik heb een kaart voor je. Die heeft ze op kerstavond bij ons achtergelaten.'

'Dus jullie hebben elkaar nog gezien.'

'Nee. We waren een avondje uit,' zei Lucy. 'Een momentje, ik pak hem even.' En ze liep naar boven om de kaart te halen, blij dat ze de kans had om een paar minuten te ontsnappen.

'Ze zoekt naar dingen om zichzelf bezig te houden,' zei Gwen toen ze hem had gelezen. 'Denk je ook niet?' Ze gaf de kaart aan Lucy. 'Maar ik ben blij dat ze geschreven heeft. Het stelt me in de gelegenheid om terug te schrijven.'

Lucy keek naar het bericht op de aan haar gerichte envelop. 'Je kunt dit ook maar beter even lezen,' zei ze. 'Het is...'

'Venijnig van toon,' zei Gwen toen ze het had gelezen. 'Dus ze weet het. O, Lucy! Wat een puinhoop!'

Het huilen stond Lucy nader dan het lachen, maar ze deed haar best om haar tranen in te houden. 'Het is nooit mijn bedoeling geweest dat dit zou gebeuren,' zei ze. 'Ik wilde haar geen pijn doen. Ik dacht dat we het geheim konden houden.' En toen haar moeder haar wenkbrauwen optrok: 'Ja, ik weet het. Ik moet krankzinnig geweest zijn. Volgens mij was dat in zekere zin ook zo. Het was een droom die werkelijkheid werd, begrijp je. Jarenlang had ik fantasieën over hem, stelde ik me voor hoe het zou zijn als hij Eleanor verliet en iets met mij zou beginnen, en ineens staat hij op de stoep. Ik had niet gedacht dat het echt zou gebeuren. Nooit. Je moet dat van me aannemen. Het was een fantasie. Meer niet. Dat wist ik ook. Ik heb nooit anders geweten. En dan ineens...'

Gwen was zo getroffen door Lucy's verdriet, dat ze het gesprek een andere wending probeerde te geven. 'Mijn fantasie was het wonen in een cottage aan zee,' mijmerde ze, zoekend naar iets wat hen verbond, 'met rozen die langs je deur groeien en met mensen die je welkom heten. Een probleemloze wereld waar het altijd zomer is.'

'Precies,' begreep Lucy. 'Maar zo gaat het niet, hè? De werkelijkheid is altijd anders.'

'Die is inderdaad anders,' zei Gwen, opgelucht dat ze zo snel antwoord gaf en haar meteen begreep. 'In sommige opzichten is ze beter en in andere opzichten slechter, maar nooit is ze dezelfde als in je droom. Je kunt elke fantasie naar believen vormgeven, maar wanneer ze werkelijkheid wordt, moet je haar bijstellen. Dan heb je opeens te maken met onwillige werklieden en tuig dat je kat verminkt, en...' ze glimlachte in de spiegel naar Lucy, 'met dochters die hun leven in het honderd laten lopen.' En met geliefden die vastbesloten zijn om met je te trouwen, terwijl ze heel goed weten dat je niet wilt trouwen...

'Precies,' zei Lucy opnieuw. Haar gezicht vertrok. 'Het akelige is dat ik zó gelukkig was toen het begon, dat het me niet kon schelen wat er gebeurde. Het was gewoon voldoende om bij hem te zijn, hem te horen zeggen dat hij van me hield, te weten dat hij deel van mijn leven was. Het is zo'n knappe vent, dat is het probleem.'

'Dat is hij altijd geweest. Zelfs als jongen. En kwetsbaar natuurlijk, nog iets wat hem aantrekkelijk maakt.' Ze inspecteerde haar gezicht. 'Zo kan het er wel mee door,' zei ze. 'Als jij jouw gezicht wilt doen?'

Ze wisselden van plaats. Gwen ging op het bed zitten, trok haar schoenen uit en ging door met het spuien van haar gedachten. 'Natuurlijk was hij heel ongelukkig, dat is ook iets wat meespeelt.'

Lucy verwijderde haar mascara. Ze keek naar haar moeder met één volledig opgemaakt oog en met één half afgeschminkt oog. 'Dat is hij af en toe nog. Je hebt geen idee hoe prikkelbaar hij dan kan zijn.'

'Toch wel,' zei Gwen, die naar de badkamer slenterde om haar tanden te poetsen. 'Ik herinner me nog hoe hij was toen zijn ouders hem net in de steek gelaten hadden. Er hoefde maar iets te gebeuren of hij vluchtte naar zijn kamer. Hij praatte de dingen nooit uit, benaderde alles verstandelijk. Het was hartverscheurend.'

'Dat doet hij nu ook nog,' besefte Lucy. 'Als het lastig wordt, verdwijnt hij en blijft dan dagen weg.'

'En wordt dronken.'

Lucy kromp ineen. 'Wat was hij gemeen, hè? Ik kon het niet geloven dat hij al die afschuwelijke dingen zei. En dat hij dan bewusteloos van de drank zijn roes gaat uitslapen. Onder onze ogen nota bene.'

Gwen spuwde een mondvol tandpasta uit. 'Ik heb hem wel erger meegemaakt. Hij was nu in ieder geval niet misselijk. Hij zoop zich klem aan cider toen zijn ouders hem verlieten. Hij was zo ziek dat ik dacht dat hij nooit op zou houden met kotsen. Ik had echt met hem te doen.'

'Ik heb ook met hem te doen,' bekende Lucy, terwijl ze naar haar spiegelbeeld keek. 'Het is soms net een jongetje dat verdwaald is. En hij praat tegen Eleanor in zijn slaap.'

Gwen wist niet hoe ze daarop moest reageren, dus ging ze haar nachtpon aantrekken en liep daarna terug naar de slaapkamer waar ze Lucy's gezicht kon zien. 'Laat je niet te veel pijn door hem doen,' waarschuwde ze.

'Volgens mij heeft hij het niet in de gaten wanneer hij mensen kwetst,' zuchtte Lucy.

'O! Dus hij heeft je al gekwetst?'

'Een paar maal, ja,' gaf Lucy toe. Toen zweeg ze en dacht duidelijk diep na. 'Luister,' zei ze peinzend, 'onze relatie is tijdelijk. Dat weet ik. Dat wist ik al toen ik eraan begon. Maar het heeft geen zin om te zeggen dat ik er een eind aan moet maken, want dat kan ik niet. Nog niet.'

'Ik was helemaal niet van plan om iets te zeggen,' zei Gwen. 'Ik vind dat het pas zin heeft om advies te geven als het me gevraagd wordt. En zelfs dan weet ik niet zeker of het wel wat uithaalt.'

Lucy grinnikte naar haar, haar oude lachje, half plagend, half vrijpostig. 'Godzijdank.'

Nu was het mogelijk voor Gwen om haar een knuffel te geven. 'Ik blijf van je houden, wat je ook doet,' zei ze, en ze sloeg haar armen om de smalle schouders van haar dochter. 'Dat weet je toch, hè.'

'Ja,' zei Lucy schor, 'maar je kunt het maar beter niet tegen me zeggen, anders barst ik zo meteen in tranen uit.'

Gwen streek Lucy over haar haar. 'Het is tijd om je lekker in te stoppen,' zei ze. 'Morgen krijgen we een heleboel mensen op de thee.'

'Ik vraag me af hoe hij ons tegemoet zal treden,' zei Lucy.
'Jou en mij,' zei haar moeder. 'Ons beiden.'

Aan de andere kant van het dorp huiverde Neil Morrish in de kilte van zijn spartaanse slaapkamer. Zodra die aanstootgevende man met zijn dronken gebral was begonnen, had hij geweten dat hij verslagen was. Binnen een paar seconden had diepe neerslachtigheid zich van hem meester gemaakt en voor de zoveelste keer had hij zich afgewezen en mislukt gevoeld. Zonder naar Lucy en mevrouw M. te kijken of afscheid te nemen van Jeff, had hij het feest onmiddellijk verlaten en zich teruggetrokken in de duisternis. Zich de longen uit het lijf lopend was hij door het verlaten dorp gesneld tot zijn kuiten er pijn van deden. Als gevolg van deze brute activiteit had zijn ellende ten slotte plaatsgemaakt voor woede.

Hij had nooit echt kans gemaakt bij Lucy. Hoe kon dat ook, wanneer ze steeds omringd was door mediatypes als die arrogante Halliday met zijn poenige Mercedes. O, hij had die snelle auto met die geverfde kop erin wel door het dorp zien racen. Halliday kon die onnozele wichten dan misschien voor de gek houden, maar hem kon hij niet bedotten. En dan die godsgruwelijke waffel die altijd openstond, al dat geleuter, al dat opscheppen en met namen smijten.

Ik heb mezelf een rad voor ogen gedraaid, dacht hij, terwijl hij in de ondoordringbare duisternis staarde die het strand aan het zicht onttrok. Ik zag er meer in dan erin zat. Ze ging wel met me uit, maar dat had niets te betekenen. Ze schreef me wel, maar ook dat betekende niets. Ach, hoe goed herinnerde hij zich die brieven. Hij kende ze uit zijn hoofd. 'Je bent een goede man. Zodra ik je ontmoette, wist ik dat ik je kon vertrouwen.' En al die tijd had ze seks met die smeerlap van een Halliday. De minnaar van haar zus. Hoe kon ze zoiets doen? Nou, ik heb mijn lesje wel geleerd. Ik zal ervoor zorgen dat ik haar nooit meer zie – of hem, of ook maar iemand van hen. Ik vraag overplaatsing aan. Dat ga ik doen. Ik ga ergens anders heen. Ik kan niet blijven werken op Seal Island na alles wat er is gebeurd. Dan ben ik de risee van het dorp.

Hij keek op zijn horloge en zag dat het vijf voor halfvijf was. Over anderhalf uur had hij dienst. Het had weinig zin om nog naar bed te gaan. Hij kon zich net zo goed wassen en verkleden, en daarna wat ontbijten. De gedachte dat hij zonder slaap aan het werk moest, verontrustte hem niet. Het was gewoon iets wat hij moest doen. Hij wist dat het werk hem zou voortdrijven, als hij eenmaal op het bureau was. Het werk en zijn woede.

Tweede kerstdag om vier uur 's middags – Neil had zijn dienst er toen alweer opzitten; hij was terug in zijn flat en sliep als een blok – reden Gwens gasten bij schemering in konvooi naar de toren om thee bij haar te gaan drinken. Pete was er niet bij, en Simon en zijn vrouw ook niet: 'Ze vliegen vanavond terug'. Ook Jeff ontbrak.

'Hij is de koeien aan het melken,' zei Peggy tegen haar, terwijl ze met zijn allen de toren binnendromden, 'en daarna komt hij hierheen met de theekopjes. Hij neemt ook onze grote theepot mee. We dachten dat die wel van pas zou komen, hè Madge? We hebben de honden thuisgelaten. Hij vertelde dat je een kat had. Jee! Wat een schitterende kamer. Helemaal mijn kleur, dat rood.'

'Wacht maar tot je mijn uitzicht hebt gezien,' zei Gwen, die hen voorging naar boven.

De zussen waren onder de indruk. 'Nu begrijp ik waarom je hier niet weg wilt,' zei Madge, die bij het raam stond. 'Wat een schitterend uitzicht.'

'Wat niet wil zeggen dat we niet willen dat je met onze Jeff trouwt,' liet Peggy weten. 'Alleen begrijpen we nu waarom je dat niet wilt.'

In de toren was het een drukte vanjewelste. De familieleden liepen achter elkaar de kamers in en uit, slaakten kreten van bewondering vanwege het uitzicht en verdrongen zich op de trap. Toen Jeff en Pete ten slotte arriveerden met twee kartonnen dozen, gevuld met porseleinen kopjes en met de grootste theepot die Gwen ooit had gezien, kookte het water en was ze bezig de kersttaart te verdelen. Welnu, Pete Halliday, dacht ze, toen hij op zijn gemak naar haar toe liep, eens kijken wat je tot je verdediging aan te voeren hebt.

Het ergerde haar dat hij zich niet in het minst beschaamd leek te voelen. Als gevolg van zijn kater was zijn huid doorschijnend bleek en zijn ogen stonden beslist vermoeid, maar verder was hij helemaal de oude, charmant als altijd. Hij boog zich voorover om haar een zoen op haar wang te geven, alsof er niets tussen hen was voorgevallen. 'U ziet er fantastisch uit, mevrouw M,' zei hij. 'Kan ik u ook ergens mee helpen?'

Ze opende haar mond om iets venijnigs te zeggen, maar op dat moment schoot Peggy achter hem de keuken binnen. 'Is het goed als we je banken een stukje naar achteren tillen?' vroeg ze. 'Het is nogal een gedrang met ons allemaal erbij.'

'Laat dat maar aan mij over,' zei Pete, en liep meteen weg om het te regelen. 'Die zetten we tegen de boekenkast. Oké.' Algauw was hij aan het flirten met Sandy: 'Hallo, schoonheid!' en maakte hij vleiende opmerkingen tegen Jeffs drie zussen. 'Wat zijn jullie allemaal slank. Ik bedoel, moet je kijken, geen grammetje vet. Jullie zijn zo slank als een den.'

'Dat zeg je vast tegen alle vrouwen,' plaagde Peggy.

'Alleen tegen mooie vrouwen.'

Toen Lucy naar beneden kwam met de laatste kinderen, was hij bezig om de mensen te voorzien van thee en cake. De luidruchtige theevisite was in volle gang.

Ze begroette hem koeltjes. 'O, daar ben je dus. Je hebt vast een houten kop.'

Hij schonk haar zijn meest stralende glimlach. 'Je kent me toch,' zei hij. 'Nog een kop thee, Sis?'

Lucy liep langs hem heen de keuken in om met haar moeder te praten. 'Heeft hij iets gezegd?' vroeg ze, zo zacht dat de anderen het niet zouden horen.

'Nee. Had je dat dan gedacht?'

'Kon er zelfs geen "sorry" af?'

Gwen keek door de boog naar hem, terwijl hij thee inschonk en glimlachjes uitdeelde. 'Nee.'

'Nou, ik zal toch iets tegen hem moeten zeggen, zelfs al doe jij het niet,' zei Lucy. 'Hij moet niet denken dat hij gewoon kan doen of er niets is gebeurd. Niet nu hij op zo'n vreselijke manier tekeergegaan is.'

'Maar doe het dan wel na de thee, alsjeblieft,' zei Gwen, en ze liep de zitkamer in met een schaal in elke hand. 'Wie wil er een cracker?'

Al met al was het een geslaagde theevisite. Tegen het einde begonnen de vriendschappen, die de vorige avond tamelijk aarzelend waren aangevangen, vaste vorm aan te nemen. Alle drie zussen van Jeff hadden Gwen uitgenodigd om te komen logeren.

'De volgende keer dat je komt moet je haar meenemen,' zei Peggy tegen haar broer toen haar man en zij de toren verlieten. 'Zorg ervoor dat hij het doet, Gwen. Dit is een veelbelovende *date*. Zelfs als je niet met hem trouwt.'

'Alles vergeten en vergeven?' vroeg Jeff, terwijl zijn familieleden zich snel in hun stationcars lieten zakken en afscheidsgroeten riepen.

'Niet helemaal,' zei Gwen. 'Je hebt me gisteren echt in een moeilijk parket gebracht.'

Hij hield zijn handen omhoog om een uitbrander te voorkomen. 'Ik weet het. Ik weet het. Het spijt me. Ik had niets moeten zeggen.'

Dat is het leuke aan hem, dacht Gwen en ze glimlachte naar hem. Hij kan zijn excuses aanbieden en hij meent het.

Hij wist dat ze hem vergeven had. 'Zullen we dan maar afspreken voor donderdag?' vroeg hij opgewekt.

'Als je belooft dat je het met geen woord over trouwen zult hebben.'

Hij was nu ontspannen genoeg om een grapje te maken. 'Wie? Ik?'

'Ja,' zei ze ernstig. 'Jij! Je denkt dat ik een softie ben. Je denkt dat als je maar lang genoeg aanhoudt mijn tegenstand wel breekt. Nou, dan heb je het mis. Het zal je niet lukken.'

'Goed,' zei hij, alsof hij met haar instemde. Maar deed hij dat ook? Geen van beiden was daar helemaal zeker van. Een verandering van onderwerp was geboden. 'Hoelang blijven je twee gasten logeren?'

'Twee, drie dagen denk ik. In ieder geval twee.'

Maar ze had het bij het verkeerde eind. Toen ze de deur achter haar vertrekkende gasten dichtdeed, kwam Pete de trap af met hun koffers.

'Dan gaan we maar,' zei hij.

Ze was verbaasd en boos. 'Nu al?'

'Jammer genoeg wel,' zei hij rustig. 'Ik heb morgenochtend een vergadering. Meteen al, in alle vroegte.'

'Ik vind dat we moeten praten,' zei ze.

'Dat vind ik ook, mevrouw M,' beaamde hij poeslief. 'Maar dat zal helaas niet gaan. Ben je klaar, Lucy? Mooi. Ik neem wel contact op.' Hij boog zijn knappe hoofd en gaf haar een vluchtige zoen op haar wang. 'Dank voor alles. Het was een fantastische Kerstmis.'

Lucy had nog net tijd om naar haar moeder te grimassen voor ze vertrokken. Alles ging zo snel dat Gwen met open mond achterbleef. Ze was buitengewoon kwaad. Om op die manier weg te lopen... Wat een lafheid! Nou, je hoeft niet te denken dat je er zo gemakkelijk van afkomt. We spreken elkaar nog wel en dan hebben we nog een appeltje met elkaar te schillen.

Lucy was net zo boos als haar moeder, hoewel ze bleef zwijgen tot ze het eiland hadden verlaten en over de A27 reden. Toen stelde ze op scherpe toon een vraag. 'Je hebt morgen helemaal geen vergadering, hè?'

'Nee,' zei hij. 'Ik wilde ons alleen maar uit de gevarenzone hebben.'

'Ons?' zei ze spottend. 'Jezelf zul je bedoelen.'

Hij gaf het zonder tegenstribbelen toe. 'Ik dan. Ik wilde de dingen niet verpesten nu het allemaal zo goed gegaan was.'

Oprecht verbaasd herhaalde ze zijn woorden. 'Zo goed gegaan? Ik kan mijn oren niet geloven. Jij rolt daar over het gras en vertelt iedereen dat we een stel zijn, hoewel ik je nog zo gevraagd had om dat niet te doen, en jij zegt...' Woorden schoten haar te kort. 'Je bent ongelooflijk.'

'Luister,' zei hij, 'als er iets is wat het onmogelijke stel me heeft geleerd toen ze me in de steek lieten, is het wel dat je alleen staat als het erop aankomt, en de beste manier om je te redden is om de moeilijkheden zo snel mogelijk achter je te laten.'

Lucy keek naar de vastberaden uitdrukking op zijn gezicht. Er zijn momenten, Pete Halliday, dacht ze, dat ik je eenvoudig niet mag. Maar ze wilde geen knallende ruzie beginnen nu hij achter het stuur zat. Ze was zich er te zeer van bewust dat mensen brokken maakten als ze ruziënd achter het stuur zaten. Dus stelde ze alle dingen die ze tegen hem wilde zeggen uit, sloeg de kraag van haar jack op en ging slapen. Het was het enige verstandige wat ze kon doen.

Hoofdstuk 26

Na die onverwacht moeilijke kerst was Gwen blij om weer aan het werk te gaan. Kerstmis was altijd al een beetje een afknapper geweest, ook in de tijd dat ze in Fulham woonde en er niet veel van verwachtte. Te veel koken, dacht ze, en te veel voorbereidingen, dat is het probleem. En te hooggespannen verwachtingen. Waarom verwachten we er altijd zoveel van – alsof het een kracht zou zijn die wonderen kan verrichten – wanneer de werkelijkheid gewoon meer van hetzelfde is, en nog erger? Ik ben nog geen stap opgeschoten bij het bedenken van een oplossing voor die arme baby en ik heb geen idee hoe het verder moet met Lucy en Pete. En zelfs Jeff is nu een probleem. Maar, dacht ze, terwijl ze de deur uit stapte om naar haar werk te gaan, ik heb in ieder geval de school.

Meneer Carter had haar gevraagd of ze er bezwaar tegen had om twee dagen voordat de lessen begonnen naar school te komen, omdat er zoveel te doen was.

'Ik waardeer dit zeer,' zei hij, toen ze zijn werkkamer binnenkwam. 'Over tien dagen kunnen we de onderwijsinspectie verwachten, dus elke minuut telt.'

'Is het zo erg als de kranten schrijven?' vroeg ze.

Hij krabbelde in zijn slordige haar. 'Ja,' zei hij. 'Het merendeel van het personeel voelt zich sinds de laatste schooldag voor de feestdagen opgejaagd.'

Dat klonk tamelijk extreem. 'O, jee!'

'Het is voldoende om iedereen nerveus te maken,' zei hij. 'Als we niet heel erg de puntjes op de i zetten, wordt de school doorgelicht en concluderen ze dat we niet aan de norm voldoen. Daarvan zijn we ons allemaal bewust. Zo gaan die schoolinspecties nu eenmaal.' Onder het spreken raapte hij zijn papieren bij elkaar; zijn vingers waren verkrampt van woede. 'Vroeger kwamen de inspecteurs uit het onderwijs. Ze kenden de stand van zaken en de meesten waren eerlijk en coöperatief. Maar dit zootje bestaat uit winkeliers en plaatselijke zakenlieden. Heel andere koek. Ze kijken niet naar de dingen die prijzenswaardig zijn, nee, ze zijn eropuit om gebreken te ontdekken en ons op ons nummer te zetten.' En toen Gwen haar wenkbrauwen optrok: 'Het is waar. Ik wou dat het niet zo was. We moeten een manier zien te vinden om moeilijkheden te vermijden. Ik ga ze imponeren met statistieken. Ze zijn dol op tabellen. Ik zal er zorg voor dragen dat we van alles voorzien zijn wat we eventueel nodig hebben en ze met hun beroerde neuzen op onze goede organisatie drukken.'

'Dat klinkt als oorlog,' zei Gwen.

'Dat is het ook,' zei meneer Carter grimmig, 'en zij hebben alle kannonnen.'

'Ik sta aan jullie kant,' zei Gwen, geërgerd door de gedachte dat haar onderwijzers zo van slag waren. 'Zeg me maar wat ik doen moet.'

Haar eerste dag ging ze achter materiaal aan dat niet geleverd was, werkte ze stapels post weg en printte ze – in grote zwarte letters – de lijsten met schoolresultaten uit. De lijsten waren bestemd voor een opvallend overzichtsbord op de muur, een bord dat hun critici niet konden missen. Daarna was ze aan één stuk door bezig. Het was dankbaar werk. Allereerst moesten er brieven voor de ouderavond verstuurd worden. Dan was er de dagelijkse vracht aan brieven die ze moest openmaken en beantwoorden. Verder kwam er een gestage stroom ouders en bezoekers langs haar loket, elk met een eigen verzoek. Tegen het einde van de eerste week was ze uitgeput en toen de gevreesde inspectie ten slotte begon, werd het nog erger. Een groot deel van haar tijd ging op aan het schenken van troostende kopjes thee en bij twee gelegenheden voorzag ze haar gestreste onderwijzeressen van papieren zakdoekjes.

'Ik zie niet wat iemand ermee opschiet om leerkrachten zo onder druk te zetten,' zei ze tegen Jeff op de laatste avond van de beproeving in Little Marsden. 'Het is zo negatief.'

Hij had weinig medelijden met de beproevingen van de mensen in het onderwijsveld. 'Controle is noodzakelijk,' zei hij praktisch, terwijl hij een stukje van zijn zeetong sneed. 'Hoe kun je anders weten of ze hun werk goed doen? Ze kunnen het maar beter ondergaan en proberen niet te jeremiëren.'

Ze nam een slok wijn. 'Niemand vindt het prettig om te horen te krijgen hoe hij zijn werk moet doen,' liet ze weten. 'Kijk maar naar jezelf. Jij vindt het maar niets dat je bepaalde delen van je land niet mag bebouwen of dat je maar een bepaalde hoeveelheid melk mag produceren.'

Daar had ze gelijk in, dat moest hij toegeven. 'Daar zit wat in,' zei hij. 'Ik vind het alleen niet prettig om te zien dat je er zo bij betrokken bent. Het is hun probleem. Laat ze het zelf opknappen.'

'Ik vind het prettig om betrokken te zijn,' zei ze. 'Dan ben ik bezig.' Ze had niets meer van Eleanor gehoord na het bedankbriefje en ook niets van Lucy.

'Je zou wat meer betrokken kunnen zijn bij mij,' zei hij, en hij wierp haar een van zijn strenge blikken toe.

Ze besloot het af te doen met een grapje. 'Dat ben ik toch,' zei ze lachend. 'Of heb je dat niet gemerkt?'

'Ik wil alleen maar zeggen dat je jezelf niet moet slopen,' waarschuwde hij. 'Ik ken jou. Je put je uit door je te bekommeren om die kostbare onderwijzers van je, en dan heb je geen energie meer om plezier te maken.'

'Energie die ik de volgende week hard nodig zal hebben,' zei ze tegen hem.

Hij keek op van zijn vis. 'Wat gebeurt er volgende week dan?'

'Dan wordt de riolering aangelegd.'

Tegen nieuwjaarsdag was Eleanor bekaf. Ze werd pas om twee uur die middag wakker, en ook toen was ze nog zo moe dat het tot vier uur duurde voor ze mopperend opstond. Het begon al te schemeren.

Ze deed de lampen aan. 'Ik ben bezig in een uil te veranderen, ik hoop dat je dat beseft,' zei ze tegen haar onrustige baby. 'En ik heb nu ook ongeveer dezelfde vorm.'

Wanneer ze alleen was en tijd had om ernaar te kijken, baarde de omvang van haar buik haar behoorlijke zorgen, vooral omdat ze volgens haar particuliere rekenmeesters nog twee maanden te gaan had. Haar vroedvrouw was ervan overtuigd dat ze over vier weken zou bevallen en had haar aangemeld voor een wekelijkse controle, wat haar heel slecht uitkwam. Het was een van de oorzaken dat ze zich zo uitgeput voelde. Het was heel vermoeiend om je van de kliniek naar je werk te spoeden, om daar vervolgens de schijn te moeten ophouden dat je niet moe was. Aan de ene kant zou ze heel blij zijn als de vroedvrouw gelijk had en de baby eerder kwam dan ze had gepland, maar aan de andere kant zou het voor helse problemen zorgen, nu ze overal had verkondigd dat het haar bedoeling was om tijdens de paasdagen te bevallen en daarna weer meteen aan het werk te gaan. 'Geen van beide is ideaal,' zei ze tegen het ruggetje dat zich verplaatste onder haar kalmerende hand.

Intussen moest ze zich voorbereiden op de presentatie voor Vixen Brothers, de brief van haar moeder beantwoorden en een nanny of een kinderoppas zien te vinden; ze had tot dusver met zes gegadigden een sollicitatiegesprek gevoerd en ze waren allemaal een ramp geweest. Verder was er dan nog die geschiedenis met Pete die afgehandeld moest worden. Ze had niets van hem gehoord over Kerstmis en daar was ze vreselijk nijdig over. Lucy had zoals altijd een kaart gestuurd, een kaart met allemaal kusjes en een liefhebbende tekst, maar dat was geen troost na Sally's onthulling. Ik zal haar ermee moeten confronteren, dacht ze, en kijken of ik de waarheid boven water kan krijgen. Het is dwaas om het te laten voortsudderen. Maar eerst moet Birmingham achter de rug zijn.

De presentatie was erger dan ze had gevreesd, met afgrijselijk lange nachten, afschuwelijk veeleisende afnemers en een reeks verontrustende telefoongesprekken onderweg, die haar totaal leeggezogen hadden. De dag na haar terugkeer had ze zich ziek gemeld – de eerste keer tijdens haar zwangerschap – en was ze zonder zich te hoeven haasten naar de kliniek gegaan. 's Middags had ze op de bank gelegen met haar gezwollen voeten omhoog en chocolaatjes gegeten en tijdschriften gelezen. Ze had gedaan alsof ze hersendood was, maar met theetijd had ze zichzelf tot actie aangespoord en had ze uiteindelijk haar zus gebeld.

Lucy had een heel moeilijke ochtend achter de rug. Pete was weg. Sinds Kerstmis was hij vaak weg geweest. In feite was hij meteen weer vertrokken nadat ze tweede kerstdag thuisgekomen waren, en hoewel hij was teruggekomen met armen vol cadeautjes en haar had meegenomen naar een oudejaarsfeest, had hij haar twee dagen later alweer verlaten, dit keer om een paar zakenvrienden te bezoeken. En hij was zo meedogenloos vastberaden geweest, dat ze zich er heel ongemakkelijk onder had gevoeld. Blijkbaar zat de bestuursvoorzitter op de schopstoel. 'Grossman vervangt hem door een van hun eigen mensen.'

'Arme kerel,' zei ze. Ze had met hem te doen. 'Waaraan heeft hij dat verdiend?'

'Nergens aan,' zei Pete ongeïnteresseerd. 'Dat is het hele punt. Hij is een remmende factor en wij willen vooruit. Hij is trouwens oud.'

'Is dat soms ook al een misdaad?'

'Hij vertegenwoordigt het oude zakendoen,' zei haar geliefde. 'Wij het nieuwe. Schluss.'

Het stoorde haar dat hij zo harteloos was. Verrast was ze er niet door, maar het maakte haar wel verdrietig. 'Macht corrumpeert, zie ik,' zei ze.

'Nou, nou, nou,' grinnikte hij. Hij bukte zich snel, kuste haar en was verdwenen.

En toen, alsof dat nog niet erg genoeg was, was Helen naar beneden gekomen om te ontbijten en had haar verteld dat ze bij haar vriend ging wonen zodra ze terugkwamen van hun skivakantie.

'Sinds Tina weg is, is het niet meer hetzelfde,' verklaarde ze. 'Ik bedoel, we waren zo'n hecht team. Het leek me goed om het je meteen maar te zeggen, in verband met de opzegtermijn en zo. Je gaat binnenkort zeker ook verhuizen, hè? Om nou te blijven wonen in een huis als dit... Het is zo groot en zo, bedoel ik.'

En zo duur, dacht Lucy. Maar ze bedankte Helen voor haar tijdige opzegging en zei dat ze hoopte dat ze heel gelukkig zou worden. Daarna schonk ze voor alle twee nog een kop thee in, alsof ze hun ontmoeting vierden in plaats van dat ze afscheid namen.

Toen ze dan ook de opgewekte stem van haar zus door de telefoon hoorde die voorstelde om de volgende dag samen te lunchen, had ze al min of meer toegezegd voor ze de tijd had om erover na te denken.

'We hebben elkaar al sinds tijden niet meer gezien,' zei Eleanor. 'We moeten nodig eens bijpraten.'

Lucy besloot om die opmerking voorlopig te negeren. Dit was een tikkeltje te gevaarlijk. Maar ze moest bekennen dat het heel prettig zou zijn om even weg te zijn van kantoor en al haar problemen achter zich te laten – mits ze niet over Pete zouden praten. Als ze voorzichtig was en de zaken tactvol aanpakte, zou ze er misschien mee wegkomen. 'Hoe is het met je?' vroeg ze.

Eleanor hield zich op de vlakte. 'O, je kent me. Gewoon stug doorgaan. Oké, dan zie ik je om één uur in OXO-Tower. Ik verheug me er nu al op.'

Lucy had nog niet opgelegd, of ze had zo haar bedenkingen. Terwijl de taxi haar de volgende dag naar Blackfriars Bridge reed, was ze bezig met het verzamelen van onschuldige onderwerpen, bijna alsof ze naar een zakelijke bespreking met een concurrent ging. Maar zodra ze haar zus zag, verloren alle trucs en plannetjes die ze had uitgedacht hun relevantie. Ondanks het feit dat ze een stijlvol grijs mantelpak droeg, haar haar in lagen had laten knippen met *highlights* erin en ze naar haar wuifde met onberispelijk gelakte nagels, zag Eleanor er vreselijk uit. Zo opgezwollen en pafferig was ze, dat je haar bijna niet herkende. Haar vingers waren onmiskenbaar dik, ze had een vollemaansgezicht en haar ogen stonden niet goed. Het was alsof ze te ver openstonden, alsof ze staarde. Arme Eleanor, dacht ze, terwijl ze op haar toe liep.

'Ja,' zei Eleanor, die haar verschrikte uitdrukking zag. 'Ik weet het. Ik heb de omvang van een huis. Ja, zo gaat dat wanneer je zwanger wordt, zusje. Het is maar goed dat het niet voor eeuwig is.'

Lucy boog zich naar haar over om haar te kussen, vervuld van medelijden en genegenheid. 'Voor mij blijf je mooi, al ben je nog zo zwanger,' zei ze.

'Hoor je dat, spruit?' zei Eleanor tegen haar dikke buik. 'Je hebt een leuke tante.'

Ze aten wat en roddelden over kantoor. Over hun moeder of over Pete werd aanvankelijk niet gesproken. Dat gebeurde pas toen de koffie werd gebracht. Toen kwam Eleanor met haar vraag en ze stelde hem zo terloops dat het niet moeilijk was om hem te beantwoorden.

'Ben je met Kerstmis naar de toren gegaan?'
'Ja.'
'En was alles goed met mama?'
'Nou, ze miste je natuurlijk, maar het ging prima met haar. We zijn naar een feestje geweest. Op de boerderij van haar vriend.'
Eleanor trok een vies gezicht. 'Fraai van je,' zei ze. 'En Pete was daar zeker ook,' liet ze er op argeloze toon op volgen.
'Praat me niet van Pete,' zei Lucy, opgelucht dat ze kon beginnen met hem te bekritiseren. 'Hij werd dronken en maakte een buiteling in de tuin toen we op het punt stonden om naar huis te gaan. Hij kon niet meer op zijn benen staan. We moesten hem daar achterlaten, zodat hij zijn roes kon uitslapen.'
'In de tuin? Dat zal zijn hartstocht wel een beetje bekoeld hebben.'
Het ontging Lucy niet dat dit een hatelijke toespeling was, maar ze besloot deze te negeren en zich te concentreren op haar verhaal. 'Volgens mij hebben ze hem in de oranjerie neergelegd. Waarschijnlijk heeft hij daar op de grond geslapen. Ze hebben in ieder geval een deken gepakt en hem ergens naar binnen gesleept. We hebben dat niet afgewacht. Als hij een weinig comfortabele nacht gehad heeft, is dat zijn verdiende loon. Het was heel gênant allemaal.'
Eleanor keek haar zo sluw aan als maar mogelijk was met zulke gezwollen wangen en uitpuilende ogen. 'En hoe is het nu met hem?'
Nu komt het, dacht Lucy, maar ze bleef rustig, ook al kostte dat haar moeite. 'Ik heb geen idee. Ik heb hem al tijden niet gezien.'
Weer die sluwe blik. 'Ik dacht dat jullie een relatie hadden.'
Het was noodzakelijk om het te ontkennen. Meteen. Met een goede, sterke leugen. 'Goeie genade. Hoe kom je daarbij?'
'O, door een heleboel dingen eigenlijk,' zei Eleanor koel. 'Eerst vertelden die yanks me dat ze zijn post doorstuurden naar jouw adres en vervolgens kreeg ik van die afschuwelijke Sally van de administratie te horen dat ze jullie had zien lunchen. Verschillende keren, zei ze.'
'Inderdaad,' beaamde Lucy, en haar hart bonsde. 'Dat klopt. Ik ben een van zijn logeeradresjes sinds je hem het gat van de deur

gewezen hebt. Hij kwam die avond rechtstreeks vanuit Battersea naar mij toe. Zei dat hij nergens heen kon en dat hij een wees was die bij nacht en ontij een beroep op mijn goedheid deed.'

'En heb je dat gedaan?'

'Ja, dat heb ik gedaan. Tina was aan het verhuizen en dus had ik ruimte zat.' Klonk dat plausibel? 'En ik wilde geen nee zeggen tegen wat extra huur. Door het vertrek van Tina moest ik een derde meer aan hypotheek betalen. Maar ik heb geen idee waar hij nu uithangt.'

'Kijk eens aan. En ik maar denken... Nou ja, doet er niet toe wat ik dacht. Echt trouw is hij nooit geweest. Ik bedoel, we hadden een open relatie. Ik neem aan dat je dat wel wist. Maar ik ben blij dat hij jou niet aan zijn lijst heeft toegevoegd. Goh, wat ben ik blij dat ik het bij het verkeerde eind had. Lieve Lucy, ik wist wel dat je me geen smerige streek zou leveren.'

'Je bent mijn zus,' zei Lucy, die zich buitengewoon ongemakkelijk voelde. 'Het hemd is nader dan de rok en al dat soort dingen.'

Eleanor keek op haar horloge. 'Mijn god,' zei ze. 'Moet je kijken hoe laat het is. Ik moet weg. Ik heb een afspraak met het Grote Blanke Opperhoofd. Maar blijf rustig zitten en drink je koffie op. Ik betaal wel even op weg naar buiten.'

En weg was ze, met een geruis van zijde en een vleug van haar dure parfum. Lucy keek toe hoe ze naar de kassa waggelde. Het is voorbij, dacht ze. Ik kan er nu niet meer mee doorgaan, niet na wat er zojuist gebeurd is, niet na al mijn leugens. Ik moet zorgen dat wat ik gezegd heb de waarheid wordt. Een andere uitweg is er niet. Als ze ontdekt dat het een leugen was, bederf ik alles voor iedereen: voor haar, voor mezelf, voor mama en voor Pete. Ik kan haar dat niet aandoen. Niet nu ze zo alleen is en er zo vreselijk uitziet. Zodra ik hem weer zie moet ik het uitmaken. Haar hart ging nog steeds buitengewoon onaangenaam tekeer en haar blouse was vochtig van het zweet, maar haar besluit stond vast. En zo eindigt de wereld, mijmerde ze, niet met een kosmische knal, maar in een plas zweet. Zodra ik thuis ben neem ik een douche, beloofde ze zichzelf. En daarna bedenk ik wat ik precies tegen hem ga zeggen.

Maar er was geen tijd voor een douche of om na te denken. Zijn

Mercedes stond geparkeerd tegen de stoeprand en de man zelf lag op de bank in de zitkamer naar een quiz te kijken.

'Hoi,' zei hij, terwijl hij het geluid zachter zette. 'Je bent laat.'

Het kostte haar moeite om rustig te blijven. 'Ik heb met Eleanor geluncht.'

Hij deed het af als een grap. 'Wat, zo lang? Dat is nog eens een werklunch. Zeg, hoe zullen we de avond doorbrengen? Zullen we naar het theater?'

'Eigenlijk,' zei ze, meteen de koe bij de hoorns vattend nu ze nog vastbesloten was, 'vind ik dat het tijd wordt dat het doek valt.'

Hij toonde geen enkele emotie. 'Weet je dat wel zeker?'

Haar hart bonsde zo in haar keel, dat ze het moeilijk vond om te praten en eerst een paar keer moest hoesten om te beginnen. 'Ik vind dat we hiermee niet kunnen doorgaan,' zei ze. 'Ze vroeg me recht voor z'n raap of we een verhouding hadden, en ik heb tegen haar gezegd dat dat niet het geval was.' En toen hij fronste: 'Ik kon moeilijk ja zeggen. Niet nu ze zwanger is en helemaal alleen. Hoe dan ook, ik heb het gezegd en nu ben ik van mening dat we uit elkaar moeten gaan en het waar moeten maken, want het is altijd verkeerd geweest. We hadden nooit een relatie moeten beginnen.' En ze deed een stap naar achteren vanwege de woedeaanval die ze verwachtte.

Hij was zo onverstoorbaar dat zelfs zijn ogen zich niet verwijdden. Hij bleef liggen waar hij lag en sloeg met een zweem van een glimlach op zijn gezicht zijn ogen naar haar op. 'Oké dan,' zei hij kalm. 'Als je het zo wilt. Ik vind dat je dwaas bezig bent, maar je moet het zelf weten.'

Vrees maakte onmiddellijk plaats voor woede. Dat hij het waagde om daar gewoon te blijven liggen en het te accepteren, terwijl ze had verwacht dat hij ertegenin zou gaan, wílde dat hij ertegenin ging. 'Kan het je dan helemaal niets schelen?' vroeg ze.

'Het is onbelangrijk of het me wel of niet iets kan schelen. Jij hebt je besluit genomen. Punt uit!'

'Beteken ik dan helemaal niets voor je?' vroeg ze. Ze was redeloos van woede. 'Je zei dat je van me hield.'

Hij maakte zich vrolijk over haar. 'En jij wilt het uitmaken?'

Ze was zo boos dat ze hem met geweld haar huis had uitgegooid als ze er de kracht voor had gehad. 'Ja, dat wil ik,' zei ze razend. 'Je bent onaardig, zelfzuchtig, harteloos, oppervlakkig en zelfingenomen. Je hebt je eigen kind in de steek gelaten. Het kan je niet schelen dat we ons incestueus gedragen hebben. En je pikt de badkamer in. En ik ben die schoenen van je zat en al dat domme gepoets, en... en... jij houdt alleen maar van jezelf.'

Hij glimlachte erom, maar het was een gespannen glimlach en er zat venijn achter. 'Nou, ik ben blij dat we nu alles op een rijtje hebben.'

Haar woede was plotseling verdwenen en ze voelde zich verslagen en wanhopig. 'Ik denk dat ik je nooit echt gekend heb,' zei ze. 'Als kind vond ik je fantastisch. Je was mijn held. En nu...'

Hij ging rechtop zitten. 'En wanneer moet ik vertrekken?' vroeg hij. 'Mag ik je eerst nog mee uit eten nemen?'

Ze voelde zich gedeprimeerd door het ophanden zijnde verlies. 'Waarom?'

'Omwille van de goede oude tijd?' opperde hij. 'Luister, ik wil graag dat we als vrienden uit elkaar gaan. Oké, het was een vergissing. Ik wil het best toegeven, als je je daar beter door voelt. We hadden er niet aan moeten beginnen. Ik denk er ook zo over. Al heel lang eigenlijk. Maar we hebben het gedaan en het was goed zolang het duurde. En als het ons lukt om dit verstandig af te sluiten, hoeft niemand van ons zich gekwetst te voelen. Maar als we met ruzie uit elkaar gaan, zullen we elkaar nooit meer zien en dat wil ik niet. Niet na al die jaren. Want ik ben echt enorm op je gesteld. Dat ben ik altijd geweest.'

Hij was onder het spreken naar haar toe gelopen en nu stonden ze tegenover elkaar. 'En Eleanor dan?' vroeg ze, terwijl ze zich van hem afwendde.

'Eleanor is een totaal ander hoofdstuk,' zei hij. 'Maar ze hoeft hier niets van te weten, als dat soms je vraag is. Buiten ons weet niemand het en als we het haar niet vertellen, blijft het gewoon ons geheim.'

'Ik kan de gedachte niet verdragen dat ik haar pijn zou doen,' zei ze. 'Als je had gezien hoe ze er aan toe is...'

'Laten we het niet over haar hebben,' onderbrak hij haar. 'Daar komt alleen maar ruzie van. We kunnen beter lekker gaan eten;

dan pak ik daarna mijn spullen en vertrek ik om twaalf uur als een grootmoedige Assepoester.'

De manier waarop hij het zei was charmant, vriendelijk en onschuldig. Dus deden ze dat, enigszins tot haar eigen verbazing. Ze hielp hem zelfs met het inpakken van zijn kleren en zwaaide hem uit vanuit het slaapkamerraam. Maar toen de straat weer rustig was, voelde ze zich diepbedroefd en eenzaam en vroeg ze zich af of ze wel de juiste beslissing genomen had.

De rest van de week werkte ze zo veel ze kon; 's avonds ging ze stappen, waarbij ze deed of ze zich amuseerde. Maar toen het weekend aanbrak, was ze te eenzaam om nog langer in een leeg huis te zitten, en op vrijdagavond belde ze haar moeder om te vragen of ze alsjeblieft naar de toren mocht komen.

'Natuurlijk,' zei Gwen. 'Ik vind het heerlijk als je komt. Maar ik moet je wel waarschuwen: ze zijn bezig om riolering aan te leggen en er ligt hier overal modder en rotzooi. Er is ook niet veel meer over van de weg. Je moet je auto parkeren aan het andere eind van Mill Lane en de rest lopen. En ik ben bezig met het uitruimen van het bijgebouw.'

'Ik help je,' zei Lucy. 'Tegen modder en rotzooi ben ik wel opgewassen.'

De toon waarop ze het zei, wekte onmiddellijk Gwens meegevoel. 'Wat is er aan de hand, meisje?'

'Niet veel,' zei ze, terwijl ze een poging deed om zorgeloos te klinken. 'We zijn uit elkaar.'

'Och!' Gwen begreep het. 'Rij morgenvroeg maar meteen hiernaartoe en neem wat oude kleren mee. In het bijgebouw is het smerig.'

Het was als de set van een horrorfilm. Langgerekte mistflarden kwamen van zee de leegte van de uiterwaard in drijven en onttrokken de lege bloembedden in Gwens vochtige tuin aan het zicht. De weg was een diepe geul vol kwalijk geurende modder en plassen met bontgekleurde olievlekken; de graafmachines stonden – grotesk, vreemd en bedekt met natte aarde – waar men ze had achtergelaten en lieten hun afzichtelijke tanden zien. Naast het bijgebouw stond een afvalcontainer gevuld met oude rommel te stinken, en tegen de tuinmuur leunde een rij gemeen uitziende harken en schoppen, bedekt met zwarte smurrie. Haar moeders rechterarm zat onder het spinrag, dat zich gehecht had aan haar wollen sporttrui en vol viezigheid en dode vliegen achter haar aan zweefde, terwijl ze door de tuin liep en glimlachend riep: 'Wat een zwijnenstal, hè! Ik heb je gewaarschuwd.'

Maar het werken in modder en stof scheen Lucy op een merkwaardige manier rechtvaardig toe, als een boetedoening. Het was erg koud, ook in het bijgebouw, en na een poosje voelde ze zich verkild tot op het bot en waren haar handen zwart van het vuil, maar ze werkte stug door, want ze had de voldoening nodig die het schoonmaken en uitruimen gaven, en ze wilde zien hoe dit kleine oude gebouw er zou uitzien als het leeg was. En Gwen, die van tijd tot tijd even naar haar keek, terwijl ze de volgende kruiwagen met oude kratten en gebroken bloempotten naar de container reed, was geroerd door haar gesloten gezicht en haar vastberadenheid, en ze waakte ervoor dat ze haar geen vragen stelde. Dus praatten ze weinig en lieten ze zich slechts door hun werk voortdrijven.

Het werd middag, maar ze merkten het niet. De kerkklok sloeg twee toen ze een nieuwe lading kapot gereedschap in de container gooiden, en hoewel ze tegen elkaar zeiden dat ze honger begonnen te krijgen, besloten ze toch door te gaan.

Gwen liep naar een aantal zakken. 'Die dumpen we nog,' zei ze, 'en dan houden we het voor gezien.'

De zakken waren aan het vergaan, en bij het oppakken ontstond er zo'n stofwolk dat ze alle twee een hoestbui kregen en naar adem snakten. 'In de kruiwagen ermee, snel,' zei Gwen, die spuwde om haar mond te zuiveren. 'Vooruit, de frisse lucht in, voordat we allebei stikken.'

'Eronder ligt iets,' zei Lucy, 'een lamp of zoiets. Moet die ook in de kruiwagen?'

'Het zal wel een of andere vieze oude staande lamp zijn,' zei Gwen.

Maar dat was het niet. Het was een ouderwetse stormlantaarn. Hij was bedekt met een laag viezigheid en stof, kleverig van het spinrag en alle vier de ruitjes waren zwavelgeel beroet. Maar zelfs in die toestand kon je zien dat het ooit een schitterend voorwerp was geweest. Hij was gemaakt van ijzer met zorgvuldig afgewerkte krullen aan de onder- en bovenkant van de ombouw, en het lange handvat was een stevig stuk eiken.

'Ik denk dat ik die maar houd,' zei Gwen. 'Hij kan misschien nog van pas komen.'

Lucy lachte. 'Ik zou niet weten wanneer,' zei ze. Maar ze hielp haar moeder met het ding naar de toren te dragen, spreidde een krant uit over de keukentafel, zette de lamp in het midden en begon hem van zijn vuil te ontdoen.

Nu, in de beslotenheid van de keuken, was het mogelijk voor Gwen om voorzichtig een vraag te stellen: 'Ik heb de indruk dat je Eleanor hebt gezien.'

En voor Lucy was het mogelijk om een eerlijk antwoord te geven. Ze gaf een volledig verslag van hun lunch in oxo-Tower, de noodzaak om te liegen en de daaropvolgende breuk met Pete. 'Het was het enige wat ik kon doen, toch?' zei ze.

'Ja,' zei Gwen. 'Iets anders was niet mogelijk. Niet echt. En gaat het een beetje?'

'Eigenlijk beter dan ik had gedacht,' bekende Lucy. Ze probeerde er niet te zwaar aan te tillen. 'Het kan soms vreemd lopen. Ik krijg de liefde van mijn leven op een presenteerblaadje en dan, na alle gebeurtenissen, merk ik dat ik hem niet wil.'

Ze heeft klasse, dacht Gwen bewonderend, zelfs al maakt ze fouten. Maar doen we dat niet allemaal? 'Ziezo,' zei ze, terwijl ze de lamp op zijn zij zette en hun beiden daarmee de gelegenheid bood zich op iets anders te concentreren. 'Eén kant is klaar. Hij zal er mooi uitzien wanneer we hem schoongemaakt hebben.'

Ze waren nog hard aan het werk toen Jeff kwam.

Hij bekeek de lamp. 'Hij is ruim een eeuw oud,' zei hij. 'Dat kun je zien aan de grootte van deze reflectoren hier. Als het goed is geeft hij een heel krachtig licht. Vroeger zag je ze overal in het dorp. Wij hebben er ook een gehad. Wat ga je met het ding doen?'

'Ik vul hem met olie en dan hang ik hem aan die oude haak bij de deur,' zei Gwen, 'en dan doe ik hem 's avonds af en toe aan, als een baken voor vermoeide reizigers. Of ik neem hem mee naar school voor de geschiedenistafel. De kinderen zullen hem prachtig vinden.'

'Of je gebruikt hem om het Grote Onverwachte tegemoet te treden,' stelde Lucy voor.

'Dat ook,' zei Gwen instemmend. 'Je weet maar nooit.'

'Jij en je grote boeman,' plaagde Jeff. 'Je hebt het er nog steeds over, hè?'

'Wacht maar tot zesentwintig februari,' zei Gwen cryptisch. 'Dan zul je wel zien.'

'Wanneer beginnen ze te bouwen?' vroeg Jeff.

Ze moest lachen: 'Nee, niet op zesentwintig februari,' zei ze. De bouwvakkers zijn het Onverwachte niet, als je dat soms bedoelt. Ik heb alles tot in de kleinste details geregeld. Nee, ze beginnen woensdag, als de riolering er ligt en ze er weer langs kunnen. Waarom vraag je dat?'

'Omdat ik vanavond verhinderd ben,' zei hij. 'Meneer Rossi's caravans worden over een halfuur geleverd en daarna gaan we ergens een borrel drinken om de nieuwe pachtovereenkomst te tekenen. Ik vroeg me af of we het naar woensdag zouden kunnen verplaatsen.'

'Woensdag kan ik wel,' zei Gwen. 'Wij eten wel fish-and-chips, hè Lucy?' In feite was het een hele opluchting dat ze niet voor drie personen hoefde te koken.

'Fish-and-chips lijkt me prima,' zei Lucy. 'Dan kunnen we een frisse neus halen en een beetje rondkijken. Ik heb al in geen weken meer een blik geworpen op je dorp.' Of op je dorpsagent, voegde ze er in gedachten aan toe.

Dus liepen ze arm in arm naar High Street. En terwijl ze door het duister wandelden en zich afvroegen wat ze zouden nemen, kabeljauw of hondshaai, zagen ze het vertrouwde blauwe uniform, dat op hen af kwam peddelen op de vertrouwde fiets.

Lucy stootte haar moeders arm zachtjes aan. 'Kijk eens wie we daar hebben,' zei ze. En ze draaide glimlachend het hoofd om hem te groeten.

De gestalte die uit het donker opdoemde was een volkomen vreemde, een lange en pezige man met een baard. Aangezien er naar hem geglimlacht werd, groette hij opgewekt: 'Goedenavond, dames.'

Lucy vond dat ze haar glimlach moest verklaren. 'Ik dacht dat u agent Morrish was,' zei ze.

'Nee, mevrouw. Ik ben voor hem in de plaats gekomen. Ik ben agent Duckworth.'

'Wilt u zeggen dat hij weg is?'

'Al een hele tijd. Zoals ik al zei, ik ben voor hem in de plaats gekomen. Ik heb zelfs zijn flat kunnen huren. Heel prettig, alles in aanmerking genomen. Precies in de frontlinie.'

Gwen was verbaasd en tamelijk geïrriteerd, maar Lucy was uit het veld geslagen en teleurgesteld. Zonder ook maar iets te zeggen vertrekken, dat had hij toch niet mogen doen. Niet nu ze zo vriendschappelijk met elkaar waren omgegaan en hij een wakend oog op haar moeder had gehouden en dat soort dingen. Hij had op z'n minst kunnen schrijven.

'Wist je dat hij weg was?' vroeg ze aan haar moeder toen ze terugliepen over Mill Lane.

'Nee, dat wist ik niet,' zei Gwen. Dat was ook nieuw voor mij. Ze zullen hem wel overgeplaatst hebben. Dat gebeurt regelmatig bij de politie.'

'Zo, we zijn bijna thuis,' zei Lucy, die van onderwerp veranderde. Ze passeerden hun auto's, die verlaten achter elkaar naast de natte heg stonden.

'Ik zal blij zijn wanneer ik die auto in de garage kan zetten,' zei Gwen. 'Als hij hier nog veel langer staat, rot hij weg.'

'Laten we hopen dat volgende week alles volgens plan verloopt,' zei Lucy.

Hetgeen, enigszins tot Gwens verbazing, inderdaad gebeurde, zij het langzamer dan ze graag had gezien. Toen Lucy arriveerde voor haar derde bliksembezoek, was de weg hersteld, hing de lamp aan zijn haak naast het portaal, pronkte het bijgebouw met een nieuwe garagedeur en was het Grote Onverwachte nog maar vier dagen verwijderd.

'Geloof je echt dat er die dag iets gaat gebeuren?' vroeg Lucy. Het was zaterdagmiddag en ze zaten in de keuken thee te drinken.

'Soms geloof ik het,' zei Gwen. 'Wanneer Jeff me ermee plaagt, bijvoorbeeld. Hij zorgt ervoor dat ik in het defensief ga. En soms geloof ik het niet. Ik bedoel, ik zie echt niet hoe de planeten van invloed zouden kunnen zijn op een nietig stipje als Seal Island.

Toch schenkt de gedachte me wat afleiding wanneer ik me zorgen maak om de baby. Eleanor schrijft niet. En ze belt ook niet.'

'Ja,' zei Lucy. 'Ik weet het.'

Gwen keek haar vragend aan.

'Ze belde gisteren,' zei Lucy. 'We hebben erover gepraat.'

'Is alles goed met haar?'

'Ze zei van wel. Ze is weer naar Parijs. Om die overeenkomst met Jean-Paul Renaldo rond te breien.'

'Heeft ze al een nanny of een au pair of zoiets?'

'Nee,' zei Lucy. 'Nog niet. Ze is nog steeds aan het zoeken. Maar tijd zat. De baby komt pas met Pasen en dat duurt nog een eeuwigheid.'

'Vijf weken,' zei Gwen. 'Meer niet.' Vijf weken, en er was nog niets geregeld. Plotselinge angst omklemde haar hersenen als een bankschroef. Vijf korte weken en nog niets geregeld...

Hoofdstuk 27

De zesentwintigste februari bleek een gewone winterdag te zijn, koud en grijs, met een onstuimige zee en harde wind, het soort dag waar Gwen aan gewend was geraakt sinds ze aan de zuidkust woonde. Meeuwen en kraaien moesten optornen tegen de wind, konden hun koers niet houden en dwarrelden als snippers papier; de kale bomen ruisten en kreunden en de koeien lagen herkauwend in hun kille winderige weide en lieten hun oren trillen.

'En, waar blijft het Grote Onverwachte?' plaagde Jeff, toen hij die woensdagavond arriveerde om bij haar te eten.

Gwen haalde het gebraden vlees uit de oven. 'De dag is nog niet voorbij,' zei ze.

'Nou, veel scheelt het niet,' lachte hij, 'en het enige wat je als bewijs kunt aanvoeren is een doodgewone stormachtige wind.'

Gwen keek of de aardappelen gaar waren. 'De kinderen waren erg onrustig. Beatrice zei dat dit type weer hen altijd nerveus maakt. Daarin lijken ze wel een beetje op jou. Ik verbaas me erover dat je hier nog bent. Ik dacht dat je wel de wijk genomen zou hebben naar de Midlands.'

'Uitgesloten,' zei hij. 'Ik heb zes vaarzen die elk moment kunnen kalven.' Hij gooide een pak glanzende luxe reisbrochures op tafel. 'Ik heb deze meegenomen. Ik dacht dat je het misschien wel leuk zou vinden om ze te bekijken.'

Ze wierp er alleen een blik op, want ze had het te druk met het eten. 'Wat voor reizen zijn het?'

'Riviercruises,' zei hij. 'Je wilde niet trouwen en een vakantie leek me het op een na beste om te doen.'

Hij had haar weer in het nauw gebracht. Ze kon moeilijk nee zeggen nu hij het zo ontzettend graag wilde en het haar zo slim gevraagd had, maar hoe kon ze instemmen met een vakantie wanneer ze misschien voor de baby moest zorgen? 'Ik bekijk ze straks,' beloofde ze angstvallig diplomatiek. 'Na het eten. Ik rammel van de honger. En jij?'

'Dat is de storm,' zei hij. 'Daar krijg je eetlust van.'

Gwen keek door het keukenraam. 'Wat een merkwaardige lucht,' zei ze. 'Moet je eens kijken hoe verdeeld de hemel is. Het zijn twee verschillende helften, zomer aan de ene kant, winter aan de andere kant.'

Het was een treffende beschrijving, want de hemel in het oosten was nog scherp verlicht, een schemerig blauw, geschakeerd met lange en hoge rimpelingen van heel witte wolken, terwijl de hemel in het westen al donker was van zware, dreigende stormwolken.

'Er is storm op komst,' zei Jeff. 'Meer niet. Doe alles goed dicht en laten we gaan eten nu dat nog kan.'

Tijdens het eten nam de wind in kracht toe. Ze bladerden hun brochures door, terwijl de wind de bomen deed zwaaien als dorsvlegels. Daarna bedreven ze de liefde. En de storm huilde om de toren en geselde het Kanaal met windkracht negen. Zoals altijd viel Jeff als een blok in slaap, maar Gwen lag nog een hele poos wakker en luisterde naar het geweld buiten, te zeer in beslag genomen door haar gedachten om te kunnen slapen. Nu de voorspelde dag was gekomen, was ze teleurgesteld dat ze het bij het verkeerde eind bleek te hebben, maar dat was niets vergeleken bij het probleem wat er moest worden gedaan met de baby. Ik heb nog maar een maand en dan zal ik een besluit moeten nemen. En wat moet ik aan met die vakantie? Het zou heerlijk zijn om op vakantie te gaan, maar hoe kan ik zeggen dat ik het doe als ik misschien op de baby moet passen? Ze was nog bezig alles te overdenken toen haar ogen ten slotte dichtvielen.

Ze werd wakker van een daverende klap. De klap was zo hard dat ze even dacht dat het een explosie was en ze zat meteen recht overeind in bed.

Ook Jeff schrok wakker. 'Allemachtig, wat was dat?' zei hij. Hij draaide zich op zijn zij om het nachtkastlampje aan te doen en te kijken hoe laat het was. Het was even voor enen. Buiten ging de wind zo geweldig tekeer dat ze elkaar nauwelijks konden verstaan door het gebeuk en gebrul. 'Nou, daar heb je je storm, dat is een ding dat zeker is,' schreeuwde hij naar haar.

Op dat moment ging het licht uit en was er een serie dreunen te horen, allemaal knalhard en allemaal dichtbij. Het raam rammelde in zijn sponning.

'Dit is geen gewone storm,' schreeuwde Gwen. Ze stond op en liep op de tast door de kamer om op de overloop het grote licht aan te doen, maar daar bleek het licht het ook niet te doen.'

'Pas je goed op met wat je doet,' riep Jeff naar haar.

'De stroom is uitgevallen,' riep ze terug.

'Blijf waar je bent,' schreeuwde hij in de duisternis. 'Ik wil niet dat je de trap af dondert. Wacht tot ik de gordijnen heb opengedaan.'

Maar toen hij op de tast het raam had gevonden en de gordijnen zo ver hij kon opentrok, bevonden ze zich nog steeds in het donker. De lucht leek één grote stofwolk, die rondwervelde en zeer snel bewoog. Je zag de vage vormen van tuimelend puin, takken en twijgen en iets wat kiezelstenen leken of stukken dakpan. Alles kwam met zo'n vaart op de toren af, dat hij verder niets kon onderscheiden. Hij moest denken aan een tornado die hij in Amerika had gezien. En tot zijn stomme verbazing besefte hij dat ook dit een tornado was. Ze zaten er midden in en waren in gevaar, want de ramen konden worden ingedrukt, of ze konden er worden uitgezogen.

Zijn ogen waren nu gewend aan het donker en hij zag de contouren van Gwen, die terugliep naar het bed. 'Ga liggen!' gilde hij. 'Op de grond!'

'Wat?'

Er was geen tijd voor verklaringen of voor vriendelijkheden, alleen voor een instinctieve reactie, en zijn instinct sloeg groot alarm. Hij had beelden van lichamen met gapende wonden, veroorzaakt door rondvliegend glas; hij zag hoe haar tere huid doorboord en opengereten werd – en hij werd panisch. Hij wierp zich op haar, greep haar bij de schouders, duwde haar tegen het tapijt, bedekte haar lichaam met het zijne en trok het dekbed over hen heen. En terwijl ze vielen, kraakte het raam alsof het was getroffen door een granaat.

Ze was ontzet. 'O, Jeff, wat is dit?'

'Een wervelstorm,' zei hij, met zijn mond vlak bij haar oor. 'Een tornado. Blijf stil liggen.'

Met bonzend hart en oren die pijn deden van de druk lagen ze in het donker, terwijl de wind tegen de toren beukte en brulde als een straalmotor op volle toeren. Hoewel de druk al binnen een minuut begon af te nemen, duurde dat voor hun gevoel heel lang.

Hij ging voorzichtig rechtop zitten en luisterde. De tornado trok verder, nog steeds bulderend, en vergezeld van explosieachtige dreunen, luide bonzen en ploffen, glasgerinkel en het gekraak en de dreun van een vallende boom. Er was nauwelijks meer licht en het was gaan hagelen. Hagelstenen zo groot als mottenballen kletterden tegen de ramen. Nu het niet zo aardedonker meer was, konden ze zien dat het raam naar binnen gestulpt was, alsof het een klap had gekregen van een enorme vuist.

'Mijn god,' zei ze, ernaar starend. 'Moet je dat eens zien.'

'Dat is nog niets,' zei hij. 'De vorige wervelstorm die ik zag, had elk huis in de straat met de grond gelijkgemaakt.'

'We moeten naar het dorp om te kijken wat er is gebeurd,' zei ze. 'Misschien zijn er gewonden.'

Ze zochten hun kleren bijeen en met zenuwachtige vingers kleedden ze zich zo snel mogelijk aan. 'Ik ga,' zei hij. 'Jij blijft hier.'

'Ik ga met je mee,' zei ze. 'Als er gewonden zijn, is elke hulp welkom. Ik zal mijn lamp aansteken. Die stormlantaarn is precies wat we nodig hebben.'

Hij tuurde door het raam van de overloop en probeerde met zijn ogen de duisternis te doorboren. 'Hij trekt in de richting van het dorp,' zei hij. 'Ik kan de bovenkant ervan zien. Zie je wat ik bedoel? Dat ding dat eruitziet als een zwarte trechter. De tornado moet van zee gekomen zijn. Ik hoop van ganser harte dat hij mijn boerderij heeft gemist.'

'We gaan daar eerst heen,' zei ze.

Ze daalden op de tast in het trapgat af, waarbij ze de muur met hun vingers volgden. In de keukenla vonden ze een zaklantaarn. Het licht gaf hun weer zelfvertrouwen en ze stapten de ijzige kou en de scherpe hagel in. Om hen heen ging de wind nog steeds tekeer. Ze hoorden het gekletter van neervallende dakpannen en dichterbij sloeg iets op een eigenaardige, ritmische manier: beng, beng, beng. Gwen scheen met haar zaklantaarn in de richting van het geluid en zag dat haar nieuwe garagedeur was opengewaaid. Hij was ontwricht en sloeg tegen de deurpost. De lucht was vol heftige beweging; stof, onbekende geuren en vreemde geluiden prikkelden neus en oren. Het kostte behoorlijk wat energie om zich erdoorheen te werken en de landrover te bereiken. Alle twee waren ze opgelucht toen ze in de auto klommen en de koplampen aandeden: nu konden ze zich verlaten op een krachtige motor.

Maar ze vorderden maar langzaam en kwamen niet verder dan de eerste bocht van Mill Lane. Daar werd hun de weg abrupt en totaal versperd door de gegroefde stam van een ontwortelde boom.

Jeffs angst en woede kwamen eindelijk tot ontlading. 'Krijg nou de tering,' zei hij, terwijl hij woedend door de driftig vegende bewegingen van de ruitenwissers naar de stam staarde. 'Hoe moet ik nu verdomme verder? Er zit niets anders op dan over die vervloekte akkers te rijden.' Maar Gwen hoorde hem niet. Ze had het portier geopend en zwaaide haar voeten de regen in. 'Gwen! Wat ben jij in godsnaam van plan?'

'Er is daar iemand,' schreeuwde ze. 'Aan de andere kant van de boom. Ik kan ze horen.' En weg was ze. Met volle vaart liep ze door het schijnsel van de koplampen naar de stam en klom eroverheen, terwijl haar laarzen en regenjas glansden in de regen.

Aan de andere kant van de boom zat een kleine, ineengedoken gestalte te jammeren, een bibberend mensje, dat een lange natte nachtjapon, doorweekte pantoffels en ouderwetse krulspelden droeg. 'Heilige Maria, Moeder Gods'! Heilige Maria, Moeder Gods!' Het was Teresa O'Malley.

Bezorgdheid deed alle andere emoties bij Gwen naar de achtergrond verdwijnen en ze boog zich naar haar over. 'Is alles goed met u?' vroeg ze.

Zo te zien was ze niet gewond. Er was niets dat op verwondingen of botbreuken leek, maar ze was doorweekt en sprak wartaal. Toen Gwen probeerde haar overeind te helpen, weigerde ze zich te verheffen van haar zetel tussen de gevallen takken. 'Er zijn geesten in het huis,' huilde ze. 'Echt waar, ik heb ze zelf gezien. Ze zijn gekomen om me te halen 'O, Jezus, Maria en Jozef! Ze vullen een hele kamer, echt waar. Het einde der tijden is nabij. Heilige Maria, Moeder Gods.'

Jeff doemde op uit de duisternis. 'Is ze gewond?'

'Volgens mij niet. Ze zegt dat er geesten in haar huis zijn.'

'Ga terug naar huis,' schreeuwde hij naar mevrouw O'Malley. 'De kou wordt nog je dood.'

Maar bij die woorden barstte ze in hevig gesnik uit en verklaarde ze dat ze zoiets nooit zou doen – niet als de wereld elke minuut kon vergaan, niet nu alle geesten van de hel gekomen waren om haar te kwellen.

'Ze is niet goed bij haar verstand,' zei Jeff geërgerd. 'Laat haar maar. Ik moet naar de boerderij.'

'Nee. Wacht,' zei Gwen. 'Ik ga wat droge kleren voor haar halen en dan brengen we haar naar de toren. We kunnen haar hier niet zo laten liggen. Ik ben binnen een minuut weer terug.' Ze wendde zich tot mevrouw O'Malley. 'Ik ga naar uw huis,' schreeuwde ze. 'Als er geesten zijn, dan verjaag ik ze.' En met haar zaklantaarn in de hand spoedde ze zich naar de cottage.

Het was buitengewoon donker in de voortuin, maar de lichtbundel van haar lantaarn volstond om te zien dat een deel van het rieten dak was weggerukt, dat de voordeur uit zijn hengsels was gelicht en dat de tuin vol rommel lag, voor het grootste gedeelte gebroken dakriet. In de hal was het één grote wanorde. De vloerloper lag geplet en verkreukeld aan het andere einde, een spiegel was met een harde klap op de grond terechtgekomen en in gemene glasscherven uiteengespat, de kapstok lag op zijn kant met een kluwen van jassen en sjaals eronder en overal om haar heen dwarrelde grijsbruin stof; het steeg op van het puin, krulde langs de muren omhoog en kronkelde zich de trap op. Het waren dikke zuilen, die zich als reusachtige etherische slangen of lange repen ectoplasma – of Teresa's geesten – draaiend en kronkelend bewogen door het licht van haar zaklamp. Geen wonder dat de arme stakker bang was.

Ze vond een lange jas en een paar schoenen, en daaronder een tuintrui en een oude rok. Goddank was alles droog. Ze propte het hele zwikje onder haar regenjas en liep snel terug naar de omgewaaide boom.

'Kom,' zei ze tegen mevrouw O'Malley. 'We gaan naar de toren. Daar zijn geen geesten.'

En hoewel ze protesteerde – 'O, ik weet het niet. Ik weet helemaal niet of ik dat wel moet doen' – stond juffrouw O'Malley op, liep achter haar aan naar de landrover en werd in de achteruit in veiligheid gebracht.

De toren was nog steeds omhuld door totale duisternis, de garagedeur sloeg nog, de bomen kraakten nog en de nabijgelegen en onzichtbare velden ritselden. Maar nu Gwen met haar missie begonnen was, liet ze zich door niets afschrikken. Ze vond kaarsen, lucifers en een oude deken en zei tegen haar beschermelinge dat ze haar natte kleren moest uittrekken en de droge aan moest doen die ze had meegenomen uit de cottage.

'Wij gaan kijken hoe het staat met de mensen in de caravans,' zei ze. 'Ik heb de thermostaat van de centrale verwarming ingesteld. Zodra we weer stroom hebben slaat hij aan. Wikkel je maar in die deken en houd je zo warm mogelijk. We blijven niet lang weg.'

Teresa O'Malley begon zich te herstellen. 'U bent een heilige, mevrouw MacIvor,' zei ze dankbaar. 'Maakt u zich maar geen zorgen om mij. Doet u wat u moet doen. Er kunnen daar mensen omkomen, en ze hebben u nodig om hen te redden.'

En zo werd de stormlantaarn van zijn haak bij de deur gelicht en achter in de landrover gelegd, en vertrokken Gwen en Jeff in de nachtelijke duisternis, te midden van het gehuil van de wind. Geen van beiden zei veel, hij omdat hij zijn aandacht moest houden bij het rijden over het hobbelige gras van de uiterwaard, zij omdat ze in beslag genomen werd door zeer onverwachte en zeer uitzonderlijke emoties. De gebeurtenis had plaatsgevonden, net zoals ze had voorspeld, en ze was erbij betrokken – en ook dat had ze voorvoeld. En terwijl ze voorthobbelde in de landrover en heen en weer geslingerd werd, besefte ze dat ze ondanks de doorstane angsten en de huidige onzekerheden dolgelukkig was en klaar voor alles.

Jeff zette de terreinwagen stil. 'Verder kun je met de auto niet komen,' zei hij. Ze hadden de overstap bereikt en de lange rij heggen die de bovenkant van de lange uiterwaard markeerden. 'Nu zullen we moeten lopen. Ben je er nog steeds voor in?'

Natuurlijk was ze dat. Wat had hij anders verwacht? Ze stak de stormlantaarn aan en was onder de indruk van het krachtige, betrouwbare licht dat het ding gaf. Vervolgens stapten ze via de overstap over het hek en liepen arm in arm naar de melkschuur, met de lantaarn tussen hen in. Ze spraken erg weinig, bang als ze waren voor wat ze zouden aantreffen. Eén keer vroeg Jeff aan haar of alles oké was en ze riep terug dat ze zich prima voelde. Een andere keer bleef hij staan en hield hij de lantaarn omhoog om te zien of de koeien echt zo op hun gemak waren als ze klonken. Maar afgezien daarvan probeerden ze gewoon stug door te lopen.

Zo te zien had de melkschuur geen schade opgelopen en was ook de boerderij intact, hoewel aan het eind van het pad een ontwortelde boom lag. Maar toen ze na veel inspanning door de velden meneer Rossi's camping bereikten, liet wat ze daar aantroffen geen twijfel bestaan over de omvang en kracht van hun tornado.

Het leek op een slagveld na de strijd. Een van meneer Rossi's nieuwe dure caravans lag met ingedeukt dak op zijn kant, en er was geen raam dat nog heel was. De oude caravans waren weggeslingerd alsof ze een enorme schop hadden gehad, of waren op hun kop in de heg terechtgekomen, en toen ze hun lantaarn omhooghielden, zagen ze dat de akker bezaaid lag met verwrongen metalen strips, gebroken spanten en puntige stukken glas.

Een donkere gestalte liep behoedzaam tussen de brokstukken door naar hen toe en een stem riep: 'Bent u van de politie?'

Ze riepen hun naam, en nu stapte de gestalte in het licht. Het bleek de oude Fred Casterick te zijn. De man hijgde, was ongeschoren en zag er onverzorgd uit. In een vloed van gestamelde woorden en verbijsterd door leed vertelde hij zijn verhaal.

'We dachten dat ons laatste uur geslagen had... Goedenavond! meneer Langley. We werden heen en weer geslingerd als een schip op zee... "Wegwezen, verdomme!" schreeuwde ik tegen de vrouw – sorry, voor mijn taalgebruik, mevrouw MacIvor. De kinderen zijn doornat... De regen kwam door de ramen als zeewater... Ik weet niet meer wat ik moet doen.'

Gwen legde een kalmerende hand op zijn arm. 'Ik wel,' zei ze.

'Om te beginnen zoek je een plastic zak. Daar stop je zo veel warme kleren in als je vinden kunt. Daarna pak je je lakens en je dekbedden in – al die dingen die je 's nachts warm houden. En als jullie regenjassen en rubberlaarzen hebben, trek je die aan. Dan brengen we jullie naar de toren. Daar is het warm en droog.'

'Bent u dan niet omvergeblazen?'

'Niet in die toren,' zei Gwen blij. 'Die is erop gebouwd om stormen te weerstaan.'

Jeff had de nieuwe caravan aan een onderzoek onderworpen. 'Ik ga terug naar de boerderij,' schreeuwde hij boven de wind uit. 'Om de koeien te melken en naar mijn vaarzen te kijken. Jij redt het wel met je lantaarn, hè?'

'Jazeker,' gilde Gwen terug. 'Ga maar. Ik red me wel.'

Het was een doorweekte stoet die naar de toren vertrok. Hij bestond uit Fred, zijn vrouw en hun drie kinderen, en Rachel Carnaby met haar twee kinderen. De laatsten toonden zich voor de eerste keer in hun uitbundige leven gedwee. Net als alle anderen droegen ze uitpuilende plastic zakken op hun rug. De rij werd gesloten door hun doodsbange hond met zijn door de regen verfomfaaide vacht. Met de staart tussen zijn poten en zijn buik vlak bij de grond sloop hij voort, alsof hij de schuld droeg van alles wat er was gebeurd. Maar eenmaal daar wachtte hun een aangename en verwarmende verrassing. Het licht brandde en ook de centrale verwarming deed het weer. Teresa O'Malley zat op de bank met Jet op haar schoot en leek al bijna weer de oude.

'Zal ik eens kijken of ik voor thee kan zorgen?' vroeg ze opgewekt. 'Ik heb wat dingen klaargezet.'

Licht en warmte zorgden ervoor dat iedereen zich beter voelde. Ook de lucht in de toren voelde normaal. Maar voor Jet was één blik op de doorweekte hond voldoende om de trap op te glippen, weg van het gevaar.

Freds oudste was geboeid door haar stompje staart. 'Is het een manxkat?' vroeg hij.

Gwen bracht hen op de hoogte, en het bezorgde haar een ogenblik van boosaardig plezier. 'Nee,' zei ze, terwijl ze tegen het kind praatte, maar naar Fred keek. 'Ze is te pakken genomen door een jongen met dezelfde naam als jij. Door Dion Casterick. Volgens mij ken je hem wel. Hij en zijn vriendjes bonden een stuk vuurwerk aan haar staart en staken de lont aan. Ze was zo ernstig gewond dat de dierenarts haar staart moest amputeren.'

Het vervulde hen met afschuw en ze haastten zich dat tegen haar te zeggen, erop gebrand om zich te distantiëren van de wreedheid van hun neef.

Fred keek haar ernstig aan. 'Die Dion deugt voor geen cent,' zei hij. 'Heeft nooit willen deugen. Streng toezicht is het enige wat helpt. Dat mag ik wel zeggen, want hij is maar aangetrouwde familie. Wij willen niets met ze te maken hebben, hè, Maeve? Dat is het beste. Hopelijk doet u aangifte, mevrouw MacIvor.'

'Nee,' zei ze, en ze voelde zich enorm grootmoedig. 'Agent Morrish heeft hem al onder handen genomen. Als jullie nu je natte kleren eens uitdeden en iets warms aantrokken. Dan krijgen jullie daarna een kop thee. De theebus staat daar, mevrouw O'Malley. Ik ga naar het dorp.'

Door alle stress waren ze vergeten dat ook andere mensen iets kon zijn overkomen. 'Natuurlijk,' zei Rachel. 'Als onze caravans al zo zwaar getroffen zijn, is het niet moeilijk te bedenken wat er met al dat dakriet is gebeurd.' Ze wendde zich met een ernstig gezicht tot Gwen: 'U zult totaal geen last hebben van de kinderen, mevrouw MacIvor,' beloofde ze. 'Ik zal daar persoonlijk op toezien.'

Terwijl zij andere kleren aantrokken en hun dekbedden uitspreidden op de grond, ging Gwen weer de duisternis in, en het heldere licht dat de lantaarn om haar heen verspreidde gaf haar een veilig gevoel. Het was opgehouden met regenen, maar het was ongelooflijk donker en het woei nog steeds zo hard dat ze met moeite vooruitkwam, vooral omdat Mill Lane vol lag met verraderlijke zaken als dakriet en gebroken takken. Het spul lag opgehoopt tegen de heggen en vloog over de weg. Het spoor van de tornado was gemakkelijk te volgen. Hij was blijkbaar dwars over Windy Corner getrokken, want ze zag een garage waarvan een van de muren een gapend gat vertoonde en op het kruispunt stonden twee auto's met versplinterde voorruit. De tornado had Manor Farm Road links laten liggen en was toen kennelijk naar het oosten afgebogen, naar Seadrift Lane. Voor in de straat stond een politieauto overdwars geparkeerd met oplichtende fluorescerende strepen en een spectaculair blauw zwaailicht, en verderop kon ze de lichten van vier of vijf brandweerwagens zien. De ladder van een van de auto's stond uitgeschoven tegen een huis. Het wemelde er van brandweerlieden in hun gele jassen, die vastberaden in de weer waren. Ook zag ze kleine, vage gestalten, die waren samengedromd en fluisterend spraken, aangedaan door de plotselinge schok. Slechts één stem was te onderscheiden in het gedruis, en dat was het gebulder van mevrouw Agatha Smith-Fernley, die pontificaal midden op straat stond in een enorme gele regenjas met heel natte zuidwester en naar haar nieuwe buurtagent schreeuwde.

'Ik heb meneer Jenkins gestuurd om de aula van de school te vorderen,' zei ze, net toen het licht van Gwens lantaarn haar bereikte. De agent knikte. 'Mooi!' zei hij.

'Hé!' riep ze, knipperend in het licht. 'Wie is dat? O, mevrouw MacIvor, bent u het. Dit is een beroerde zaak.'

Nu ze zich in de straat bevond, kon Gwen zien met wat voor kracht de tornado hier had huisgehouden. Aan één kant van de weg waren alle daken vernield, was er niet één raam meer heel en was de gevelmuur aan het eind van de huizenrij verdwenen, waardoor een misplaatst inkijkje werd gegeven in de huiselijke privésfeer. Zo zag je een onopgemaakt bed en een stoel met haastig uitgetrokken kleren boven een warboel van bakstenen en verbrokkelde ruwe pleisterkalk. De meeste auto's die tegen de stoeprand geparkeerd stonden, waren bedekt met stof en dakpannen, en bij een zat een schoorsteen in het dak, maar bizar genoeg leek geen van de huizen aan de andere kant van de straat getroffen te zijn, hoewel de tuinen bezaaid lagen met brokstukken van de storm: kapotte hekken en schuttingen, versplinterde tuinstoelen, opgehoopte bakstenen en dakpannen, vuilnisbakdeksels die rolden in de wind en vuilnisbakken die afval uitbraakten. In het langwerpige stroboscooplicht van de brandweerwagens had het tafereel iets surrealistisch, was het net een scène uit een film.

'Het kwam volkomen onverwacht,' zei een man tegen haar. 'Het ene moment lagen we nog te slapen en het volgende moment werd het dak de lucht in gezogen en was er dat grote gat en al die hagel.' Hij had een jas over zijn schouders geslagen, maar hij was blootsvoets en rilde, ondanks moedige pogingen om zichzelf onder controle te houden. 'We mogen niet naar binnen,' zei hij. 'De brandweer zegt dat het gevaarlijk is.'

Een ziekenauto kwam voorzichtig aanrijden vanaf de zuidzijde van de straat. Het was net weer begonnen te regenen en zijn ruitenwissers maakten een piepend geluid. 'Wie is er gewond?' vroeg Gwen aan de politieman.

Het bleken Connie van het postkantoor en haar dochter te zijn. 'Alleen snijwonden,' zei de agent, 'maar ze moeten wel gehecht worden. Rondvliegend glas, weet u. Ze werden tegen de muur gekwakt.' De artsen liepen in hun richting en de straat leek vol met fluorescerende jassen.

'Luister,' zei Gwen tegen mevrouw Smith-Fernley, 'deze mensen moeten hier niet blijven staan met al deze regen, zeker de kinderen niet. Als u ze nu bijeenroept, dan neem ik ze mee naar de toren. Daar zitten ze warm en droog.'

'Voortreffelijk!' bulderde mevrouw Smith-Fernley. 'Precies wat ik nodig heb. Het kan nog uren duren voor de aula op orde is. Ik zal ervoor zorgen.'

En dat deed ze. Ze haalde een megafoon tevoorschijn en riep de ontheemden in marstempo bijeen. 'Volg de lantaarn!' beval ze. 'Jullie gaan naar de Westtoren. Mevrouw MacIvor wijst jullie de weg. Alles is onder controle.'

Lucy was die avond naar het etentje dat Helen gaf om haar nieuwe flat in Wimbledon in te wijden, en deels omdat de wijn zo rijkelijk vloeide, deels omdat de conversatie zo sprankelend was, zat ze er om twee uur nog. Het was de eerste keer sinds Pete en zij uit elkaar waren dat ze zich werkelijk amuseerde, en ook de eerste keer dat ze een avond met Helen en Tina doorbracht, dus was het logisch dat ze het gezellig samenzijn wilde rekken. Toen de twee de keuken in liepen om nog wat wijn te halen, liep ze al roddelend met hen mee.

In de gootsteen stond een stapel vuile borden, en in een opwelling van behulpzaamheid tegenover haar ex-huisgenote bood ze aan om de vaat in de afwasmachine te zetten. Dus zette Helen de radio aan voor een achtergrondmuziekje en gingen ze aan de slag.

Toen het korte nieuwsbulletin begon, besteedde geen van hen er veel aandacht aan, hoewel ze even opkeken bij de vermelding van een tornado aan de zuidkust. Pas toen de nieuwslezer Seal Island noemde, draaiden ze zich om en luisterden ze aandachtig.

'Woont daar niet je...' begon Helen.

Lucy gebaarde dat ze stil moest zijn.

'...raasde om een uur vanmorgen over het dorp,' zei de nieuwslezer, 'en verwoestte verscheidene huizen. Verdere bijzonderheden ontbreken nog, maar in het volgende nieuwsbulletin komen we op de gebeurtenis terug.'

'Mijn god!' zei Lucy, en ze was onmiddellijk geneigd het te ontkennen. 'Nee, dit kan niet waar zijn. Het kan Seal Island niet zijn. Ze moeten zich vergist hebben.'

Helen stond al klaar met de telefoon. Maar Lucy was zo overstuur dat het even duurde voor ze zich het nummer herinnerde. Vervolgens ging de telefoon eindeloos over, maar niemand nam op. 'Vooruit, neem op! Neem nou toch op!'

'Misschien slaapt ze,' zei Helen. 'Geef haar de tijd om wakker te worden.'

Maar de telefoon bleef overgaan. Het had geen zin.

'Ze is er niet,' zei Lucy ten slotte met verwrongen gezicht. 'O, mijn god! Ze is er niet. Ze is gewond. Ik moet erheen.'

'Je kunt zo niet autorijden,' liet Tina haar weten. 'Niet na al die wijn.'

Maar blinde paniek dreef Lucy voort. Gezond verstand werd genegeerd, de verkeerswetgeving was niet belangrijk meer en de verschrikkingen van het rijden bij donker stelden ineens niets meer voor. 'De wijn kan me wat,' zei ze met verwilderde blik. 'Ik ga. Ik kan niet anders. Ik moet het weten.'

Helen pakte de cafetière. 'Zwarte koffie,' zei ze. 'En je hebt een warme jas en een deken nodig. Dekens komen altijd van pas in noodsituaties. Blijf jij hier, dan haal ik ze even.'

Een halfuur later vertrok ze, gedeeltelijk ontnuchterd door de koffie en gekleed in de jas van schapenvacht van haar vriendin. Op de achterbank lagen twee dikke dekens en in het dashboardkastje lag een thermosfles. De nacht had iets onwerkelijks gekregen. Er reed geen verkeer en de verkeerslichten leken op te lossen in de regen, zo vervaagd waren hun kleuren. De constante veegbeweging van de ruitenwissers werkte op haar gezichtsveld als een migraineaanval en de regen die ze in het schijnsel van haar koplampen zag, was als een grijs gordijn. Ze reed veel te hard; ze wist het, en het kon haar niet schelen. Ze wist dat het typisch zo'n nacht was voor ongelukken, maar ook dat kon haar niet schelen. Mocht ze ooit geloofd hebben dat er demonen in de donkere velden huisden en dat er geesten klaarstonden om over de heg te springen, dan was dat nu afgelopen. Er was alleen die enorme behoefte om te weten, om daar te zijn. Alstublieft God, zorg dat ze niet gewond is, bad ze, terwijl ze het gaspedaal helemaal indrukte. Ik zal alles doen, als u ervoor zorgt dat ze niet gewond is.

Toen ze het dorp bereikte was het zonneklaar dat er iets heel ernstigs aan de hand was, want overal waar ze keek stonden brandweerwagens en politieauto's, en twee zilverkleurige reportagewagens van de televisie blokkeerden het einde van een straat. Ze zag een vastberaden vrouw in een gele regenjas die hoogdravend praatte tegen een flink natgeregende verslaggever. Maar haar moeder was nergens te bekennen, en iemand die iets zou kunnen weten zag ze ook niet. Dus haastte ze zich naar de toren, terwijl haar hart hevig tekeerging.

Mill Lane was natuurlijk onberijdbaar. Ze liet de auto aan het einde van de straat achter, baande zich in de onstuimige duisternis een weg door het puin, klom over een omgewaaide boom, ging de bocht om en zag ten slotte de toren ongeschonden en solide voor zich oprijzen; uit alle ramen straalde licht. Ze was zo opgelucht dat ze de rest van de afstand hollend aflegde en tegen de deurbel aanviel, waarna ze luid bleef bellen tot er opengedaan werd.

Haar moeders mooie rode zitkamer was vol verfomfaaide mensen en ze had het gevoel dat die allemaal recht op haar af renden. Even was ze uit haar evenwicht na haar lange panische rit, maar toen zag ze haar moeder die door de menigte heen drong en op haar toe liep. Ze hoorde haar naam roepen en besefte dat kennelijk alles goed met haar was.

'Lucy, lieve schat!' zei ze, en ze draaide zich om naar haar evacués. 'Dit is mijn dochter,' verklaarde ze.

Ze loodsten haar de kamer in en lieten haar plaatsnemen op de dichtstbijzijnde bank, terwijl een vrouw met oranje haren een verse pot thee ging zetten.

Gwen ging naast haar zitten. 'Er gaan hier liters thee doorheen,' zei ze. 'Zo'n nacht heb ik nog niet eerder meegemaakt. Hoe ben je hier gekomen?'

'Met de auto.'

'Helemaal uit Londen? In het donker?'

Het was een enigszins triomfantelijk moment. 'Helemaal uit Londen, in het donker. Was het echt een tornado?'

'En of het een tornado was. Hoe heb je het gehoord?'

'Het was op het nieuws.'

'Horen jullie dat,' riep Gwen naar de mensen overal om haar heen. 'We hebben het landelijke nieuws gehaald.'

'En terecht,' zei juffrouw O'Malley gedecideerd. 'Je hebt niet elke dag een tornado, dat is een ding dat zeker is. Ik werd zo uit mijn huis de straat op geblazen, echt waar.'

'Lieve hemel,' zei Lucy.

Daarop begon iedereen zijn eigen verhaal te vertellen, waarbij ze er een sport van maakten om elkaar de loef af te steken. Sommigen bagatelliseerden hun ervaringen, anderen maakten er een zo groot mogelijk drama van, maar allemaal waren ze erop gebrand om haar te vertellen wat een fantastische vrouw haar moeder was en hoe dankbaar ze wel niet waren dat ze was gekomen om hen te redden. 'Ze is een heilige, echt waar. Een door God gezegende heilige.' 'Mijn moeder zegt dat ze de Florence Nightingale van Seal Island is, hè, mam.' 'Ik weet niet wat we hadden moeten doen als ze zich niet over ons ontfermd had. Je had moeten zien hoe we er aan toe waren. Overal lag glas. Connie van het postkantoor zit van top tot teen onder de snijwonden.'

Lucy luisterde vaag, want ze was te moe om alles in zich op te nemen. Ze glimlachte, nipte van haar thee en knikte, maar in feite was haar aandacht gericht op haar moeder. Wat is ze kalm en beheerst, dacht ze verwonderd. Ze is een autoriteit hier. Een leider. Ze vertrouwen erop dat zij wel weet wat er gedaan moet worden.

Op dat moment onderbrak de telefoon haar gedachten.

'Hé, telefoon?' zei Gwen vrolijk, en ze liep naar de keuken om op te nemen.

Het was Pete. 'Goedemorgen, mevrouw M,' zei hij. 'Is alles goed met u?' En na haar bevestigend antwoord: 'Ik moest u wel bellen. Seal Island is op de ontbijttelevisie.'

'Welke zender?'

'Kanaal drie.'

'Wil iemand de televisie even aanzetten?' riep Gwen. 'Bedankt voor de tip, Pete. Ik bel je nog. Oké?'

Beelden met veel water verschenen op het scherm en werden begroet met opgetogen gewichtigheid en hernieuwd afgrijzen. 'Kijk, de Sailor's Arm. Die is de dans ontsprongen.' 'Hé, dat is toch jouw huis, Henry?' 'Allemachtig! Moet je nou toch eens kijken!'

Toen verdwenen de beelden en vulde mevrouw Smith-Fernley het scherm met haar gele regenjas en haar galmende plechtstatigheid. 'Ik moet zeggen,' zei ze op gedragen toon, 'dat de burgers van Seal Island vannacht onder vreselijke omstandigheden voorbeeldig gedrag hebben getoond, zoals steevast het geval is als wij Britten met onze rug tegen de muur staan. Het is de spirit van Duinkerken: onversaagd doorgaan.'

'Ik heb vernomen dat een van uw buren zich heeft ontpopt als een ware heldin,' zei de interviewer uitnodigend.

Gwen fronste en vroeg zich af wat haar tegenstandster in vredesnaam zou zeggen. Maar mevrouw Smith-Fernley was niet in het minst uit het veld geslagen. Glad en onwrikbaar als een gele walvis liet ze zien dat ze raad wist met de moeilijke situatie.

'Inderdaad,' beaamde ze. 'Op het hoogtepunt van de storm kwam ze naar buiten met een stormlantaarn en nam de daklozen mee naar haar toren.' Er volgde een opname van de toren, die donker oprees, met geel verlichte ramen. 'Een voortreffelijke vrouw,' oreerde mevrouw Smith-Fernley. 'Dat zijn pas buren.'

'Ik heb begrepen dat ze hier eigenlijk nog maar pas woont,' zei de interviewer.

'Relatief gesproken wel, ja,' zei mevrouw Smith-Fernley. 'Maar we hebben haar vanaf de eerste dag in ons hart gesloten. Ja, inderdaad. We wisten meteen dat ze precies ons type was.'

De onbeschaamdheid van de opmerking was zo ergerlijk dat Gwen in lachen uitbarstte. Je kon op dit moment maar twee dingen doen: lachen of uit je vel springen. Maar de bewoners van de toren begonnen spontaan te juichen en degenen die dicht genoeg in de buurt zaten, gaven hun 'type' vriendschappelijke klopjes op rug en knieën.

'Was zij niet degene die...' vroeg Lucy, beschermd door het lawaai.

'Precies!' zei Gwen. 'En nu heeft ze het lef...'

'Het is je gelukt,' zei Lucy lachend. 'Neil heeft altijd gezegd dat je het zou waarmaken.'

'Ja,' zei Gwen instemmend, terwijl het gejuich doorging. 'Die indruk heb ik ook.' In zekere zin was het een triomf, net zoals deze nacht dat was geweest. Een rehabilitatie. Maar het probleem met Eleanor en de baby was er nog. Zelfs een tornado had dat niet opgelost. En ze vroeg zich af waar ze nu zat en wat ze aan het doen was.

Hoofdstuk 28

Daarginds in Frankrijk had Eleanor de hele nacht naar de maan zitten kijken.

Ze was de afgelopen avond tot laat op kantoor gebleven, had haar campagneteam geïnstrueerd en had gecheckt of al hun demonstratiemateriaal klaar was. Het werk had haar zo in beslag genomen dat ze geen tijd had gehad om ergens een hapje te eten Ze had iemand sandwiches laten halen, die ze ter plekke had opgegeten. Het was dan ook niet gek dat ze het grootste deel van de nacht wakker lag met indigestie. Eerst dacht ze dat ze iets had gegeten waar ze niet tegen kon en hoopte ze een beetje dat ze misselijk zou worden en het eruit zou gooien, zodat ze zou kunnen slapen. Maar de uren gingen voorbij en misselijk werd ze niet. De knagende pijn kwam en ebde weer weg, en meer dan een dutje was niet mogelijk. Ten slotte was ze opgestaan, had ze haar nachtjapon aangetrokken en was ze in de leunstoel bij het raam gaan zitten om naar de daken en de sterren te kijken, in de hoop dat een andere houding haar ongemak zou verminderen.

De maan stond vol en ongewoon helder aan de hemel en iedere krater was duidelijk zichtbaar. Ze was geïntrigeerd toen ze na een poosje merkte dat hij daar niet simpelweg de hele tijd hing, maar dat hij in feite bewoog. Ze zag hoe hij een lange, trage parabool door het stuk hemel beschreef dat werd uitgesneden door haar hotelkamerraam. Wat is hij dichtbij, dacht ze, terwijl ze toekeek hoe een grote wolk voor zijn vollemaansgezicht gleed. Ze concentreerde zich erop om zichzelf af te leiden van een nieuwe pijnscheut. Je kunt zien waarom hij de getijden bepaalt. Als ze bijgelovig geweest was, zou ze misschien hebben gezegd dat hij aan haar trok, dat hij ervoor zorgde dat de pijn opkwam en weer wegebde.

Ze moest in de stoel in slaap gevallen zijn, want toen ze weer wakker schrok, had de maan zich een heel eind verplaatst en klopte er iemand op haar kamerdeur. 'Het ontbijt, madame,' klonk het in het Frans. Het was nog donker, maar de dag begon al. Ze stond voorzichtig en stram op van haar stoel, knipte het nachtkastlampje aan en sjokte naar de deur. Ze voelde zich dik en onbeholpen, bewust als ze zich was van het gewicht dat ze met zich meetorste. O, wat verlangde ze naar lekkere koffie en croissants.

Het kamermeisje was een moederlijke vrouw van middelbare leeftijd. Ze stond erop om het dienblad op de tafel te zetten, keek Eleanor met een blik van verstandhouding aan en informeerde of ze zich wel goed voelde.

'*Je suis fatiguée*,' zei Eleanor tegen haar. En moe was ze. Alles deed haar pijn en ze verlangde ernaar om te gaan liggen. 'Zou je de gordijnen misschien willen dichtdoen, ik wil niet dat heel Parijs me in peignoir ziet.'

Nu de gordijnen dicht waren en de lampen brandden, ze de koffie ingeschonken en de croissants gesmeerd had en het televisiescherm oplichtte, kreeg de dag weer iets normaals. Eerst ga ik ontbijten, dacht Eleanor, terwijl ze een slok koffie nam, en daarna neem ik een lekker ontspannend bad en dan...

'Seal Island aan de zuidkust van Engeland,' zei de nieuwslezer, 'is getroffen door een tornado.'

Eleanor was als door de bliksem getroffen. Dat is onmogelijk, dacht ze. We hebben geen tornado's in Engeland. Waar heeft ze het in godsnaam over? Maar toen verschenen de beelden: de Sailor's Arm, spookachtig verlicht; groepjes brandweerlieden die dakriet van een verwoest gebouw trokken; een huis dat was opengereten alsof er een bom op was gevallen.

Ze werd overweldigd door paniek. Ze zette haar kopje neer, veegde haar vingers af aan het servet, pakte de telefoon en toetste de negen voor een buitenlijn. Ze zag haar moeder al verpletterd en bloedend onder het puin liggen, zag haar gewond en hulpeloos op de grond liggen, zag haar bleek als een vaatdoek en stervend liggen op een ziekenhuisbrancard. Haar vingers trilden toen ze voor een tweede keer het nummer toetste. Schiet op! smeekte ze. Verbind me door. Eindelijk ging de telefoon over op Seal Island en de vertrouwde tonen deden haar paniek nog toenemen. 'Vooruit! Vooruit! Laat iemand toch opnemen. Toen klonk haar moeders stem: 'Hallo?'

Een last viel van haar af. 'Mama,' zei ze. 'Goddank! Is alles goed met je? Je mankeert toch niets, hè? Het was net op de televisie.'

'Eleanor!' zei Gwen, die verbazingwekkend normaal klonk. 'Wat leuk dat je belt! Waar zit je?'

'In Parijs,' zei Eleanor ongeduldig. 'Je bent niet gewond, hè? Ik bedoel, anders zou je dat toch wel tegen me zeggen.'

'Nee, ik ben niet gewond.'

Op de achtergrond klonk het gedruis van stemmen. 'Wie maken daar zo'n herrie?'

Haar moeder lachte. 'Dat zijn mijn evacués. Ik heb van de toren een opvangcentrum gemaakt. We hebben hier sinds afgelopen nacht nogal wat daklozen.

Echt mijn moeder, dacht Eleanor, en een gevoel van warmte en genegenheid stroomde door haar heen. Toen deed een krampscheut haar naar adem snakken en het duurde enkele ogenblikken voor ze weer kon spreken en in staat was om te reageren op wat haar moeder zojuist had gezegd.

Aan de andere kant van de lijn waren het vreemde, naar lucht happende geluid en de lange stilte niet onopgemerkt gebleven. 'Ben je er nog?' vroeg ze. 'Eleanor? Is alles goed met je?'

Eleanor probeerde nonchalant te klinken. 'Een beetje pijn,' zei ze. 'Het mag geen naam hebben. Waarschijnlijk iets verkeerds gegeten. Ik heb de hele nacht last van mijn spijsvertering gehad. Niets om je druk over te maken.'

'Wat voor soort pijn?'

'Een behoorlijk stekende pijn eigenlijk. Hij komt op en ebt weer weg; ik heb er de hele nacht last van gehad. Ik moet zien dat ik een of ander laxeermiddel krijg.'

Zelfs op die afstand wist Gwen wat er aan de hand was. 'Ben je al bij een dokter geweest?' vroeg ze.

'Nee. Natuurlijk niet.'

'Misschien moet je dat toch maar doen. Gewoon voor de zekerheid.'

'Nee. Mij mankeert niets.'

'Je moet binnenkort bevallen. Hotels hebben toch een huisarts?'

'Waarschijnlijk wel.'

'Bel er dan een.'
'Ik kijk wel.'
'Bel er een!' drong Gwen aan. 'Als je de hele nacht last van pijn hebt gehad, is het belangrijk om te weten wat daarvan de oorzaak is.'
Eleanor zwichtte, deels omdat ze haar moeder tevreden wilde stellen, deels omdat de pijn haar werkelijk een beetje te gortig werd. 'Goed dan,' zei ze. 'Als dat je geruster maakt. Zeg, er is iemand aan de deur. Ik moet opendoen. Ik bel je later vandaag wel weer.'
Die iemand was Monica Furlong, die nu haar plaatsvervanger was. Aangekleed, geparfumeerd en irritant fit stond ze in de deuropening. Ze aarzelde en keek Eleanor onderzoekend aan.
'Is alles goed met je?' vroeg ze.
Zo veel bezorgdheid maakte Eleanor prikkelbaar. 'Je bent al net zo lastig als mijn moeder,' zei ze. 'Met mij gaat het prima. Een beetje last van indigestie, dat is alles.'
'Je hebt alleen zo'n gekke kleur, een beetje... nou, alsof je verhoging hebt of zoiets.'
'Nou, ik heb geen verhoging,' zei Eleanor bits. 'Zoals ik al zei, mij mankeert niets.' Maar ze wierp een blik in de spiegel, gewoon om even te checken, en ze schrok toen ze zag dat ze op beide wangen een ronde, onnatuurlijk gekleurde vlek had en dat haar pupillen merkwaardig vergroot waren. 'Slaapgebrek,' zei ze. 'Maar als dat je geruststelt, laat ik me wel even nakijken door de *médecin*, gewoon voor de zekerheid.'
Monsieur le médecin was een kleine, vriendelijke man die Frans praatte en geen tegenspraak duldde. Hij besteedde geen aandacht aan Eleanors eigen diagnose, maar legde een deskundige hand op haar buik toen de volgende wee opkwam en weer wegebde, en verklaarde toen dat er geen reden was voor paniek en dat hij ervoor zou zorgen dat ze opgenomen werd in een kliniek, *immédiatement*.
'Uitgesloten,' zei ze. 'Ik heb werk te doen.'
'*Mais oui*,' zei de arts instemmend, en hij glimlachte naar haar. 'Harder zult u in uw leven niet werken. Het is een excellente kliniek, madame. Helemaal opgezet naar de inzichten van Frédérick Leboyer.'

Het zou Eleanor een zorg zijn van wie de inzichten waren. 'Ik heb geen tijd om daarheen te gaan,' zei ze, in het Engels en op besliste toon. 'Het enige wat ik nodig heb zijn wat maagtabletten.'

De arts glimlachte. 'Nee, nee, madame,' zei hij, nu in haar eigen taal. 'U staat op het punt te bevallen.'

En als om de juistheid van zijn diagnose te onderstrepen, bezorgde de volgende wee haar zo'n kramp dat ze kreunde van de pijn.

'*Voilà*,' zei hij. 'Tijd om de opname te regelen.'

Ze wilde ertegenin gaan, zeggen dat ze het vertikte, maar het waren niet mis te verstane signalen die ze van haar lichaam kreeg. 'Goed dan,' zuchtte ze. 'Als het niet anders kan, dan moet het maar.'

'Maak je maar geen zorgen over de presentatie,' zei Monica gretig. 'Ik red me wel.'

Dat was nu precies waar Eleanor bang voor was, maar de pijn hield haar zo in zijn greep dat ze geen puf had om te antwoorden.

De arts belde en het gesprek werd gevoerd in zo'n rap en technisch Frans, dat geen van tweeën er ook maar een woord van verstond. Niet dat het Eleanor iets kon schelen. Het was de verkeerde tijd en de verkeerde plaats, maar ze was bezig te bevallen en zat gevangen in een maalstroom van zo veel tegenstrijdige emoties – opwinding en angst, ergernis om haar slechte timing en een onverwachte vreugde vanwege het feit dat dit kind eindelijk kwam – dat ze alles maar moest nemen zoals het kwam.

De arts boog zich over haar heen. 'Ze sturen een ziekenauto,' zei hij.

'Ik doe even wat spulletjes in een tas,' zei Eleanor. En het deed haar plezier dat ze zo kalm klonk.

Op Seal Island werd het langzaam licht en brak de dag aan, een buitengewoon vredige dag na de traumatische gebeurtenissen van de nacht. Na de regen was het opgeklaard en het rook overal lekker. Gwen en Lucy stonden met de deur open in het portaal en ademden de frisse lucht in. In de rode zitkamer was de atmosfeer zuur en bedompt vanwege alle slapers, en overal lagen vuile kopjes, uitgegooide jassen en anoraks en stapels dekbedden.

'Wat een nacht!' zei Gwen.

Lucy liet haar blik door te tuin dwalen. 'Je narcissen zijn opgekomen,' zei ze. En inderdaad, overal waar ze keken staken hun groene stengels uit de donkere aarde.

'Nieuw leven,' zei Gwen, die ervan genoot. 'Ik vraag me af hoe het met Eleanor is. Ik wou dat ze belde.'

Lucy had geen zin om over haar zus te praten. Deze nacht was van haar moeder en haar geweest en om die reden waardevoller dan al het andere. Eleanor had er geen deel aan gehad. 'Het zal wel goed met haar zijn,' zei ze onverschillig. 'Hé! Kijk eens wie daar aan komt. Je grootste fan.'

'Hallo daar,' riep mevrouw Smith-Fernley, die boven een paar robuuste kaplaarzen haar beste zwarte hoed droeg. 'Lukte het een beetje zo met z'n allen? Gaat alles goed? Ik heb een ontbijt geregeld. Van negen tot halfelf in de aula van de school. De bedoeling is dat Mill Lane tegen die tijd weer begaanbaar is. Meneer Langley zal daarvoor zorgen.' Ze had inmiddels het portaal bereikt, stond voor hen en keek hen stralend aan, alsof ze al jaren vrienden waren. 'De handen ineenslaan, hè,' zei ze. 'Dat is de manier waarop je zoiets moet aanpakken.'

'Wilt u misschien even binnenkomen?' bood Gwen aan.

'Nee, nee, mijn beste,' zei de dame glimlachend. 'Ik kwam u alleen even op de hoogte brengen. Maar als u Teresa wilt zeggen dat ze samen met mij kan ontbijten in Rose Cottage, zou ik u zeer erkentelijk zijn.'

Van achter hen kwam een vlaag muffe lucht. Terwijl hij zich de slaap uit de ogen wreef, strompelde meneer Casterick blootsvoets het portaal in. Hij had stoppels en zijn voeten waren smerig. Hoestend blies hij de rook van zijn eerste sigaretje uit. 'Morgen! mevrouw Smith-Fernley,' zei hij proestend.

Mevrouw Smith-Fernley wierp hem haar meest geringschattende blik toe. 'Ja,' zei ze. 'Zeg, ik moet verder. Werk aan de winkel, u kent dat. Altijd druk.' En ze maakte rechtsomkeert voor ze nog meer van zijn bacillen kon inademen. 'Uw narcissen komen uit,' riep ze tegen Gwen bij het weggaan. 'U zult een heel mooie lusthof krijgen. Jazeker, een heel mooie lusthof.'

Het sierde Gwen en Lucy dat ze pas in lachen uitbarstten nadat ze de toren waren binnengeschoten, maar toen gierden en brulden ze het zo uit dat hun gasten er wakker van werden. Daarna was het zo'n kabaal in de toren dat het meer dan een uur duurde voor ze de kans kregen om weer iets tegen elkaar te zeggen. Halverwege het hele gebeuren kwam Jeff, gladgeschoren en in schone kleren, om hun te zeggen dat Mill Lane schoon werd gemaakt en waarschijnlijk over ongeveer een uur weer open was voor verkeer, en dat meneer Rossi op weg was naar de schadeverzekeraars. 's Middags zouden de caravanbewoners weer terug kunnen naar de camping.

'De koeien gaven minder melk,' zei hij, 'maar dat lag in de lijn der verwachting. Met de vaarzen is het goed. En hoe was jullie nacht?'

'Wij waren op tv,' zei de jongste Casterick. 'We hebben het gezien.'

Jeff grinnikte. 'Eindelijk beroemd,' plaagde hij, terwijl hij om zich heen keek. 'Allemachtig! Hoeveel koppen thee zijn er hier wel niet doorgegaan? Het lijkt hier wel een kantine.'

'Dat was het ook wel een beetje,' zei Gwen. 'Ze gaan nu met z'n allen aan het ontbijt, welwillend beschikbaar gesteld door mevrouw Smith-Fernley. Zodra ze weg zijn, kan ik gaan opruimen. Ik denk dat ik de school maar beter even kan bellen.'

'Dan zal ik je niet storen,' zei hij. 'Dit was maar een bliksembezoek. En als ik je een goede raad mag geven, die je toch wel niet zult opvolgen: blijf thuis en laat de school de school.'

Dat was ook min of meer het advies van meneer Carter. 'We zagen je op tv vanochtend,' zei hij toen Gwen belde. 'Blijf lekker waar je bent. Wij redden ons wel. Het is uiteindelijk maar een dag en bovendien is het vakantie. Wel zouden we het prettig vinden als je volgende week een uur of twee kwam om de post weg te werken.'

'Ik was helemaal vergeten dat het vakantie is,' zei Gwen tegen Lucy toen ze had neergelegd. 'Zo, waar zullen we beginnen?'

Er viel een heleboel op te ruimen. In de keuken stonden overal vuile kopjes, de boekenkasten gingen schuil achter stapels beddengoed, de beide badkamers lagen vol met doorweekte handdoeken en op elke tree van haar nieuwe trap zat aangekoekte modder. Tot overmaat van ramp was er geen klontje suiker en geen druppel melk meer in huis.

'Ik voel me al slap worden in mijn benen als ik ernaar kijk,' zei Lucy. 'Weet je wat, als we nu eens naar het dorp gingen en wat melk en een brood of een paar broodjes kochten, dan eten we wat voor we beginnen. Als we het ontbijt uitstellen en eerst gaan schoonmaken, storten we in.'

'Ik wil de toren eigenlijk niet verlaten,' zei Gwen. 'Ik moet hier zijn voor het geval dat Eleanor weer belt. Het is nu bijna drie uur geleden en als het inderdaad de weeën waren, zou dit wel eens het moment kunnen zijn dat ze belt om me het te vertellen.'

Opnieuw Eleanor, dacht Lucy opstandig. Het is Eleanor voor en Eleanor na. We kunnen geen dag met elkaar doorbrengen zonder dat zij op de een of andere manier opduikt. Ze zocht een boodschappentas en verliet de toren voor ze iets kon zeggen waarvan ze achteraf spijt zou krijgen.

Mill Lane was weer redelijk begaanbaar, want men had al zo veel van de omgewaaide boom verwijderd dat er een doorgang was. En in High Street ging alles zijn gangetje: alle winkels waren open en werden druk bezocht, groepjes dorpelingen wisselden hun wederwaardigheden tijdens de tornado uit, de postbode deed zijn ronde en bij de bakkers rook het heerlijk naar vers brood. Ze had niet veel tijd nodig om melk, thee en crackers in te slaan en zichzelf te trakteren op een brood dat zo uit de oven kwam en twee verse croissants. Daarna liep ze High Street in om een kijkje te nemen bij de plek waar de geluidswagens van de televisie de vorige avond hadden gestaan. Ze had nog nooit de nasleep van een tornado gezien. Alleen al om die reden zou het boeiend zijn.

Het was bepaald dramatisch. Boven de beschadigde gebouwen torende een enorme kraan; de politie had de weg volledig afgesloten en de getroffen kant van de straat was afgezet met het bekende blauw-witte politietape; overal zag je busjes van aannemers – die waren er snel bij – en van begin tot eind van de straat stonden brandweerauto's. Waar ze ook keek waren brandweerlieden in de weer, die met hun witte strepen op hun gele jacks duidelijk afstaken tegen de stofwolken en de verwoeste gebouwen. Ze stonden op ladders, klommen tegen daken op, haalden schoorstenen naar beneden en schreeuwden naar elkaar. En de twee geluidswagens hadden gezelschap gekregen van drie andere. Het was heel opwindend. Dus dit was wat er gebeurde als je het landelijke nieuws haalde, dacht ze, en ze liep naar de plaats van handeling toe.

Bij de afzetting stond in zijn eentje een klein joch met een verdrietige blik in zijn ogen.

Ze vond dat ze moest proberen om hem te troosten. 'Ach, wat een puinhoop,' zei ze. 'Was dit jullie huis?'

Hij sloeg zijn ogen naar haar op. 'Het gaat om mijn hond,' zei hij. 'Hij zit in de garage.'

Nu hoorde ze een dier janken. 'Roep hem dan,' raadde ze hem aan.

'Dat heb ik al gedaan,' zei het jongetje. 'Ik denk dat hij er niet uit kan, en ze willen niet dat ik hem ga halen. Ik heb het gevraagd, maar ze zeiden dat het niet mocht.'

De hond hief een hoog gehuil aan. Arm dier, dacht Lucy. Ze kunnen hem er toch zonder enig gevaar gewoon uit laten? En die gedachte bracht haar op een idee.

'Als jij even op mijn boodschappen let,' zei ze tegen de jongen. 'dan haal ik hem voor je. En blijf staan waar je nu staat.'

Het was een ogenblik van waaghalzerij en stommiteit. Ze werd gedreven door emoties waarvan ze het afkeurenswaardige inzag, ook op dat moment – een wens om deel uit te maken van deze buitengewone gebeurtenis, de gedachte dat ze net zo'n kranige heldin zou zijn als haar moeder, de gedachte van kijk-mij-eens, een kleinzielige ambitie om haar zus in de schaduw te stellen.

Ze tilde het politietape op, dook eronderdoor en liep kordaat naar de garage, waarbij ze haar hoofd rechtop hield, alsof de camera's haar al volgden. De garagedeur was ontzet door de wind en hing nu scheef. Hij zag er gevaarlijk instabiel uit, maar ze kon de hond binnen horen janken en ze was niet van plan zich te laten afschrikken door een beetje gevaar. Ze pakte het verwrongen metaal met beide handen aan de onderkant beet en gaf een ruk. Daarop voltrok alles zich zo snel dat het gebeurd was voor ze er erg in had. De garagemuur bracht een soort geraas voort en de deur verdween uit haar gezichtsveld. Ze wist dat ze weg moest rennen en ze draaide zich om om aan die impuls gehoor te geven, maar iets kwam suizend op haar af en trof haar vol in de rug, zodat ze naar voren schoot en haar evenwicht verloor. Ze viel met uitgespreide handen, terwijl ze 'o! o!' riep, als een kind.

Voeten verschenen in haar beperkte gezichtsveld, maar ze kon haar ogen niet lang genoeg openhouden om te zien van wie ze waren. Dicht bij haar klonk een stem, een volhardende stem: 'Lucy! O, god! Lucy, lief meisje. O, god! Je mag niet gewond zijn. Ik zou het niet kunnen verdragen. Ik hou zo van je. Zoveel. Open je ogen. Alsjeblieft!'

Het kostte enorm veel inspanning, maar ze opende haar ogen, waarna ze haar uiterste best deed om ze te focussen.

'Godzijdank!' zei de stem. Ze keek in de richting van het geluid en zag Neils gezicht naar haar staren met zo veel gekwelde affectie dat ze begon te huilen.

Nu klonken er ook andere stemmen. 'Zal ik bellen en vragen om een ziekenwagen, Neil?' 'Kunnen we haar optillen?' En Neil antwoordde: 'Nee. Raak haar niet aan.' Hij boog zich naar haar over en zei teder: 'Alles is in orde. De ziekenauto komt zo.' Toen was er een geritsel van bedrijvigheid, alsof ze gevallen bladeren schepten. Gevallen, dacht ze, gevallen, iets dat valt. De enige die gevallen is, ben ik.

Ze was zich ervan bewust dat ze een bloedneus had en ze wilde haar gezicht fatsoeneren. Met veel moeite slaagde ze erin een zin te formuleren. 'Heeft iemand een tissue voor me?' vroeg ze smekend. En na wat voor haar gevoel een heel lange tijd duurde, kreeg ze een pak tissues in haar linkerhand gedrukt – waarom niet haar rechter? – en bette ze de omgeving van haar neus. Ze was geschokt toen ze zag hoeveel bloed er op de tissues zat toen ze haar hand liet zakken. 'Ik ben gewond,' zei ze.

Neil bevond zich nog steeds naast haar. 'Ja,' zei hij. 'Je bent inderdaad gewond. Maar maak je geen zorgen. De ziekenauto komt zo. Ik verlies je niet uit het oog. Ik blijf bij je.'

Er ratelde iets over de kapotte bakstenen en twee ambulancebroeders keken met een geruststellende glimlach op haar neer.

'Wat scheelt eraan? Kunt u me ook vertellen waar het pijn doet? Aan de rechterkant. Ik begrijp het. Rechts. Ik zou zo zeggen dat daar een kleine breuk zit. Doet het nog ergens anders pijn?'

Ze voelde zich plotseling erg moe en was blij dat ze het aan hen kon overlaten. Alles wat er nu ging gebeuren, was in de handen van anderen.'

'Waar is Neil?' vroeg ze. 'Mijn politieman.'

'Hij zorgt voor uw boodschappen,' zei de ambulancebroeder. 'Maakt u zich geen zorgen. Hij komt terug.'

Toen haar deurbel klonk, was Gwen bezig om op handen en knieen de trap te boenen. Ze had de kopjes en de schoteltjes afgewassen, de natte handdoeken in de wasmachine gestopt en de meeste modder met de stofzuiger opgezogen, maar de treden waren echt smerig en moesten stevig geboend worden.

Ze was heel verbaasd toen ze een van Jets kwelgeesten wat ongemakkelijk in het portaal zag staan. De kleinste van het stel. Nathan, zo heette hij toch?

'Ja?' zei ze ijzig. 'Wat moet je?' Toen zag ze de boodschappentas en de angst sloeg haar om het hart. 'Er is iets gebeurd,' zei ze. 'Vooruit, vertel het me.'

'Ik heb een briefje voor u,' zei Nathan, en hij overhandigde het haar, terwijl hij heel benauwd keek. 'Van die politieagent.'

Ze las het met trillende handen, moest het een tweede keer lezen om het tot haar door te laten dringen. *Schrik niet*, begon het, wat haar de schrik van haar leven bezorgde, *maar Lucy heeft een ongelukje gehad in Seadrift Lane. Het letsel valt mee.* Wat bedoelde hij met 'het letsel valt mee'? O, mijn god. Dit is allemaal mijn schuld. Ik had haar nooit in haar eentje moeten laten vertrekken met al deze chaos. Ik had met haar mee moeten gaan. Ik zou dat ook gedaan hebben, als Eleanor er niet geweest was. Niet voor de eerste keer in haar leven had ze tussen twee vuren gezeten, ingeklemd tussen de conflicterende behoeften van haar twee dochters. Ze keerde weer terug naar haar brief, in de hoop dat hij haar misschien meer zou onthullen bij een tweede lezing. *We vonden dat ze naar het ziekenhuis moest voor een algeheel onderzoek. Er moeten een paar snijwonden gehecht worden. De ziekenauto is zo-*

juist gearriveerd. Ik ga met haar mee. Ik bel u wanneer ik meer weet. Neil.

Ze maakte zich te veel zorgen om Lucy om meer dan bijkomstige belangstelling te hebben voor Neils terugkeer in hun leven. Afwezig nam ze de tas uit de hand van de jongen, bedankte hem en ging toen, nog steeds trillend van schuldgevoel en angst, haar autosleutels pakken.

Hoofdstuk 29

De ziekenauto die Eleanor ophaalde van haar hotel was voor de beter gesitueerde patiënt, maar niet protserig. Hij was indrukwekkend uitgerust en duidelijk ontworpen voor comfort en privacy. De auto was net groot genoeg voor een moeder en haar geüniformeerde begeleider. In Eleanors geval was dat een rustige blondine die zich voorstelde als Amélie en die bijna volmaakt Engels sprak.

'We krijgen moeders van allerlei nationaliteiten, moet u weten,' verklaarde ze, terwijl het efficiënt uitgeruste voertuig zoemend wegreed. 'Dus is het niet meer dan logisch dat we tolken hebben. Al ons streven is er op gericht om onze uiterste best te doen voor moeder en kind.'

Het was een goed begin, dat moest ook Eleanor toegeven. Maar nu ze op weg was naar de kliniek, was ze van gedachten veranderd over de aanpak van deze situatie. Ze had besloten dat ze, zodra ze hadden bevestigd dat het inderdaad de weeën waren, met de Eurostar naar Londen zou terugkeren en de keizersnede zou laten uitvoeren die ze met het ziekenhuis had afgesproken. Geen haar op haar hoofd die erover peinsde om de pijn van een geboorte zonder verdoving te ondergaan. Er was genoeg tijd om terug te keren, want iedereen zei dat het uren en uren duurde als je van je eerste kind beviel.

'Ik neem aan dat u nu naar uw kamer wilt,' zei Amélie, toen ze in de kliniek arriveerden. 'Dan komt de dokter daar om u te zien. Het is een kamer met badkamer en toilet, zoals u ziet, en van alle gemakken voorzien.'

De kamer was behangen en geschilderd in het lichtste citroengeel en heel veel vlekkeloos wit. Naast een breed wit bed stond een witte wieg te wachten op de baby. 'Ja,' zei Eleanor, in haar beste Frans, nu ze daar nog de energie voor had. 'Het is fantastisch allemaal. Maar ik weet niet of het wel mogelijk is om hier te blijven. Misschien moet ik terug naar Engeland.'

'Maakt u zich niet ongerust,' zei Amélie kalm tegen haar. 'Het is allemaal geregeld. Uw firma is verzekerd voor dit soort gebeurtenissen. Het is nergens voor nodig om u ongerust te maken. Misschien wilt u een bad nemen voor de dokter u komt onderzoeken?'

Het verontrustte Eleanor dat er voorbijgegaan werd aan de hint die ze had gegeven over de terugkeer naar Londen, maar ze was het ermee eens dat een bad aangenaam was. En dat was ook zo, want het water was weldadig warm en de badolie rook lekker. En na het bad was er een warme kamerjas waar ze zich in kon hullen en waren er badstoffen slippers voor haar natte voeten. De beddensprei was teruggeslagen, zodat ze meteen kon gaan liggen, net als in een hotel. Zo lag ze onder de sprei, terwijl weer twee weeën opkwamen en wegebden, en probeerde ze de juiste Franse zinnen te bedenken om de arts ervan te overtuigen dat ze terug moest naar Londen.

De vrouwelijke arts had grijs haar en was buitengewoon vriendelijk. Ze mat de bloeddruk van haar patiënt op, nam haar temperatuur op en stond naast haar met een hand op haar strakgespannen buik, terwijl er weer een wee opkwam en wegebde. Toen ging ze naast het bed zitten en stelde vriendelijk het soort vragen waaraan Eleanor inmiddels gewend was geraakt: data, allergieën en haar gezondheidstoestand tijdens de zwangerschap, allemaal vragen die door Amélie vertaald werden en gemakkelijk te beantwoorden waren.

'U heeft nu weer een wee, *n'est-ce-pas*?' zei ze, terwijl Eleanor hem krimpend van de pijn onderging. 'De vorige was tien minuten geleden. U maakt voortgang, madame.'

Langzaam verdween de pijn. 'Oef!' zei Eleanor . 'Dat was niet misselijk.'

'Met de weeën van het *enfantement*,' zei de arts, 'gaat het erom wie de leiding heeft. Hebben ze u geleerd hoe u zich moet ontspannen?'

Hoe had ik in vredesnaam tijd vrij moeten maken om iets te leren? dacht Eleanor. 'Ik heb een drukke baan,' zei ze. Het klonk geprikkeld.

'Ach, ja,' zei de arts, die onverstoorbaar bleef. 'Ik begrijp het.

Laat me het u dan uitleggen. Bij de bevalling is het van tweeën een: óf de pijn beheerst de moeder, óf de moeder beheerst de pijn. Wat heeft u het liefst?'

De vraag bevreemdde haar. 'Heb ik dan een keus?'

'Jazeker.'

'Dan wil ik graag de leiding hebben.'

'Uitstekend,' zei de arts. 'Dan zal Amélie u laten zien hoe het werkt. Het is aan de late kant, maar zoals men in uw taal pleegt te zeggen: *better late than never*. Maar eerst geven we u iets te drinken.'

Pijnstillers, dacht Eleanor. Eindelijk. Die hadden ze me ook wel meteen bij aankomst hier kunnen geven. Ze wachtte ongeduldig op het medicijn en dronk de aangereikte beker leeg, waarbij ze haar gezicht verwrong vanwege de bitterheid die ze verwachtte. Maar het smaakte eigenlijk wel lekker, een beetje als warme vruchtensap, met een nasmaak van frambozen.

Amélie zette het lege bekertje op de rand van het nachtkastje. '*Alors!*' zei ze. 'We gaan beginnen.'

Het was de eerste keer in haar leven dat Eleanor iets deed zonder precies te weten wat het inhield. Het was een opwindende gedachte, die haar een stoutmoedig gevoel gaf. Ik denk dat het een of ander verdovend middel is, dacht ze, met een drukknop, zodat ik het mezelf toe kan dienen.

Maar men gaf haar geen verdovend middel. In plaats daarvan werd haar verzocht om haar mobieltje uit te schakelen – 'u zult het vervelend vinden als u gestoord wordt' – en toen om het zich gemakkelijk te maken in bed – 'zo comfortabel mogelijk'. Kussens werden opgestapeld en herschikt en opnieuw opgestapeld, tot ze in de ideale houding lag. En ze kreeg sokken om haar voeten warm te houden.

'En nu,' zei Amélie, 'zal ik u leren hoe u de pijn weg kunt duwen. Kom, we laten de pijn achter ons.'

Ze moest haar handen en armen ontspannen, en dat leek een belachelijke manier om om te gaan met pijn in je buik, maar Eleanor gaf haar haar zin. Ze lag te lekker om erover te redetwisten en toen de volgende wee begon, had ze de indruk dat die wat minder hevig was.

‘Wanneer uw benen en heupen ontspannen zijn, zal het nog beter gaan,’ beloofde Amélie.

En tot Eleanors verbazing en opluchting was dat ook zo.

‘Ontspannen spieren verminderen de pijn,’ legde de vroedvrouw uit, ‘en verhogen het plezier.’

‘Dit is anders allerminst plezierig,’ zei Eleanor, toen de volgende wee aanzwol.

‘O, maar dat komt nog wel,’ zei de vroedvrouw. ‘En gauw. Dat verzeker ik u. Het plezier zal komen. Maar voorlopig moeten we uw lichaam zijn werk laten doen. Eens kijken of u uw gezicht kunt ontspannen.’

‘Ik zie er vast uit als een imbeciel,’ klaagde Eleanor toen ze haar gezichtsspieren had laten verslappen.

‘U ziet er *magnifique* uit,’ verklaarde Amélie. ‘Als een moeder.’

Eleanor wilde lachen, maar ze was vreemd soezerig en kwam niet verder dan een glimlach. Het was net of al deze doelbewuste ontspanning haar in trance bracht. Ze had het gevoel of ze dronken was, duizelig en licht in het hoofd. En ze lag veel te lekker in haar berg kussens om uit bed te stappen of om ook maar van positie te veranderen. Als bevallen zo gaat, dacht ze bij zichzelf, terwijl een nieuwe wee, die merkwaardig ver verwijderd leek, zijn hoogtepunt bereikte, dan kan ik het aan. Ze was helemaal vergeten dat ze van plan was geweest om terug te gaan naar Londen.

Toen Gwen bij de eerstehulppost van het St Richard’s Hospital in Chichester arriveerde, was ze buiten adem en zeer bezorgd. Maar ze vroeg zo kalm mogelijk of er nieuws was over haar dochter, en men verwees haar naar onderzoekkamer twaalf.

In de ruimte was geen mens te bekennen, hoewel er bloedvegen en moddersporen op de onderzoekbank zaten en Lucy’s met bloed bevlekte jasje over de leuning van een stoel hing. O god! Ze was gewond...

Er stond een verpleegster naast haar. ‘Zoekt u Lucy? We hebben haar net doorgestuurd naar de röntgenafdeling. U moet die deur nemen en dan de pijlen volgen.’

Met bonzend hart volgde ze de bordjes en kwam bij een andere receptiebalie, waar ze verdere instructies kreeg. En toen bevond ze zich in een lange gang, waar allerlei mensen in gipsverband en beschermende metalen omhulsels hun beurt afwachtten en zachtjes met hun lotgenoten aan het praten waren. En aan het eind van de rij zat, nagelbijtend, Neil Morrish.

'Neil!' zei ze, en ze liep naar hem toe. 'Hoe is het met haar?'

Een deur werd opengehouden en een broeder duwde een rolstoel de gang op.

'Met mij gaat het prima,' klonk Lucy's stem. 'Een beetje gehavend. Meer niet.'

Dat is zacht uitgedrukt, dacht Gwen, die huiverde bij het zien van het gehechte en geschramde gezicht van haar dochter en zag dat haar rechterarm in een mitella zat en duidelijk veel pijn deed, want ze ondersteunde hem heel voorzichtig met haar linkerhand. Maar ze probeerde haar toon luchtig te houden, want het was evenzeer duidelijk dat Lucy dat van haar verwachtte. 'Wat heb jij uitgevoerd?'

Het antwoord was bijna zakelijk. 'Ik heb een gebroken neus en een gebroken sleutelbeen, en volgens de artsen zal ik tegen de ochtend twee blauwe ogen hebben. Dat zal een fraai gezicht zijn. O, en ze hebben de japen gehecht en me een tetanusinjectie gegeven. Voor alles is gezorgd. En nu moet ik naar KNO om naar mijn neus te laten kijken.'

'O, Lucy! Meisje toch!'

'Maak niet zo'n drukte,' zei Lucy ontstemd. 'Ik voel me prima. Het had veel slechter kunnen aflopen, hè, Neil? Vraag maar aan hem.'

Maar daar voelde ze niets voor. Niet nu ze ertegen opzag wat ze zou horen, en niet nu Lucy en de broeder het konden horen. Gelukkig was hun volgende stop net om de hoek, en dit was een privékliniek. De broeder moest een reeks cijfers intoetsen om toegang te krijgen en Gwen en Neil moesten buiten blijven wachten.

'Nou, vertel het me maar,' zei ze, terwijl de deur dichtging. 'Wat is er gebeurd?'

Hij gaf haar een korte en voorzichtige beschrijving, maar zelfs dat maakte haar van streek.

'En dat allemaal vanwege een hond!' zei ze. 'Wat goed dat je daar was.'

'Meer geluk dan wijsheid,' zei hij. 'Ik ben hier maar één dag. Alleen maar om mijn maten op te zoeken. Om alles goed af te sluiten. Van die dingen, en zo. Ik heb een baan gekregen bij de Londense politie als brigadier. Over tien dagen moet ik beginnen. En dan kom ik hier en loop ik recht in een tornado. Wat vindt u van zo'n timing?'

'Ik ben daar blij om,' zei ze. 'Arme Lucy.'

'Ze heeft de komende dagen veel zorg nodig,' zei hij. 'Het is niet gemakkelijk als je maar één arm kunt gebruiken. Ik heb mijn sleutelbeen ook een keer gebroken, dus ik weet waar ik over praat.'

'Ze vindt het onplezierig als er voor haar gezorgd wordt,' zei Gwen. 'Ze is akelig onafhankelijk.'

'Ik kan u een handje helpen, als u dat prettig vindt,' bood hij terloops aan. 'Misschien dat ze het van een politieman eerder accepteert.'

'Ik dacht dat je hier maar één dag was.'

'Ik zou langer kunnen blijven,' zei hij, er nog steeds angstvallig voor zorgend dat hij niet te gretig klonk. 'Ik denk dat ik wel bij brigadier Jones kan logeren, als ik het hem vraag. Dat is een prima kerel.'

Hij keek haar met een glimlach aan. Wat een aantrekkelijke ogen heeft hij, dacht ze, en ze was verbaasd dat ze die niet eerder had opgemerkt. 'En, vertel me eens wat meer over je nieuwe baan.'

Het kwam goed uit dat er zoveel te vertellen viel, want ze moesten lang wachten. Pas een uur later ging de deur open en verscheen de rolstoel weer. Maar Lucy was zo te zien in een beter humeur dan toen ze naar binnen ging.

'Alleen een gebroken neus,' zei ze. 'Een operatie is niet nodig. Over een paar weken is alles weer in orde. Ik hoef nu alleen nog maar te zorgen dat mijn arm in een fatsoenlijk draagverband komt en dan kan ik naar huis.'

'Maar goed dat ik met de auto ben,' zei Gwen. 'Jullie kunnen beiden mee. Jij bent met de ziekenauto gekomen, hè, Neil?'

De terugrit was beslist vrolijker, hoewel Lucy nog steeds heel veel pijn had en bij elke bocht ineenkromp – en moest toestaan dat Neil haar in en uit de auto hielp. Maar ten slotte waren ze terug in de toren en kon Gwen haar wat paracetamol geven, om vervolgens met het eten aan de slag te gaan.

'Soep,' zei Lucy. 'Ik ben niet in staat om ook maar iets door te bijten. En kauwen kan ik ook niet.'

Ze merkte ook dat zelfs het drinken van thee haar niet gemakkelijk afging. Met haar rechterhand kon ze het kopje niet optillen en met haar linkerhand was ze te onhandig. Bovendien was haar gezicht zo gezwollen dat het moeilijk was om te drinken, ook wanneer de rand in de goede positie stond.

'Je hebt een rietje nodig,' zei Neil, en hij ging meteen op pad om ze te kopen.

'Hij is zo aardig voor me geweest,' zei Lucy toen hij weg was. De pijnstillers begonnen te werken, zodat ze zich wat beter voelde. 'Hij is met me meegegaan in de ziekenauto – heeft hij je dat verteld? – en is uit eigen vrije wil de hele tijd bij me gebleven. Hij heeft geen dienst.'

'Ik weet het,' zei Gwen. Hij heeft verlof. Hij heeft een baan gekregen bij de Londense politie.'

Dat nieuws was een domper. 'O,' zei Lucy. 'Ik dacht dat hij terugkwam. Maar ik denk dat iedereen wel eens verkast tijdens zijn loopbaan. Ja toch? Wanneer vertrekt hij?'

'Nog niet,' zei Gwen. 'Hij zegt dat hij hier nog een paar dagen blijft. Hij logeert bij zijn brigadier.'

Lucy sloot haar ogen, terwijl de pijn wegebde. 'Heb je nog iets van Eleanor gehoord?'

'Sinds vanmorgen niet meer,' zei Gwen. Wat leek dat lang geleden. 'Of ze moet een bericht hebben achtergelaten op mijn antwoordapparaat.' En ze liep erheen. 'Nee. Niets. Er zit niets anders op dan wachten. Een bevalling duurt lang, vooral bij de eerste. Maar haar kennende zal ze wel in goede handen zijn, zoals bij alles wat ze doet. Jij bent degene voor wie gezorgd moet worden.'

Het was een aangenaam moment voor Lucy, ook al had ze haar sleutelbeen moeten breken om het genoegen te smaken. 'Ja,' beaamde ze, en ze sloot opnieuw haar ogen, dit keer van genot. 'Inderdaad.'

Maar haar plezier was van korte duur. Toen Neil arriveerde met de rietjes, ontdekte ze dat ze niet tegelijkertijd kon zuigen en ademen, en dat zuigen haar dorst niet leste. 'Ik moet een slok kunnen nemen,' klaagde ze en ze zette de beker op tafel. 'Als ik nu maar mijn neus kon snuiten en al die kleverige troep kon kwijtraken.' Maar dat mocht niet van de arts. Ze moest het zien uit te houden met een nieuwe, snotterende, gezwollen identiteit. Alleen al de gedachte aan die nieuwe identiteit was deprimerend, om nog maar te zwijgen van de aanblik.

Gwen probeerde haar te troosten. 'Binnenkort zal het wel beter gaan, liefje.' Maar ze kreeg de volle laag voor haar goedbedoelde poging.

'Nee, niet waar,' zei Lucy. 'Het gaat weken duren. Dat hebben ze me verteld.' De gezwollen plekken om haar ogen begonnen al blauw te worden en haar schouders hingen van ellende. 'Wekenlang zal ik niet in staat zijn om ook maar iets op een normale manier te doen en zal ik iedereen tot last zijn. Het lukt me zelfs niet om zonder hulp uit deze vervloekte stoel te komen. Begrijp je het nu?'

Neil stond naast haar, sloeg zijn arm om haar heen en hielp haar voorzichtig overeind.

Ze had zelfs niet de vriendelijkheid om hem te bedanken. 'Ik ga naar bed,' zei ze, en ze liep naar de trap.

'Heb je hulp nodig?' vroeg Gwen.

'Nee,' zei haar dochter met stuurse blik. 'Ik heb een nieuw sleutelbeen nodig.'

'Kan ze het alleen?' zei Gwen. Ze sprak op gedempte toon, want hoewel Lucy waarschijnlijk buiten gehoorafstand was, wilde ze niet het risico lopen dat ze het zou horen.

'Het lukt haar wel,' verzekerde Neil haar. Ook hij praatte zachtjes. 'Ze wil onafhankelijk zijn.'

'Ik weet het,' zei Gwen. 'Daar zit hem nu net het probleem. Dat heeft ze altijd gehad. Zij en Eleanor, beiden. Ze wilden alles altijd op eigen houtje doen.'

'Het gaat helemaal verkeerd,' jammerde Eleanor, die moeite deed om zich los te maken uit haar nest van kussens. Haar heerlijk vredige ontspanning was plotseling ondraaglijk geworden. 'U moet iets doen.'

'Ligt u niet lekker?' vroeg de vroedvrouw haar in het Frans.

'Nee, ik lig klote,' zei Eleanor, en daar was geen woord Frans bij.

'Wat wilt u dan?' vroeg de vroedvrouw.

Eleanor wist niet wat ze wilde. Ze wist alleen wat ze niet wilde. Om te beginnen wilde ze niet meer op dat kutbed liggen. Lopen wilde ze ook niet. Ze had het geprobeerd en het hielp niet. Stilstaan, nee, dat ook niet, want de volgende wee deed haar buik verkrampen en de pijn was onduldbaar. Steunen op haar vroedvrouw? Nee, dat bezorgde haar alleen maar ergernis. 'Nee, nee,' jammerde ze met een radeloos gezicht. 'Dat is het niet. Doe iets!'

Amélie kwam naast haar staan. 'Het is de overgang van de ene fase naar de andere,' verklaarde ze. 'U moet gewoon kalm blijven, het gaat vanzelf weer over.'

Maar van kalm blijven was geen sprake. 'Het kind zou met een keizersnede ter wereld komen,' schreeuwde ze, terwijl ze hijgde van woede en ellende. 'Ik zou in Londen moeten zijn. Ik wil hier niet zijn. Ik wil niet zwanger zijn. Het is allemaal een vergissing. Ik wil dat dit ophoudt.'

Ten slotte rolden ze een stoel naar binnen. Zelfs in de ontredderde staat waarin ze verkeerde, zag ze dat het een buitengewoon eigenaardige stoel was. Hij had de onvang van een troon, bezat armleuningen en voetsteunen en aan elke kant zaten hendels. Ze vond het maar niets, die stoel, maar het ellendige ding kwam als geroepen, want de volgende wee kwam eraan. Steunend op de gepolsterde armleuningen liet ze zich erin zakken, blij dat ze niet meer stond. En de stoel was ideaal: hij gaf steun voor haar voeten en steun in haar rug en zorgde ervoor dat ze in de juiste houding zat.

'Waarom hebben jullie deze stoel niet eerder gebracht?' vroeg ze. En toen was het onmogelijk om nog te praten, want er was alleen de wee en een nieuwe, onweerstaanbare behoefte. 'Ik wil persen,' bracht ze hijgend uit, terwijl de wee doorzette. Ze bracht haar kin naar haar borst en perste hijgend en grommend.

Overal om haar heen vertoonden zich gezichten die goedkeurend *parfait!* en *superbe!* riepen. Maar behalve het feit dat ze hun goedkeuring uitten, zeiden die haar weinig. Tussen de weeën door werden de voetsteunen aangepast. Ze had het warm van de inspanning en iemand veegde het zweet bij haar ogen weg. Amélie moedigde haar aan: 'Prima werk. Nog even en uw baby is er.'

Terwijl ze zich inspande werd het donker in de kamer, en na een poosje was ze zich er vaag van bewust dat alle aanwezigen in een vreemd blauwgroen licht gehuld waren, alsof ze zich een eind onder het zeeoppervlak bevonden, waar geluiden gedempt waren en omtrekken niet scherp omlijnd en waar handen zich golvend bewogen, als vissen. Ze snakte naar adem bij een nieuwe sensatie, en een stem mompelde dat het hoofdje van de baby te zien was: 'Als een kroon.' En dat leek haar zeer toepasselijk nu ze hier in alle luister op die grote troon van een stoel zat.

'Kijk eens naar beneden,' zei Amélie in haar oor toen de volgende wee opkwam. Ze keek en daar was het gezichtje van de baby tussen haar benen, donker en vochtig. Heel, heel langzaam draaide de baby zich, tot zijn gezicht opwaarts gericht was en ze zijn gelaatstrekken kon zien, allemaal verfomfaaid, alsof hij zich net zo had moeten inspannen als zij: een korte, dikke, gerimpelde wipneus, samengeknepen ogen en een strakke mond. En terwijl ze keek en onder de tere huid van zijn voorhoofd het regelmatige kloppen van zijn hart zag, opende de baby zijn mondje en liet een, twee, drie keer een schril kreetje horen.

'Het valt niet mee om geboren te worden, *n'est-ce-pas?*' zei de vroedvrouw in haar zachte Frans. '*Mais alors*, dadelijk lig je in je moeders armen.'

'Ja,' zei Eleanor verrukt. 'O, ja.' Ze perste opnieuw en keek hoe haar prachtige baby uit haar gleed en opgevangen werd door de vroedvrouw. Ze zag dat het een welgeschapen jongetje was met poezelige armen en benen, en met het liefste gezichtje en de fraaiste handjes en voetjes die ze ooit had gezien. Met kreetjes zo helder als het miauwen van een kat en met samengeknepen ogen vanwege de onwaardigheid van dit alles, liet hij opnieuw zijn ongenoegen blijken.

'Huil maar niet, liefje,' zei ze, en bracht haar hand omlaag om – heel, heel voorzichtig – zijn hoofdje te strelen. En een geluk vervulde haar dat overweldigender was dan alles wat ze ooit in haar leven had meegemaakt. 'Huil maar niet, kleine schat.'

Toen tilde de vroedvrouw de baby op en liet hem in haar armen zakken, huid tegen zachte huid, en hij hield op met huilen en opende zijn ogen en keek haar recht aan, alsof hij wist waar hij was en haar al eeuwen kende. 'O, wat houd ik van je,' zei ze. Ze kon haar ogen niet van hem afhouden. 'Ik zal altijd van je houden.'

Ze hield hem meer dan een uur bij zich. Ze ademde de milde, frisse geur van zijn huid in, beantwoordde die intense blik van hem, kuste zijn wangen en verkende zijn handjes en voetjes met bevende vingers. Ze legde zelfs een vinger op die zachte fontanel en voelde gebiologeerd en verrukt zijn lichte hartslag. Haar twee begeleiders loodsten haar soepel door het derde stadium van de geboorte, en toen verscheen Amélie aan haar bed en liet haar weten dat alles goed gegaan was. Ze was blij het te horen, maar het interesseerde haar niet, want haar wereld was gekrompen tot de paar magische centimeters die lagen tussen het vredige ademen van haar baby en haar eigen ademhaling. Ze was totaal en onherroepelijk verliefd.

Hoofdstuk 30

'Er zijn momenten dat ik je gewoon niet kan geloven,' zei Jeff tegen Gwen. Hij was geïrriteerd en zijn toon was bits. 'Ze belt je, ze vertelt je dat de baby er is, en je vraagt het haar niet!'

'Ik kon het niet,' zei Gwen kalm. 'Ze was helemaal in de wolken.'

Ze kon Eleanors opgetogen stem nog horen: 'Ik heb een zoon, Joshua Francis. Het is een wolk van een baby.'

'Hij is nog maar net geboren. Ze was nog steeds lyrisch. Het was niet het juiste moment. Maar het geeft niets. Over een paar dagen komt ze hier. Zodra ze haar uit het ziekenhuis ontslaan, zou ze komen. Dan vraag ik het haar.'

Hij snoof. 'Het juiste moment dient zich niet aan, het juiste moment creëer je.'

'Dat is zo'n beetje je lijfspreuk.'

'En ik heb gelijk.'

'Niet altijd,' zei Gwen, en haar stem klonk nog steeds ontspannen. 'Soms. Ik herinner me nog die keer dat ik je voor het eerst over de meisjes vertelde en je tegen me zei dat ik niet alles moest willen bedisselen en dat ik ze hun eigen vergissingen moest laten maken. Daar had je gelijk in. Alleen zag ik dat toen nog niet. Ik wilde ze nog altijd in de watten leggen en beschermen. Net zoals jij bij Dotty deed toen ze ziek was.'

'Dat was een ander geval. Ze had een terminale ziekte.'

'Akkoord. Maar er zijn punten van overeenkomst. We waren beiden overbezorgd, en we moesten beiden leren om ons op de achtergrond te houden.'

Hij snoof opnieuw. 'En dat ben je nu aan het doen: je op de achtergrond houden? Nou, ik noem het voor iets terugdeinzen.'

Gwen was gele narcissen aan het schikken in haar rode vaas. Ze stond nu met de schittering van hun gouden bloemen voor zich en keek hem met pientere ogen aan. 'Wat een dwingeland ben je toch,' zei ze.

Hij liet meteen weten dat hij het met die kwalificatie niet eens was. 'Dat ben ik niet.'

'Dat ben je wel,' zei ze. Het was een constatering, geen beschuldiging. 'Het komt omdat je boer bent, denk ik. Het is de aard van het beestje. Af en toe is het heel plezierig. Ik vond het fijn toen je het voor me opnam en meneer Makepeace afpoeierde en toen je dat opgeschoten tuig aanpakte. Maar soms is het onplezierig. Je bent te zeer gewend om je eigen gang te gaan. Daar zit hem de kneep.'

'Als ik dat niet doe, verkommert de boerderij.'

'Dat is heel goed mogelijk,' beaamde ze. 'Maar het is anders als het om ons gaat. Als je wilt dat we doorgaan met onze relatie, dan moet je mij mijn eigen leven laten leiden. Ik zeg jou ook niet hoe je je boerderij moet runnen, of wel soms? Goed, dan moet je mij niet voorschrijven hoe ik moet omgaan met mijn dochters.'

Hij was plotseling een en al ernst. 'Gaan we ermee door?' vroeg hij. Ze liet de bloemen liggen, liep naar hem toe en sloeg haar armen om zijn nek. 'Ja,' zei ze. 'Wat mij betreft wel. Daarom voeren we ook dit soort gesprekken. Maar je moet me de dingen op mijn manier laten doen. Ik wil onafhankelijk zijn. Dat moet je begrijpen.'

De angst die ze had teweeggebracht was weggenomen. 'Het probleem is,' zei hij, 'dat ik denk dat ik van je hou.'

Ze keek glimlachend naar hem op. 'Dat geldt ook voor mij. Dus je doet wat ik je vraag? Je bemoeit je niet overal mee?'

Hij had zich voldoende hersteld om te plagen. 'Op één conditie.'

En zij ook. 'Ik wist het.'

'En die luidt dat we vanavond samen uit eten gaan.'

'Nou, dat is anders een stevige voorwaarde, maar ik denk dat ik er wel aan kan voldoen.'

'Dan kom ik je om halfzeven halen. Ik moet nu gaan, want anders gaat de boerderij naar de filistijnen.'

Ze liep met hem naar de deur en ademde de eerste zachte lucht van het jaar in. De kleuren in de tuin monterden haar op. In de kille dagen na de tornado waren de narcissen plotseling gaan bloeien, alsof ze het weer en de wereld uitdaagden. Nu stonden de bloembedden er vol mee. De bloemen dansten en deinden in de sterke zeebries, en onder hun stevige trompetvormige kelken verschenen ook de viooltjes in verlegen groepjes van teer blauw. 'Het is bijna lente,' zei ze.

Jeff stapte in de landrover. 'Waar zijn de andere twee?' vroeg hij. 'Heb je je van hen bevrijd?'

'Neil gaat morgen terug naar Londen.'

'Nou, dat is in elk geval één mazzeltje.'

'Wat ben je toch een ouwe brombeer.'

'Ik zie je zo weinig als je het huis vol mensen hebt,' verklaarde hij.

'Ja, dat is waar. Maar ik wil geen kwaad van hem horen. Hij is de afgelopen dagen een geweldige steun voor me geweest. Als hij er niet was geweest, zou ik die garagedeur nooit naar beneden hebben gekregen. Verder heeft hij me geholpen om het huis op te ruimen, heeft hij de schadeclaim bij de verzekeringsagent succesvol afgesloten en heeft hij voor Lucy gezorgd. Hij heeft zelfs haar haar gewassen.'

Jeff was niet onder de indruk. 'Nou, chapeau,' zei hij. 'En waar is hij nu, dit toonbeeld van deugd?'

'Hij is met haar naar St Richard's Hospital. De hechtingen moeten verwijderd worden.'

Toen Lucy die morgen opstond, voelde ze zich veel beter. Haar hechtingen waren nog akelig duidelijk te zien en zaten als zwarte spinnenpoten schrijlings op haar neus, maar haar schrammen waren aan het verdwijnen, de paarsrode kneuzingen rond haar ogen waren vervaagd tot gele en groene vlekken en het was haar gelukt om de nacht door te komen zonder wakker te worden van pijn in haar schouder. Het was nu middag en terwijl ze met grote stappen de kliniek uit liep, straalde ze van opluchting.

'En, hoe vind je dat ik eruitzie?' vroeg ze aan haar politie-escorte.

Hij wilde zeggen dat ze mooi was, maar hield zich op tijd in. Ze zou het verkeerd kunnen opvatten, en ze waren de afgelopen dagen zo leuk met elkaar omgegaan dat hij de dingen nu niet wilde verpesten. 'Veel beter,' zei hij. 'Ze hebben de zaak prima gehecht. De littekens verdwijnen al.'

'Het is fantastisch om er niet als een monster uit te hoeven zien.'

Gearmd liepen ze naar zijn auto. 'Voel je je fit genoeg voor een wandeling?' vroeg hij.

'Dat hangt ervan af waar je heen wilt.'

'Wat vind je van de lagune?'

Het was troosteloos bij die grote uitgestrekte zee, zelfs in het middagzonnetje. In plaats van met haar naar het voetpad te lopen, sloeg hij de weg in naar het kerkhof, waar het nog troostelozer was. 'Deze kant op,' zei hij. 'Ik wil je iets laten zien.'

'Op een kerkhof?'

'Ja,' zei hij. 'Kijk!'

Ze waren aangekomen bij een klein, rechthoekig gebouw met ruw gepleisterde en lichtgeel gesausde muren. Het had een diep naar beneden doorlopend schuin dak met terracotta dakpannen waarop grasgroen korstmos te zien was.

'Wat voor gebouw is het?'

'Kom maar mee, dan zie je het,' zei hij, en hij liep met haar naar binnen.

Zodra ze over de drempel stapte, wist ze wat voor gebouw het was. Er heerste zo'n vrede. De vredige atmosfeer kwam over haar als een warme vloed die haar omhulde en optilde, tijdloos en ondersteunend. Naast de deur zag ze een kleine tafel met een stapel gezangboeken, en tegenover vier rijen kerkstoelen, die plaats boden aan ongeveer twintig mensen, bevond zich een eenvoudig altaar, dat bestond uit een smalle, rechthoekige marmeren plaat waarop twee rode kandelabers en een gouden kruis stonden. Aan de muur aan haar linkerzijde zag ze een grafsteen in bas-reliëf uit 1537, ter nagedachtenis van een *knight* en zijn vrouw. Ze waren in een kerk.

'Dit is alles wat er nog over is van de oude parochiekerk van Norton,' vertelde hij haar. 'In feite is het alleen de sacristie. Ze hebben het andere gedeelte afgebroken en opnieuw opgebouwd in Sutton toen de bevolking vertrok. De sacristie hebben ze laten staan als een soort kapel. Ik ontdekte haar op de eerste dag dat ik hier was. Wat vind je ervan?'

'Hij is erg oud,' zei ze. 'Worden hier nog steeds diensten gehouden?'

'Jazeker. Ik heb het gevraagd. Je zou hier, eh... kunnen trouwen als je dat zou willen. Ik moest eraan denken zodra ik de kerk zag. Ik stond hier en dacht: als ik ooit de vrouw van mijn dromen vind, dan is dit de plek waar ik met haar wil trouwen.'

Het wekte haar nieuwsgierigheid. 'Ben je dan godsdienstig?'

'Niet bijzonder. Ik ga niet naar de kerk als je dat soms bedoelt. In mijn kinderhuistijd moest ik te vaak.'

'Maar waarom wil je dan in de kerk trouwen?'

'Vanwege de liturgie,' zei hij ernstig. 'Ik las de woorden als kind en ik vond ze volmaakt. Ze zeggen alles. Dat we elkaar lief moet hebben en trouw moet blijven in goede en in kwade dagen, in rijkdom en armoede, in gezondheid en ziekte, tot de dood ons scheidt. Ik wist dat ik elk woord ervan zou menen als ik ze ooit zou zeggen. En dat zal ik.'

Ze was zo ontroerd dat ze bang was dat ze zou gaan huilen. Dus nam ze haar toevlucht tot een quasi-schertsende vraag. 'Is dit een huwelijksaanzoek, Neil Morrish?'

Hij ging zo op in zijn droom dat hij met een schok weer met zijn beide benen op de grond kwam te staan. 'Eh, ja,' zei hij. 'Nee. Niet als je dat niet wilt.'

Ze moest erom lachen. 'Ja of nee?'

'Goed dan. Ja als je denkt dat het...'

'Toen ik half bij mijn positieven op de grond lag,' herinnerde ze zich, 'zei je dat je van me hield.'

'Dat deed ik ook. Dat doe ik.'

'Maar we zijn geen geliefden. Ik bedoel, we hebben elkaar nog nooit gekust.'

'Het was niet het goede moment. Je was gewond. Ik wilde je niet van streek maken of je kwetsen of zoiets. Daarvoor beteken je te veel voor me. Vanaf het moment dat ik je zag hield ik van je – de avond van het ongeluk. Die avond zul je je wel niet meer herinneren.'

Ze herinnerde zich die avond nog heel goed. 'Opmerkelijk.'

Ze sprak zo koel dat hij zich zorgen begon te maken. 'Als ik dingen zeg die ik beter niet kan zeggen...'

'Nee,' zei ze. 'Dat doe je niet. Het komt gewoon omdat dit de eerste keer is dat iemand me een aanzoek doet. Ik heb wat tijd nodig om eraan te wennen. De meeste mannen die ik tot nu toe heb ontmoet zou eerder met een boog om een vrouw heen lopen dan haar een aanzoek doen. Een verbintenis is voor de meesten een schrikbeeld.'

'Dus je bent niet boos of zo?'

Ze stond voor hem en keek uit over het lichtblauwe water van de lagune. Ze vond dat ze eerlijk tegen hem moest zijn, ook al was dat pijnlijk. Liegen zou hem tekortdoen. 'Ik hou niet van je,' zei ze. 'Dat weet je, hè? Ik ben heel erg gesteld op je. Je bent een geweldige steun voor me geweest de afgelopen paar dagen. Ik weet niet hoe ik me zonder jou had moeten redden. Maar dat is geen liefde. Althans, zo denk ik erover.'

'Nee,' zei hij deemoedig. 'Maar het kan een begin zijn. Tenzij er iemand anders is.'

'Nee,' zei ze, 'er is niemand anders.' Het was de waarheid. Haar liefde voor Pete leek verdwenen te zijn. 'Ik vond gewoon dat ik open kaart moest spelen.'

Zijn verdriet maakte hem gespannen. 'Nou, in ieder geval bedankt voor je openhartigheid.' Toen wist hij niet wat hij verder nog moest zeggen. Zijn verklaring had hem zo veel energie gekost dat hij zich plotseling moe voelde. 'We kunnen maar beter teruggaan. Het begint donker te worden.'

Terwijl ze over het kerkhof liepen, pakte ze opnieuw zijn arm. 'Weet je wat,' zei ze. 'Als je nu eens met me mee terugging naar Londen en een poosje bij mij kwam wonen. Dan kijken we hoe het tussen ons gaat. Het kan best zijn dat je me helemaal niet zo aardig meer vindt als we samenwonen. Helen en Tina zijn verhuisd, dus heb ik de woning voor mezelf en die is veel te groot voor één persoon.

Hij kreeg slappe knieën bij de gedachte. 'Samenwonen, bedoel je?'

'Als je het aandurft.'

Hij was in vuur en vlam, maar hij deed zijn best om verstandig te zijn. 'Dan wil ik wel de helft van de hypotheek betalen.'

Dat was wat ze verwachtte. Ze vond het niet meer dan billijk. 'Oké.'

'En...'

'En?' moedigde ze hem aan.

'Kunnen we ons misschien verloven?'

'Wat ben je toch ouderwets,' zei ze. 'Kun je niet met me samenwonen zonder dat je een ring om mijn vinger hebt geschoven?'

'Nee,' bekende hij. 'Dat kan ik niet. Dat zou niet goed voelen. Het zou zijn of ik misbruik van je maakte. Je weet hoe ik erover denk. Ik wil met je trouwen en de rest van ons leven voor je zorgen, niet alleen maar samenwonen. Let wel, ik zeg er geen nee tegen. Ik wil je gewoon laten weten hoe ik erover denk.'

Ze keek naar hem. Wat is het toch een integer mens, dacht ze. Bij hem vergeleken is Pete maar een verachtelijk individu. En hij houdt echt van me. Hij zal nooit iets doen om me te kwetsen. Het kan best zijn dat het goed uitpakt. Het is beslist een poging waard.

De genegenheid op haar gezicht was te veel voor hem. Hij nam haar in zijn armen, waarbij hij haar geblesseerde schouder ontzag, en kuste haar door de zeewind vochtig geworden haar, haar door de wind verkilde voorhoofd en haar door de wind wit weggetrokken wangen, en fluisterde dat hij van haar hield, verlangend om haar mond te kussen. Wat was verbondenheid toch eigenlijk makkelijk, dacht ze, terwijl ze warm tegen zijn van hartstocht brandende lichaam stond – en natuurlijk. En ze voelde zich verbazingwekkend gelukkig.

Gwen was in de tuin bezig om voor het donker werd nog een armvol bloemen af te snijden, toen ze een auto hoorde naderen. Ze zijn terug, dacht ze, en ze keek op. Ze verwachtte de Ford Mondeo te zien, maar de auto die in Mill Lane de bocht om kwam was Eleanors Renault Espace. Het was zo'n plezierige verrassing dat ze met narcissen en al naar de auto holde om haar te begroeten.

'O, Eleanor, schat,' riep ze. 'Hoe is het met je?'

'Ik voel me prima,' zei Eleanor vrolijk. 'Ik ben vanmorgen uit het ziekenhuis ontslagen.'

'En hoe is het met de baby?'

'Monsterachtig,' zei ze, en ze stapte uit de auto in een werveling van grijze zijde om haar moeder te kussen. Ze blaakte van gezondheid. Ze had een gevulde boezem en was mollig, haar blonde haar was heel dik en ze droeg het langer dan anders, en haar blauwe ogen glansden. Ze keek om naar de achterbank. 'Je bent toch mijn kleine deugniet,' zei ze, en er was zo veel genegenheid in haar stem dat het Gwen ontroerde. 'Hij is mijn kleine Piglin Bland, hè, roze biggetje van me?' Ze tilde de reiswieg heel voorzichtig uit zijn bevestiging op de achterbank en hield hem zo voor zich uit dat haar moeder het slapende hoofdje van de baby kon zien. 'Als jij de wieg neemt, dan neem ik de tas met zijn spullen en de narcissen. De rest haal ik later wel.'

'Hoelang blijf je?' vroeg Gwen, terwijl ze haar kostbare last het portaal in droeg. De baby was zo goed ingestopt dat ze alleen maar de zijkant van zijn gezichtje zag.

'Zolang als je me hebben wilt,' zei Eleanor. 'Zet de wieg maar op de bank, dan haal ik hem eruit, zodat je hem goed kunt bekijken.'

Gwen wilde hem erg graag zien, maar ze wilde niet dat hij wakker werd. 'Laat maar,' zei ze. 'Ik kan nog wel even wachten. Laat hem maar uit zichzelf wakker worden.'

Eleanor keek op haar horloge. 'Over tien minuten is hij sowieso wakker,' voorspelde ze. 'Hij heeft een enorme eetlust. Daarom moest ik ook zo lang in de kliniek blijven. Ik heb tepelkloven van het zogen.'

'O, Eleanor.'

'Ja,' zei Eleanor, en ze trok een zuur gezicht. 'Heel pijnlijk. Maar ze hebben me laten zien wat je eraan kan doen en het is nu beter. Maar het hoort erbij. Hij moet nu eenmaal gevoed worden.'

Gwen knipperde met haar ogen van verbazing. Het was wel even wennen aan deze nieuwe stoere Eleanor. 'Heb je zin in thee?' vroeg ze.

'Lekker!' zei Eleanor glimlachend. 'Ik verga van de dorst.'

Ze zat aan haar derde kopje thee toen Joshua Francis wakker werd en zijn voeding opeiste. 'A-la! A-la!' ging zijn rode tongetje als een klepel tegen zijn roze gehemelte.

'Hoor hem eens,' zei Eleanor teder, en ze tilde hem uit de wieg.

'Je zou denken dat hij uitgehongerd was. O, hij is een kleine Piglin Bland. Ja, wat is ie dan? Moet je eens opletten. Hij drinkt tot de melk zijn neus uit komt.'

Joshua Francis was beslist een gezonde eter. Zich slechts bewust van de vreugde van het moment duwde hij tegen de borst van zijn moeder en staarde verrukt naar haar omhoog. Toen hij zoveel had gedronken dat hij barstensvol melk zat, legde Eleanor hem zachtjes in de armen van haar moeder. 'Terwijl ik de rest van mijn bagage haal, kun jij naar hartenlust naar hem kijken,' zei ze.

Hij was zacht en warm en verbazingwekkend licht. Gwen was vergeten hoe verleidelijk pasgeborenen altijd zijn en hoe simpel het is je door hen te laten betoveren. Ze zat met haar verzadigde kleinkind in de buiging van haar arm, ademde zijn geur in, streelde zijn tere huidje met een veel te ruwe vinger en leerde een voor een al zijn gelaatstrekken kennen. Ik zal het haar nu vragen, dacht ze, zodra ze terugkomt met haar bagage.

Maar toen Eleanor terugkwam, liep ze arm in arm met Lucy, op een afstand gevolgd door Neil, die alle bagage droeg. 'Kijk eens wie ik zojuist tegenkwam,' zei ze. 'Ze zegt dat er een muur op haar gevallen is. Kom kijken naar mijn baby en vertel me er alles over.'

En zo werd de baby bewonderd, vertelde Lucy haar verhaal, bekeek Gwen aandachtig het gezicht van Lucy, nu de hechtingen eruit waren, en sjouwde Neil de bagage de trap op, naar Lucy's slaapkamer. Ze maakten zo'n lawaai dat ze de deurbel pas hoorden toen hij nog een keer klonk, en nu hardnekkiger.

Pete Halliday was in een plotselinge opwelling naar Seal Island gereden. Hij had die middag een belangrijke zakelijke bespreking zullen hebben, maar zijn klanten hadden op het laatste moment afgebeld. Eerst had het hem behoorlijk geïrriteerd dat zijn zorgvuldige planning zo achteloos getorpedeerd was. Daarna had hij beseft dat hem een kans geboden werd.

'Oké,' had hij tegen zijn secretaresse gezegd. 'Als ze het zo willen spelen, dan ben ik vertrokken naar de zee, naar mevrouw M. Het zal misschien maanden duren voor er weer zo'n gat in mijn agenda zit. Je hebt mijn nummer, dus je kunt me altijd bellen als er iets is.'

Het was donker toen hij arriveerde en de lichten van de toren staken – als een toneeldecor – helder af tegen een lavendelblauwe nachthemel. Een heleboel auto's, constateerde hij, en hij zag dat de auto van Lucy er ook bij stond. Hij verheugde zich bij de gedachte dat hij ook haar weer zou zien. Het arme kind.

Het was Lucy die de deur opendeed. Haar rechterhand hing in een mitella. Een sfeer van lawaai en warmte leek haar te omhullen, die als een golf over hem heen kwam, terwijl hij in de kleine voorkamer van het portaal stond. Hij kreeg een beetje het gevoel dat hij een indringer was en voelde zich bijzonder slecht op zijn gemak. Haar eerste woorden versterkten dat gevoel nog.

'Mijn hemel!' zei ze. 'Wat voert jou hierheen?'

Stoutmoedigheid was geboden. 'Lucy!' zei hij geestdriftig, en hij greep haar vrije hand en trok haar naar zich toe zodat hij haar kon kussen. Hij was een beetje van zijn stuk gebracht toen ze haar hoofd afwendde, waardoor alleen haar wang beschikbaar was, maar hij kuste haar daar desalniettemin. 'Zeg, wat heb jij uitgevoerd?'

De gelegenheid was te mooi om voorbij te laten gaan. 'Nou,' zei ze, terwijl ze een stap opzij deed om hem binnen te laten en zo luid sprak dat hij en Eleanor haar allebei konden horen. 'We hebben ons zojuist verloofd.'

Hij feliciteerde haar en liep de kamer in. Verlovingsfeesten en felicitaties waren dingen waarmee hij raad wist. 'Wie is de gelukkige?'

'Ik,' zei de politieman.

Maar er was geen tijd om nog meer te zeggen, want in de kamer barstte geschreeuw en gejuich los. Gwen stond meteen op, snelde op haar dochter toe, sloeg haar armen om haar heen en knuffelde haar. 'Meisje! Wat fantastisch. Beste Neil, mijn felicitaties.'

En Eleanors stem klonk op uit de kussens van de bank. 'O, Lucy, wat geweldig. Super. Wat ben ik blij voor je. En voor jou, Neil. Absoluut. Kom hier, dan krijg je een kus.'

Haar aanwezigheid daar deed Pete zo schrikken dat hij als verstijfd bleef staan. Maar er was geen sprake van dat hij haar kon ontlopen, zelfs al had hij dat gewild, iets waar hij nog zo zeker niet van was, want ze zag er absoluut verrukkelijk uit nu ze voor de verandering eens grijs in plaats van zwart droeg – wat haar zachter maakte – en haar haar langer droeg – wat haar vrouwelijker maakte dan haar heel korte kapsel van vroeger. Bijna onwillekeurig glimlachte hij naar haar. 'Dag Eleanor.'

Ze glimlachte terug. 'Dag Pete,' zei ze. 'Kom eens naar je zoon kijken.'

Hoe kon hij weigeren nu ze allemaal naar hem keken? Het zou gezichtsverlies betekenen en dat was ondenkbaar. Hij liep zo langzaam hij kon naar de bank, toonde zijn aantrekkelijke glimlach en probeerde een paar luchthartige en geestige zinnetjes te bedenken. Toen keek hij naar de zuigeling, die slaperig op haar schoot lag.

'Jezus!' zei hij. 'Hij lijkt sprekend op me.' Plotseling voelde hij zich week worden in zijn knieën en moest hij op de bank naast haar gaan zitten. 'Christus te paard!'

'Natuurlijk lijkt hij op je,' zei Eleanor. 'Wat had je anders gedacht, suffie? Je bent zijn vader.'

Lucy en Gwen stonden nu ineens enthousiast van adoratie voor de baby naast hem te lachen en te praten. 'Is het geen dotje! Kijk eens naar die snoezige kleine vingertjes.' Hij stak aarzelend zijn hand uit om ze aan te raken en de baby krulde zijn handje om zijn uitgestrekte wijsvinger en hield die vast. 'Hij houdt mijn hand vast. Moet je kijken, Eleanor. Hij houdt mijn hand vast.'

Eleanor glimlachte vol mildheid naar hem. 'Inderdaad,' zei ze. 'Je vinger vasthouden, dat deed hij meteen na zijn geboorte al. En, wat vind je van hem?'

'Geweldig.'

'En jij was degene die niet van baby's hield.'

'Ik houd ook niet van baby's,' verdedigde hij zich. 'Als categorie zijn ze afschuwelijk. Maar deze is heel anders. Ik bedoel, de meeste baby's zijn absoluut afzichtelijk, maar deze is knap.' Hij keek nog steeds naar het lieftallige gezichtje van zijn zoon. 'Niemand zal jou in de steek laten,' beloofde hij. 'We zullen je van alles het beste geven: de beste kleding, het beste eten, de beste scholen.'

'Over welke "wij" heb je het eigenlijk?' vroeg Eleanor op scherpe toon.

'Over ons,' zei hij ernstig. 'Jij en ik. Zijn ouders. Wie anders? We zullen goed naar scholen moeten kijken, Eleanor. Het is zaak om te wonen in de regio waar ze de beste scholen hebben. We zoeken wel uit welke dat zijn, en dan laten we een huis bouwen in dat gebied. Richmond misschien. Of Wimbledon. Een plaats met veel groen, vlak bij een park waar je kunt spelen. Een victoriaans huis met een grote tuin.'

'En wie betaalt dat allemaal?'

'Over geld hoef je je geen zorgen meer te maken,' liet hij haar weten. 'Sheldon maakt nu deel uit van een multinational. Van J. R. Grossman. Ik zit in de raad van bestuur. We kunnen kopen wat ons hart begeert.'

'Moet je eens horen,' zei Eleanor. 'Misschien is het je ontgaan, maar het is míjn baby over wie we het hebben. Als er iemand is die beslissingen voor hem neemt, dan ben ik dat. Niet jij. Jij had je handen van hem afgetrokken.'

O god! dacht Gwen. Ze gaan ruziemaken. Hoe kan ik ze tegenhouden? En terwijl ze zich inspande om sussende woorden te vinden, klonk het geluid van een sleutel die werd omgedraaid in het slot, en daar was Jeff. Hij kwam de kamer in geklost en bracht de zilte zeelucht en de geur van de koeienstal binnen haar ruziënde kringetje.

'Klaar om te vertrekken?' vroeg hij.

'O jee,' zei ze. 'Het kan toch nog geen halfacht zijn.'

'Vijf voor halfacht,' zei hij. 'Maar een kniesoor die daarop let.'

'Ik heb de hele familie op bezoek,' zei ze. Ze wees op hen, en bedacht hoe dwaas dat eigenlijk was, omdat hij dat zelf ook wel kon zien.

Hij reageerde laconiek. 'Ik zie het. Dag Pete. Lucy. Eleanor. Mooie baby.'

Eleanor straalde. 'Ja,' zei ze. 'Is het geen mooi ventje?'

Hij keek haar onverschrokken aan. 'En wie zorgt er voor hem als je weer aan het werk gaat?' vroeg hij. 'Heb je dat al geregeld.'

De vraag sloeg in als een bom en de spanning was om te snijden. Gwen hield haar adem in van de schok. We hebben het er nog zo over gehad, dacht ze, en dan komt hij hier binnengedenderd en zegt dingen zonder dat ik ook maar de kans krijg. Waarom moet hij het direct weten en kan hij niet afwachten, zoals alle anderen? Pete keek naar Eleanor en was zijn boosheid even vergeten; Neil keek naar Lucy, opmerkzaam en nieuwsgierig; Lucy keek met opengesperde ogen van angstige bezorgdheid naar haar moeder en zus. Alleen Eleanor bleef kalm.

'Ik zorg voor hem,' zei ze rustig. 'Wie anders?'

Bij dit antwoord voer een siddering van verrassing en opluchting door de aanwezigen.

'Ga je dan niet weer aan het werk?' vroeg Pete.

'Nee,' zei Eleanor beslist. 'De komende jaren in elk geval niet. Ik laat de zorg voor mijn baby niet aan iemand anders over. Mij niet gezien. Sommige van die au pairs zijn absoluut rampzalig. Ik heb ze ontmoet. Het is ongelooflijk zoals ze zich gedragen. En de nanny's zijn al niet veel beter. Ze zouden totaal niet weten hoe ze met hem om moesten gaan. Hij is mijn kind en ik zorg voor hem. Ik ken zijn gewoontes.'

'Je hebt volkomen gelijk!' zei Jeff instemmend. '*Mother knows best.*'

En toen brak de spanning en begonnen ze allemaal tegelijk te lachen en te praten.

'Tien minuten,' zei Jeff tegen Gwen, 'anders ga ik zonder jou.'

Ze aarzelde. 'Eh... Ik kan hier niet weg, want ik moet het hele spul te eten geven.'

'Goeie hemel,' zei Neil. 'Wij kunnen wel voor ons eigen eten zorgen, hè, Lucy? U hoeft hier niet ter wille van ons te blijven.'

'En ik moet zo meteen weer weg,' zei Pete, blij met deze ontsnappingsmogelijkheid. 'Ik wilde alleen maar even weten hoe het na de tornado met u ging. Een bliksembezoek, zoiets.' Hij maakte meteen van de gelegenheid gebruik. 'Ik houd contact,' zei hij, terwijl hij Gwen een afscheidskus gaf. 'Het allerbeste jullie.'

Eleanor keek niet naar hem. 'Tot ziens,' zei ze.

Ze reden Mill Lane op. 'Zo, nu heb je het antwoord dat je wilde,' zei Jeff.

Gwen had de neiging om hem te kapittelen, maar ze bedacht zich. De opluchting dat ze het eindelijk wist, was zo sterk dat haar ergernis erbij in het niet viel. Ook al was het op een buitengewoon abrupte manier gebeurd, de vraag was gesteld, en hij was beantwoord. Dat was het enige wat telde. Ik kan in mijn toren blijven wonen, dacht ze, mijn werk als schoolsecretaresse blijven doen en Jeff ontmoeten wanneer ik maar wil. Hij zal altijd bruusk en al te recht voor zijn raap blijven, maar dat is de aard van het beestje. Het is niet los te denken van de rest van zijn persoonlijkheid, van al die eigenschappen die mijn liefde voor hem uitmaken: zijn tederheid, zijn intelligentie, zijn betrouwbaarheid. En Eleanor gaat voor de baby zorgen en zal dat gewetensvol doen, omdat ze van hem houdt. Wat een beetje liefde al niet doet. De toekomst lag glinsterend voor haar, een zonnige toekomst. Wanneer ik hier een jaar woon, dacht ze, geef ik een feest en dan nodig ik ze allemaal uit: mijn nieuwe vrienden, Jeffs zussen, mijn hele familie en die arme beste Pete.

'Ja,' beaamde ze. 'Dit is het antwoord dat ik wilde.'